The Anglo–French Exchange

L'Échange anglo-français

An Advanced
English–French/French–English
Translation and Grammar Textbook

Un manuel de traduction et de grammaire
anglaise et française avancées

Dr.Allswell E.Eno

Bright Ink PUBLICATIONS

First published in 2022
Première édition publiée en 2022

Book design and formatting:
Maquette et formatage du livre:
The Art of Communication www.book-design.co.uk
Blooberry Design www.blooberrydesign.co.uk

Illustrations: Gary Nightingale
Images: Shutterstock

ISBN: 978-1-7399040-0-5 (paperback) (édition de poche)
ISBN: 978-1-7399040-1-2 (hardback) (version cartonnée)
ISBN 978-1-7399040-2-9 (ebook)

Published by Bright Ink Publications
Édition Bright Ink Publications
Email: info@brightinkpublications.com

DEDICATION

For my wife Yvonne and our extended family.

For my friends.

For those patients of mine and anyone the world over who shares
the same passion for French and languages and linguistics generally
that I have.

DÉDICACE

Pour ma femme Yvonne et notre famille élargie.

Pour mes amis.

Pour mes patients et patientes et tous ceux à travers le monde qui
partagent la même passion pour le français, les langues et la linguistique
en général que moi.

Contents
Table Des Matières

Introduction

The purpose of this book is to serve as a reference book – a passport for English-speakers into the use of the French language in all areas of life. Whilst its primary purpose is to enable native English-speakers to express themselves as near to naturally in French as the French themselves do in nearly any scenario, the reverse is also true: the book is there for French-speakers who wish to attain the same goal with English, hence its name *The Anglo–French Exchange*.

I have drawn from a wide range of scenarios, ranging from everyday real-life situations, to politics and international relations, to medicine and science, so the book is thematic. There are several sub-themes within chapters too in order to give context to word usage in different scenarios.

Save for some factual content in some of the specialist and topics of personal interest chapters – for example chapters 1 (Politics and international relations), 7 (History), 8 (Medicine and health), 9 (Science and technology) – and for some personal opinion of mine and factual content in chapter 22 (Astronomy) – the examples I provide are either completely fictional or loosely based on my recollections of real-life conversations I have had in either English or French or been party to or heard on British or French television or radio, but with theme or characters changed. Within each theme or sub-theme, each sentence is written so that it can be read on its own in order for readers to study its structure individually, but in places you will find that I have written the sentence order in such a way that it resembles a conversation between two or more people.

In particular, I have made a point of teasing out the many English sentence constructions that a good many English speakers struggle to translate into French (for example the French for "Had we not… /Had they not… (done something)", and "so as not to…"). Conversely, I have tackled French sentence constructions or locutions many find convoluted or long-winded, such as reflexive verbs in the negative (e.g. "Nous ne nous sommes pas serré la main" – "We didn't shake hands [with each other]", or the use of "les un(e)s les autres" – "each other/one another"), as well as the common headache for many – when and when not to use the subjunctive.

In so doing, I have attempted to de-code, unlock and, in effect, encapsulate, insofar as is possible, the entire French language for those English-speakers who have encountered, as I did, the frustration of being stranded at school-level French or languishing at intermediate-level French in conversation when in France or Francophone countries, and are enthusiastic about moving up in proficiency. Correspondingly, there will be native French-speakers who have encountered the same frustration with English, especially the spoken language. Hence this book is for you too.

Moods and tenses

In this book you will encounter the six verb moods ('les modes' (masculin) in French):

the indicative (**l'indicatif**)
the subjunctive (**le subjonctif**)
the conditional (**le conditionnel**)
the imperative (**l'impératif**)
the participle (**le participe**)
the infinitive (**l'infinitif**)

and you will see their use in conjunction with the two systems of tenses used in the French language:

les temps du discours
les temps du récit

■ a) **Les temps du discours** consist of the tenses used in conversation, namely,

(i) le présent (the present)

e.g.
J'écris. *(I am writing* or *I'm writing.)*
Tu lis. *(You are reading* or *You're reading.)*
Il/Elle parle. *(He/She is talking/speaking* or *He's/She's talking/speaking.)*
Nous achetons quelque chose. *(We are buying something* or *We're buying something.)*

(ii) le passé composé, which translates as the **past tense**, and *uses the auxiliary verbs 'avoir' and 'être' in the present tense plus the past participle of the main verb being reported.* This construction of speech and writing (auxiliary verb + past participle of main verb) is called 'temps composé',

e.g.
J'ai écrit. *(I wrote.)*
Tu as écrit. *(You wrote.)*
Il/Elle a écrit. *(He/She wrote.)*
Hermione nous a donné deux chiots. *(Hermione gave us two puppies.)*
Nous avons acheté un sofa/canapé. *(We bought a sofa.)*
Vous êtes sorti(e)(s). *(You went out.)*
Ils/Elles ont emprunté la tondeuse à gazon. *(They borrowed the lawnmower.)*

or as the present perfect (the immediate past tense), in which case, for the previous examples,

e.g.

J'ai écrit. *(I have written. / I've written.)*

Tu as écrit. *(You have written. / You've written.)*

Il/Elle a écrit. *(He/She has written. / He's/She's written.)*

Hermione nous a donné deux chiots. *(Hermione has given us two puppies.)*

Nous avons acheté un sofa/canapé. *(We have bought a sofa. / We've bought a sofa.)*

Vous êtes sorti(e)(s). *(You have gone out. / You've gone out.)*

Ils/elles ont emprunté la tondeuse à gazon. *(They have borrowed the lawnmower. / They've borrowed the lawnmower.)*

(iii) l'imparfait (the imperfect), which conveys *'was', 'were' or 'used to be', 'had' in the more distant past, or 'used to have',*

e.g.

Je travaillais hier. *(I was working yesterday.)*

Tu étais chez ton ami(e). *(You were at your friend's house.)*

Il/Elle dormait. *(He/She was sleeping.)*

Daniel avait deux chats. *(Daniel had two cats. / Daniel used to have two cats.)*

Nous étions dans le jardin. *(We were in the garden.)*

Vous étiez membre du conseil d'administration de deux associations caritatives. *(You were on the board of trustees of two charities. / You used to be on the board of trustees of two charities.)*

Ils/Elles jouaient au volleyball tous les étés quand ils/elles étaient jeunes. *(In their youth/When they were young, they played volley-ball every summer. / In their youth/When they were young, they used to play volley-ball every summer.)*

(iv) le futur (the future)

- le futur simple

e.g.

Je l'appellerai. *(I will call him/her. / I'll call him/her.)*

Tu l'appelleras. *(You will call him/her. / You'll call him/her.)*

Il/Elle obtiendra son diplôme/sa licence cet été. *(He/She will graduate this summer. / He'll/She'll graduate this summer.)*

Il fera beau./Il y aura du soleil. *(It will be sunny. / It'll be sunny.)*

Nous le/la vendrons. *(We will sell it. / We'll sell it.)*

Vous verrez *(You will see. / You'll see.)*

and

- le futur proche/le futur immédiat
which translates to 'the near future' and has the construction 'aller faire quelque chose' *('going to do something')*,

e.g.
Je vais acheter du pain. *(I'm going to buy some bread.)*
Tu vas ranger ta chambre. *(You are (You're) going to tidy up your room.)*
Il/Elle va faire/laver la vaisselle. *(He is (He's)/She is (She's) going to wash the dishes.)*
Il/Elle va se faire couper les cheveux. *(He is (He's)/She is (She's) going to get a haircut.)*
Ils/Elles vont s'asseoir dans le jardin. *(They are (They're) going to sit in the garden.)*

or verb in present tense along with a 'complément circonstanciel de temps' (adverbial phrase of time),

e.g.
J'arrive dans une heure. *(I'll arrive in an hour./I arrive in an hour.)*
Il/Elle revient la semaine prochaine. *(He's/She's coming back next week.)*

(v) le futur antérieur – this is the *"will have done something before something else"* tense,

e.g.
Hugo et Chloé seront (déjà) partis le temps que tu arrives/que vous arriviez. *(Hugo and Chloé will have (already) left by the time you get here/by the time you arrive/by the time you have arrived.)*
Roger aura onze ans avant la fin de l'école primaire. *(Roger will be eleven years old by/before the end of primary school.)*
D'ici une quinzaine de jours, nous aurons repris le contrôle de la situation. *(Within the next fortnight, we will have regained control of the situation.)*

■ b) **Les temps du récit** are the tenses that people use to recount or give an account or narrative/narration of past events in writing, including literary writing:

(i) le passé simple (the past historic) – a condensed form of past tense that does not use 'avoir' and 'être' as auxiliary verbs is called 'temps simple' ('simple tense'). It is used only in literary French (including novels, non-fiction books and other formal written French)

e.g.
Il/Elle alla au supermarché. *(He/She went to the supermarket.)*
Les enfants eurent beaucoup de temps pour jouer. *(The children had plenty of time to play.)*
Personne ne vit le bulletin météorologique. *(No-one saw the weather report.)*
Tout le monde vint à la fête. *(Everyone came to the party.)*

(ii) l'imparfait – as with 'les temps du discours'.

(iii) le plus-que-parfait (the pluperfect/past perfect) – the *'had happened'* tense, i.e. the tense that reports events that have occurred sometime in the past, usually before another event,

> e.g.
> Jacques avait déjà fini son déjeuner. *(Jacques had already finished his lunch.)*
> Françoise était rentrée chez elle. *(Françoise had gone home.)*
> Ambre avait été une journaliste célèbre avant son changement de carrière. *(Ambre had been a celebrated journalist before her change of career.)*

(iv) le passé antérieur – like the pluperfect, this tense relates an action that had happened before another and is a 'temps composé', i.e. *auxiliary verb + past participle of a verb. However, the auxiliary verbs 'avoir' and 'être' are used in the passé simple form.* The clause containing the passé antérieur is typically followed by a clause in passé simple expressing the second action. It is the literary version of le plus-que-parfait (the pluperfect/past perfect).

> e.g.
> Dès qu'il eut fini son travail, Henry sortit dîner avec ses amis. *(As soon as he had finished work, Henry went out to dine with his friends./As soon as he had finished his work, Henry went out to dinner with his friends.)*
> Après qu'elle eut reçu les billets pour l'opéra, Pascale décida d'acheter une robe pour l'occasion. *(After she had received the tickets for the opera, Pascale decided to buy a dress/gown for the occasion.)*
> Une fois qu'ils/elles eurent quitté la ville, ils/elles décidèrent de se rendre à la plage. *(Once they had left town, they decided to head for the beach.)*

(v) le conditionnel présent (the present conditional)

> e.g.
> Si Jean-Marc s'entraînait plus souvent, il serait meilleur au football. *(If Jean-Marc trained more often, he would be a better footballer.)*
> On serait surpris(es) et ravi(e)s s'il ne pleuvait pas aujourd'hui. *(We would be pleasantly surprised if it didn't rain today.)*
> Il se pourrait qu'on parvienne à un accord demain. *(It's possible (that) there could be an agreement tomorrow. / We could possibly get agreement/ have an agreement tomorrow.)*
> Est-ce que cela vous dérangerait si…? *(Would you mind if…?)*
> Pourriez-vous… s'il vous plaît? *(Could you… please?)*

(vi) le conditionnel passé (the past conditional) – translates to *'would have'* and *'could have'* and *'should have'* (which are known as 'modal verbs') in English,

> e.g.
> Avec un peu plus de temps, ils/elles auraient gagné le match.
> *(With a bit/a little (bit) more time, they would have won the match).*

Si nous l'avions vu(e), nous lui aurions dit « Bonjour ».
(Had we seen him/her, we would have said 'Hello' [to him/her].)
Nous aurions pu rentrer chez nous plus tôt. *(We could have come home sooner.)*
Nous aurions dû rentrer chez nous plus tôt. *(We should have come home earlier.)*
Tu aurais dû/Vous auriez dû faire plus attention avec le vase.
(You should have been more careful with the vase.)
Tu n'aurais/Vous n'auriez pas dû acheter tant/autant de vin ! *(You shouldn't have/needn't have bought so much wine!)*

(Which tenses should be listed in which system is the subject of some debate. The pluperfect and both conditional tenses, for example, are all used in conversational speech as well as narrative writing, hence arguably should be listed in both systems.)

Language levels (Les niveaux ou registres de langue/langage)

I have provided examples of sentence structures in all three 'niveaux' or 'registres' of the French language:-

(a) le langage/registre soutenu ou langage/registre soigné – formal French language

(b) le langage/registre courant – everyday spoken French language (colloquial French language)

(c) le langage/registre familier – slang or otherwise informal French language

In general, I have excluded the profanities that exist in either language.

The emphasis is on spoken but grammatically correct French. Alternative ways of saying the same thing are separated by the symbol /. Where the alternative is informal/colloquial, I have indicated this. For the English word 'that' or 'it' I have typically entered both the formal 'cela' and informal 'ça' forms, separated by / as follows "Cela/Ça" or "cela/ça" or, in places, "Ça/Cela" or "ça/cela". Where the spoken form of a word is colloquial and abbreviated, I have put the written form in parentheses. A typical example is "C'est (Ce n'est) pas…" or "c'est (ce n'est pas…" for "that's not/it's not". I have also done this in places for French readers with certain abbreviated expressions in English – e.g. "It's (It is)" and "We're (We are)…"

Capital letters and French accents

Where the letters 'a' and 'e' have accents, begin a sentence and hence are capital, you will see accents placed on them in every case, e.g. 'À', 'É' and 'Ê'. This is the proper practice and not to do so is deemed a spelling mistake by *l'Académie française* (the *French Academy*), the main guardian of the French language and its traditions. The same would apply to any accented letter in French, and whatever the accent, if the word is written in block capitals. You should not be misled into dispensing with this practice for expediency, whether typing words on a computer keyboard or writing by hand, even though there are native French-speakers who have argued for these rules to be relaxed. There is an additional reason not to relax these rules: failing to use accents on capital letters in those words where the corresponding letter(s) in lower case bear an accent can result in mispronunciation or misreading of words, including proper nouns (people's names, place names). This can in some cases lead to meanings being misconstrued when there is another word spelt the same way save for the accent(s) (a/an homonym ['un homonyme' in French]) but which has a completely different meaning. These misconstructions can therefore sometimes be embarrassing! Following is a table of some simple examples of homonyms that can cause misunderstandings if accents are omitted, and below that, a table of words with similar spellings where the same can occur.

Homonyms	Meaning in English	Word in capitals with accent(s)	Word in capitals without accents
marché (nom masculin)	market	MARCHÉ	MARCHE
marche (nom masc.)	a step/stair, a walk, walking, a march, the functioning or working of an engine/machine, the passing of time or of an event	—	MARCHE
mur (nom masc.)	a wall	—	MUR
mûr (adjective)	ripe, mature, ready, worn out (fabric)	MÛR	MUR
sale (adj.)	dirty	—	SALE
salé (adj.)	salted	SALÉ	SALE
sur (preposition)	on	—	SUR
sûr (adj.)	sure/certain	SÛR	SUR
tache (nom féminin)	a stain	—	TACHE
tâche (nom fem.)	a task	TÂCHE	TACHE

Words with similar spellings	Meaning in English	Word in capitals with accent(s)	Word in capitals without accents
goûter (verbe transitif/ intransitif)	to taste	GOÛTER	GOUTER
goutter (verbe intransitif)	to drip	—	GOUTTER

The infinitive and the gerund

I have pointed out in the French introduction that French-speaking readers should note that in English we often use the gerund (le gérondif) interchangeably to refer to verbs (actions) or scenarios, whereas in French the infinitive is almost invariably used. A simple example would be 'Going to work' instead of 'to go to work', whereas in French this would be written as 'Aller au travail' ('to go to work').

This is a feature, or, if you like, an idiosyncrasy, of informal English that they will see many examples of in the subheadings of the various chapters of this book.

Quotation marks (les guillemets)

I have used these in the following ways in this book:

(i) Single quotation marks:

- when stating the infinitive of verbs in the body of any given section of the book

- for single- or double-word expressions

- for short phrases that do not make sense on their own, e.g. the middle section of a sentence

- for cross-references to either headings of the various sections of each chapter or to short expressions or phrases within them

(ii) Double quotation marks:

- for peculiar or esoteric words or expressions

- for word-for-word literal translations (these are in brackets and italics)

- by way of illustration where a technical point or peculiarity about grammar is being explained

- in scenarios where a fictional character is being quoted as speaking in a specific capacity, e.g. a politician

Abbreviations

I have used the following abbreviations in this book:

Cf. – Compare (from the Latin *confer/conferatur*)

e.g. – For example (from the Latin *exempli gratia*)

i.e. – That is, … (from the Latin *id est*)

N.B. – *Nota bene* (note well)

c-à-d – c'est-à-dire

Grammatical rules

As this is a book of advanced French for people who already have intermediate proficiency and want to reach fluency, I have not dwelt on explaining basic French grammatical rules (or English ones, for that matter) as I would expect readers to have a command of the basics. Besides, there are plenty of books on basic French. Rather, I have focused on the more complex aspects of the French language, including idiosyncrasies and technical points.

Tutoiement and vouvoiement

Throughout the book I have used both forms 'tu' and 'vous', and their related pronouns 'toi' and 'vous', 'te' and 'vous', 'le tien/la tienne/les tiens/les tiennes' and 'le/la vôtre' and 'les 'vôtres' for 'you' and 'yours'.

Gender-inclusive writing

Throughout the book I have endeavoured to cater for women and girls and for same-sex couples by using "elles" for example as well as "ils" when referring to "they" and by expressing "each other" in French as "les unes les autres" instead of just "les uns les autres". This is for teaching purposes as to the spelling changes this creates. This gender-inclusive writing is known in French as "écriture inclusive" or "langage épicène". Any omissions in this regard are unintentional. On the other hand, you will find places in the book where I have used the male gender or female gender alone in an example. This is purely for the sake of variety and is not intended to convey any gender-specific aspect to the example but merely, again, the effect it has on French spelling.

Readers should note that, at the time of writing at least, *l'Académie française* is strongly opposed to gender-inclusive writing becoming the norm across the board in written French and issued a declaration to this effect in 2017.

The use of './!'

I have used this device throughout the book to indicate instances where a sentence can end in either a full stop or an exclamation mark, e.g. "That explains it./!"

Notes in italics and footnotes (repeated as endnotes)

Three formats have been used to explain grammatical and other points in the book. The vast majority of these relate to the French language, hence, they are intended predominantly for English-speaking readers.

(i) Short notes in italics in brackets have been used to explain minor grammatical points and peculiarities.

(ii) Footnotes have been used to explain locutions and more esoteric terms and rules in more detail. For ease of reference, they are indexed at the end of the book as endnotes.

(iii) Longer notes without brackets have been used in some places where an extensive exposition on a topic, with examples, has been necessary. For the sake of clarity, some are in italics, some not, depending on the content of the text.

Index

There are separate English and French indexes.

With a few exceptions, all French adjectives are written in their masculine singular form.

All verbs are written in the infinitive form.

Other features

In some subsections I have added a mini-glossary at the end.

In the last chapter, I have provided a selection of English idioms explained and translated into French.

Introduction

Le but de ce livre est de servir de livre de référence compréhensible — essentiellement un passeport pour la langue française pour les anglophones. Bien qu'il vise principalement à permettre aux anglophones de s'exprimer presque aussi naturellement que les Français dans pratiquement n'importe quel scénario, l'inverse est aussi vrai, d'où le titre du livre : *The Anglo-French Exchange (L'Échange anglo-français)*.

Je me suis inspiré d'une large variété de scénarios, allant de vraies situations de la vie quotidienne à la politique et aux relations internationales, à la médecine et aux sciences : le livre est donc thématique. Il y a aussi différents sous-thèmes dans les chapitres afin de donner du contexte aux mots utilisés dans différents scénarios.

À part quelques contenus factuels dans certains des chapitres techniques et sur des sujets qui m'intéressent, par exemple les chapitres 1 (La politique et les relations internationales), 7 (L'histoire), 8 (La médecine et la santé), 9 (La science et la technologie) et le chapitre 22 (L'astronomie), qui comporte mes opinions personnelles et du contenu factuel, chaque exemple que je fournis dans ce livre est soit complètement fictif, soit n'a qu'un rapport lointain avec mes souvenirs de conversations que j'ai eues en français ou en anglais, ou que j'ai entendues, soit dans la vie de tous les jours, à la radio ou la télévision, mais dont j'ai modifié le thème ou les protagonistes.

Dans chaque thème ou sous-thème, chaque phrase est écrite de façon à pouvoir être lue seule afin que les lecteurs puissent étudier sa structure individuellement, mais vous verrez que par endroits, j'ai écrit les phrases de manière à ce qu'elles ressemblent à une conversation entre deux personnes ou plus.

Je me suis particulièrement concentré sur les nombreuses constructions grammaticales anglaises que de nombreux Anglais peinent à traduire en français (« Had we not…/Had they not… (done something) » et « so as not to… », par exemple). Réciproquement, j'ai abordé les constructions et locutions françaises que beaucoup d'Anglais trouvent alambiquées ou interminables telles que les verbes pronominaux à la forme négative (« Nous ne nous sommes pas serré la main » – « We didn't shake hands (with each other) », par exemple) ou l'utilisation de « les un(e)s les autres » (« each other/one another »), ainsi que le casse-tête commun pour certains : quand utiliser le subjonctif ou non.

En faisant cela, j'ai essayé de décoder, dans la mesure du possible, l'intégralité de la langue française, d'en révéler les mystères et de la résumer pour ces anglophones qui ont connu, comme moi, la frustration d'être bloqué à un niveau de français scolaire ou intermédiaire lors de conversations en France ou dans d'autres pays francophones et qui sont enthousiastes à l'idée d'améliorer leurs connaissances en français. Réciproquement, il y aura des francophones qui ont connu la même frustration avec l'anglais, en particulier parlé. Ce livre est donc aussi pour vous.

J'ai accordé une importance particulière au français parlé mais grammaticalement correct. Lorsqu'une tournure de phrase orale appartient au registre familier, j'ai ajouté la forme écrite entre parenthèses (par exemple : « C'est (Ce n'est) pas… »).

Bien que, dans la majeure partie du livre, j'aie décidé de ne pas m'attarder sur l'explication des règles de grammaire française (ou anglaise, d'ailleurs) car de nombreux livres l'ont déjà fait, je l'ai fait par endroits, quand j'ai jugé nécessaire d'expliquer des singularités ou des points techniques. En outre, ce livre est pour les locuteurs d'un niveau intermédiaire et qui devraient donc déjà connaître ces différents points.

Tout au long du livre j'ai essayé de satisfaire aussi les femmes, les filles et les couples de sexe féminin en traduisant, par exemple, « they » à la fois par « ils » et « elles », et « each other » par « les uns les autres » et « les unes les autres ». J'ai fait cela pour des raisons pédagogiques, afin d'illustrer les changements orthographiques qui en résultent. Ce genre d'écriture est connu sous le nom d'écriture inclusive ou de langage épicène. Toute omission à ce sujet est accidentelle. Il est important de noter, cependant, que l'Académie française, les gardiens de la langue française et de ses traditions, est, du moins au moment où ce livre a été écrit, fermement opposée au fait que cette façon d'écrire devienne la norme du français écrit et que ses membres ont publié une déclaration à ce sujet en 2017.

L'infinitif et le gérondif en anglais

Les lecteurs francophones devraient noter qu'en anglais, on utilise souvent le gérondif (« gerund ») et l'infinitif de façon interchangeable pour parler d'une action ou d'un scénario, bien que cela ne soit pas le cas en français. Un exemple simple de cela serait d'écrire « Going to work », qui serait traduit par « Aller au travail » (littéralement, « To go to work ») en français, au lieu de « To go to work ».

Les guillemets

Il existe deux sortes de guillemets en anglais : les guillemets simples ('…') et les guillemets doubles (" …"). Voici les différents contextes dans lesquels je les ai utilisés :

(i) Guillemets simples :

- pour donner l'infinitif d'un verbe dans n'importe quelle section du livre

- pour les expressions d'un ou deux mots

- pour des tournures de phrase courtes qui n'ont pas de sens écrites seules, le milieu d'une phrase par exemple

- pour faire des renvois soit aux titres de diverses sections de chaque chapitre ou à de petites expressions et tournures de phrase qu'elles contiennent

(ii) Guillemets doubles :

- pour des expressions étranges ou ésotériques

- pour des traductions littérales mot-à-mot (elles sont entre parenthèses et en italique)

- pour illustrer l'explication d'un point technique ou d'une singularité grammaticale

- dans des scénarios où un personnage fictif est cité (un politicien/une politicienne par exemple)

L'infinitif anglais et « séparer l'infinitif »

The English infinitive and 'splitting the infinitive'

L'infinitif des verbes anglais commence toujours par « to », e.g. « to eat » (manger), « to drink » (boire), « to do » (faire), « to walk » (marcher).

En grammaire anglaise, il était considéré comme incorrect de mettre un adverbe ou une locution adverbiale entre « to » et le radical du verbe. Cependant, cette règle est de plus en plus oubliée ou ignorée dans l'usage, et les professeurs l'enseignent à présent rarement à leurs élèves. Il est donc commun d'entendre, au Royaume-Uni et surtout aux États-Unis, par exemple « to really know something » au lieu de « really to know something » (« vraiment savoir quelque chose »). L'exemple peut-être le plus célèbre de cette tournure est la citation de la série télévisée *Star Trek*: « To boldly go where no man has gone before » (littéralement, « Aller audacieusement où personne n'est jamais allé »). En théorie, il faudrait dire « To go boldly where no man has gone before » ou « Boldly to go where no man has gone before ». Toutefois, dans les tournures négatives, les Britanniques ont tendance à ne pas séparer l'infinitif tandis que les Américains le font fréquemment. Au Royaume-Uni, on entendra donc souvent, par exemple :

« I told you not to do that! » (« Je t'ai/vous ai dit de ne pas faire cela/ça ! »)

alors qu'aux États-Unis on entendra plus souvent :

« I told you <u>to not do</u> that! »

Personnellement, je ne mets jamais d'adverbe entre « to » et le radical du verbe, que ce soit à l'oral ou à l'écrit et je me suis également tenu à cette règle dans ce livre afin de donner des exemples qui respectent la grammaire anglaise.

Abréviations

J'ai utilisé les abréviations suivantes dans ce livre :

Cf. — reportez-vous à/faire la comparaison (du latin *confer / conferatur*)

e.g. — par ex./par exemple (du latin *exempli gratia*)

i.e. — That is, … (du latin *id est*) (l'équivalent de c'est-à-dire (c-à-d) en français

N.B. — *Nota bene* (remarquez bien)

c-à-d — c'est-à-dire

L'usage de ' ./! '

J'utilise cette formule partout dans le livre afin d'indiquer les instances où une phrase peut se terminer par un point final ou par un point d'exclamation, par exemple « Cela/Ça explique tout./ ! »

Notes

J'ai utilisé trois types de notes pour expliquer diverses choses à travers le livre. La majeure partie des notes sont à propos de la langue française et sont donc destinées aux lecteurs anglophones.

(i) De courtes notes en italique entre parenthèses pour expliquer des points et particularités grammaticaux mineurs.

(ii) Des notes numérotées pour expliquer des locutions, des expressions, des termes et des règles plus en détail. Elles se trouvent également à la fin du livre.

(iii) Des notes plus longues pour expliquer certaines choses en détail et avec des exemples. Par souci de clarté, certaines d'entre elles sont en italique, les autres non, selon le contenu du texte.

L'index

Ce livre comprend un index en anglais et un en français.

À part quelques exceptions, tous les adjectifs français sont au masculin singulier.

Tous les verbes sont à l'infinitif.

Autres particularités

Dans certaines sous-sections, j'ai ajouté un mini-glossaire à la fin.

D'une manière générale, j'ai exclu les obscénités dans les deux langues.

Dans le dernier chapitre, j'offre une sélection d'expressions idiomatiques anglaises expliquées et traduites en français.

Preface

The French language and the beauty of it, both verbal and written, became a subject of fascination of mine at the age of eleven when I started secondary school learning French from the same teacher, a Frenchwoman, who had taught my elder brother and who was about to start teaching him O-level French. At the time, my other brother was embarking on a university degree that included French.

I avidly took to French and German. After my O-levels, I chose French along with biology, chemistry and mathematics for A-level but was persuaded by my French teacher to drop French as I was the only pupil to have chosen the subject. I took the other three subjects and went on to study medicine, which I practise today.

During holidays to France in the 1990s I realised that I could only just get by with my O-level French, regularly running out of words to sustain conversation beyond the mundane.

The Anglo–French Exchange is the fruit of more than fifteen years of my own self-directed study and research that started in 2001 purely as an exercise in bridging the gap as much as I could between my O-level French and fluency in the French language.

Préface

La langue française et sa beauté, et à l'oral et à l'écrit, ont toujours été un sujet de fascination pour moi depuis l'âge de onze ans, quand j'ai commencé à apprendre le français au collège avec une professeur française, qui était également celle de mon frère aîné et qui le préparait pour son « *O-level* » (« Ordinary level » — « niveau ordinaire » — équivalent au niveau du diplôme national du brevet en France). À l'époque, le plus âgé de mes frères entrait à l'université, où il a étudié le français.

Je me suis mis avidement au français et à l'allemand. Après mes « O-levels », j'ai choisi l'option français pour mes « A-levels » (« Advanced levels » — « niveaux avancés » — équivalent au niveau du baccalauréat en France), avec trois autres matières, à savoir, la biologie, la chimie et les mathématiques, mais ma professeur m'a persuadé de ne pas prendre le français, car j'étais le seul étudiant à avoir choisi cette matière. J'ai pris les trois autres matières, puis ai obtenu un diplôme de médecine, et je poursuis une carrière dans ce domaine aujourd'hui.

Pendant mes vacances en France dans les années 1990, je me suis rendu compte que ce niveau de français ne me permettait de communiquer qu'au strict minimum ; je me retrouvais souvent à chercher mes mots lorsque la conversation allait au-delà de simples banalités.

The Anglo–French Exchange (L'Échange anglo–français) est le fruit de plus de quinze ans d'études et de recherches autonomes commencées en 2001 sous la forme de simples exercices visant à combler autant que possible l'écart entre le français que j'avais appris à l'école jusqu'au « *O-level* » et la maîtrise à la fois orale et écrite de la langue française.

Acknowledgements

First and foremost, I owe my deepest gratitude to my wife, Yvonne, who has supported and encouraged me throughout this huge project with love, care, patience and forbearance from the start in 2017 when I decided to embark on transcribing twelve A4 volumes of handwritten French-to-English translations that I had compiled along with other loose notes, that I had amassed between 2003 and 2017, into a typed manuscript and then decided to turn it into a book, with all the work, research and collaboration that that entailed, all while having my busy day job.

Then I'd like to thank all the French and French-speaking patients I have the good fortune to treat and look after over many years, especially the many with whom I have held, and still do hold, consultations in French, either through their choice, or by necessity where they have not had a full command of English. It was, and still is, a pleasure and privilege for me.

I am grateful to my friend Christian Michel, whom I have known for a long time from my participation when I could in discussion groups in French and English at l'Institut français in South Kensington, London, that he has hosted, for answering some of my queries on some of the quirks of French.

Many thanks to the English editor Deborah Murrell and especially to the brilliant French proofreader Gaëlle Darde, who went beyond the call of duty to edit and with whom I delved even further into the minutiae of both French and English linguistics, for their tireless and meticulous work.

Likewise, many thanks to the French and English proofreaders Mathilde Massardier and Suzanne Arnold respectively, whose expertise at reviewing the book in the final stages before publication was impeccable.

I am also indebted to the exceptional graphic designer Yvonne Dean and her team at Blooberry Design for their remarkable work in designing and formatting, the equally exceptional Michelle Brumby for indexing the book in both English and French, and to the richly talented illustrator, Gary Nightingale, for his excellent cartoon sketch drawings in the chapter on English idioms.

It would be remiss of me not to mention my gratitude to French and French-speaking (Wallonian) radio that I was able to listen to from London on long wave, albeit with some difficulty, not least because of hiss, in the early years before the internet took over. Last but not least, thanks to all the French newspapers and novels with plenty of dialogue that I have read with, in turns, pleasure and puzzlement over the years!

Allswell Eno
London, England
2022

Remerciements

Tout d'abord, je dois la plus profonde gratitude à ma femme, Yvonne, qui m'a soutenu et encouragé avec amour, soin, et beaucoup de patience pendant tout cet énorme projet depuis le début, en 2017, quand j'ai décidé d'entamer la tâche de transcrire douze volumes au format A4 et d'autres notes de mes traductions du français vers l'anglais que j'ai accumulés entre 2003 et 2017, puis d'en faire un livre tout en travaillant de longues heures à mon emploi principal.

Ensuite, je voudrais remercier tous les patients et patientes français et francophones que j'ai eu la chance de traiter pendant de nombreuses années, en particulier ceux et celles avec qui j'ai tenu, et continue à tenir, nos consultations en français, que ce soit par choix ou par nécessité, car ils ne maîtrisaient que peu l'anglais. C'était, et cela reste, un plaisir et un privilège pour moi.

Je suis reconnaissant envers mon ami Christian Michel, que je connais depuis longtemps grâce à ma participation à des groupes de discussion en français et en anglais qu'il a organisés à l'Institut français du Royaume-Uni à South Kensington, à Londres, pour avoir répondu à mes questions à propos de certaines particularités du français.

Merci infiniment à la correctrice anglaise Deborah Murrell et surtout à l'incroyable correctrice française Gaëlle Darde, qui est allée bien au-delà de son devoir, pour leur zèle infa-tigable et leur méticulosité. Gaëlle et moi avons plongé plus profondément dans les menus détails de la linguistique française et anglaise.

De même, merci mille fois aux correctrices française et anglaise respectivement, Mathilde Massardier et Suzanne Arnold, dont la compétence à examiner le livre pendant la période juste avant publication était impeccable.

Je dois également beaucoup à l'exceptionnelle équipe graphiste Yvonne Dean et son équipe à Blooberry Design pour leur travail sur la mise en page du livre, également à l'exceptionnelle Michelle Brumby pour avoir composé un index en anglais et en français, et au talentueux illustrateur Gary Nightingale, pour ses excellents dessins humoristiques dans le chapitre sur les expressions idiomatiques anglaises.

Ce serait un peu négligent de ma part de ne pas mentionner ma gratitude pour les radios françaises et wallonnes que j'ai écoutées depuis Londres sur les grandes ondes, bien qu'avec quelques difficultés, notamment à cause des interférences, les premières années, avant qu'elles soient accessibles sur Internet. Enfin, je remercie tous les journaux et romans français que j'ai lus au fil des années et qui m'ont tour à tour procuré du plaisir et laissé perplexe !

Allswell Eno
Londres, Angleterre
2022

PART I
PREMIÈRE PARTIE

ADVANCED FRENCH: HOW TO USE IT
LE FRANÇAIS AVANCÉ : COMMENT L'UTILISER

Sentence Structure and Complexities
Structure et Complexités Syntaxiques

This part of the book focuses on how to express oneself in French across a range of everyday themes.

It does this by:-

- *studying the structure of sentences and phrases that are encountered in everyday spoken and written French*

- *explaining the grammatical principles, some of them quite complex and nuanced, that govern their structure*

Because these principles may be seen in action across a vast range of scenarios, or may change from one scenario to the next, I have divided these scenarios into themes.

Cette partie du livre se concentre sur comment s'exprimer en français à travers une gamme de thèmes quotidiens présentés de deux façons :

1) en étudiant la structure des phrases et des locutions que l'on rencontre au quotidien et à l'oral et à écrit en français

2) en expliquant les principes grammaticaux, dont certains assez complexes et nuancés, qui gouvernent ces structures

Ces principes étant présentés à travers une vaste gamme de scénarios et pouvant changer d'un scénario à l'autre, je les ai divisés en thèmes.

Theme 1: Commonality, the common and the rare
Thème 1 : Point commun, l'ordinaire et le rare

Common interests and values
Des points et valeurs communs / Des points et valeurs en commun

What do we have in common? / What **have we got** in common?
more colloquial (plus familier)
>   Qu'avons-nous en commun ?

What do they have in common?
>   Qu'ont-ils en commun ?

What do the two/three/four of them have in common?
>   Quel est le point commun entre ces deux/trois/quatre personnes ?

It's something we have in common.
>   C'est quelque chose que nous avons en commun.

They have a lot in common.
>   Ils/Elles ont beaucoup en commun.

On the face of it, they have a lot in common.
>   À priori, ils/elles ont beaucoup en commun.

They have nothing in common.
>   Ils n'ont rien en commun.

We have so much in common.
>   Nous avons tellement en commun.

We share common values.
>   Nous partageons des valeurs communes.

It is being done for the common good.
>   On le fait pour le bien commun.

There is common ground between... and...
>   Il y a un point commun entre... et...

My love of sport is something I have in common with my closest friends.
>**Mon amour pour le sport est quelque chose que j'ai en commun avec mes ami(e)s les plus proches.**

It is commonly called…
>**C'est communément appelé(e)…**

to be compatible with; to go hand in hand with; to go in tandem with; to work in tandem with someone/something; in liaison with someone/something

Être compatible avec ; aller de pair avec ; aller parallèlement avec ; travailler en tandem, l'un(e) avec l'autre/travailler en tandem avec quelqu'un/quelque chose ; en collaboration avec quelqu'un/quelque chose

That's (That is) compatible with…
>**C'est compatible avec…**

That goes hand in hand with…
>**Cela/Ça va de pair avec…**

That will go hand in hand with…
>**Cela/Ça ira de pair avec…**

(Note: The French expression "travailler main dans la main" (avec quelqu'un ou avec une organisation quelconque) has a subtly different meaning, namely, "to work in collaboration with", or "to work in concert with".)

This goes in tandem with the new regulations introduced last week.
>**Cela va de pair avec le nouveau règlement introduit la semaine dernière.**

They work in tandem with each other.
>**Ils travaillent en tandem.**

Jack works in tandem with Jill.
>**Jack travaille en tandem avec Jill.**

We're (We are) going to do it in liaison with the police.
>**Nous allons le faire en collaboration avec la police.**

Uncommon; out of the ordinary; unusual; rare

Peu commun ; hors du commun ; inhabituel/inhabituelle ; rare

It's (It is) not uncommon that...
> **Il n'est pas rare que...** + *subj. (the subjunctive)*

e.g.
It's not uncommon for him/her to read a novel on holiday.
> **Il n'est pas rare qu'il/elle lise un roman pendant ses vacances.**

It's not uncommon for them to do that.
> **Il n'est pas rare qu'ils/elles fassent cela.**

It's not out of the ordinary.
> **Ce n'est pas rare.**

It's/That's (That is) unusual.
> **C'est inhabituel.**

That's unusual. *(with emphasis (avec emphase))*
> **Ça c'est inhabituel.**

That's an unusual sort/species/form of butterfly.
> **Ça c'est une sorte/espèce de papillon inhabituelle./Ça c'est un genre de papillon inhabituel.**

This butterfly belongs to an unusual/rare species.
> **Ce papillon appartient à une espèce inhabituelle/rare.**

It's rare to see it.
> **C'est rare de voir cela/ça.**

This sight is rare to see.
> **C'est rare de voir cela/ça.**

Theme 2: Meaning
Thème 2 : Signification

Meaning?...
Qui veut dire quoi ? / Qui signifie quoi ?…

What do you mean?
> **Qu'est-ce que tu veux dire ? / Qu'est-ce que vous voulez dire ?**

What does that mean?
> **Qu'est-ce que ça/cela veut dire ?**

Which means what? / Meaning what?
> **Et cela/ça veut dire quoi ? / Et qu'est-ce que cela/ça veut dire ? / Ce qui veut dire ?**

Which means what exactly?
> **Et cela/ça veut dire quoi exactement ? / Et cela/ça veut dire quoi au juste ?**

Meaning?
> **C'est-à-dire ?**

What's (What is) that supposed to mean?! / What was that supposed to mean?!
> **Qu'est-ce que c'est censé vouloir dire ?!**

In what terms (do you mean)?
> **Dans quel sens (veux-tu dire/voulez-vous dire) ?**

Does/Did that mean... or...?
> **(Est-ce que) ça/cela veut/voulait dire… ou… ? / (Est-ce que) ça/cela signifie/signifiait… ou… ?**

It could mean either.
> **Ça/Cela pourrait vouloir dire l'un(e) ou l'autre. / Ça/Cela pourrait vouloir dire soit l'un(e) soit l'autre.**

It could have meant either.
> **Ça/Cela pourrait avoir voulu dire l'un(e) ou l'autre.**

What I mean is…/What I mean by that is…
> **Ce que je veux dire c'est (que)… + *l'indicatif (the indicative)* /
> Ce que je veux dire par là c'est (que)… + *l'indicatif (the indicative)***

I understand (very well) what you mean. / I know (very well) what you mean.
> **Je comprends (bien/très bien) ce que tu veux dire/vous voulez dire. /
> Je sais (bien/très bien) ce que tu veux dire/vous voulez dire.**

What I really mean is… / My point is…
> **Ce que je veux dire c'est (que)…** + *indic.*

Do you really mean that/it?
> **Vraiment ?**

What I meant by that was…
> **Ce que j'ai voulu dire/je voulais dire par là c'était (que)…** + *indic.*

That doesn't mean anything./!
> **Ça/Cela ne veut rien dire./ !**

Just because he said it doesn't mean he (actually) meant it./!
> **Le simple fait qu'il l'ait dit, ne veut pas dire/signifie pas que c'était
> la vérité/c'était vrai.**

Just because they say that doesn't mean we have to agree with them.
> **Le simple fait qu'ils disent cela/ça ne veut pas dire/signifie pas
> que nous sommes obligés d'être d'accord avec eux.**

What do you mean, "…"?!
> **Comment ça, «…» ?!**

e.g.
What do mean, "I don't know."?! Of course you do!
> **Comment ça, « Je ne sais pas. » ?! Bien sûr que tu sais ! /
> Bien sûr que vous savez !**

What does the term… mean?
> **Que veut dire le terme… ? / Que signifie le terme… ?**

What does this term mean?
> **Qu'est-ce que ce terme-là veut dire/signifie ? Que signifie ce terme-
> là ?**

*(Note: It can also be phrased: "Qu'est-ce que ce terme-ci veut dire/signifie ?" and
"Que signifie ce terme-ci ?", though the suffix "-là" is used more often.)*

What's the meaning of… (e.g. an action, a sign, a gesture)?
> **Que signifie…** *(par ex. une action, un signe, un geste)* **? / Quelle est la
> signification de…** *(par ex. une action, un signe, un geste)* **?**

What was the meaning of that gesture?
Que voulait dire ce geste ? / Que signifiait ce geste ?

Do you realise the significance of this?
Est-ce que tu comprends ce que cela/ça signifie ? / Est-ce que vous comprenez ce que cela/ça signifie ? / Est-ce que tu te rends compte de ce que cela/ça signifie ? / Est-ce que vous vous rendez compte de ce que cela/ça signifie ?

Do you realise what this means?
Est-ce que tu comprends ce que cela/ça veut dire ? / Est-ce que vous comprenez ce que cela/ça veut dire ? / Est-ce que tu te rends compte de ce que cela/ça veut dire ? / Est-ce que vous vous rendez compte de ce que cela/ça veut dire ?

I know/understand what… (word/gesture/person/event) means.
Je sais/comprends ce que veut dire/ce que signifie… (un mot/un geste/une personne/un évènement)

… which means we're onto a winner/on the right path/track and should stay put.
… ce qui veut dire/ce qui signifie que nous sommes sur la bonne voie et que nous devons continuer comme cela/ça.

It's meaningless.
C'est dénué de sens.

What does the word… mean? / What is the meaning of the word… ?
Que signifie le mot… ? / Quel est le sens du mot… ?

What does this word mean? / What is the meaning of this word?
Quel est le sens de ce mot ?

He doesn't know what the word '…' means.
Il ne sait pas ce que veut dire/signifie le mot « … ». / Il ne connait pas le sens du mot « … ».

What does this song mean/signify to you/him/her/them?
Que signifie cette chanson pour toi/vous/lui/elle/eux/elles ? / Qu'est-ce que cette chanson signifie pour toi/vous/lui/elle/eux/elles ?

What it (the song) means to me/him/her/them is…
Elle (la chanson) signifie pour moi/lui/elle/eux/elles que… + *indic.*

What it means to me/him/her/them is…
Cela/Ça signifie pour moi/lui/elle/eux/elles que… + *indic.*

He/She doesn't know the meaning of love. / He/She doesn't know what love is.
> **Il/Elle ne sait pas ce qu'est l'amour. / Il/Elle ne sait pas ce que c'est que l'amour.**

What was the meaning of that dream, I wonder?
> **Je me demande quel était le sens/la signification de ce rêve ? / Je me demande ce que signifiait ce rêve ?**

Perhaps it has another meaning.
> **Cela/Ça a peut-être une autre signification.**

What's the meaning of life?
> **Quel est le sens de la vie ?**

That doesn't mean… (to mean 'That doesn't prevent…'); All the same…

Ça/Cela ne veut pas dire que… + *indic.* ; Il n'empêche que…

The weather's (weather is) terrible today, but that doesn't mean we can't go out (at all)!
> **Il fait très mauvais aujourd'hui, mais cela/ça ne veut pas dire que l'on ne peut pas sortir (du tout) !**

Of course it must be frustrating for you, but that doesn't mean we can't find a solution in the coming hours.
> **Bien sûr, cela/ça doit être frustrant pour toi/vous, mais cela/ça ne veut pas dire que l'on ne trouvera pas/nous ne trouverons pas une solution dans les heures qui viennent. / Bien sûr, cela/ça doit être frustrant pour toi/vous, mais cela/ça ne nous empêchera pas de trouver une solution dans les heures qui viennent.**

All the same, it doesn't help matters.
> **Il n'empêche que cela/ça n'arrange pas nos affaires.**

What are you talking about?/What were you talking about?

De quoi parles-tu/parlez-vous ? / De quoi parlais-tu/parliez-vous ?

What I'm talking about is…
> Je parle de…

No, I'm not talking about that. What I'm (actually) talking about is…
> Non, je ne parle pas de cela/ça. Je parle (en fait/en vérité) de… / Non, ce n'est pas de cela/ça que je parle. Je parle (en fait/en vérité) de…

I couldn't be clearer.
> Je suis on ne peut plus clair(e).

The appropriate/proper term is…
> Le terme approprié est…

We're (We are) talking about a million pounds here!
> C'est un million de livres dont on parle ! / C'est d'un million de livres sterling qu'on parle !

Does it make sense?

Est-ce que cela/ça a du sens ?

That makes sense.
> Cela/Ça a du sens.

That doesn't make sense. / That makes no sense.
> Cela/Ça n'a pas de sens.
> *(As we are talking of the lack of something then 'de' is of course used)*

Does it make sense to… (do something)?
> Est-ce que cela/ça a du sens de… (faire quelque chose) ?

No, it doesn't make sense.
> Non, cela/ça n'a pas de sens.

Does that make sense (to you)?
> Est-ce que cela/ça a du sens (pour toi/vous) ? / Ça a du sens (pour toi/vous), ça ?
> *(Note: The second sentence is informal and should only be used in spoken/colloquial speech.)*

In the truest sense of the word, etc.
À proprement parler, etc.

in the truest/best/purest sense of the word – **à proprement parler**

in the broadest sense of the word – **au sens large du terme/mot**

in the narrowest sense of the word – **au sens strict du terme/mot / au sens restreint du terme/mot / au sens étroit du terme/mot**   *most commonly used (terme utilisé le plus fréquemment)*

in the strictest sense of the word – **au sens strict du terme/mot**

in the usual sense of the word – **au sens commun du terme/mot**

in the legal sense of the word – **au sens juridique du terme/mot**

in the political sense of the word – **au sens politique du terme/mot**

in the financial sense of the word – **au sens financier du terme/mot**

in the medical sense of the word – **au sens médical du terme/mot**

in the technical sense of the word – **au sens technique du terme/mot**

in the musical sense of the word – **au sens musical du terme/mot**

in the symbolic sense of the word – **au sens symbolique du terme/mot**

in the literal sense of the word – **au sens littéral du terme/mot**

in the proper/literal sense (of the word) – **au sens propre (du terme/mot)**

in the figurative sense (of the word) – **au sens figuré (du terme/mot)**

in the ordinary sense (of the word) – **au sens ordinaire (du terme/mot)**

She says exactly what she thinks, but in a good way.
Elle n'a pas sa langue dans sa poche, dans le bon sens du terme.

From the technical standpoint, …/From the technical point of view, …
Du point de vue technique, …

From a/the societal/socio-economic point of view, …
D'un point de vue sociétal/socio-économique, … / Du point de vue sociétal/socio-économique, …

Strictly speaking, …
> **À proprement parler, …**

(Also means 'per se'/'as such',
e.g.
This is not a school in the truest sense of the word/per se/strictly speaking/as such.
> **Ce n'est pas une école à proprement parler.)**

To be clear, …
> **En clair, …**

In principle, …
> **En principe, …**

In practice, …
> **En pratique, …**

In practical terms, …
> **En termes pratiques, …**

Theme 3: Ideas and inspiration
Thème 3 : Idées et inspiration

Having an idea; to put forth an idea

Avoir une idée ; avancer une idée

I had an idea.
> J'ai eu une idée.

I've just had an idea!
> Je viens d'avoir une idée !

It's just an idea.
> Ce n'est qu'une idée. / Ce n'est simplement/seulement qu'une idée.
> / C'est simplement/seulement une idée.

Amelia put forth the idea that...
> Amelia a avancé l'idée que... + *indic.*

Actually (As a matter of fact), it's my idea.
> En fait/À vrai dire, c'est mon idée. / C'est mon idée en fait/à vrai dire.

As it happens, it's an old idea.
> Justement, c'est une vieille idée. / C'est une vieille idée justement.

Where does the/this idea come from?
> D'où vient l'idée ? / D'où vient cette idée ?

Basically, the idea comes from...
> À la base, l'idée vient de...

Where did the idea to... (do something) come from?
> D'où est venue l'idée de... (faire quelque chose) ? / D'où t'est venue/
> vous est venue l'idée de... (faire quelque chose) ?

How did you arrive at this idea?
> Comment en es-tu venu(e)/arrivé(e) à cette idée? / Comment en
> êtes-vous venu(e)(s)/arrivé(e)(s) à cette idée ?

The idea came to me from...
> L'idée m'est venue de...

Can you outline your idea? / Can you outline your thinking on this?
> **Peux-tu/Pouvez-vous (nous) exposer les grandes lignes de ton/votre idée ?**

What's your idea based on? / What's the basis of your idea?
> **Sur quoi est basée ton/votre idée ? / Sur quoi repose ton/votre idée ? / Quelle est la base de ton/votre idée ?**

Where does/did the idea/feeling/opinion come from that…?
> **D'où vient/D'où est venue l'idée que… ?** + *subj.*

e.g.
Where does the idea/feeling/opinion that this is the case come from?
> **D'où vient l'idée/le sentiment/l'opinion que ce soit le cas ?**

It's a good idea in all respects. / It's a good idea in all aspects.
> **C'est une bonne idée à tous les égards. / C'est un bonne idée en tout point.**

This is exactly the idea/question that this report/book/novel is based on.
> **C'est exactement l'idée/la question de laquelle s'inspire ce rapport/ livre/roman.**

Before you settle on that idea, why not give yourself more time to think on it and consider all your options?
> **Avant de te/vous fixer sur cette idée-là, pourquoi ne pas prendre plus le temps d'y penser et prendre en considération toutes tes/vos options ?**

He clings to the idea that…
> **Il s'accroche à l'idée que…**

Viviane continues to cling to the idea that…
> **Viviane reste accrochée à l'idée que…**

She remains stuck to the idea that…
> **Elle reste collée à l'idée que… /**   *more informal (plus familier)*
> **Elle reste coincée sur l'idée que…**   *more formal (plus soutenu)*

She remains wedded/devoted to the idea that…
> **Elle reste dévouée à l'idée que…**

(Note: All of the above can be indicative (including future) or subjunctive, depending on the context.)

We dismissed that idea.
> **Nous avons écarté cette idée(-là).**

That's a great idea for a Christmas present!
> **C'est une super idée de cadeau de Noël ! / C'est une idée géniale de cadeau de Noël.**

to put forth an idea - **avancer une idée**

---

to occur to someone; to cross one's mind
Apparaître à quelqu'un/traverser l'esprit de quelqu'un/venir à l'esprit de quelqu'un ; effleurer à quelqu'un

It occurred to me that...
> **Il m'est apparu que...** + *indic*. **/ Il m'a traversé l'esprit que... / Il m'est venu à l'esprit que...**

It occurred to me to... (do something)
> **Il m'est venu à l'esprit de... (faire quelque chose)**

It didn't occur to him/her that... /to... (do something)
> **Il/Elle n'a pas eu l'idée que... / Il/Elle n'a pas eu l'idée de... (faire quelque chose)**

It hadn't (had not) occurred to any of them.
> **Cela/Ça n'avait traversé l'esprit d'aucun d'entre eux/d'aucune d'entre elles.**

the pluperfect
(le plus-que-parfait)

It/That didn't cross my mind. / It/That didn't occur to me.
> **Cela/Ça ne m'a pas effleuré(e). / Cela/Ça ne m'a pas traversé l'esprit.**

It didn't (even) cross my mind. / It hasn't (even) crossed my mind.
> **Cela/Ça ne m'a pas (même) effleuré(e). / Cela/Ça ne m'a (même) pas traversé l'esprit.**

(Note: In the case of "effleurer", some people add "l'esprit", so you may hear or read:

"Cela/Ça ne m'a pas effleuré(e) l'esprit.", or "Cela/Ça ne m'a pas (même) effleuré(e) l'esprit."

However, this is not strictly necessary, as "effleurer" itself means "se présenter à l'esprit de quelqu'un (sans qu'il s'y arrête, qu'il retienne la chose)", i.e. "to cross someone's mind (without them actually thinking about it or remembering it)" or "to cross someone's mind (without them stopping to think about or remember it)".)

Inspiration
L'inspiration

I'm (I am) inspired by Nelson Mandela.
   Nelson Mandela m'inspire.

We're inspired by the writings of Voltaire and the music of Mozart.
   L'écriture de Voltaire et la musique de Mozart nous inspirent.

They're inspired by the Olympics (the Olympic Games).
   Les Jeux olympiques les inspirent.

He's/She's inspired./!
   Il/Elle est en veine./!

I need some inspiration for an unusual Christmas present.
   J'ai besoin d'inspiration pour un cadeau de Noël insolite.

Theme 4: Duty, obligation, permission, rights/entitlements; etc.
Thème 4 : Le devoir, l'obligation, la permission, les droits ; etc.

to allow/to allow for/to permit/to enable; to be allowed; without one's say-so/without permission

permettre ; être permis(e) ; sans permission/autorisation

It/That allows people to…
> **Cela/Ça permet aux gens de…**

It/That allows us all to…
> **Cela/Ça nous permet à tous de…**

He/It allowed us all to…
> **Il/Cela/Ça nous a permis à tous de…**

Allow me to explain myself.
> **Permets/Permettez que je m'explique.** *subj.*
> **/ Permets-moi/Permettez-moi de m'expliquer.**

Note that in French, this locution is often used too: "Cela/Ça permet de… (faire quelque chose)", "Cela/Ça permet…(quelque chose)" and "Cela/Ça permet que… + subj.", i.e. the object (me/nous/lui/leur) is omitted, e.g.

This allows more room for manoeuvre.
> **Cela/Ça permet d'avoir une plus grande marge de manœuvre.**

These designs enable far better use of the available living space.
> **Ces dessins permettent de beaucoup mieux utiliser l'espace habitable disponible. / Ces dessins permettent une meilleure utilisation de l'espace (de vie).**

The government has given the construction project its seal/stamp of approval.
> **Le gouvernement a donné son aval au projet de construction.**

They should let them get on with their work in the usual way.
> **Ils devraient les laisser continuer à faire leur travail/travailler comme d'habitude.**

They alone can do it.
> Ils peuvent le fair tous seuls. / Elles peuvent le faire toutes seules.

How is he/she allowed to do it? / How was he/she allowed to do it?
> Comment se peut-il qu'il/elle ait le droit de le faire ? / Comment se peut-il qu'il/elle ait eu le droit de le faire ?

Let me get this right: you have a three-year-old child, don't you?
> Laissez/Laisse-moi m'assurer que je ne me **trompe** pas ; tu as/vous avez un enfant de trois ans, n'est-ce pas ?   *indic.*

Let me speak!
> Laissez/Laisse-moi parler !

Without my saying so, he/she left.
> Il est parti/Elle est partie sans mon autorisation/ma permission.

… without my doing/saying anything.
> … sans que je n'aie rien fait/dit.

… without him/her doing/saying so.
> … sans qu'il/qu'elle le fasse/dise.

He/She did it without asking (first/beforehand)/without (first) asking.
> Il/Elle l'a fait sans demander la permission (auparavant/avant).

That was ill-advised.
> C'était peu judicieux.

It didn't take him/her long to realise that…
> Il/Elle n'a pas mis longtemps à se rendre compte que…

It didn't take him/her long to realise that this was ill-advised.
> Il/Elle n'a pas mis longtemps à se rendre compte que c'était peu judicieux.

Duty
Le devoir

I have a mission/role to fulfil.
> J'ai une mission à remplir. / J'ai un rôle à remplir.

He/She has fulfilled that mission.
> Il/Elle a rempli cette mission.

We did what was necessary. / We did the necessary.
> **Nous avons fait ce qu'il fallait. / Nous avons fait le nécessaire. /
> On a fait le nécessaire. / On a fait ce qu'il fallait.**

Do it properly!
> **Fais-le correctement ! / Faites-le correctement ! / Fais-le comme il
> faut ! / Faites-le comme il faut !**

(Note: The last two sentences are informal.)

I did my duty.
> **J'ai fait mon devoir.**

It's my duty (to do something).
> **C'est mon devoir (de faire quelque chose).**

I/We have a duty to…
> **J'ai le devoir de… / Nous avons le devoir de… (faire quelque chose).**

I consider it my responsibility to… / I see it as my responsibility to…
(do something)
> **J'estime qu'il est de mon devoir de… (faire quelque chose)** + *indic.*

This is not my responsibility. / That's not my responsibility.
> **Ce n'est pas de mon ressort. / Je ne suis pas responsable de cela/ça.**

That falls within/is within my remit.
> **C'est ma responsabilité.**

That falls outside/is outside my remit.
> **Cela n'entre pas dans le cadre de mes attributions. / Cela ne fait
> pas partie de mes attributions.**

Part of my remit is to…
> **Une partie de mes attributions est de…**

My remit is to…
> **Il m'incombe de…**

It is incumbent on me to… (do something). / It behoves me to…
(do something).
> **Il m'incombe de… (faire quelque chose).**

We consider it our duty to…
> **Nous estimons qu'il est de notre devoir de…**

I feel duty-bound to say… / I feel it my duty to say…
> **Je me sens sous l'obligation de dire (que)…**

Taking responsibility for something
Assumer la responsabilité de quelque chose

I take responsibility for the failure of this mission.
> **J'assume la responsabilité de l'échec de cette mission.**

I take full responsibility for what has happened.
> **J'assume l'entière responsabilité de ce qui s'est passé. / J'assume pleinement la responsabilité de ce qui s'est passé.**

I take full responsibility for it.
> **J'en assume l'entière responsabilité.**

He/She takes full responsibility for his/her actions.
> **Il/Elle assume l'entière responsabilité de ses actions. / Il/Elle assume pleinement la responsabilité de ses actions.**

They take full responsibility for the policy failures.
> **Ils/Elles assument l'entière responsabilité des échecs de la politique. / Ils/Elles assument pleinement la responsabilité des échecs de la politique.**

Wanted and unwanted duties, obligations, responsibilities
Des devoirs voulus ou non, des obligations, des responsabilités

He carries a heavy responsibility on his shoulders. / The responsibility weighs heavily on his shoulders.
> **Une très lourde responsabilité pèse sur ses épaules.**

It's a real burden on me/chore for me./!
> **Cela/Ça me pèse beaucoup./!**

a dereliction of duty – **un manquement au devoir**

It's up to you (to do something)

Il appartient à toi/vous de... (faire quelque chose) / C'est à toi/vous... (de faire quelque chose)

It's up to you to decide whether you will or not.
> **Il t'appartient/vous appartient de décider si tu le feras/vous le ferez ou non. / C'est à toi/vous de décider si tu le feras/vous le ferez ou non.**

It's/That's down to you (to decide).
> **C'est à toi/vous de décider. / C'est toi qui décides. / C'est vous qui décidez.**

I shouldn't have to... (do something)

Je ne devrais pas avoir à/être obligé(e) de... (faire quelque chose)

I shouldn't have to do that.
> **Je ne devrais pas avoir à faire cela/ça. / Je ne devrais pas être obligé(e) de faire cela/ça.**

Demanding the right to do something

Revendiquer le droit de faire quelque chose

We demand the right to...
> **Nous revendiquons le droit de...**

I demand/demanded the right to...
> **Je revendique/J'ai revendiqué le droit de...**

He demanded the right to...
> **Il a revendiqué le droit de...**

The right of an individual/an institution to do something/not to do something; to be entitled to do something/to have the right to do something

Le droit d'un individu/d'une institution de faire quelque chose/de ne pas faire quelque chose ; avoir le droit de faire quelque chose ; être en droit de faire quelque chose ; pouvoir faire quelque chose à juste titre ; avoir qualité pour faire quelque chose; être habilité(e) à faire quelque chose

I'm entitled to my opinion.
> J'ai le droit d'avoir ma propre opinion./J'ai le droit d'avoir mon propre avis.

I have the right to appeal against the sentence.
> J'ai le droit de faire appel du jugement./Je suis en droit de faire appel du jugement.

I have the right to say/do so. / I'm entitled to say/do so.
> J'ai le droit de le dire/faire. / Je peux le dire/faire à juste titre.

As prefect of police, I have the right to close the city centre to traffic, when necessary, for security reasons.
> En tant que préfet de police, j'ai qualité pour fermer le centre ville à la circulation, quand nécessaire, pour des raisons de sécurité./En tant que préfet de police, je suis habilité(e) à fermer le centre ville à la circulation, quand nécessaire, pour des raisons de sécurité.

Theme 5: Drawing comparisons
Thème 5 : Faire des comparaisons

to compare and contrast
faire la comparaison, comparer et contraster

One can liken it/this to…
> **On peut le/la comparer à… / On peut comparer cela/ça à…**

People often liken it to…
> **On le/la compare souvent à… / On compare souvent cela/ça à…**

He/She compares himself/herself with…
> **Il/Elle se compare à…**

I've made the comparison between… and…
> **J'ai fait la comparaison entre… et….**

The flat landscape here contrasts with the rugged terrain further west.
> **Le paysage plat ici contraste avec le terrain accidenté plus à l'ouest.**

His/Her sanguine outlook contrasted sharply with his/her pessimism of earlier.
> **Sa perspective optimiste contrastait nettement avec son pessimisme de plus tôt.**

The contrast is striking.
> **Le contraste est saisissant/frappant.**

There is a gulf in class between… and…, but, little by little, the gap is closing.
> **Il y a un écart de classes entre… et …, mais, petit à petit, l'écart se ferme/se referme.**

The gap is getting narrower and narrower.
> **L'écart devient de moins en moins important.**

You're (You are) clearly better (at this) than the others.
> **Tu es/Vous êtes nettement meilleur(e)(s) que les autres (à cela).**

This is a clearly better effort than previously/than the previous one.
> **Cet effort est nettement mieux que le précédent.**

It's better than nothing!
> **C'est mieux que rien !**

He/She is taller than average.
> Il/Elle est plus grand/grande que la moyenne.

He/She is much taller/shorter than most.
> Il/Elle est nettement plus grand/grande/petit/petite que la plupart des gens.

They are much more numerous here than elsewhere.
> Ils/Elles sont nettement/bien plus nombreux/nombreuses ici qu'ailleurs.

It's bigger/larger/more than all the rest put together. / It's bigger/larger/more than all the others put together.
> Il/Elle est plus/plus grand/plus grande que tous les autres réunis.

Similar; identical
Semblable / similaire; identique

There is a lot of similarity between... and...
> Il y a beaucoup de similitudes entre... et...

That's very similar to...
> C'est très semblable à...

He found himself in a very similar situation two years ago.
> Il s'est retrouvé dans une situation très semblable il y a deux ans.

He's/She's in an identical situation.
> Il/Elle est dans une situation identique.

In a similar way, ...
> De la même façon/manière, ...

They're (They are) almost/nearly as strong as each other!
> Ils/Elles sont presque aussi forts/fortes l'un/l'une que l'autre !

It's just as good (as the other one).
> C'est tout aussi bien (que l'autre).

They're just as good (as each other).
> Ils/Elles sont tout aussi bons/bonnes/doués/douées (l'un(e) que l'autre/les un(e)s que les autres).

(Note: "Doués/douées" are used to mean "good" specifically in relation to people, as opposed to inanimate objects, as "bonne" in relation to women is currently used

*in French slang to mean sexually attractive, just as "hot" or "fit" currently are in the
USA or certain UK communities respectively.)*

It's/They're just as bad.
> Cela/Ça ne vaut pas mieux. / Ils/Elles ne valent pas mieux.

It's/They're just as heavy.
> C'est tout aussi lourd. / Ils/Elles sont tout aussi lourds/lourdes.

He dislikes/hates dogs almost as much as he loves cats!
> Il déteste les chiens presque autant qu'il aime les chats !

They enjoyed their holiday almost as much as last time.
> Ils/Elles ont aimé/apprécié leurs vacances presque autant que la
> dernière fois.

Germany has been hit just as hard economically as France, even more so by
the financial/banking crisis of two thousand and eight (2008).
> L'Allemagne a été autant touchée économiquement que la France,
> même plus, par la crise financière/bancaire de deux mille huit
> (2008).

Telling the difference between/making the distinction between/ distinguishing between/differentiating between/discriminating between, etc.

Faire la différence / Faire la distinction entre… et… / Discriminer /
Différencier etc.

Can you tell/see the difference (between the two/between them/between…
and…)?
> Peux-tu/Pouvez-vous faire/voir la différence (entre les deux/entre
> eux/entre elles/entre… et…) ?

I can't tell the difference.
> Je ne vois/fais pas la différence.

Yes, I can, from a short distance (away).
> Oui, j'y arrive de près.

From what I can see, …
> À ce que je vois, …

There's (There is) a slight/subtle difference between... and...
>**Il y a une légère différence entre... et... / Il y a une nuance entre... et....**

It's important to grasp/understand this subtle difference.
>**Il faut saisir cette nuance.**

There's no real difference between the two.
>**Il n'y a pas de réelle différence entre les deux.**

There is no fundamental difference between the two.
>**Il n'y a pas de différence fondamentale entre les deux.**

There is no great difference between... and...
>**Il n'y a pas de grosse/grande différence entre... et...**

The weather has got decidedly warmer in recent days; you'll soon see/feel the difference when you get back!
>**Il fait vraiment plus chaud ces derniers jours ; tu sentiras/vous sentirez vite la différence quand tu rentreras/vous rentrerez ! / Il fait vraiment plus chaud ces jours-ci ; tu sentiras/vous sentirez vite la différence quand tu rentreras/vous rentrerez !**

What can make the difference?
>**Qu'est-ce qui peut faire la différence ?**

How do you/does one distinguish/differentiate between one and the other? / How do you/does one make the distinction between one and the other?
>**Comment peut-on faire la distinction/différence entre l'un(e) et l'autre ?**

Is there a distinction to be made between... and...?
>**Est-ce qu'il y a une distinction à faire entre... et... ?**

How does one/How do you/How do we distinguish/differentiate/discriminate between the two things?
>**Comment peut-on distinguer/différencier ces deux choses ? / Comment peut-on discriminer ces deux choses ?**

The age difference isn't important. / The age gap isn't important.
>**La différence d'âge n'est pas importante. / La différence d'âge n'a pas d'importance.**

as distinct from/as opposed to – **par opposition à**

Conversely, …; unlike…; without which…; on the other hand, …

À l'inverse, …/Inversement, … ; contrairement à…/à la différence de… ; sans… ; par contre, …/en revanche, …/d'un autre côté…

(À l'inverse de [quelqu'un d'autre/quelque chose d'autre]… can also be used to mean 'Unlike… [someone else/something else]', the same meaning as 'À la différence de [quelqu'un d'autre/quelque chose d'autre]')

Unlike Peter, I thought it was a good play.
> **À la différence de/Contrairement à Peter, j'ai trouvé que la pièce était bien.**

Unlike nowadays/in the modern era, they used to…
> **Contrairement à l'époque actuelle/moderne, ils…**

No, quite the contrary.
> **Non, bien au contraire.**

…without which…
> **…sans quoi… / …sans lequel/laquelle/lesquels/lesquelles… / …à défaut duquel/de laquelle/desquels/desquelles…**

e.g.
An urgent written clarification from the bank is required, without which we could soon see people transferring their funds elsewhere.
> **La banque doit urgemment fournir une clarification écrite, sans quoi/sans laquelle/à défaut de laquelle on pourrait bientôt voir les gens transférer leurs fonds ailleurs.**

The designers have added an additional filter, without which the machine would get repeatedly clogged up.
> **Les designers ont ajouté un filtre supplémentaire, à défaut duquel/ sans quoi/sans lequel la machine se boucherait constamment.**

Higher than/Above average; lower than/below average; more/ higher than usual; less/lower than usual; more/higher/less/ lower than it used to be

Supérieur à la moyenne/Au-dessus de la moyenne ; inférieur à la moyenne/en-dessous de la moyenne ; plus que d'habitude ; moins que d'habitude ; plus/plus haut/moins/plus bas qu'auparavant

The number of tributaries to this river is higher than average/above (the) average.
> **Le nombre d'affluents de ce fleuve/cette rivière est supérieur à la moyenne/au-dessus de la moyenne.**

The number of green spaces in this town is lower than/below average for this region.

> **Le nombre d'espaces verts dans cette ville est inférieur à la moyenne/en-dessous de la moyenne pour cette région.**

The number of visitors to this attraction is higher this year than usual.

> **Le nombre de visiteurs de cette attraction cette année est plus élevé que d'habitude.**

The number of people attending this match is lower than usual.

> **Le nombre de personnes ayant assisté à ce match est plus faible que d'habitude.**

The number of church attenders in England is lower than it used to be.

> **Le nombre de personnes qui vont à l'église en Angleterre est plus faible qu'auparavant.**

over and above – **en plus de/sans compter**

Nothing better/worse; Who better than…?
Rien de mieux/pire ; Qui mieux que… + *indic.* ?

There's nothing better/worse than…

> **Il n'y a rien de mieux/pire que…**

There's nothing better than finding the right solution just when it's needed.

> **Il n'y a rien de mieux que de trouver la bonne solution juste/ précisément quand on en a besoin.**

There's nothing worse than preparing a speech for the wrong event!

> **Il n'y a rien de pire que de préparer un discours pour le mauvais événement !**

For someone like him/her, there must be nothing worse than having your/her belongings/(personal) possessions stolen and not finding out until the next day.

> **Pour quelqu'un comme lui/elle, il ne doit rien y avoir de pire que de se faire voler ses effets personnels/ses biens et le découvrir seulement le lendemain.**

At the very best, … / At the very worst, …

> **Au mieux, … / Au pire, …**

Who better than Nadine?

> **Qui mieux que Nadine ?**

Who better than your mother or father to teach you (how) to sing?
>   **Qui mieux que ta mère ou ton père pour t'apprendre à chanter ?**

Who better than my cousin to do it?
>   **Qui mieux que mon cousin/ma cousine pour le faire ?**

Who better than Peugeot?
>   **Qui mieux que Peugeot ?**

What better than a warm chalet after skiing?
>   **Quoi de mieux qu'un chalet chaud après avoir skié ?**

Far more, far less/far fewer; even more, even less/even fewer
Beaucoup plus, beaucoup moins ; encore plus, encore moins

Pour les lecteurs francophones (For French-speaking readers) :
Notez qu'en grammaire anglaise, il existe deux façons de dire « moins ». Quand on fait référence à un nom dénombrable, il faudrait, en théorie, utiliser « fewer » , tandis que pour les indénombrables, on utilise « less ». En pratique, toutefois, de nombreux anglophones utilisent « less » pour les dénombrables, bien que cela soit une erreur.

Dans tous les exemples ci-dessous, on peut remplacer le mot « far » par « a lot », qui est plus familier et devrait être réservé à la langue parlée. Le mot « much » peut également être utilisé à la place de « far », à la fois à l'écrit et à l'oral, mais seulement dans les trois premiers exemples, « far » étant le plus soutenu des deux mots.

There are far more/fewer of us than them.
>   **Nous sommes beaucoup plus/moins nombreux/nombreuses qu'eux/qu'elles. / Nous sommes beaucoup plus/moins qu'eux/ qu'elles.**

Younger people are far more/less likely to vote than older people. / Young people are far more/less likely to vote than older people.
>   **Les jeunes sont beaucoup plus/moins susceptibles de voter que les personnes âgées.**

There is far less choice of newspapers than there used to be. / There are far fewer newspapers to choose from than there used to be.
>   **Il y a beaucoup moins de journaux différents qu'auparavant/ qu'avant.**

Far more retailers have moved online now.
>   **Beaucoup plus de commerçants ont des boutiques en ligne maintenant.**

Chantelle and I think that…; (and) even more of us believe (that)…

> **Chantelle et moi pensons que…** + *indic./conditional* **; (et) encore plus d'entre nous croyons que…** + *indic./conditional*

(For English-speaking readers: Note that in French there is no distinction between 'and I' and 'and me': it is still 'et moi'.)

(Pour les lecteurs francophones : Notez qu'en anglais, la manière correcte de dire « et moi » varie selon la fonction de « moi » (sujet ou complément d'objet du verbe). Si « moi » est sujet du verbe, il se dit « I » (ex. : « Jean and I went shopping. »). Au contraire, s'il est complément d'objet, il se dit « me » (ex. : « Annabel lent Sally-Ann and me her computer. »). Cependant, au Royaume-Uni on entend souvent, par exemple : « Me and Andy had a quarrel/row. », et aux États-Unis : « Zack told Bobby and I that he was going to buy himself a new motorbike. ». Ces deux derniers exemples, bien que courants, sont grammaticalement incorrects.)

There have been/We have had far fewer landslides in the past year; we expect even fewer next year.

> **Il y a eu/On a eu beaucoup moins de glissements de terrain cette année et l'on s'attend à encore moins l'an prochain/l'année prochaine.**

Nowhere near as many/much; not anywhere near as many/much; not nearly as many/much

Loin de

There are nowhere near as many as there were yesterday. / There aren't nearly as many as there were yesterday.

> **Il est loin d'y en avoir autant qu'hier. / Il y en a beaucoup moins qu'hier.**

(Note: The locution "Il y en a beaucoup moins…", which translates literally as "There are much fewer than…", is the more common in French.)

It doesn't cost anywhere near as much. / It costs nowhere near as much. / It doesn't cost nearly as much.

> **C'est loin de coûter la même chose. / C'est loin de coûter autant.**

Each other and one another

L'un(e) l'autre, l'un(e) et l'autre etc.

■ Objects

The four novels (that) I have written are very different from each other.
> **Les quatre romans que j'ai écrits sont très différents les uns des autres.**

The five books I bought are all very different from one another.
> **Les cinq livres/bouquins que j'ai achetés sont très différents les uns des autres.**

informal (familier)

■ People

You behave exactly like each other.
> **Vous vous comportez exactement pareil (tous/toutes les deux). / Vous vous comportez exactement de la même manière (tous/toutes les deux).**

refers to two people (en parlant de deux personnes)

They all behave like one another.
> **Ils se comportent (tous) pareil. / Elles se comportent (toutes) pareil. / Ils/Elles se comportent tous/toutes de la même manière.**

refers to more than two people (en parlant de plus de deux personnes)

They arrived one after the other/one after another.
> **Ils/Elles sont arrivés/arrivées l'un/l'une après l'autre. / Ils/Elles sont arrivés/arrivées les uns/unes après les autres.**

You must learn to trust each other. / You need to learn to trust each other.
> **Il faut que vous vous fassiez confiance.** *(subj.)* **/ Vous devez apprendre à avoir confiance l'un(e) en l'autre. / Vous devez apprendre à vous faire confiance.**

to two people (en parlant à deux personnes)

You all need to support each other.
> **Il faut que vous vous souteniez les uns/unes les autres.**

to more than two people (en parlant à plus que deux personnes)

Be nice to each other.
> **Soyez gentils/gentilles, l'un/l'une envers l'autre.**

to two people (en parlant à deux personnes)

They respect each other. / They have a lot of respect for each other.

> **Ils/Elles se respectent. / Ils/Elles ont beaucoup de respect l'un/l'une pour l'autre.**

refers to two people (en parlant à deux personnes)

They respect one another. / They have a lot of respect for one another.

> **Ils/Elles se respectent. / Ils/Elles ont beaucoup de respect, les uns/unes pour les autres.**

refers to more than two people (en parlant de plus de deux personnes)

They use each other.

> **Ils/Elles se servent l'un/l'une de l'autre. / Ils/Elles s'utilisent mutuellement.**

refers to two people or organisations (en parlant de deux personnes ou organisations)

(Note: Strictly speaking, in English 'each other' relates to two people and 'one another' to more than two, though nowadays one often sees them used interchangeably.)

(Note : Normalement, en anglais, « each other » fait référence à seulement deux personnes alors que « one another » à plus de deux personnes, bien que, de nos jours, on voie souvent les deux utilisés de façon interchangeable.)

Readers may hear in spoken French examples like those below from time to time:

People[1] complain of too much of this, too much of that, not enough of this, not enough of that.

> **Les uns (et) les autres[1] se plaignent de trop de ceci, trop de cela, pas assez de ceci, pas assez de cela.**

People are going to make up their own minds.

> **Les uns (et) les autres vont se faire leurs propres avis.**

People don't have the same values when it comes to food choices.

> **Les uns (et) les autres n'ont pas les mêmes valeurs en ce qui concerne le choix de leurs aliments.**

---

1 "Les uns (et) les autres" used in this way to mean "people" is only ever used when preceded by some kind of debate or disagreement between two groups or factions of people (either pre-defined or which have emerged during the course of the debate/disagreement) where the essence of the debate or solution to it is expressed by someone. This person may be an arbitrator, moderator, commentator or summariser.

Theme 6: Expressing sequence
Thème 6 : Exprimer une suite

One by one/One at a time; two by two/two at a time; one step at a time; little by little (piecemeal); one step at a time; from day to day, week to week, etc., from time to time; from town to town; day after day, week after week, etc.; alternately; in turn; by turns; to take turns

Un(e) à/par un(e) ; petit à petit ; de jour en jour, de semaine en semaine, etc. ; de temps en temps ; de ville en ville ; jour après jour, semaine après semaine, etc. ; tour à tour ; dans l'ordre

They arrived one by one/one at a time.
> **Ils sont arrivés un par un. / Elles sont arrivées une par une.**

Two by two. / Two at a time.
> **Deux à deux. / Deux par deux.**

Let's take this one step at a time.
> **Faisons-le étape par étape. / Faisons-le une étape à la fois.**

We're advancing, little by little. / We're advancing, piecemeal.
> **On avance petit à petit.**

His/Her condition improves/is improving from day to day, week to week. / He/She is improving from day to day, week to week.
(The second sentence can relate to anything, health or otherwise.)
> **Son état s'améliore de jour en jour, de semaine en semaine. /**
> **Il/Elle s'améliore de jour en jour, de semaine en semaine.**
> *(La deuxième phrase peut faire référence à différentes choses, état de santé ou autre.)*

They wander from town to town.
> **Ils/Elles errent de ville en ville.**

People took turns to speak. / We took turns to speak./We spoke in turns.
> **Les gens ont parlé à tour de rôle. / On a parlé à tour de rôle. / Nous avons parlé à tour de rôle.**

One thing led to another.
> **Une chose en a entraîné une autre.**

I'll (I will) take questions in turn.
> Je répondrai aux questions dans l'ordre/une par une.

I will deal with each question one by one. / I'll take each question in turn.
> Je répondrai à chaque question une par une. / Je répondrai à chaque question dans l'ordre.

I will deal with things in turn.
> Je m'occuperai de tout ça dans l'ordre. / Je m'occuperai de chaque chose une par une. / Je m'occuperai de chaque chose dans l'ordre.

… as you go along/as one goes along
… au fur et à mesure (que… + *indic.*)

Keep us posted as you go along/as you make your way.
> Tiens-nous/tenez-nous au courant au fur et à mesure.

Keep me posted as you go along.
> Tiens-moi/Tenez-moi au courant au fur et à mesure.

They make it up as they go along!
> Ils/Elles inventent au fur et à mesure !

Theme 7: Expressing preference
Thème 7 : Exprimer la préférence

I like this one more than the others.
> J'aime celui-ci/celle-ci plus que les autres.

I prefer staying indoors to read when it's raining so heavily outside! / I prefer to stay indoors and read when it's raining so heavily outside!
> Je préfère rester à l'intérieur pour/et lire quand il pleut beaucoup dehors !

Which do you prefer?
> Lequel/Laquelle/Lesquels/Lesquelles préfères-tu ? / Lequel/ Laquelle/Lesquels/Lesquelles préférez-vous ?

I prefer the green one(s).
> Je préfère le vert/la verte/les verts/les vertes.

Of his/her most recent singles I prefer the last two, but his/her first is by far my favourite.
> De/Parmi ses singles les plus récents, je préfère les deux derniers, mais son premier est de loin mon préféré/favori.

We prefer sunnier climes.
> Nous préférons les climats plus ensoleillés.

Clothilde and Camille are our preferred choices for chief negotiator and deputy respectively.
> Clothilde et Camille sont nos choix préférés pour les postes de négociateur en chef et d'adjoint, respectivement.

Joseph would prefer to wait and see.
> Joseph préfèrerait attendre. / Joseph préfèrerait attendre de voir.

((Notes: Notice the two different spellings I have used for the French translation of 'would prefer': préfèrerait', with accent grave on the second 'e' is the modern spelling, whilst préférerait', with accent aigu on both first and second 'e' is the traditional spelling. They can be used interchangeably. Commonly, "ce qu'il va se passer"/"ce qu'il adviendra"/etc. are added, so for example: "Joseph préfèrerait attendre de voir ce qu'il adviendra.").

[Also see some variations of 'wait and see' in Theme 12]

People would have preferred a more enthralling election campaign.
> Les gens auraient préféré une campagne d'élection plus captivante/ passionnante.

The Left Bank in Paris is where writers, artists and intellectuals traditionally preferred to congregate.

La Rive gauche (à Paris) était l'endroit où des écrivains, des artistes et des intellectuels préféraient traditionnellement se rassembler/se réunir.

Theme 8: Expressing hopes, fears and outlook
Thème 8 : Exprimer des espoirs, des craintes et des perspectives

Hopes, dreams, aspirations
Des espoirs, des rêves, des aspirations

I very much hope that...
> J'espère vraiment que... / J'espère fortement que... / J'espère grandement que... + *indic.*

The organisers of the show have expressed both hopes and fears.
> Les organisateurs du spectacle ont exprimé à la fois leurs espoirs et leurs craintes.

He's/She's grimly hanging onto/clinging to the hope that...
> Il/Elle s'accroche avec détermination à l'espoir que...+ *indic./subj.*

They continue to cling to the hope that...
> Ils/Elles restent accrochés/accrochées à l'espoir que... + *indic./subj.* / Ils/Elles continuent à s'accrocher à l'espoir que... + *indic./subj.*

They're clinging to the vain hope that...
> Ils s'accrochent au vain espoir que...

If things go wrong/awry, ... / If things go badly, ...
> Si les choses vont de travers, ... / Si les choses se passent mal, ...

That gives us (all) hope!
> Cela/Ça nous donne (à tous) de l'espoir !

They dashed our hopes... again!
> Ils ont anéanti nos espoirs... une fois de plus ! / Ils ont encore anéanti nos espoirs !

He/She dreams of winning the title.
> Il/Elle rêve de gagner le titre.

He/She dreams of replacing... as head of the company.
> Il/Elle rêve de remplacer... en tant que chef de l'entreprise.

He/She dreams of becoming vice-president first and then later replacing... as president.
> **Il/Elle rêve de devenir vice-président et puis de remplacer... en tant que président.**

The survivors of the earthquake dream only/solely of having something to eat or drink, although they have nothing to cook with.
> **Les survivants du séisme/du tremblement de terre rêvent seulement d'avoir de quoi manger ou boire, bien qu'ils/elles n'aient rien pour cuisiner.**

I saw him/her/it in a dream.
> **Je l'ai vu(e) en rêve.**

He/She has fulfilled his/her dream.
> **Il/Elle a réalisé son rêve.**

Expressing optimism and pessimism
Exprimer l'optimisme et le pessimisme

Is the glass half empty or half full?
> **Le verre est-il à moitié vide ou à moitié plein ?**

I'm an optimist. / I'm optimistic.
> **Je suis un optimiste. / Je suis optimiste.**

You have a negative outlook. / You're a pessimist.
> **Tu as des perspectives négatives. / Tu es un pessimiste.**

You're stuck in the past.
> **Tu es passéiste. / Vous êtes passéiste(s).**

I **have nothing** to look forward to (any more). /
I've got nothing to look forward to (any more).
> **Je n'ai (plus) rien à attendre de la vie.**

more correct
(plus correct)

colloquial English

Look to the future. / Let's look to the future.
> **Tourne-toi vers l'avenir. / Tournons-nous vers l'avenir.**

Think positive./!
> **Il faut penser positif./!**

(Strictly speaking, "Think positive./!" should be "Think positively./!'" but this is a colloquial expression.)

(« Positive » étant utilisé comme un adverbe, il faudrait dire « positively », mais cette expression est familière.)

Worry and dread
L'inquiétude et la crainte

What are you worrying/worried about?
Qu'est-ce qui t'inquiète ? / Qu'est-ce qui vous inquiète ?

There's nothing to worry about.
Il n'y a pas de souci à se faire.

[Also see 'There's nothing to get angry/upset/alarmed about' in Theme 13 under 'Row arising from unexpected outcome']

I have better things to do than (to) worry about that.
J'ai mieux à faire que (de) m'inquiéter pour cela/ça. / J'ai mieux à faire que (de) me faire du souci pour cela/ça. / J'ai mieux à faire que (de) me soucier de cela/ça.

No-one worries about…
Personne ne se soucie de…

She worries about her son.
Elle s'inquiète pour son fils. / Elle se fait du souci pour son fils.

He's her main worry.
Elle se soucie principalement de lui.
(Translates literally as: "She worries mainly about him.")

I have yet another concern/worry.
J'ai encore un autre souci.

He's always worried about his health.
Il s'inquiète tout le temps pour sa santé. / Il se fait tout le temps du souci pour sa santé.

He/She is beside himself/herself with worry.
Il est fou d'inquiétude. / Elle est folle d'inquiétude.

He/She is in a state of anguish.
Il/Elle est angoissé/angoissée.

I dread to think what comes next.
Je n'ose pas imaginer ce qui va arriver ensuite.

We're dreading the heavy snowfall tomorrow.
Nous craignons qu'il neige beaucoup demain.

Theme 9: Plans and projects
Thème 9 : Plans et projets

to plan to do something

projeter / prévoir de faire quelque chose

We're planning to buy a house this year.
> **Nous projetons d'acheter une maison cette année.**

I planned/expected to catch my train/plane this morning but it has been cancelled owing to bad weather/because of the strike.
> **J'avais prévu/projeté de prendre le train/l'avion ce matin, mais il a été annulé à cause du mauvais temps/à cause de la grève.**

We are/were planning to go out this evening.
> **Nous projetons/projetions/avions projeté de sortir ce soir. / Nous prévoyons/prévoyions/avions prévu de sortir ce soir.**

They're planning to launch/planning on launching a product/a new mission.
> **Ils/Elles projettent/prévoient de lancer un produit/une nouvelle mission.**

We're planning on having some fun/to enjoy ourselves.
> **Nous projetons/prévoyons de nous amuser.**

(Note: 'to be planning on' is a less formal way of saying 'to plan to' or 'to be planning to'.)

(Notez que « to be planning on » est plus familier que « to plan to » ou « to be planning to ».)

to have plans – **avoir des projets/plans**

e.g.
I have plans.
> **J'ai des projets/plans.**

I have plans for… (someone/something)
> **J'ai des projets/plans pour… (quelqu'un/quelque chose)**

to hatch a plan to do something / to hatch a plot – **tramer/manigancer quelque chose / tramer/manigancer un complot**

Projects
Des projets

The project to build the new bridge is on schedule/on track.
> **Le projet de construction du nouveau pont est dans les temps/en bonne voie.**

It's a grand and expensive project.
> **C'est un projet immense et coûteux.**

The project has stalled.
> **Le projet est au point mort.**

It's time to get back on track.
> **Il est temps de se remettre en route.**

It's time to get it back on track.
> **Il est temps de le reprendre en main.**

Town planners have several projects going (on) at once.
> **Les urbanistes ont plusieurs projets en train à la fois. / Les urbanistes ont plusieurs projets en train simultanément.**

How much will the decision to abandon/mothball this project/these plans cost?
> **Combien va coûter la décision d'abandonner ce projet/ces plans ?**

We've set two objectives: one immediate, the other long term.
> **On a fixé deux objectifs, l'un immédiat, l'autre à long terme.**

We've put in place preventive measures, both immediate and more gradual but permanent measures.
> **On a/Nous avons mis en place des mesures préventives, à la fois immédiates et aussi plus progressives, mais toutes permanentes.**

The implementation of these (more permanent) measures is going to take at least two years.
> **La mise en œuvre de ces mesures va prendre au moins deux ans.**

If all else fails, …
> **En dernier recours, …**

As a last resort, …
> **En dernier recours, …**

Theme 10: Expectation, foresight, preparation
Thème 10: L'expectation, la prévoyance, la préparation

What do you expect?/What's to be expected?

À quoi est-ce que tu t'attends ? / À quoi t'attends-tu ? / À quoi est-ce vous vous attendez ? / À quoi vous attendez-vous ? / À quoi doit-on s'attendre ? / À quoi faut-il s'attendre ?

We're expecting a strong performance.
> **Nous attendons une performance forte.**

I expect better of him/her/them.
> **J'attends mieux de lui/d'elle/d'eux/d'elles.**

We expect something positive from him/her/them.
> **On attend quelque chose de positif de lui/d'elle/d'eux/d'elles.**

That's to be expected.
> **Il faut s'y attendre.**

The alternative way of phrasing "to expect" is "to expect that..." and this translates into French as:
"**s'attendre à ce que...** + *subj.*"

e.g.
The board expects that the company's end of quarter results will be a true reflection of all our hard work and investment.
> **Le conseil d'administration s'attend à ce que les résultats financiers du dernier trimestre soient une bonne démonstration de notre travail acharné et de notre investissement.**

Everyone expects that the election be free and fair.
> **Tout le monde s'attend à ce que l'élection soit libre et juste.**

I don't foresee/expect/envisage a quick solution to this.
> **Je ne prévois pas de solution rapide à ceci/cela. / Je ne m'attends pas à ce que l'on trouve une solution rapide à ceci/cela.**

I don't see myself being able to attend on Thursday/
next Thursday.
> **Je (ne) pense pas pouvoir être présent jeudi/jeudi prochain.**

'ne' is commonly omitted in colloquial/spoken French when expressing negatives

I don't see myself being able to attend the conference next week.
> **Je (ne) pense pas pouvoir assister à la conférence la semaine prochaine.**

to envisage/foresee that…
> **prévoir que…** + *indic.*

e.g.
We envisage a decision being taken tomorrow.
> **On prévoit qu'une décision sera prise demain.**

---

to predict that…
> **prédire que…** + *indic. (futur)*

e.g.
I predict that we will get a deal.
> **Je prédis que nous aurons un marché/une affaire/un accord.**

In the best case, …
> **Dans le meilleur des cas, …**

The best case scenario would be (to/that) …
> **Le meilleur des cas serait (de/que) …**

The worst case scenario is… / The worst possible scenario is…
> **Le pire serait…**

At (the) worst, … / At the very worst, …
> **Au pire, … / Dans le pire des cas…**

I fear it will get worse.
> **J'ai peur que cela/ça empire/s'aggrave.**

We expect/fear the worst.
> **On s'attend au pire. / On craint le pire. / On redoute le pire.**
> *("Redouter" means "to dread" but it translates as "to fear" in this context.)*

We should prepare for the worst. / We should expect the worst.
> **Il faut se préparer au pire. / Il faut s'attendre au pire.**

We should prepare for it.
Il faut s'y préparer.

The worst is yet to come.
Le pire est à venir.

Theme 11: Risks and challenges
Thème 11 : Des risques et des défis

You run the risk of…
Tu prends/cours le risque de… / Vous prenez/courez le risque de…

It could backfire on him/her.
Cela/Ça pourrait se retourner contre lui/elle.

There's a real risk of the enterprise backfiring.
Il y a un vrai risque que le projet ait l'effet inverse de celui prévu/ escompté.

There is a real risk of the car skidding.
Il y a un vrai risque que la voiture dérape.

What's at stake?
Qu'est-ce qui est en jeu ?

What's at stake is…
C'est… qui est en jeu.

With this project, they are running the risk of disaster/heading for disaster/ courting disaster. That's what's at stake.
Avec ce projet, ils courent au désastre. C'est ça le risque.

We need to explain to people what's really happening. We need to tell people the truth as to what is at stake./We need to tell people the truth about what is at stake.
Il faut expliquer aux gens ce qui se passe réellement. Il faut dire aux gens la vérité sur ce qui est en jeu. / Il faut dire la vérité sur ce qui est en jeu aux gens.

We have a clear choice to make. If we are to get the right outcome, it has to be the right one.
Il faut faire un choix précis. Il nous faut faire le bon choix afin d'obtenir le résultat escompté.

It's/This is a great challenge.
C'est un remarquable défi. / C'est un défi remarquable.

It's an ongoing challenge.
C'est un défi constant.

Theme 12: Anticipation
Thème 12 : Anticipation

I'm really looking forward to it!
> **J'attends cela/ça avec impatience ! / J'ai hâte.**

It's/That's something to look forward to.
> **C'est quelque chose à attendre avec impatience.**

That's really something to look forward to.
> **C'est vraiment quelque chose à attendre avec impatience.**

It'll be interesting to see if/whether...
> **Ce/Il sera intéressant de voir si...**

I'm waiting to see whether... / I'm just waiting to see whether...
> **J'attends de voir si... / J'attends juste de voir si...**

Let's wait and see. / We'll just have to wait and see. / We'll see.
> **On verra.**

Let's (wait and) see how it turns out.
> **On verra ce qui arrivera/se passera/se produira.**

Let's see what happens next.
> **On verra la suite.**

We'll see.
> **On verra.**

We'll see, but what is certain is...
> **On verra, mais ce qui est certain, c'est...**

We'll see what happens./We'll soon see what happens.
> **On verra ce qui arrivera/ce qui se**
> **passera. / On verra bientôt ce qui**
> **arrivera/ce qui se passera.**

more colloquial/informal
(plus familier)

Wait till tomorrow. Then we'll see.
> **Attends/Attendez demain. Là, on verra.**

We'll see how this event evolves/evolved shortly.
> **On verra bientôt comment cet évènement évolue/a évolué. /**
> **On verra sous peu comment cet événement évolue. / On verra**
> **comment cet évènement évolue sous peu. / On verra sous peu**
> **comment cet évènement a évolué.**
> *(Note: This kind of sentence is one that one would most likely hear in a*
> *television or radio broadcast. "Sous peu" is a more formal or literary term.)*

We'll see how this story unfolded shortly.
On verra bientôt comment s'est déroulée cette histoire.

We'll have to wait to see what the new circumstances will be.
Il faut attendre de voir quelles seront les nouvelles circonstances.

Time will tell.
Le temps (nous) le dira. / L'avenir (nous) le dira.

Theme 13: Outcomes/Results/Turnout
Thème 13 : Dénouements/Résultats

Outcome
Le dénouement

What was the outcome? *(e.g. of a meeting, debate, crisis, book, film or play)*
Comment cela/ça s'est fini ? *(par ex. un livre, un film, ou une pièce)* /
Quelle était l'issue ? *(par ex. d'une réunion/d'un débat/d'une crise)*

How did it go?/How did things go? Is/Was this the result you expected?
**Comment cela/ça s'est passé ? Est-ce que c'est/c'était le résultat
que tu avais/vous aviez prévu ?**

At first/Initially, everything went well/smoothly. / At first/Initially, everything was
going well/smoothly.
**Au début, tout allait bien. / Au départ, tout allait bien. / Dans un
premier temps, tout allait bien.**

It culminated in…
Cela/Ça s'est achevé par/sur… / Cela/Ça s'est terminé par/sur…

It turns out that… / It transpires that…
Il s'avère que… + *indic.*

Outcome as expected; good outcome; better than expected outcome
Comme prévu ; un bon dénouement ; mieux que ce que l'on avait
prévu

As expected, …
Comme prévu, …

It's exactly/It was exactly as we expected.
**C'est/C'était exactement ce à quoi nous nous attendions/on
s'attendait.**

Events have proved us a hundred per cent right.
**Les évènements ont prouvé que l'on/qu'on avait raison à cent pour
cent.**

The result could hardly have been different.
Le résultat aurait difficilement pu être différent.

It could hardly have been different.
> **Cela/Ça aurait difficilement pu être différent.**

There's nothing surprising in that.
> **Il n'y a rien de surprenant à cela/ça.**

I'm not surprised.
> **Je ne suis pas surpris(e).**

Everything turned out well.
> **Tout s'est bien terminé/passé.**

Everything turned out well in the end./As it turned out, it was fine.
> **En fin de compte/Au bout de compte, tout s'est bien passé/terminé. / Tout s'est bien passé/terminé en fin de compte. / Tout s'est bien passé/terminé au bout du compte.**

It went better this time.
> **Cela/Ça s'est mieux passé cette fois.**

Things went better this time.
> **Les choses se sont mieux passées cette fois.**

The figures/results are/were better than expected.
> **Les chiffres/résultats sont/étaient meilleurs que prévu.**

This is beyond my/our wildest dreams.
> **Même dans mes rêves les plus fous, je n'aurais pas/jamais imaginé cela/ça. / Cela/Ça va au-delà de mes/nos rêves les plus fous.**

This was beyond my/our wildest hopes/expectations.
> **C'était au-delà de toutes mes/nos espérances/attentes.**

Unexpected outcome; bad outcome
> **Un dénouement imprévu ; un mauvais dénouement**

I wasn't expecting that./!
> **Je (ne) m'attendais pas à cela/ça./!**

No-one expected that.
> **Personne ne s'y attendait.**

That was unexpected.
> **Cela/Ça n'était pas prévu.**

I'm a little shocked to discover/find/see that…
> **Je suis un peu choqué(e) de découvrir/voir que…** + *indic.*

We were all taken by surprise by the report's/enquiry's findings.

> **Les résultats du rapport/de l'enquête nous ont tous/toutes surpris/ surprises.**

What you said has not been borne out by/matched by events. / Events turned out differently to what you (had) said.

> **Les évènements se sont avérés différents de ce que tu avais/vous aviez dit. / Ce que tu as/vous avez dit n'a pas été confirmé par les évènements.**

Everything went wrong./Everything has gone wrong. *(Everything's gone wrong.)*

> **Tout est allé de travers.**

Worst of all is/was that…

> **Le pire dans tout cela/ça, c'est/c'était que…** + *indic.*

He/She feels responsible. / He/She feels responsible for the outcome of this drama.

> **Il/Elle se sent responsable. / Il/Elle se sent responsable du dénouement de ce drame.**

It's not the end of the world!

> **C'est (Ce n'est) pas un drame ! / C'est (Ce n'est) pas la fin du monde !**

A disaster was narrowly averted.

> **Une catastrophe a été évitée de peu. / Un désastre a été évité de peu.**

Turnout in terms of attendance
L'audience/l'assistance

The attendance/turnout was good. / It was well-attended.

> **Beaucoup de gens sont venus. / L'audience/L'assistance était nombreuse.**

The attendance/turnout was greater/better than expected.

> **L'audience/L'assistance était plus nombreuse que prévue.**

There should have been about a hundred (of them).

> **Il aurait dû y en avoir une centaine. / Il aurait dû y en avoir environ cent.**

There should have been about a hundred teachers on strike.

> **Il aurait dû y avoir une centaine de professeurs en grève. / Il aurait dû y avoir environ cent professeurs en grève.**

There's not/There wasn't a huge number of people.
> **Il n'y a pas grand monde. / Il n'y avait pas grand monde.**

I'm surprised you didn't go.
> **Je suis surpris(e) que tu n'y sois pas allé(e). / Je suis surpris(e) que vous n'y soyez pas allé(e)(s).**

Almost nobody came.
> **Presque personne n'est venu.**

No-one else was there.
> **Personne d'autre n'y était.**

There was no-one there any more.
> **Il n'y avait plus personne.**

There were so many customers!
> **Il y avait tellement de clients !**

Expressing comparative outcomes
Comparer des dénouements

I've seen worse!
> **J'ai vu pire !**

It could be worse! / It could have been worse!
> **Cela/Ça pourrait être pire ! Cela/Ça aurait pu être pire !**

It was worse than we (had) imagined. *(perfect or pluperfect tense)*[2]
> **C'était pire que ce que nous imaginions. /** *(imperfect)*[2]
> **C'était pire que ce qu'on imaginait.** *(imperfect)*[2]

It was bigger/smaller than we (had) imagined.
> **C'était plus grand/petit que ce que nous nous imaginions.**

It is closer/further than we remembered/thought. *(perfect)*[2]
> **C'est plus proche/plus loin qu'à notre souvenir. / C'est plus proche/plus loin que nous (le) pensions.**

---

2 Note that whilst such outcomes expressing comparison with what was anticipated are generally expressed either in the perfect tense or pluperfect tense in English, they tend to be expressed either in the imperfect of the indicative (l'imparfait de l'indicatif) or the pluperfect of the indicative (le plus-que-parfait de l'indicatif) in French.

À noter qu'alors qu'en français on exprime de tels dénouements à l'imparfait de l'indicatif ou au plus-que-parfait de l'indicatif en faisant le comparaison avec ce qui était prévu, en anglais on les exprime soit au parfait soit au pluparfait.

The damage to the fence is worse than we (at first) thought.
> **Les dégâts subis par la clôture sont plus graves qu'on le pensait (au début).**

It was bigger than we (had) imagined.
> **C'était/Il était plus grand/Elle était plus grande que ce que nous nous étions imaginé(e)s.** *(pluperfect)*[2]

He/She was taller/shorter than we (had) imagined.
> **Il était plus grand/petit que ce que nous avions imaginé. / Elle était plus grande/plus petite que ce que nous avions imaginé.**

It was a bigger problem than we (had) imagined.
> **C'était un plus gros problème que ce que nous avions imaginé.**

It's worse than being tricked/deceived/duped.
> **C'est pire que de se faire rouler. /**
> **C'est pire que de se faire duper.**

informal (familier)

That's worse than being stolen from!
> **C'est pire que de se faire voler !**

Row arising from unexpected outcome
Une dispute résultant d'un dénouement imprévu/inattendu

I demand an explanation!
> **J'exige une explication !**

There must be an explanation!
> **Il doit y avoir une explication !**

What did you expect?!
> **À quoi t'attendais-tu ?! / À quoi vous attendiez-vous ?! / À quoi est-ce que tu t'attendais/vous vous attendiez ?!**

What did/do you want me to say?! What did/do you want me to do?!
> **Qu'est-ce que tu voulais/veux que je dise ?! / Qu'est-ce que vous vouliez/voulez que je dise ?!** *(subj.)*
> **Qu'est-ce que tu voulais/veux que je fasse ?! / Qu'est-ce vous vouliez/voulez que je fasse ?!** *(subj.)*

What did I do wrong?
> **Qu'est-ce que j'ai fait de mal ?**

Person 1: What did you do wrong?
> ***Personne 1 :*** Qu'est-ce que tu as fait de mal ? / Qu'est-ce que vous avez fait de mal ?

Person 2: I don't know!
> ***Personne 2 :*** Je (ne) sais pas, moi !

What else could I have done?!
> **Qu'aurais-je pu faire d'autre ?!**

the past conditional (conditionnel passé)

Instead of doing that, you could have…/you should have…
> **Au lieu de faire ça/cela, tu aurais pu/vous auriez pu… / tu aurais dû/vous auriez dû…**

the past conditional (conditionnel passé)

At the very least, you could have…
> **Tu aurais/Vous auriez au moins pu… / La moindre des choses aurait été de…**

Person 1: You didn't follow my advice. At the very least you could have done that!
> ***Personne 1 :*** Tu n'as/Vous n'avez pas suivi mes conseils. Cela/Ça aurait été la moindre des choses !

Person 2: I *did* follow your advice!
> ***Personne 2 :*** Si, j'ai suivi tes/vos conseils !

I/We can't just wave a magic wand and make it happen!
> Je ne peux pas/Nous ne pouvons pas simplement agiter une baguette magique et faire que cela/ça se produise !

There's nothing to get angry/upset/alarmed about.
> Il n'y a pas de quoi s'énerver/se fâcher/s'alarmer/s'inquiéter.

[Also see "There's nothing to worry about" in Theme 8 under 'Worry and dread']

Put yourself in my shoes. I can't get into his/her mind or the minds of his/her friends to know what they were thinking for them to get into this kind of mess!
> Mets-toi/Mettez-vous à ma place. Je ne peux pas lire dans ses pensées ou celles de ses ami(e)s et savoir à quoi ils/elles pensaient pour se retrouver dans une situation comme cela/ça/dans ce genre de situation !
> *(to put oneself in someone else's shoes – se mettre à la place de quelqu'un d'autre)*

Theme 14: Success and failure
Thème 14 : Réussite et échec

Bobby's re-design of his garden was successful. / Bobby's garden re-design was a success.
> **Bobby a réussi à/est parvenu à réaménager son jardin. /
> Le réaménagement du jardin de Bobby était/a été une réussite.**

It was a great success. / It was a roaring success.
> **C'était un grand succès.**

They've had a lot of success.
> **Ils ont eu beaucoup de succès.**

He's/She's done a great job./!
> **Il/Elle a fait un super boulot./!**

How was he able to do it?
> **Comment a-t-il/elle réussi à le faire ? / Comment a-t-il/elle fait ?**

They failed.
> **Ils/Elles ont échoué. / Ils/Elles ont raté.**

This project is doomed to failure.
> **Ce projet est voué à l'échec.**

It's a lost cause.
> **C'est une cause perdue.**

It's not a lost cause.
> **C'est (Ce n'est) pas une cause perdue.**

The project/plan went up in smoke.
> **Le projet/plan est parti en fumée.**

His/Her efforts/endeavours proved/were fruitless/unsuccessful. /
He/She was unsuccessful in his/her endeavour.
> **Ses efforts se sont avérés vains.**

Those efforts were successful. / Those efforts bore fruit.
> **Ces efforts ont porté leurs fruits.**

Theme 15: Expressing disappointment
Thème 15 : Exprimer la déception

What a disappointment to find that…
Quelle déception de découvrir que… + *indic.*

For quite a few/quite a lot of people, this is a big disappointment.
C'est une grande déception pour pas mal de gens.

It's/It was a big disappointment to the extent that… / insofar as… / inasmuch as…
C'est/C'était une grande déception dans la mesure où…

I'm disappointed to find/see…
Je suis déçu(e) de découvrir/voir… + *indic.*

I was disappointed to find/see that…
J'ai été déçu(e) de découvrir/voir que… + *indic.*

More than anyone else, I was keen for this to succeed.
J'avais envie que cela/ça réussisse plus que qui que ce soit d'autre. / J'avais envie que cela/ça réussisse plus que personne d'autre.

I feel the disappointment more than anyone else. / I feel it more keenly than anyone else.
Je ressens cette déception plus vivement/profondément que qui que ce soit d'autre. / Je la ressens plus vivement/profondément que qui que ce soit d'autre.

I feel it all the more because…
Je la ressens d'autant plus que…

The dream has turned into a nightmare.
Le rêve s'est transformé en cauchemar.

You'll have to put this disappointment behind you and move on.
Il te/vous faut tourner la page et avancer/et aller de l'avant. / Il te/vous faudra mettre cette déception derrière toi/vous et avancer/et aller de l'avant.

At a/the press conference, he/she said he/she was disappointed.
Il/Elle a dit qu'il/elle était déçu(e) pendant une/la conférence de presse. / Il/Elle a dit pendant une/la conférence de presse qu'il/elle était déçu(e). / Lors d'une/de la conférence de presse, il/elle a dit qu'il/elle était déçu(e).

Theme 16: Talking (of) crises
Thème 16 : Parler de crises

Crisis? What crisis?
Une crise ? Quelle crise ?

Can you give me a clear idea of the numbers/figures (involved) here?
> **Peux-tu/Pouvez-vous me donner une idée précise des chiffres ?**

Can you give me a clear idea/picture of the current situation?
> **Peux-tu/Pouvez-vous me donner une idée précise de la situation actuelle ?**

Do you have a clear picture of what happened?
> **As-tu/Avez-vous une idée précise de ce qui est arrivé/de ce qui s'est passé ?**

It's not clear at the moment whether… / No-one can say with certainty at the moment whether…
> **Pour le moment, on ne sait pas avec certitude si… / Pour le moment, personne ne peut dire avec certitude si…**

They haven't yet grasped/understood the magnitude of what is happening. / They haven't yet taken in the extent of what is happening. / They haven't yet got the measure of what is happening.
> **Ils n'ont pas encore compris l'ampleur de ce qui se passe.**

There's nothing to suggest that the crisis will worsen/subside.
> **Rien ne laisse présager que la crise va empirer/s'apaiser.**

It's a genuine case.
> **C'est un cas réel/authentique.**

It's a genuine case of bird flu. / It's a genuine case of swine flu.
> **C'est un cas authentique de grippe aviaire. / C'est un cas authentique de grippe porcine.**

There are quite a few well-documented cases.
> **Il y a pas mal de cas bien documentés.**

This was an isolated case.
> **C'était un cas isolé.**

The death toll was thought to be fifteen. In fact it was closer/nearer to twenty-five.

On croyait que/On pensait que le nombre de morts s'élevait à quinze. En fait, il était plus proche de vingt-cinq. / On estimait le bilan des morts à environ quinze, mais il était en vérité plus proche de vingt-cinq.

No, the figure was closer/nearer to ten.

Non, le nombre était plus proche de dix.

No, there were nearer to twenty.

Non, il y en avait plutôt vingt.

The disease is spreading rapidly from person to person, including from child to child: the number of cases is increasing apace.

La maladie se propage rapidement de personne en personne, y compris d'un enfant à l'autre : le nombre de cas augmente rapidement.

It's becoming an epidemic.

Cela/Ça devient une épidémie.

We're wondering where the error is/was.

Nous nous demandons où est/était l'erreur.

At some point, we're going to need to establish the cause/there's going to need to be some clarification as to (the) cause, and preferably soon/at some point soon, because obviously something has gone wrong.

Il va falloir à un moment établir la cause et de préférence incessamment, parce qu'il est évident que quelque chose a mal tourné. / Nous allons devoir en établir la cause à un moment et de préférence incessamment, parce qu'il est évident que quelque chose a mal tourné. / Il va falloir à un moment apporter des précisions sur la cause, et de préférence incessamment sous peu, parce qu'il est évident que quelque chose a mal tourné. / Nous allons devoir à un moment apporter des précisions sur la cause, et de préférence incessamment, parce qu'il est évident que quelque chose a mal tourné.

Things are at crisis point. / Things have reached a critical point.

Les choses ont atteint un point critique.

The crisis (has) evolved gradually/slowly.

La crise a évolué progressivement/lentement.

The repercussions of the crisis continue to spread/reverberate.

Les répercussions de la crise continuent de/à[3] se propager.

---

3   When to use 'continuer à' and 'continuer de' is a subject that can cause confusion to English-speakers encountering this for the first time.

The traditional rules on this are those advocated by *l'Académie française* and are essentially these:

Firstly, it depends on context and *l'Académie* makes the following distinction:

(a) If an action is commenced then continued for a period of time (which could be indefinite), then it is '**continuer à**'

As well as continuation, this can be interpreted as "to press on with" or, in some contexts, perseverance in the face of distractions or obstacles or after long passages of time.

e.g.
Mathilde is continuing to/pressing on with preparing the meal despite the phone ringing.
Mathilde continue **à** préparer le repas bien que le téléphone soit en train de sonner.

Five years on from her return from her trip to Thailand and Myanmar, Elaine continues to believe in (still believes in) Buddha.
Cinq ans après son retour de Thaïlande et Myanmar, Elaine continue **à** croire en Bouddha.

It's past six p.m. and still, Benjamin keeps on working.
Il est dix-huit heures passées et pourtant, Benjamin continue **à** travailler.

(b) If a person has a habit or routine, and continues to practise this or, in the case of a bad habit or routine, persists in doing it, then it is '**continuer de**'

e.g.
Sylvain continues to get up at five a.m. every morning.
Sylvain continue **de** se réveiller à cinq heures chaque matin.

Simon continues to drink heavily.
Simon continue **de** boire trop (d'alcool).

It promulgates another rule:

(c) If the verb that follows 'continuer' begins with a vowel, then to avoid a hiatus in spoken French, it should be '**continuer de**'

e.g.
Il continue **d'acheter** les mêmes chemises. *(He continues to buy the same shirts.)*
(Rather than: Il continue à acheter les mêmes chemises.)

On the other hand, there is the outlook as observed by *L'Office québécois de la langue française* in March 2021. It states that the rule on context has largely been dispensed with and that 'continuer à' and 'continuer de' are interchangeable.

However, they agree on avoidance of hiatus, adding that, nowadays, the sole determinant of which option is used is euphony in spoken French, i.e. how smooth or pleasing it sounds to the ear or how easy the series of syllables is to pronounce. They go further though in adding the recommendation that not only should the rule on vowels be observed, but 'continuer de' should be avoided in favour of 'continuer à' when the verb that follows begins with the consonant 'd',

e.g.
Sandrine continue **à demander** une explication.
(Sandrine continues to demand an explanation.)
(Rather than: Sandrine continue de demander une explication.)

This is a crisis on a global scale.
> **C'est une crise à l'échelle mondiale.**

The entire/whole situation was avoidable.
> **La situation entière était évitable.**

The situation was completely/totally avoidable.
> **La situation était complètement évitable. / La situation était tout à fait évitable.**

Now that…
> **Maintenant que…** + *indic.*

e.g.
Now that the crisis is at its height, …
> **Maintenant que la crise a atteint son paroxysme, … / Maintenant que la crise bat son plein, …** *(expression (expression))*

This is only the tip of the iceberg.
> **Ce n'est que la partie visible de l'iceberg.**

Things have reached a tipping point.
> **Les choses ont atteint un stade critique.**

(the) precipitating factors – **les éléments déclencheurs**

The real trigger of/precipitant for the flow (e.g. of refugees) is/was…
> **Le vrai déclencheur de la vague/du flot (par ex. de réfugiés), c'est/ c'était…**

At this point/stage/juncture, …
> **À ce stade, …**

e.g.
At this stage of the negotiations, …
> **À ce stade des négociations, ….**

This is the moment of truth.
> **C'est le moment de vérité. / C'est l'heure de vérité.**

Things have reached the point of no return.
> **Les choses ont atteint le point de non-retour.**

Hopes of a peaceful end to the crisis are hanging by a thread.
> **Ce/Il n'est (absolument) pas certain que la crise se termine de façon pacifique.**

With the lead actor sick, the fate of the movie is hanging by a thread.
> **L'acteur principal étant malade, l'avenir du film ne tient qu'à un fil.**

The fate of the trapped miners is hanging in the balance. It's a precarious situation.

Le sort des mineurs coincés/piégés est uncertain. C'est une situation précaire.

It's a race against time.

C'est une course contre la montre.

There's a long way to go before this crisis is over.

Il y a beaucoup de chemin à parcourir avant que cette crise soit finie.

Crisis over
La crise est finie

The worst is behind us. Better times are ahead.

Le pire est derrière nous. De meilleurs moments nous attendent.

We're looking to the future.

On se tourne vers l'avenir.

Theme 17: The use of locutions and conjunctions for emphasis
Thème 17 : Utiliser des locutions et des conjonctions pour mettre de l'emphase

We need to make sure (that)… /We need to ensure that…
Il faut faire en sorte que… + *subj.*

> We need to make sure/ensure that never again is there a crisis/drama like this/there is never again a crisis/drama like this.
> **Il faut faire en sorte qu'une telle crise/qu'un tel drame/qu'une crise pareille/qu'un drame pareil ne se reproduise jamais.**

It's important to…
Il faut….

> It's important to recognise that…
> **Il faut reconnaître que… + *indic.***

> It's important to grasp the fact that/recognise/realise/understand that…
> **Il faut se rendre compte que… + *indic.* / Il est important de comprendre que… + *indic.***

> It's important to underline/emphasise the fact that…
> **Il faut souligner que… + *indic.* / Il faut souligner le fait que… + *indic.***

> It's important to know that…
> **Il faut savoir que… + *indic.***

> It wasn't intentional/deliberate/on purpose, I should say/stress/emphasise.
> **J'insiste sur le fait que ce n'était pas intentionnel/délibéré/exprès.**   *informal (familier)*

> I/We need to draw attention to the fact that…
> **Il faut attirer l'attention sur le fait que…**

> They need to take on board/into account our ideas/views/opinions.
> **Ils doivent prendre nos idées/opinions en compte. / Ils doivent prendre en compte nos idées/opinions.**

'Là' to mean 'then' rather than 'there'
«Là» pour vouloir dire «then» plutôt que «there»

You need to have your own flat. *Then* you'll be happy.
> **Il faut que tu aies ton propre appartement. *Là*, tu seras content(e).**

Addition
Addition

Moreover, …;
> **De plus, … / En outre, …**

Furthermore, …
> **En outre, …**

More importantly, …
> **Surtout, …**

Even more important is the fact that…
> **Plus important encore est le fait que…**

Ah/Oh, I almost forgot to say/add that…
> **Ah, j'allais oublier de dire/d'ajouter que…** + *indic.*

I would add that…
> **J'ajouterais que…** + *indic.*

I hasten to add that… /…, I hasten to add./!
> **Je m'empresse d'ajouter que…**

To that, it should be added that…
> **Il faut ajouter à cela/ça que…** + *indic.*

He went on to say/add…
> **Il a ensuite dit/ajouté….**

I have nothing to add.
> **Je n'ai rien à ajouter.**

I have nothing else to add.
> **Je n'ai rien d'autre à ajouter.**

I have nothing more to add.
> **Je n'ai rien de plus à ajouter.**

Repetition
Répétition

He/She (has) won! I repeat, he/she (has) won!
> **Il/Elle a gagné ! Je répète, il/elle a gagné ! / Il/Elle a gagné ! Je dis bien, il/elle a gagné !**

Five million euros, they were paid in prize money, I repeat, five million!
> **Ils/Elles ont gagné cinq millions d'euros, je répète, cinq millions ! / Ils/Elles ont gagné cinq millions d'euros, je dis bien, cinq millions d'euros !**

One more time/Once more, I emphasise/I underline: you must not.../there is no need to...
> **Encore une fois, j'insiste sur le fait que tu ne dois pas/que vous ne devez pas/qu'il ne faut pas... / Encore une fois, je souligne que tu ne dois pas/que vous ne devez pas/qu'il ne faut pas...**

I repeat, one more time/once more: there's no need to.../you must not...
> **Je le répète encore une fois : il (ne) faut pas...**

I repeat, all the information about/concerning... is available at www...
> **Je (le) répète, tous les renseignements sur/concernant... sont disponibles au trois double vé (www)...**

**For English-speaking readers (Pour les lecteurs anglophones):
When to use 'Il/Elle est...' and when to use 'C'est...'**

This is an area of the French language that can perplex non-French-speakers. Actually, the rules on this are quite straightforward.

■ **Rule 1:** 'Il/Elle est...' is used when the subject is followed by an adjective, whereas 'C'est...' is used when the subject is followed by a noun

So, for example,

Person 1: What breed is your dog?
> ***Personne 1 :*** **De quelle race est ton/votre chien?**

Person 2: It's a terrier.
> ***Personne 2 :*** **C'est un terrier.**

whilst if we were to describe its character, for example, i.e. use an adjective,

It's very playful.
> **Il est très joueur.**

If we happened to know the gender of the dog and it were, say, female, then:

> She's a terrier.
>> **C'est un terrier.**

> She's very playful.
>> **Elle est très joueuse.**

If we use pronouns 'he' and 'she' with a noun in relation to a person, then it's 'C'est',

> e.g.
> He/She is a chatterbox.
>> **C'est un moulin à paroles.**
>> *(Note 'un moulin à paroles' is a locution around the noun 'un moulin'.)*

Whereas, if we use an adjective instead, 'c'est' is replaced with 'il est' and 'elle est' respectively:

> He/She is talkative.
>> **Il est bavard/loquace. / Elle est bavarde/loquace.**

■ **Rule 2:** 'C'est…' is used when the demonstrative pronouns 'this', 'that', 'these' and 'those' are used,

> e.g.
> Is he/she the winner? *(man/woman/child)*
>> **Est-ce que c'est lui/elle qui a gagné? / C'est lui/elle qui a gagné ?**

> Is this/that the winner? *(e.g. horse or greyhound)*
>> **Est-ce que c'est lui/elle qui a gagné ? / C'est lui/elle qui a gagné ?**

> or
> Is that the one that won?
>> **Est-ce que c'est celui/celle qui a gagné ? / C'est celui/celle qui a gagné ?**

> That's the shop where I bought the groceries.
>> **C'est le magasin où j'ai fait les courses.**

> These are the ones we need./It's these ones we need.
>> **C'est ceux/celles dont nous avons besoin.**

> Those are the portraits (that) Celeste would like for her gallery./It's those portraits that Celeste would like for her gallery.
>> **C'est ces tableaux(-là) que Celeste aimerait pour sa galerie.**

■ **Rule 3:** In formal French, 'Il est…' ('il' as an impersonal pronoun) rather than 'C'est…' is used for certain specific locutions at the beginning of a sentence and containing an adjective, typically 'évident' ('obvious'), 'difficile' ('difficult'), 'possible' and 'probable' to describe one's impression of a situation or event, one's attitude to it, or to speculate about what might have happened. This rule is relaxed in informal French, and 'c'est' tends to be used.

'C'est', on the other hand, is used when making statements or observations of fact or certainty, including very short ones.

[See, for example, "C'est évident./!" ("It's obvious./!" | "That's obvious./!" in Theme 36]

e.g.
It's obvious (that) people want to know more.
> **Il est évident que les gens veulent en savoir plus.**

It's obvious (that) she doesn't trust him/her./It's obvious that she distrusts him/her.
> **Il est évident qu'elle n'a pas confiance en lui/elle. / Il est évident qu'elle se méfie de lui/elle.**

It's difficult to understand how they could have lost such an important document.
> **Il est difficile de comprendre comment ils/ elles auraient pu perdre un document si important.**   *formal (soutenu)*
> or
> **C'est difficile de comprendre comment ils/ elles auraient pu perdre un document si important.**   *informal (courant)*

It's difficult to see the reason/rationale for the change in policy.
> **Il est difficile de voir la raison du changement de politique.**   *formal (soutenu)*
> or
> **C'est difficile de voir la raison du changement de politique.**   *informal (courant)*

It is possible that the train driver either didn't see the red light or that he/she ignored it just before the accident.
> **Il est possible que le conducteur du train n'ait pas vu le feu rouge ou qu'il/qu'elle l'ait ignoré juste avant l'accident.**   *formal (soutenu)*
> or

> C'est possible que le conducteur du train
> n'ait pas vu le feu rouge ou qu'il/qu'elle l'ait
> ignoré juste avant l'accident.

informal (courant)

In the previous serious contexts, the formal language is far more likely to be used.

It's probable that the doctors will discharge Grandad from hospital next week.
> **Il est probable que les médecins laissent papy/grand-père sortir de l'hôpital la semaine prochaine.**

It's possible that the hurricane will veer west(ward) during (the course of) the night.
> **Il est probable que la tempête virera vers l'ouest durant la nuit.**

It's rare to see red squirrels in Britain these days.
> **C'est/Il est rare de voir des écureuils roux en Grande-Bretagne de nos jours.**

It's correct/true to say that four is half of eight.
> **C'est/Il est vrai/correct de dire que quatre est la moitié de huit.**

It's unusual to hear Bobby speak so loudly.
> **C'est/Il est inhabituel/rare d'entendre Bobby parler aussi fort.**

Theme 18: Admission/Concession
Thème 18 : Aveu/Concession

Bertrand readily/willingly admits (that) he could have done better.
Bertrand avoue/admet volontiers qu'il aurait pu mieux faire.

We readily admit we could have done better as a team. The teamwork should have been better.
Nous avouons/Nous admettons volontiers que nous aurions pu faire mieux en tant qu'équipe. Notre travail d'équipe aurait dû être de meilleure qualité.

Vanessa admits/accepts it wasn't as good a result as she had hoped for.
Vanessa admet que ce n'était pas un aussi bon résultat qu'elle espérait. / Vanessa admet que le résultat n'était pas aussi bon qu'elle l'espérait.

I admit I did it.
J'avoue que je l'ai fait. / J'admets que je l'ai fait.

Admit it!/Just admit it! You're wrong!
Admets/Admettez-le ! / Avoue/Avouez-le ! Tu as/Vous avez tort !
Admittedly, ...
C'est vrai que... / Il est vrai que... / Il faut reconnaître que... / Il faut avouer que...

informal (familier)

He's/She's right, I admit.
Il/Elle a raison, j'en conviens. / Il/Elle a raison, je le reconnais.

They would be the first to admit/say that.
Ils/Elles seraient les premiers/premières à le dire/à l'admettre.

Theme 19: Knowledge, recollection, conjecture
Thème 19 : Le savoir, les souvenirs, la conjecture

The basics
Les bases

I learned/learnt the basics./I've learned/learnt the basics.
> **J'ai appris les bases.**

We need to learn the basics first.
> **Nous devons/On doit d'abord apprendre les bases. / Il (nous) faut d'abord apprendre les bases.**

The basic principle is…
> **Le principe de base, c'est…**

to know all about… ; when it comes to, … / when the time comes to… (do something), etc.
Tout savoir de…/Tout savoir au sujet de… ; s'y connaître ; lorsque/ quand il s'agit de…/en matière de…/quand vient le temps de faire quelque chose, … ; etc.

He knows all about it.
> **Il sait tout à ce sujet.**

The police know all about Leo and his friends' attempt to sell counterfeit goods on the internet.
> **La police sait tout de la tentative de Leo et ses amis de vendre des contrefaçons sur Internet./La police sait tout au sujet de la tentative de Leo et ses amis de vendre des contrefaçons sur Internet.**

He knows all about planes/aeroplanes/aircraft.
> **Il s'y connait en avions.**

He knows all about them.
> **Il sait tout à leur sujet.**

When it comes to cooking chicken, she's an expert/she's the expert!

Lorsqu'il/Quand il s'agit de cuisiner du poulet, elle s'y connaît !

When it comes to talking non-stop, these two can do that all right!
Lorsqu'il/Quand il s'agit de parler sans cesse/non-stop, ces deux-là s'y connaissent !
(Note: The anglicism "non-stop" is informal in French)

When it comes to last-minute negotiations, he/she has nerves of steel.
Quand vient le temps des négociations/pourparlers de dernière minute, il/elle a des nerfs d'acier.

When the time comes to…
Quand vient le temps de…

There comes a time when…; there are times when…
Il viendra un temps où… / Il y a des moments où…

e.g.
There comes a time when nothing else will do/nothing else will suffice.
Il viendra un temps où rien d'autre ne suffira.

There comes a time when polite chit-chat/small talk has to stop and the hard/tough negotiations have to begin.
Il viendra un temps où les banalités/les politesses devront cesser et les négociations plus rudes devront commencer.

There comes a time when only a cold beer will do!
Il y a des moments où seule une bonne bière froide fait l'affaire !
("Faire l'affaire" equates to "to do the business" in English.)
(L'équivalent de « faire l'affaire » en anglais est « to do the business ».)

There are times when only a good night's sleep followed by a hearty breakfast will suffice.
Il y a des moments où seule une bonne nuit de sommeil suivie d'un petit déjeuner copieux suffit.

As a Frenchman/Frenchwoman you would know.
Étant français/française, tu/vous le saurait/sauriez. / Tu/Vous le saurais/sauriez, étant français/française.

As an Englishman/Englishwoman, I think…
Étant anglais/anglaise, je pense que…

Being English/French, …
Étant anglais(e)/français(e), …

They are well-educated. *(as in learned)*
> **Ils sont très instruits. / Elles sont très instruites.**

They are well-educated. *(as in cultured)*
> **Ils/Elles sont très cultivés/cultivées.**

They are well-informed people.
> **Ils/Elles sont bien renseignés/renseignées.**

I/We/They know what's what./!
> **Je sais./ ! / Je suis au courant./ ! / Nous savons./ ! / Nous sommes au courant./ ! / Ils/Elles savent./ ! / Ils/Elles sont au courant./ !**

They are well-organised.
> **Ils/Elles sont bien organisés/organisées.**

The mother tongue; mastery of foreign language; translation
La langue maternelle ; la maîtrise des langues étrangères ; la traduction

I want/wish to attain fluency in a foreign language – for example French.
> **Je veux/souhaite/J'aimerais parler couramment une langue étrangère, le français par exemple.**

He/She has attained fluency in French.
> **Il/Elle parle couramment le français. / Il/Elle parle français couramment.**

It has been translated from English into Danish.
> **Cela/Ça a été traduit de l'anglais vers le danois.**

Portuguese is their mother tongue.
> **Le portugais est leur langue maternelle.**

My children go to a bilingual school.
> **Mes enfants vont à une école bilingue.**

He/She can hold a conversation in German.
> **Il/Elle peut avoir une conversation en allemand.**

It is mostly in North Wales and in the west of Wales that people speak Welsh as a first language. / It is mostly in North Wales and in the west of Wales that people speak Welsh as their mother tongue.
> **C'est principalement dans le nord et dans l'ouest du pays de Galles que les gens ont pour langue maternelle le gallois./C'est principalement dans le nord et dans l'ouest du pays de Galles que**

l'on rencontre des gens dont la langue maternelle est le gallois.

bilingual – **bilingue**

multilingual – **multilingue**

bilingually – **de façon bilingue / dans les deux langues**
(*Note: The second option should only be used when the two languages have already been mentioned beforehand.*)

bilingualism – **le bilinguisme**

multilingualism – **le multilinguisme**

It has been translated throughout the world.
Cela/Ça a été traduit dans le monde entier.

to be up to date; to be out of date
Être au courant ; ne plus être à la page

We're up to date.
Nous sommes à la page. / Nous sommes au courant.

You're out of date on that.
Tu n'es plus à la page à propos de cela/ça / à ce sujet. / Vous n'êtes plus à la page à propos de cela/ça / à ce sujet.

I'll bring you up to date.
Je vais te/vous mettre au courant.

Your article/story is up to date.
Ton/Votre article/histoire est à jour.

The book is out of date.
Ton/Votre livre est caduc.

As far as I know, / As far as I'm aware, ... / Not that... + subj. / various other constructions in everyday use; diverse scenarios from everyday life

Pour autant que je sache, ... et diverses constructions utilisées quotidiennement ; divers scénarios de la vie quotidienne

As far as I'm aware, ... / As far as I know, ... / As far as I can tell, ...
> **Pour autant que je sache, ...**   *subj.*

All (that) I know is...
> **Tout ce que je sais, c'est...**

There is (There's) no way of knowing whether...
> **Il n'y a aucun moyen de savoir si...**

I had no way of knowing whether...
> **Je n'avais aucun moyen de savoir si...**

To my knowledge, ...
> **À ma connaissance, ...**

Not to my knowledge.
> **Pas à ma connaissance.**

Not that I'm aware of./Not that I know of.
> **Pas que je sache.**

Not that I care.   *subj.*
> **Non pas que j'en aie quelque chose à faire.**   *colloquial (familier)*

I told you nothing that you didn't know already. / I've (I have) told you nothing (that) you didn't know already.
> **Je ne t'ai rien dit que tu ne savais pas déjà. / Je ne vous ai rien dit que vous ne saviez pas déjà.**

You have no idea.
> **Tu n'as pas idée. / Vous n'avez pas idée. / Tu n'as pas la moindre idée. / Vous n'avez pas la moindre idée. / Tu n'as aucune idée. / Vous n'avez aucune idée.**
>
> *(Note: Not 'd'idée')*

You have no idea (of) how much this costs.
> **Tu n'as aucune idée de combien cela/ça coûte.**

Are you aware of... / Are you aware that...?
> **Es-tu/Êtes-vous au courant de... ? / Es-tu/Êtes-vous au courant que... ?**

I have no idea!/I haven't (got) **a clue!**
> Je n'en ai aucune idée !

slang (familier)

I haven't the faintest/slightest idea! / I didn't have
the faintest/slightest idea! /
I haven't the **foggiest** (idea)!

slang (familier)

> Je n'en ai pas la moindre idée ! / Je n'en avais pas la moindre idée.

I didn't know till/until yesterday.
> Je n'ai appris cela/ça qu'hier. / Je n'en ai pris connaissance qu'hier.

I found out/learned yesterday.
> Je l'ai appris hier. / Je l'ai découvert hier.

We found out last week that… (We learned last week that…)
> On a appris/découvert la semaine dernière que… + *indic.* /
> Nous avons appris/découvert la semaine dernière que… + *indic.*

Person 1: He booked the wrong tickets.
> *Personne 1 :* Il a réservé les mauvais billets.

Person 2 (sarcastically or drily): I might have known./! / I might have guessed!
/ I should have known! / I'm not surprised!
> *Personne 2 (d'un ton sarcastique ou sec) :* Je l'aurais parié./! / J'aurais dû
> m'en douter ! / Je ne suis pas surpris(e) !
> *(parier – to bet)*

In which case, …
> Auquel cas, …

Let's say…
> On va dire… / On va dire que… + *indic.* / Disons… /
> Disons que… + *indic.* / Mettons que… + *indic./subj.*

Let's just say…
> On va juste dire… / On va juste dire que… + *indic.* / Disons juste… /
> Disons juste que… + *indic.*

In which case let's just say…
> Auquel cas, on va juste dire… / Auquel cas, on va juste dire que…
> + *indic.*

Let's suppose that…
> Mettons que… + *indic./subj.*

From memory, … / As I recall, …
De mémoire, …

To the best of my recollection, … / As far as I recall/remember, …
Pour autant que je m'en souvienne, … / Pour autant que je me
rappelle, …

I have no recollection/memory of it (whatsoever).
Je n'en ai aucun souvenir.

In my opinion, …
À mon avis, …

To my mind, …
À mon avis/sens, … / Selon moi, …

As I see it, …
Selon moi, … / D'après moi, …

By my reasoning/reckoning, …
Selon mon raisonnement, …

By all accounts, …
Aux dires de tous, … / D'après l'opinion générale, …

By the looks of it, …
De toute évidence, …

… so it seems. / … or/at least, so it seems.
… apparemment/selon toute vraisemblance/manifestement/on
dirait bien. / … ou/du moins, on dirait bien.

Judging by the look/looks of things, … / Going by the look of things, … /
By the look of things, … / From the look of things, …
À en juger par les apparences, … / À ce que je vois, …

Taking into account…
Prenant en compte… / En prenant compte…

I/We have taken into account…
J'ai pris en compte… / Nous avons pris en compte… / On a pris en
compte…

At the end of the day, …
Au bout du compte, … / En fin de compte, …

All things considered, …
Tout bien considéré, …

As a matter of fact, …
> En fait, … / En réalité, … / À vrai dire, … / Il se trouve que…

Actually, …
> En fait, … / À vrai dire, … / En réalité, … / Justement, …

In fact, …
> En fait, … / À vrai dire, …

Anyway/Anyhow,…
> De toute façon, … / En tout cas, … / Quoi qu'il en soit, …

All the same, … / Even so, … / Anyway, …
> Malgré tout, … / … quand même / Tout de même, …

Be that as it may, …
> Quoi qu'il en soit, …

---

to be able to tell (as in 'to know/establish'); to figure out; to work out

pouvoir voir ; dire (pour vouloir dire 'savoir/établir') ; savoir

I can tell.
> Je vois bien. / Je peux voir.

I can tell from…that…
> Je vois bien/peux voir à la façon/manière dont… que… + *indic.* /
> Je vois bien/peux voir grâce à… que… + *indic.* / Je vois bien à partir
> de…que…

I can tell from the fact that…
> Je vois bien/peux voir grâce au fait que… + *indic.*

You can tell from…
> On voit bien/On peut voir à la façon/manière dont… que… + *indic.* /
> On peut voir que… (+ *indic.*) à la façon/manière dont…

e.g.
You can tell from the way Marlon looks at Josette that he likes her.
> On voit bien/On peut voir à la façon/manière dont Marlon regarde
> Josette qu'elle lui plaît. / On peut voir que Josette plaît à Marlon à
> la façon/manière dont il la regarde.

You can tell by the way Abigail looks at Rémy that she likes him.
> On voit bien/On peut voir à la façon/manière dont Abigail regarde
> Rémy qu'il lui plaît. / On peut voir que Rémi plaît à Abigail à la
> façon/manière dont elle le regarde.

You can tell from the way he's (he is) walking that he is drunk!

> **On peut voir/voit bien qu'il est ivre à la façon dont il marche ! /
> On voit bien/peut voir à la façon dont il marche qu'il est ivre !**

You can tell from the way she talks about it that she is very knowledgeable about architecture/that she has specialist knowledge on architecture/she is a specialist in architecture/that she specialises in architecture.

> **On voit bien/peut voir qu'elle s'y connaît très bien en architecture
> à la façon/manière dont elle en parle. / On voit bien/peut voir que
> c'est une spécialiste en architecture à la façon/manière dont elle
> en parle.**

I can't figure out/work out how…

> **Je n'arrive pas à comprendre comment… /
> J'ai du mal à comprendre comment…**

formal (soutenu)

*more informal
(plus familier)*

I can't tell how that happened. / I can't tell how that came to be.

> **Je ne sais pas comment ça/cela s'est passé/produit. Je n'arrive pas à
> comprendre comment ça/cela s'est produit.**

How would I know?! / How would I know about it?!

> **Comment le saurais-je ?!**

Without one's knowledge; secretly/surreptitiously; without… ; not to notice something

Sans que l'on sache (subj.) / À l'insu de quelqu'un ; sans que l'on dise (subj.) ; sans que… + *subj.* / sans… + *indic.* ; ne pas remarquer quelque chose

It can happen without your knowing/without your ever knowing/without your knowledge.

> **Cela/Ça peut arriver sans que tu le saches/vous le sachiez. / Cela/
> Ça peut arriver sans que tu ne le saches jamais/vous ne le sachiez
> jamais.**

It was done without their knowledge.

> **Cela/Ça a été fait à leur insu. / Cela/Ça a été fait sans qu'ils/elles
> le sachent.**

It was done without my/your knowledge.

> **Cela/Ça a été fait à mon insu/à ton insu/à votre insu.**

It was done behind his/her back. / He/She did it behind his/her back.

> **Cela/Ça a été fait dans son dos. / Il/Elle l'a fait en cachette.**

The head teacher caught these adolescents smoking behind their teachers' backs at school.

Le directeur d'école/La directrice d'école a attrapé/surpris ces adolescents en train de fumer derrière le dos de leurs professeurs.

The supervisor caught William stealing from the company till. William had been doing this behind our backs for years.

Le/La responsable a attrapé/surpris William en train de voler de l'argent dans la caisse de l'entreprise. William le fait dans notre dos depuis des années.

It's a jealously guarded secret.

C'est un secret jalousement gardé.

You can't do that without being noticed/seen.

Tu (ne) peux pas le faire sans te faire remarquer/voir. / Tu (ne) peux pas le faire sans que l'on te remarque/voie. / Tu (ne) peux pas le faire sans être remarqué(e)/vu(e). / Vous (ne) pouvez pas le faire sans vous faire remarquer/voir. / Vous (ne) pouvez pas le faire sans que l'on vous remarque/voie. / Vous (ne) pouvez pas le faire sans être remarqué(e)(s)/vu(e)(s).

No-one notices it.

Personne ne s'en aperçoit.

She hasn't even noticed/didn't even notice the letters/mail on the floor.

Elle n'a même pas remarqué les lettres/le courrier sur le sol.

You haven't noticed my new hairstyle! / You didn't notice my new hairstyle!

Tu n'as/Vous n'avez pas remarqué ma nouvelle coiffure !

They're not aware the other meeting has been cancelled are they? / They don't realise that the other meeting has been cancelled do they?

Ils ne savent pas que l'autre réunion est annulée, n'est-ce pas ?

I don't know about...; to be ignorant of... / to be unaware of... (something); I don't know/I don't really know

J'ignore que ... (quelque chose) ; ignorer... (quelque chose) ; ne pas être au courant de... (quelque chose) ; je ne sais pas/je ne sais pas vraiment

I don't know what time the library closes.

J'ignore l'heure de fermeture de la bibliothèque.

I don't know what's causing his/her sickness.
> J'ignore la cause de sa maladie.

I don't know the cause of the (infectious disease) outbreak.
> J'ignore la cause de l'épidémie.

I don't know about you, but I thought it was magnificent!
> Je ne sais pas pour toi/vous, mais j'ai trouvé cela/ça magnifique.

We don't really know what happened.
> On ne sait pas vraiment ce qui/qu'il s'est passé.

We don't know what really happened.
> On ignore ce qui/qu'il s'est réellement passé.

(Cf. "We know nothing (whatsoever) about what really happened." in the next section)

The minister was ignorant of what was going on in his/her department.
> Le/La ministre n'était pas au courant de ce qui se passait dans son ministère. / Le/La ministre ignorait ce qui se passait dans son ministère.

The minister claimed to be ignorant/unaware of what was going on in his/her department. / The minister claimed to know nothing about what was going on in his/her department.
> Le/La ministre a prétendu ignorer/ne pas être au courant de ce qui se passait dans son ministère.

I'm not aware of the existence of such a report. / I don't know that such a report exists.
> J'ignore l'existence d'un tel rapport.

I don't know what's in this report. / I don't know what this report is about.
> J'ignore le contenu de ce rapport. / Je ne sais pas/J'ignore de quoi traite/parle ce rapport.

I don't know much about the different varieties/kinds of tea there are. / I'm not familiar/au fait with the different varieties/kinds of tea there are.
> Je ne sais/connais pas grand-chose à propos des différentes variétés/sortes de thés qui existent. / Mes connaissances en matière de thé sont limitées. / J'ignore quelles différentes sortes/variétés de thé existent.

Beyond that, I don't know.
> Au-delà de cela/ça/À part cela/ça, je ne sais pas.

Contrast the previous section with the more strident:

I know nothing about...

Je n'y connais rien en… (quelque chose) (a contraction of "Je ne m'y connais rien en… (quelque chose)")
Je ne sais pas de… (quelque chose) and Ne pas être au courant de … (quelque chose) also fit here.

> I know nothing about science.
>> **Je n'y connais rien en science.**

> I know nothing about wine! / I'm not very knowledgeable about wine.
>> **Je n'y connais rien en vin ! / Mes connaissances en matière de vin sont limitées.**

> I know nothing about that.
>> **Je ne suis pas au courant de cela/ça. / Je ne sais rien à ce sujet.**

> I knew nothing about this.
>> **Je ne savais rien de tout cela/ça. / Je n'étais au courant de rien.**

> He/She knew nothing about it.
>> **Il/Elle n'était au courant de rien.**

> We know nothing (whatsoever) about what really happened.
>> **On n'a aucune idée de ce qui/qu'il s'est réellement passé.**

(Cf. "We don't know what really happened." in the previous section)

to have no idea (of)...

n'avoir aucune idée (de)… / ne pas avoir la moindre idée (de)…

> You have no idea what you're doing!
>> **Tu n'as pas la moindre idée de ce que tu es en train de faire ! / Vous n'avez pas la moindre idée de ce que vous êtes en train de faire !**

> I have no idea how much this costs.
>> **Je n'ai aucune idée de combien cela/ça coûte.**

> I have no idea!
>> **Je n'en ai aucune idée !**

to remind someone
Rappeler à quelqu'un

I reminded him/her that…
>   Je lui ai rappelé que…+ *indic.*

I reminded him/her to… (do something)
>   Je lui ai rappelé de… (faire quelque chose)

I reminded them never to set foot in there!
>   Je leur ai rappelé de ne jamais y mettre les pieds !

Let me know/Keep me posted
Dis-le-moi/Dites-le-moi ; préviens-moi/prévenez-moi ;
tiens-moi au courant/tenez moi au courant *(more informal (plus familier))*

Let me know if I can be of help.
>   Dis-moi si je peux aider. / Dites-moi si je peux aider. / Si je peux aider, dis-le-moi. / Si je peux aider, dites-le-moi.

Keep me posted./!
>   Tiens-moi/Tenez-moi au courant./!

Conjecture or speculation
La conjecture, soit la spéculation/supposition

How do you see it *(e.g. event, situation, crisis)* turning out?
>   Comment imagines-tu/imaginez-vous la suite ? / Comment cela va se passer à ton/votre avis ?

What do we know about…? / What is known about…?
>   Qu'est-ce que l'on sait sur… ? / Que savons-nous sur… ?

What's in store for us? / So, what's in store for us?
>   Qu'est-ce qui nous attend ? / Alors, qu'est-ce qui nous attend ?

What can we expect in the coming weeks/in weeks to come? / What can be/ is to be expected in the coming weeks?
>   Qu'est-ce qu'on peut/Que peut-on attendre des semaines à venir ?

What can we expect in the next forty-eight/48 hours?
> **Qu'est-ce qu'on peut/Que peut-on attendre des prochaines quarante-huit heures ?**

I wouldn't hazard a guess.
> **Je n'oserais pas hasarder une hypothèse.**

What if…?
> **Et si… ?**

In/For the foreseeable future, …
> **Dans un futur proche, … / À l'avenir, …**

The future is unpredictable.
> **L'avenir/Le futur est imprévisible.**

What future do you see in relation to…?
> **Quel avenir vois-tu/voyez-vous à l'égard de… ?**

I'm not in a position to respond/reply more optimistically at the moment.
> **Je ne suis pas à même de répondre de façon/manière plus optimiste en ce moment.**

That doesn't necessarily indicate/give any indication of what will happen next/what will follow.
> **Cela/Ça ne donne pas nécessairement d'indication sur ce qui va se produire ensuite. / Cela/Ça ne présage pas forcément de la suite.**

At best, …
> **Au mieux, …**

At the very best, …
> **Dans le meilleur des cas, …**

The best/worst that can happen is…
> **La meilleure/pire chose qui puisse arriver, c'est…**

What do you think will be the impact of…?
> **Selon toi/vous, quel/que sera l'impact de… ? / Selon toi/vous, quel impact aura… ? / Quel/que sera l'impact de… selon toi/vous ? / Quel impact aura… selon toi/vous ? / À ton/votre avis, quel/que sera l'impact de… ? / À ton/votre avis, quel impact aura… ? / Quel/que sera l'impact de… à ton/votre avis ? / Quel impact aura… à ton/votre avis ?**

What could/might be the impact of…?
> **Quel/Que pourrait être l'impact de… ?**

There's nothing to suggest that…
> **Rien ne laisse présager que…** + *indic. (futur)*

It could be that…
> **Il se pourrait que…** + *subj.*

Whether I'm proved right or wrong, I don't mind.
> **Qu'il s'avère que j'aie raison ou tort, cela/ça m'est égal.** *(subj.)*

We don't know whether he'll be proved right or wrong.
> **On ne sait pas s'il sera prouvé qu'il avait raison ou tort.**

Whether he's/she's right or wrong, I don't mind.
> **Qu'il/Qu'elle ait raison ou tort, cela/ça m'est égal.**

It remains to be seen whether…
> **Il reste à savoir si…**

in the distant future – **dans un futur lointain**

in the near/not too distant future – **dans un futur proche**

Theme 20: Expressing doubt, suspicion
Thème 20 : Exprimer le doute, le soupçon

I doubt; I suspect; no doubt

Je doute ; je me doute que… ; je soupçonne que… ; sans doute

I doubt that that's the case.
> **Je doute que ce soit le cas.**

I don't know that that's the case. (I'm not convinced that that's the case.) /
I'm not sure that that's the case.
> **Je ne suis pas convaincu(e) que ce soit le cas. / Je ne suis pas sûr(e) que ce soit le cas.**

I doubt it.
> **J'en doute.**

I'm doubtful. / I'm doubtful about this/that.
> **Je suis dubitatif/dubitative. / J'ai des doutes (là-dessus/à ce sujet/ à ce propos).**

I very much doubt that that's the case in that sense of the word.
> **Je doute grandement que ce soit le cas.**

I'm very doubtful that this/that is true.
> **Je doute grandement que ce soit vrai.**

I'm very doubtful that this account/story is true/accurate.
> **Je doute grandement que ce témoignage soit réel/fidèle. / J'ai de sérieux doutes quant au fait que ce témoignage soit réel/fidèle. / Je doute grandement que cette histoire soit vraie/fidèle. / J'ai de sérieux doutes quant au fait que cette histoire soit vraie/fidèle.**

It/That makes me wonder whether (if)…
> **Cela/Ça me fait me demander si…**

I suspect she has forgotten.
> **Je soupçonne qu'elle a oublié.**

I suspect he has stolen my umbrella.
> **Je soupçonne qu'il a volé mon parapluie.**

He/She did it, no doubt/without a doubt/without any doubt. / No doubt, he/she did it.

Il/Elle l'a sans doute/sans aucun doute fait.

Doubtless, you're right. / You're right, no doubt. / No doubt, you're right.

Tu as/Vous avez sans aucun/nul doute raison.

I gave him/her/them the benefit of the doubt.

Je lui/leur ai donné le bénéfice du doute.

undoubtedly – **indubitablement**

unquestionably – **incontestablement**

indisputable – **incontestable/indiscutable**

indisputably – **indiscutablement/incontestablement**

Theme 21: Justification and rectitude
Thème 21 : La justification et la rectitude

How come?; How come...?/How is it that...?
Comment se fait-il ? ; Comment se fait-il que ?... + *subj.*

> How come you know so much about this?
> **Comment se fait-il que tu saches/vous sachiez tant de choses à ce sujet ?**

How can that be? How can it be that...?; How can it possibly be that...?; How is it possible that...?
Comment se peut-il ? ; Comment se peut-il que ?... + *subj.* ; Comment est-il possible que ?... + *subj.*

> How can it be that you are so ill-prepared for this test?
> **Comment se peut-il que tu sois/vous soyez si mal préparé(e)(s) pour ce devoir sur table/pour cette évaluation ?**

> How can it possibly be that you know/knew nothing about this?
> **Comment se peut-il que tu ne sois/n'étais pas au courant de cela/ça ? / Comment se peut-il que vous ne soyez/n'étiez pas au courant de cela/ça ?**

> How is it possible that they won so easily?
> **Comment est-il possible qu'ils/elles aient gagné si facilement ?**

Grounds for... ; On what grounds?
Lieu de... ; des motifs de... ; À quel titre ?

> There are grounds for optimism.
> **Il y a lieu d'être optimiste.**

> Your optimism is premature.
> **Ton/Votre optimisme est prématuré.**

> Your optimism is misplaced.
> **Ton/Votre optimisme est déplacé.**

There are no grounds for complacency.
> **Il n'y a pas lieu de nous reposer sur nos lauriers.**
> *(Literal translation: We cannot rest on our laurels.)*

There are grounds for thinking/believing that...
> **Il y a lieu de penser/croire que...**

There is every reason to think/believe that....
> **Il y a tout lieu de penser/croire que...**

On what grounds....?
> **À quel titre... ?**

For good reason; rightly so; justifiably (so)
Pour cause ; à juste titre

They didn't attend... and for good reason!
> **Ils/Elles n'étaient pas présent(e)s... et pour cause !**

They feel threatened... and for good reason!
> **Ils/Elles se sentent menacés/menacées... et pour cause !**

I receive quite a few requests for advice from people rightly/justifiably worried about the amount of sugar and salt in processed foods.
> **Je reçois pas mal de demandes de conseils des gens s'inquiétant à juste titre des quantités de sucre et de sel dans les aliments transformés.**

They complain about it, and rightly so.
> **Ils/Elles s'en plaignent, et à juste titre.**

For this reason or that... ; for one reason or another/for one reason or other...
Pour l'une ou l'autre raison... ; pour une raison ou autre...

... for the very simple reason that...
> **... pour la très simple raison que...**

... for a/this very simple reason.
> **... pour une/cette raison très simple.**

It's for that reason that...
> **C'est pour cela/ça que... + *indic.* (C'est pour cette raison-là que... + *indic.*)**

It's exactly for that reason that I… as a precautionary measure.
C'est bien/exactement pour cela/ça que je… *(fais quelque chose)* **/ J'ai…
(fait quelque chose) par mesure de précaution.**

Tell me, why didn't you…?
**Dis-moi, pourquoi n'as-tu pas… ? / Dites-moi, pourquoi n'avez-
vous pas… ?**

For personal reasons.
Pour des raisons personnelles.

I did/said it for the simple reason that it was the necessary and right thing to
do.
**Je l'ai dit/fait pour la simple raison que c'était ce qu'il fallait
(faire).**

We simply did it out of a desire for justice.
Nous l'avons fait simplement par désir de justice.

That's all the more reason to go and find another one.
Raison de plus d'aller en chercher un/une autre.

He did it (in order to) put his mind at rest/set his mind at ease.
Il l'a fait par acquit de conscience.

Of all the reasons you have given us, not one makes sense.
**De toutes les raisons que tu nous as/que vous nous avez données,
aucune n'a de sens.**

Person 1: Was it for this reason/because of this or something else?
**Personne 1 : Est-ce que c'était pour cette raison ou quelque chose
d'autre ? / Est-ce que c'était à cause de cela/ça ou d'autre chose ?**

Person 1: A bit of both.
Personne 2 : Un peu des deux.

Good faith, best interests
La bonne foi, l'intérêt

We acted in good faith.
Nous avons agi en toute bonne foi.

We did it in the interests of justice, good practice and international law.
**Nous l'avons fait dans l'intérêt de la justice, de la bonne pratique,
et des lois internationales.**

in the interests of…
> **dans l'intérêt de… / par mesure de…**

e.g.
It's in the interests of Greece to get/put its economy in order.
> **Il est dans l'intérêt de la Grèce d'arranger son économie.**

In the interests of security, please lock the door (behind you) when you leave the building.
> **Par mesure de sécurité, veuillez fermer la porte à clé en quittant le bâtiment.**

In the interests of hygiene, wash your hands after using the toilet.
> **Par mesure d'hygiène, lavez-vous les mains après être allé(e)(s) aux toilettes.**

It's in your interests. / It's in your best interests. / It's to your advantage.
> **C'est dans ton/votre intérêt.**

in the best interests of…
> **dans l'intérêt de…**

e.g.
in the best interests of the child/the unborn child
> **dans l'intérêt de l'enfant/du fœtus**

Right and wrong
Juste et faux

Is he/she right or wrong?
> **A-t-il/elle raison ou tort ? / Est-ce qu'il/elle a raison ou est-ce qu'il/elle a tort ?**

Are we/they right or wrong?
> **Avons-nous raison ou tort ? / Ont-ils/elles raison ou tort ?**

Am I right in thinking that…? / Am I right to think that…?
> **Ai-je raison de penser que… ?** + *indic. or conditional*

Is he/she right to say/think that…?
> **A-t-il/elle raison de dire/penser que… ?** + *indic. or conditional*

In your opinion/To your mind/In your eyes/In your view, are they right in saying (that)…/are they right to say (that)…
> **À ton/votre avis / À ton/votre sens / À tes/vos yeux / Selon toi/vous, ont-ils/elles raison de dire (que)… ?** + *indic. or conditional*

He's in the wrong, and he knows it. / She's in the wrong, and she knows it.
> **Il/Elle a tort et il/elle le sait.**

We don't have the right books. / We never had the right books.
> **Nous n'avons/On n'a pas les bons livres. / Nous n'avons/On n'a jamais eu les bons livres.**

---

to prove somebody right/wrong
donner raison/tort à quelqu'un

Events proved him/her right.
> **Les èvènements lui ont donné raison. / Les événements ont prouvé qu'il/elle avait raison.**

(Note: As discussed on p.278, there are two possible spellings of 'événement'.)

That proves you wrong.
> **Cela/Ça te/vous donne tort. / Cela/Ça prouve que tu as/vous avez tort.**

---

to take sides with someone; to rule in somebody's favour; to give someone (a) reason to do something; to give someone the pretext for doing something; to give somebody an excuse for doing something
prendre le parti de quelqu'un ; statuer/se prononcer en faveur de ; donner à quelqu'un une raison de faire quelque chose ; donner à quelqu'un le prétexte de faire quelque chose ; donner à quelqu'un une excuse de faire quelque chose

You're always taking sides with them!
> **Tu prends toujours leur parti ! / Vous prenez toujours leur parti !**

The court ruled in his/her favour.
> **Le tribunal/La cour a statué en sa faveur.**

That should give them (a) reason to lower/reduce the price.
> **Cela/Ça devrait leur donner une raison de baisser le prix.**

I wouldn't do that if I were you (I would advise you against doing that). If you do, it gives/will give him/her (a) reason to withdraw the offer.
> **Je ne ferais pas cela/ça si j'étais toi/vous (Je te/vous conseille de ne pas faire cela/ça). Si tu le fais/vous le faites, cela/ça lui donnera une raison de retirer l'offre.**

Straying toward the presidential palace would give the army a reason/pretext/excuse to attack the protesters, even though they are peaceful.

S'égarer dans les environs du palais présidentiel donnerait à l'armée une raison d'attaquer les manifestants, bien qu'ils soient non-violents/pacifiques. / S'égarer dans les environs du palais présidentiel donnerait à l'armée un prétexte/une excuse pour attaquer les manifestants, bien qu'ils soient non-violents/pacifiques.

Theme 22: Ways and means
Thème 22 : Des manières et des moyens

Forms, kinds/sorts/types, ways, methods
Des formes, espèces, façons/manières, moyens/méthodes

There are two types/kinds/forms of… which are, …
> Il existe deux sortes/espèces/formes de… à savoir…

There should be three (of them).
> Il devrait y en avoir trois.

There are two ways of doing this/it.
> Il y a deux façons/manières de faire cela/ça/de le faire. / Il existe deux façons/manières de faire cela/ça/de le faire.

This can be done in two ways.
> Cela/Ça peut être fait de deux façons.

There could be two ways of solving this puzzle/riddle/conundrum. / There are two methods you could use to solve this puzzle/riddle/conundrum.
> Il pourrait y avoir deux façons/manières de résoudre cette énigme/devinette/ce casse-tête. / Il existe deux moyens/façons de résoudre cette énigme/devinette/ce casse-tête.

There are two ways in which you could have solved this conundrum.
> Tu aurais pu/vous auriez pu résoudre cette énigme/ce casse-tête de deux façons.

There are two methods you could have used to solve this.
> Il y a deux moyens/méthodes que tu aurais pu/vous auriez pu utiliser pour résoudre cela/ça.

There are dozens of ways we could re-design this building. I have already given/brought up a few examples.

> **On pourrait refaire ce bâtiment de douzaines/dizaines[4] de façons différentes. J'en ai déjà donné quelques exemples.**

There are hundreds of ways of doing this.

> **Il y a des centaines de manières/façons/moyens de faire cela/ça. / Il existe des centaines de manières/façons/moyens de faire cela/ça.**

I exaggerate, but there are a thousand ways (in which) you could have done this.

> **J'exagère, mais tu aurais pu/vous auriez pu faire cela/ça de mille façons différentes.**

I exaggerate, but there are hundreds of thousands of ways (in which) you could have done this.

> **J'exagère, mais tu aurais pu/vous auriez pu faire cela/ça de centaines de milliers de façons différentes.**

You could have done this in any number of ways.

> **Tu aurais pu/Vous auriez pu faire cela/ ça de nombreuses façons/plein de façons différentes.**

informal/colloquial (familier)

You could have taken either one of these two paths.

> **Tu aurais pu/Vous auriez pu prendre n'importe lequel de ces deux chemins.**

The right way to do this/that/it is like this: …

> **La bonne façon de faire ça/cela, c'est…**

That's fine, as/so long as you go about it/do it the right way.

> **Pas de problème, tant que tu le fais/vous le faites correctement.**

the English/French way/method – **à l'anglaise/à la française**

---

4   Whilst 'dozens' is commonly used in the English language, and whilst its French equivalent 'des douzaines' is used, in practice 'des dizaines' ('tens') is more commonly used in French.

En anglais, on utilise beaucoup plus souvent le terme « dozens » (« douzaines ») qu'en français, tandis que le terme « tens » (« des dizaines ») est rarement utilisé.

Theme 23: Alternatives
Thème 23 : Alternatives

Whether... or not; whether, ... or...

Que… *(+ subj.)* ou non, … ; que… *(+ subj.)* ou… *(+ subj.)*… ; si…
(+ indic.) ou non…

Either... or...

Soit… soit… / ou… ou…

[Also see Theme 38, Regardless; regardless of...; irrespective; irrespective of whether or not...]

Whether you buy it or not is up to you (to decide)/is your choice.
> C'est à toi de décider si tu veux l'acheter ou non. / C'est à vous de décider si vous voulez l'acheter ou non.

Whether the Prime Minister resigns/is going to resign or not, I don't mind/I don't really care/it's neither here nor there to me.
> Cela/Ça m'est égal que le Premier ministre démissionne ou non.

Whether we stay/linger here a little longer or leave straight away, I don't mind.
> Cela/Ça m'est égal que nous restions/nous attardions ici un peu plus ou partions tout de suite.

Whether you like it/want to or not...
> Que cela/ça te/vous plaise ou non, … / Bon gré mal gré, …

You're going to school, whether you like it/want to or not!
> Tu vas à l'école, que tu le veuilles ou non ! / Tu vas à l'école, que cela/ça te plaise ou non. / Tu vas à l'école, bon gré mal gré.

You're both going to school, whether you like it/want to or not!
> Vous allez tous/toutes les deux à l'école, que vous le vouliez ou non ! / Vous allez tous/toutes les deux à l'école, bon gré mal gré !

Whether you like it or not, you must take your antibiotic syrup.
> Bon gré mal gré, tu dois prendre ton sirop antibiotique.

Either you're going or you're not. Make up your mind!
> Soit tu y vas, soit tu n'y vas pas. Décide-toi !
> *('Soit… soit… pas' to mean 'Either you are or you aren't' is similar to 'Soit l'un(e), soit l'autre' to mean 'Either one or the other')*

Notice that 'non', not 'pas' is used in French grammar to express 'not' when dealing with alternatives or options; 'pas' is always paired with and preceded by 'ne'. The same principle applies to "not only" and "not only because…", i.e. it is "non seulement" and "non seulement parce que…" and not "pas seulement" and "pas seulement parce que…".

Exceptions to this are when it is used at the beginning of a sentence e.g. in the informal

« **Pas de problème.** » ("No problem." / "Not a problem."),

« **Pas grand-chose.** » ("Nothing much."),

or after '**quelque chose de**', *for example:*

'There's something not very clear in what you say. / There's something unclear in what you say.'
   Il y a quelque chose de pas très clair dans ce que tu dis/vous dites.

or when replying to a question, for example:

(a)

Person 1: This one?
   Personne 1 : Celui-ci/Celle-ci ?

Person 1: Not that one. / No, not that one.
   Personne 1 : Pas celui-là/celle-là. / Non, pas celui-là/celle-là.

(b)

Person 1: Was it Louis XIV?
   Personne 1 : C'était Louis XIV ?

Person 2: No, not Louis XIV.
   Personne 2 : Non, pas Louis XIV.

Person 1: Louis XVI then?
   Personne 1 : Louis XVI alors ?

Person 2: Not Louis XVI.
   Personne 2 : Pas Louis XVI.

Person 1: Who then?
   Personne 1: Qui alors ?

Person 2: Have another guess.
   Personne 2 : Essaie/Essaye/Essayez encore.

(c)

Person 1: Am I right in thinking that....?
  ***Personne 1 :* Ai-je raison de penser que...** + *indic.* ?

Person 1: No, not quite.
  ***Personne 1 :* Non, pas tout à fait.** *(see Theme 48, p.250)*

(d)

Person 1: Are you hungry?
  ***Personne 1 :* As-tu/Avez-vous faim ? / Est-ce que tu as/vous avez faim ?**

Person 1: Not really. / No, not really.
  ***Personne 1 :* Pas vraiment. / Non, pas vraiment.**

'Or' to mean 'otherwise', 'or else', 'else', 'if not'
Ou/Sinon... + *indic.*

If not, if it hadn't been the case, I would have told you.
  Sinon, si ce n'était pas le cas, je te/vous l'aurais dit.

Give him/her his/her toys back, or you'll upset him/her.
  Rends-lui/Rendez-lui ses jouets ou tu vas/vous allez le/la rendre triste. / Rends-lui/Rendez-lui ses jouets ou tu vas/vous allez l'énerver.

Tell them the truth, or/otherwise they won't trust you again.
  Dis-leur/Dites-leur la vérité, ou ils/elles ne te/vous feront plus confiance.

You'd (You had) better have a good explanation, or/otherwise/or else/else I'll be offended.
  Tu ferais/Vous feriez mieux d'avoir une bonne explication, ou (sinon) je vais me vexer.

Hurry up, or you'll miss the show! / Hurry up, otherwise you'll miss the show!
  Dépêche-toi, ou (sinon) tu vas rater le spectacle ! / Dépêchez-vous, ou (sinon) vous allez rater le spectacle.

Theme 24: Membership
Thème 24 : L'adhésion

Belonging to…; being part of…; part of; joining
Appartenir à… ; faire partie de… ; une partie de ; adhérer à…

Are you part of the group calling for peace?
> **Est-ce que tu fais partie/vous faites partie du groupe qui appelle à la paix ?**

Are you part of the group calling for the resignation of…?
> **Est-ce que tu fais partie/vous faites partie du groupe qui appelle à la démission de… ?**

Do you belong to the group that calls itself/calling itself/called…?
> **Est-ce que tu fais partie/vous faites partie du groupe qui s'appelle… ?**

It's a sign of belonging to the group.
> **C'est un signe de l'appartenance au groupe.**

Whatever this group is, you need to be careful.
> **Quoi que soit ce groupe, tu dois/vous devez rester sur tes/vos gardes.**

I've never heard of the group before, let alone joined it!
> **Je n'ai jamais entendu parler de ce groupe auparavant, sans parler d'y adhérer !**

He denies being a member of the group.
> **Il nie être membre du groupe.**

We have a sense of belonging here.
> **Nous avons un sens d'appartenance ici.**

Who does this/that belong to?
> **À qui appartient ceci/cela/ça ?**

I don't know who this/that belongs to.
> **Je ne sais pas à qui ceci/cela/ça appartient.**

It is largely due to… / It is in large part due to…
> **C'est en grande partie dû à…**

Part of me wants to do more, (but at the same time) part of me is very satisfied.

Une partie de moi veut faire plus, mais (en même temps) une partie de moi est très satisfaite.

Theme 25: Relative pronouns etc.
Thème 25 : Les pronoms relatifs, etc.

Whoever; whichever; whatever; wherever; whatsoever

Qui ; qui que ce soit ; quiconque ; quel(s) qu'il(s) soi(en)t/quelle(s) qu'elle(s) soi(en)t; quelconque ; quel(s)/quelle(s) que soi(en)t; quoi…; quoique… + *subj*. ; où…

These are sometimes referred to in English as compound or indefinite relative pronouns.[5]

Connus parfois en anglais sous le nom de pronoms relatifs composés ou indéfinis.[5]

The corresponding French expressions are rather more diversely termed in relation to their varied functions and are known respectively as follows:

'qui', 'quoi', 'où' – *relative pronouns*

'qui que ce soit' – *a locution*

'quiconque' – *a relative pronoun or an indefinite relative pronoun, depending on the context*

'quel(s) qu'il(s) soi(en)t/quelle(s) qu'elle(s) soi(en)t' – *locutions based on the interrogative adjectives 'quel(s)' and 'quelle(s)'*

'quelconque' – *an adjective, an adjectif indéfini (indefinite adjective) and an adjectif qualificatif ('qualificative' adjective), to be very technical. The former equates to 'any'; the latter means 'banal', 'insignificant', 'mediocre'*

---

5   For English-speaking readers:

In the English language, these are known simply as relative pronouns but sometimes as indefinite relative pronouns or compound relative pronouns in order to differentiate them from the definite relative pronouns, which include 'who', 'whom', 'whose', 'which' and 'that'.

In French, 'lequel', 'duquel', 'auquel' and their feminine, plural and feminine plural equivalents, e.g. 'laquelle', 'lesquels', 'lesquelles', 'auxquels', 'auxquelles', 'desquels', 'desquelles, are likewise termed 'pronoms relatifs composés' (compound relative pronouns). This is to distinguish them from the 'pronoms relatifs simples' (simple relative pronouns) – 'que', 'qui', 'dont' and 'où'.

Pour les lecteurs francophones :

En anglais, ces mots sont connus sous le nom de pronoms relatifs, mais sont parfois appelés « indefinite relative pronouns » (pronoms relatifs indéfinis) ou « compound relative pronouns » (pronoms relatifs composés) pour les distinguer des « definite relative pronouns » (pronoms relatifs définis) tels que « who », « whom », « whose », « which » et « that ».

'**quel(s)/quelle(s) que soi(en)t**' – *locutions based on the interrogative adjectives 'quel(s)' and 'quelle(s)'*

'**quoique**' – *a subordinating conjunction composed of 'quoi' and 'que'*

■ (a) Whoever – qui ; qui que ce soit ; quiconque

(i) qui

Whoever you are, go away!
Qui que tu sois, va-t'en ! / Qui que vous soyez, allez-vous en !

Whoever you are, that's immaterial to me.
Qui que tu sois, cela/ça m'importe peu. / Qui que vous soyez, cela/ça m'importe peu.

Whoever bought you that gold watch was very generous.
La personne qui t'a/vous a acheté cette montre en or était très généreuse.

(ii) qui que ce soit; quel qu'il soit; quelle qu'elle soit

The locution 'qui que ce soit' translates most accurately as 'anybody/anyone' or 'nobody/no-one', and tends to be used in sentences conveying a negative sentiment – for example:

I didn't tell anybody about it. / I told nobody about it.
Je n'en ai rien dit à qui que ce soit.
("Je n'en ai parlé à personne.", however, is more likely to be said.)

He says he wouldn't deliberately lie to anybody.
Il dit qu'il ne mentirait pas délibérément à qui que ce soit.

It can, however, serve as a relative pronoun, such as in the following example:

Whoever has sprayed this graffiti on the walls and windows will be found and punished.
La personne qui a fait des graffiti sur les murs et les fenêtres sera trouvée et punie, qui qu'elle soit.

The person who has done this/done it will be caught and punished, whoever he or she may be.
La personne qui a fait cela/qui l'a fait sera attrapée et punie, qui qu'elle soit.

The people responsible for this, whoever they are, will be brought to justice.

> **Les personnes responsables, qui qu'elles soient, seront traduites en justice.**

(iii) quiconque

'Quiconque' serves as a relative pronoun – i.e. a word that relates to a noun while introducing a relative clause, but in particular, doing this without antecedent (preceding) noun and main clause. In other words, it can initiate the sentence, which then has the following structure:

Quiconque + *relative clause* + *main clause containing noun*

> e.g.
> Whoever solves the puzzle first will be the winner.
> **Quiconque *résoudra le casse-têtell'énigme le premier* sera le gagnant.**

relative clause
main clause
noun

> Whoever manages to remove the sword from the rock will become king.
>
> **Quiconque parviendra à retirer l'épée du rocher deviendra roi.**

Note that 'Celui qui' could have been used instead of 'Quiconque' here. Indeed, 'quiconque' as a relative pronoun without antecedent is masculine unless all the people concerned are female, in which case the first of the above examples would of course become:

> Whoever solves the puzzle first will be the winner.
>
> **Quiconque résoudra le casse-tête/l'énigme la première sera la gagnante.**

However, it began increasingly to be used as an indefinite pronoun, much to the chagrin of *l'Académie française*, resulting in much controversy and criticism of its use in this way. *L'Académie* has now accepted it as an indefinite pronoun, such as in the examples below:

> I will report whoever it was to the police.
>
> **Je vais dénoncer quiconque a fait cela/ça à la police.**

> She never talked to me, nor to anyone else.
>
> **Elle ne m'adressait jamais la parole, ni à quiconque.**

The term 'whoever' also can translate in other ways in French, as the following examples show:

> I can talk to whoever I want to! / I can talk to whoever I **like/wish**!

colloquial (familier)

(In strictly correct English (en anglais correct): I can talk to whomever I want to/to whomever I wish.)

> **Je peux parler à qui je veux !**

Whoever it is/was, own up now/admit it now.

> **Peu importe qui c'est/c'était, admets-le/admettez-le immédiatement.**

■ (b) Whatever; whichever – quelconque; quel(s) que soi(en)t; quelle(s) que soi(en)t; quoi que… + *subj.* ; quoique… + *subj.*

If for any reason… / If for any reason you should happen to… / If for any reason you should feel the need to…

Si pour une raison quelconque, … / Si pour une raison quelconque, tu as/vous avez l'occasion de… (faire quelque chose), … / Si pour une raison quelconque tu ressens/ vous ressentez le besoin de… (faire quelque chose), …

In the above examples, 'quelconque' serves as an indefinite adjective. Below is an example of its use as a qualificative adjective.

> *Person 1:* How was your day today?
> > **Personne 1 : Comment était ta journée ?**

> *Person 2:* Boring. Nothing much happened – a whole series of banal, unimportant meetings.
> > **Personne 2 : Ennuyeuse. Il (ne) s'est pas passé grand-chose — toute une série de réunions quelconques.**

He says he's just an ordinary villager, no-one special.

> **Il dit n'être qu'un villageois quelconque, pas quelqu'un de spécial.**

Whatever the reason, say it now.

> **Quelle que soit la raison, dis-le/dites-le maintenant.**

Whatever the reason was, tell us now.

> **Quelle que fut la raison, dis-le-nous maintenant/dites-le-nous maintenant.**

Whatever the case may be, … /… or whatever the case may be

> **Quel que soit le cas, … /… ou quel que soit le cas.**

Whatever your anxieties or misgivings are, just say so.

> **Quels que soient tes/vos inquiétudes ou tes/vos doutes, parles-en/parlez-en, tout simplement. / Quelles que soient tes/vos inquiétudes ou tes/vos appréhensions, parles-en/parlez-en, tout simplement.**

Whatever his/her age, that's immaterial to me.
> **Son âge m'importe peu.**

(Compare with "However old he is" in part (d), which has the same meaning)

Whatever you say, speak slowly, loudly and clearly.
> **Quoi que tu dises, parle lentement, fort et clairement. / Quoi que vous disiez, parlez lentement, fort et clairement.**

Whatever he/she says/thinks, …
> **Quoi qu'il/elle dise/pense, …**

e.g.
Whatever he/she thinks/says, this was an unmitigated disaster!
> **Quoi qu'il/elle pense/dise, c'était un désastre total.**

… whatever people say (about it). /… whatever other people say (about it).
> **… quoi qu'en disent les gens. /… quoi qu'en disent les autres.** *(subj.)*

e.g.
At least it's an accurate portrayal, whatever (other) people say about it.
> **Au moins, c'est un portrait précis, quoi qu'en disent les gens/ autres. / Au moins, c'est une description précise, quoi qu'en disent les gens/autres.**

Whatever it indicates, it's (it is) probably wrong.
> **Quoi que cela indique, c'est probablement faux/erroné.**

Whatever happens, …
> **Quoi qu'il arrive, …**

e.g.
Whatever happens, we'll succeed in our goal.
> **Quoi qu'il arrive, nous mènerons à bien notre entreprise.**

Whatever is needed, let us know. / Whatever you need, let us know.
> **Dis-nous ce dont tu as besoin. / Dites-nous ce dont vous avez besoin.**

He says what/whatever he thinks.
> **Il dit ce qu'il pense.**

[Also see further down – "However old he is, …"]

He/She does as he/she pleases/does what he/she wants/does whatever he/ she wants/pleases.
> **Il/Elle fait comme il/elle veut.**

Pick any one of them. / Pick whichever you like.
> **Choisis-en/Choisissez-en un, n'importe lequel. / Choisis-en/ Choisissez-en une, n'importe laquelle.**

■ (c) Wherever – où que... + *subj.*

Wherever you are, come out now! We have no more time to waste!
> **Où que tu sois, sors immédiatement ! Nous n'avons plus de temps à perdre ! / Où que vous soyez, sortez immédiatement ! Nous n'avons plus de temps à perdre !**

Wherever you're both hiding, come out now!
> **Où que vous vous cachiez (tous les deux), sortez immédiatement !**

Wherever you are, give me a call.
> **Où que tu sois, appelle-moi. / Où que vous soyez, appelez-moi.**

Wherever I go, I always take a novel with me.
> **Où que j'aille, j'emporte toujours un roman avec moi.**

Wherever you go, take care (of yourself).
> **Où que tu ailles, fais attention à toi. / Où que tu ailles, prends soin de toi.**

■ (d) Whatsoever

I'm very happy here; I have no reason whatsoever to leave.
> **Je suis très heureux/heureuse ici ; je n'ai aucune raison de partir.**

However

This word has two roles:
> **Ce mot a deux rôles :**

as a conjunction – cependant; toutefois (and all their synonyms, e.g. néanmoins, nonobstant)
> **en tant que conjonction – cependant ; toutefois (et tous leurs synonymes, par ex., néanmoins, nonobstant)**

e.g.
What you say is true. However, you must bear in mind that...
> **Ce que tu dis/vous dites est vrai. Cependant/Toutefois, tu ne dois/vous ne devez pas oublier que...**

as an adverb
> **en tant qu'adverbe**

e.g.
However tired you are, you have to get going!
> **Tu as beau/Vous avez beau être fatigué(e)/fatigué(e)(s), il faut y aller !**

However old he is, I don't care!
> **Je me fiche qu'il soit vieux !**

(Compare with 'Whatever his/her age' [in part (b)], which has the same meaning.)
(Comparez avec « Whatever his/her age » [partie (b)], qui a la même signification.)

However tough they think they are, they'll be in for a shock/a rude awakening.
> **Ils ont beau croire être des durs, un choc les attend/un réveil brutal les attend.**

However slowly you say you drove, it was irresponsible for you to have driven at all in this (bad) weather.
> **Peu importe la vitesse à laquelle tu dis être allé(e), c'est irresponsable de ta part d'avoir conduit par ce temps.**

However slightly you were hurt, it could have been worse.
> **Même si tes blessures ne sont pas si graves que cela/ça, cela/ça aurait pu être pire.**

Whose; of which; in which; Which one?; Which one of them?
Dont ; Lequel/Laquelle ? ; Lequel d'entre eux ? / Laquelle d'entre elles ?

These/Those are the children whose parents I **wrote to**./ These/Those are the children **to whose parents I wrote**.
> **Ce sont les enfants des parents à qui j'ai écrit.**

colloquial (courant)

grammatically more correct (plus correct grammaticalement)

That's the house with a fountain in the garden. / That's the house whose garden has a fountain.
> **C'est la maison avec une fontaine dans le jardin.**

"Dont" is also used to mean "y compris", i.e. "including"
[e.g. see Part II, Chapter 3, Law and order p.434, under Terrorism]

Which of them do you prefer?
> **Lequel d'entre eux préfères-tu/préférez-vous ? / Laquelle d'entre elles préfères-tu/préférez-vous ?**

A lot of people are frustrated/There are many frustrated people, including Theo, whose mobile phone was stolen yesterday evening.
> **Il y a beaucoup de gens frustrés, notamment Theo, dont le téléphone portable a été volé hier soir.**

One or another/One or other
L'un(e) ou l'autre

This locution or expression doesn't have to translate as 'l'un(e) ou l'autre', as you will see in the examples below.

Cette locution ou expression ne se traduit pas forcément par « l'un(e) ou l'autre », comme vous le verrez dans les exemples ci-dessous.

One or another/other of my employees works abroad at any one time.
> **J'ai à tout moment un de mes employés en poste à l'étranger.**

For some (unknown) reason/For whatever reason/For one or other reason, they didn't show up.
> **Pour une raison ou pour une autre, ils/elles ne sont pas venu(e)s.**

---

to have nothing to do with/to be nothing to do with… ; not the point/beside the point, etc.
n'avoir rien à voir avec… ; pas la question/n'a rien à voir, etc.

What does that have to do with this?
> **Qu'est-ce que cela/ça a à voir avec cela/ça ?**

What does that have to do with this exactly? / Exactly what does that have to do with this?
> **Qu'est-ce que cela/ça a à voir avec cela/ça exactement ?**

That has nothing to do with it.
> **Cela/Ça n'a rien à voir avec cela/ça.**

That hasn't got much to do with it. / That hasn't got a lot to do with it. / That has hardly/barely anything to do with it./That has little to do with it.
> **Cela/Ça n'a pas grand-chose à voir avec cela/ça.**

That has nothing whatsoever/whatever to do with it. / That has absolutely nothing to do with it!
> **Cela/Ça n'a absolument rien à voir avec cela/ça !**

It has nothing to do with that. On the contrary, it has everything to do with…
> **Cela/Ça n'a rien à voir avec cela/ça. Au contraire, c'est plutôt lié à…**

Does it have something to do with…?
> **Est-ce que cela/ça a quelque chose à voir avec… ?**

That is not the point.
> **Là, n'est pas la question.**

That is hardly the point. / That's hardly the point.
> Ce n'est pas vraiment la question/le sujet.

That's beside the point.
> Cela/Ça n'a rien à voir. / Tu passes à côté de la question. / Vous passez à côté de la question.

You're missing the point.
> Tu ne comprends pas. / Vous ne comprenez pas. / Tu passes à côté de la question. / Vous passez à côté de la question.

You've completely missed the point. / You've missed the point completely/entirely.
> Tu n'as rien compris. / Vous n'avez rien compris.

It's not that… / It's not as if…
> Ce n'est pas que… / Ce n'est pas comme si…

It's irrelevant. / That's irrelevant.
> C'est hors propos. / Cela/Ça n'a aucun rapport. / Ce n'est pas pertinent. / C'est hors-sujet.

Theme 26: Use/Usefulness/Utility
Thème 26 : L'utilité

What's the point/purpose/good/benefit of doing something)? / What's the point? / What's the point of that?

À quoi sert (de faire quelque chose) ? / Quel est le but de (faire quelque chose) ? / À quoi bon (faire quelque chose) ? / À quoi ça sert ? / Dans quel but ? / À quoi bon ?

What's the point of buying that? / What's the point of buying it?
> **Pour quoi achètes-tu/achetez-vous cela/ça ? / À quoi bon acheter cela/ça ? / À quoi bon l'acheter ?**

I don't see the point of buying it.
> **Je ne comprends pas pour quoi il faudrait acheter cela/ça.**
> *(Note 'pour quoi' rather than 'pourquoi': 'pour quoi' means 'for what' or 'for what purpose' whereas 'pourquoi' means 'why'.)*

What's the point/good in saying… ?
> **À quoi cela/ça sert de dire… ? / Quel est le but de dire… ? / À quoi bon dire… ?**

What's the point of saying that?
> **À quoi cela/ça sert de dire cela/ça ? / À quoi bon dire cela/ça ?**

What's the point of that?
> **À quoi cela/ça sert ?**

For what purpose? / To what end?
> **Pour quoi ? / Dans quel but ?**

to be pointless
ne servir à rien / être inutile

It's/That's pointless. / It/That would be pointless.
> **Cela/Ça ne sert à rien. / Cela/Ça ne servirait à rien. / C'est inutile. / Cela/Ça serait inutile.**

It's pointless to… (do something). / It would be pointless to… (do something).
> **Cela/Ça ne sert à rien de… (faire quelque chose). / Cela/Ça ne servirait à rien de… (faire quelque chose). / C'est/Il est inutile de… (faire quelque chose) / C'est/Il est inutile que… + *subj*.**

(Note that 'inutile' translates to either 'pointless' or 'useless', which are used slightly differently in English but have an almost identical meaning. Also see below. "Cela/ Ça ne sert à rien" is quite an informal/colloquial expression in French.)

There's no point (in) fighting/crying.
> **Cela/Ça ne sert à rien de se battre/de pleurer.**
> **/ C'est/Il est inutile de se battre/de pleurer.**

informal (familier)

formal (soutenu)

There's no point (in) talking to him/her.
> **Cela/Ça ne sert à rien de lui parler.**

There's no point (in) going there.
> **Cela/Ça ne sert à rien d'y aller.**

There would be no point in doing it again.
> **Cela/Ça ne servirait à rien de le refaire.**

There's not much point in… (doing something)
> **Cela/Ça ne vaut pas trop la peine de… (faire quelque chose)**
> *(It's not worth the trouble of [doing something])*

That's not much use.
> **Cela/Ça ne sert pas à grand-chose.**

It's no use!
> **Cela/Ça ne sert à rien !**

What sense is there in saying… ? / What's the sense of/in saying… ?
> **Quel sens y a-t-il à dire… ?**

That doesn't/won't achieve anything./!
> **Cela/Ça n'aboutit à rien ! / Cela/Ça n'aboutira à rien !**

Useful/Useless/Futile
Utile/Inutile/Futile

I think it useful to… / I would think it useful to… / I thought it useful to…
> **Je pense/crois qu'il est utile de… (faire quelque chose) / Je trouve utile de… (faire quelque chose) / Je trouverais utile de… (faire quelque chose) / J'ai cru utile de… (faire quelque chose)**

It's/This is a window of opportunity to seize.
> **C'est une occasion à saisir.**

Needless to say, they lost the whole lot.
> **Inutile de dire qu'ils/elles ont tout perdu.**

There's nothing you can do. It's futile.
> **Il n'y a rien que tu puisses/vous puissiez faire. C'est inutile/futile.**

They offer/give all sorts of practical advice.
> **Ils/Elles offrent/donnent toutes sortes de conseils pratiques.**

If there's anything else of use to talk about, we'll let you know.
> **Nous vous préviendrons s'il y a quoi que ce soit d'autre à dire.**

What use is that to us? / How is that going to help us?
> **En quoi cela/ça nous est-il utile ? / En quoi est-ce que cela/ça va nous aider ?**

Why bother?/?!
> **À quoi bon ?/?!**

Those policies were useless.
> **Ces politiques n'ont servi à rien.**

The equipment they were given was useless.
> **L'équipement qu'ils/qu'elles ont reçu n'a servi à rien. / L'équipement qu'on leur a donné n'a servi à rien.**

It's of no use to him/her/them.
> **Cela/Ça ne lui sert à rien. / Cela/Ça ne leur sert à rien.**

Putting something to use/Using something/Making use of something; with the aid/help of (someone/something); by means of; by way of; via; to use something as... (something (else)

Se servir de quelque chose/Utiliser quelque chose ; à l'aide de (quelque chose) ; avec l'aide de (quelqu'un) ; au moyen de quelque chose ; par ; grâce à ; se servir de quelque chose comme... ; utiliser quelque chose comme...

The child used a teaspoon to eat his/her yoghurt.
> **L'enfant s'est servi(e) d'une petite cuillère pour manger son yaourt. / L'enfant a utilisé une petite cuillère pour manger son yaourt. / L'enfant a mangé son yaourt à l'aide d'une petite cuillère.**

I managed to fix it with (the aid of) some glue.
> **J'ai réussi à le réparer grâce à de la colle. / J'ai réussi à le réparer en utilisant de la colle.**

The motorist managed to restart the car with the help of roadside assistance.

> **L'automobiliste a réussi à redémarrer sa voiture grâce à l'aide de l'assistance routière.**

We rearranged our kitchen with the aid of an interior designer.

> **Nous avons réorganisé notre cuisine avec l'aide d'un/une architecte d'intérieur.**

(Note that 'à l'aide de' is not used with people but only with inanimate objects; 'avec l'aide de' is used with people.

Olivier climbed into the attic/loft with a ladder. / Olivier used a ladder to climb into the loft.

> **Olivier est monté dans le grenier au moyen/à l'aide d'une échelle./ Olivier s'est servi d'une échelle pour monter dans le grenier.**

They escaped the fire by means of/by way of a back staircase. / They escaped the fire via a back staircase.

> **Ils/Elles se sont échappés/échappées de l'immeuble en feu au moyen d'un escalier à l'arrière. / Ils/Elles se sont échappés/ échappées de l'immeuble en feu à l'aide d'un escalier à l'arrière. / Ils/Elles se sont échappés/échappées par un escalier à l'arrière. / Ils/Elles se sont échappés/échappées de l'immeuble en feu grâce à un escalier à l'arrière.**

Jasmine found the solution with/using a simple formula.

> **Jasmine a trouvé la solution au moyen/à l'aide d'une formule simple.**

I used it as a tool.

> **Je m'en suis servi comme outil. / Je l'ai utilisé comme outil…**

This could one day/some day be used as a treatment for…

> **Cela pourrait un jour être utilisé comme traitement pour…**

Theme 27: Requirements, wants and needs
Thème 27 : Exigences, envies et besoins

Requirements/Needs
Des besoins

It's going to require… / That's going to require… (e.g. a big effort)
Cela/Ça va demander/réclamer/exiger… (par ex. un grand effort)

The minimum requirement is…
Le minimum requis, c'est…

This/That meets/satisfies our requirements/needs.
Cela/Ça satisfait nos conditions préalables. / Cela/Ça satisfait nos besoins/exigences.

There is a need for…
Il y a un besoin de…

If the need arises
En cas de besoin

We can rely/count/depend on him if need be/if necessary/if the need arises/if we need to.
Nous pouvons compter sur lui en cas de besoin. / On peut compter sur lui en cas de besoin.

All you have/need to do is… / It's just a matter of… / It's simply a matter of… / It's merely…
Il suffit de… / Il s'agit de… / Il suffit (tout) simplement de… / Il s'agit tout simplement de…

All you have/need to do is sign up to become a member.
Il suffit de s'inscrire pour devenir membre. Il te/vous suffit de t'inscrire/vous inscrire pour devenir membre.

All you have to do is heat up/re-heat the soup. / It's a (simple) matter of heating up/re-heating the soup.

> **Il suffit de réchauffer la soupe. / Il suffit (tout) simplement de réchauffer la soupe.**

It's merely an administrative error. There's nothing to worry about.

> **Il s'agit tout simplement d'une erreur administrative. Il n'y a pas lieu de s'inquiéter. / Ce n'est qu'une erreur administrative. Il n'y a pas de souci à se faire.**

There's practically nothing left to eat.

> **Il ne reste pratiquement/quasi rien à manger.**

There's practically nothing left to do.

> **Il ne reste pratiquement/quasi rien à faire.**

There's practically nothing left.

> **Il ne reste pratiquement/quasi rien.**

We need to keep the drinks cold.

> **Nous devons garder les boissons au frais.**

We need to help those who need it/who are in need of it. / It's important to help those who need it/who are in need of it. / It's important **we help** those who need it/who are in need of it.

subjunctive

> **Il faut aider (celles et) ceux qui en ont besoin. / Il faut aider (celles et) ceux dans le besoin.**

[See Theme 70: The English subjunctive]

… for those who need it the most.

> **… pour ceux (celles) qui en ont le plus besoin.**

They are in most need of… / Most of all, they need… / They have the greatest need for… / They need… the most.

> **Ils/Elles ont le plus besoin de… / Ce dont ils/elles ont le plus besoin, c'est…**

The most pressing concern is the lack/shortage of clean drinking water.

> **Le problème le plus urgent est le manque d'eau potable. / Le problème le plus urgent est la disette/pénurie d'eau potable.**

This affects a certain section/sector of the population. / This only affects a certain section/sector of the population.

> **Cela/Ça affecte une certaine tranche de la population. / Cela/Ça n'affecte qu'une certaine tranche de la population.**

Aid agencies are desperately trying to provide badly needed food, water, medicine and shelter.

Les organisations humanitaires essaient désespérément de fournir la nourriture, l'eau, les médicaments et les refuges dont les gens ont tant besoin.

A nearby hostel has been reserved for the most needy.

Une auberge non loin de là a été réservée pour les plus nécessiteux.

For the people most in need, we're going to have to…

Nous allons/On va devoir… pour les plus nécessiteux.

At the very least, we need…

Nous avons/On a au moins besoin de…

… and we need it by the end of next week at the latest/at the very latest.

… et on en a besoin avant la fin de la semaine prochaine au plus tard.

Why do people need (something/to do something) so much?

Pourquoi a-t-on tant besoin de… (quelque chose/faire quelque chose) ? / Pourquoi est-ce que l'on/qu'on a tant besoin de… (quelque chose/faire quelque chose) ? / Pourquoi les gens ont-ils tant besoin de… (quelque chose/faire quelque chose) ? Pourquoi est-ce que les gens ont tant besoin de… (quelque chose/faire quelque chose) ?

We need a room four metres by three in size.

On a besoin d'une salle/pièce de quatre mètres sur trois.

He doesn't have the necessary tools at his disposal.

Il ne dispose pas des outils nécessaires. / Il ne dispose pas des outils qu'il faut. (colloquial)

We don't have the tools to repair it with. / We don't have the tools with which to repair it.

Nous n'avons pas les outils nécessaires pour le/la réparer. / Nous n'avons pas les outils nécessaires pour réparer cela/ça.

I can dispense with the garage.

Je peux me passer du garage.

I don't need this hassle/aggravation! / I can do without this hassle!

Je n'ai pas besoin de (tous) ces tracas !

as much of it as required/as necessary – **autant qu'il en faut / autant que nécessaire**

There's no need/It's unnecessary
C'est (Ce n'est) pas la peine

That's unnecessary.
C'est (Ce n'est) pas la peine. / C'est inutile.

There's no need to take that medicine; it will get better on its own.
Ce n'est pas la peine de prendre ce médicament ; cela/ça va se guérir tout seul.

On the other hand, it would have been pointless to (have)… (done otherwise/ done something else).
En revanche, cela/ça n'aurait servi à rien de… (faire autre chose/ d'avoir fait autre chose). / En revanche, il aurait été inutile de… (faire autre chose/d'avoir fait autre chose).

More of something; no more; no more of something
+ *noun*
Plus de… + *objet* ; plus rien ; plus rien de + *objet*

More water/bread/milk/butter, please.
Je voudrais plus d'eau/de pain/de lait/de beurre, s'il te/vous plaît.

More meat/fish, please.
Je voudrais plus de viande/de poisson, s'il te/vous plaît.

More wine, please.
Je voudrais plus de vin, s'il te/vous plaît.

Is there any more wine? / Is there any wine left?
Y a-t-il encore du vin ? / Reste-t-il (encore) du vin ?

Can I have some more wine? / Can we have some more wine?
Puis-je avoir plus de vin ? / Pouvons-nous avoir plus de vin ? / Puis-je ravoir du vin ? Pouvons-nous ravoir du vin ?

Can I have some more?
Puis-je en avoir encore ? / Puis-je en ravoir ?

There's no more left. / There's none left.
Il n'y en a plus.

No more, thanks.
Non, merci.

No more water, thanks.
>> **J'ai assez d'eau, merci. / Non, merci.**

Enough
Assez/Suffisant ; suffisamment

Five will suffice. / Five will do.
>> **Cinq suffiront.**

Five more will suffice.
>> **Cinq de plus suffiront.**

Four bottles will suffice/are enough.
>> **Quatre bouteilles suffisent.**

That's more than enough.
>> **C'est amplement suffisant. / C'est plus qu'assez.**

Six would be more than enough.
>> **Six seraient amplement suffisant. / Six suffiraient plus qu'assez.**

We have enough (of something).
>> **On a/Nous avons assez/suffisamment (de quelque chose).**

e.g.
We have enough water/food/bread/milk/butter/wine/books/money.
>> **On a/Nous avons assez/suffisamment d'eau/de nourriture/de pain/ de lait/de beurre/de vin/de livres/d'argent.**

I've had enough to eat.
>> **J'ai assez mangé.**

[Also see 'I'm full' in Part II, Chapter 19, Food and drink, p.645 under 'In the restaurant/bar']

That's enough for me.
>> **Cela/Ça me suffit/convient.**

That's enough/sufficient for him/her/them.
>> **Cela/Ça lui/leur suffit/convient.**

That's just enough for us.
>> **C'est juste assez pour nous.**

We have just enough to...
>> **Nous avons juste assez pour...**

I've had enough! (I'm fed up!)
> **J'en ai assez ! / J'en ai marre (de ça) !**

That's enough! / Enough of this!
> **Ça suffit !**

Enough is enough!
> **Ça suffit comme ça !**

I think you've said enough.
> **Je pense que tu en assez dit. / Je pense que vous en avez assez dit.**

We haven't enough room/space.
> **Nous n'avons pas assez de place. / Nous n'avons pas assez d'espace.**

This noise is enough to drive you mad!
> **Ce bruit est à perdre la tête ! / Ce bruit suffit à (vous) rendre fou/ folle !**

(Note: In the second French alternative, tutoiement is not used in this context; 'vous' here is used in a similar way to 'on', namely, to mean 'one' or 'anyone'.)

You've/We've got enough to worry about already!
> **Tu as/Vous avez/Nous avons assez de soucis comme cela/ça !**

That's enough talk for now.
> **Assez causé pour le moment.**

That's enough talk!
> **Assez causé !**

That's enough talk for one day!
> **Assez discuté/causé pour la journée !**
> *(Note: The verb 'causer' is informal.)*

That explanation won't suffice. / That explanation won't do. / That explanation isn't good enough.
> **Cette explication ne suffit/suffira pas.**

That explanation just won't do.
> **Cette explication ne suffit/suffira tout simplement pas.**

Too much, too little
Trop, pas assez

There's one too many.
Il y en a un/une de trop.

There don't have to be so many.
Il n'est pas nécessaire qu'il y en ait autant.

There shouldn't be so many/so much.
Il ne devrait pas y en avoir autant.

You've put too much cinnamon in the cake!
Tu as/Vous avez mis trop de cannelle dans le gâteau !

There's too little time.
On n'a pas le temps.

There's too little debate.
Il n'y a pas assez de débat.

Not much/Nothing much/No big deal/Not a big deal; What's new?
Pas grand-chose ; Quoi de neuf ?

He's/She's eighteen. You're not much older than that are you?
Il/Elle a dix-huit ans. Tu n'es/Vous n'êtes pas beaucoup plus âgé (que cela/ça), n'est-ce pas ?

The centre of town/The city centre is nothing much.
/ The town centre/city centre is nothing to write
home about.
Il n'y a pas grand-chose dans le centre-ville. / Le centre-ville n'est pas très impressionnant. / Le centre-ville n'est pas grand-chose.

Judging by their faces/facial expressions, the film wasn't all that.
À en juger par leurs expressions/leurs mines, le film n'était pas génial.

There's not much happening at this (holiday) resort. / There's not a lot going on at this resort.
Il ne se passe pas grand-chose à cet hôtel.

There's not much happening on the streets. / There's not a lot happening on the streets.

Il ne se passe pas grand-chose dans les rues.

There's not much to do/to see.

Il n'y a pas grand-chose à faire/à voir.

That's not much use.

Cela/Ça ne sert pas à grand-chose.

They don't have much of a life.

Ils/Elles ne font pas grand-chose de leur vie.

Person 1: What else did he talk about?

***Personne 1 :* De quoi d'autre a-t-il parlé ?**

Person 2: This and that. Nothing important. / Nothing much.

***Personne 2 :* De choses et d'autres. Rien d'essentiel/d'important. / Pas grand-chose.**

That's nothing new. / There's nothing new in that.

C'est (Ce n'est) pas nouveau.

Person 1: What's new?

***Personne 1 :* Quoi de neuf ?**

Person 2: Nothing much.

***Personne 2 :* Pas grand-chose.**

Right and wrong (amount, selection)
Être/Ne pas être la bonne quantité, le bon choix/la bonne sélection

That's not the one.

C'est (Ce n'est) pas celui-là/celle-là.

That's not the right one.

C'est (Ce n'est) pas le bon/la bonne.

That's the right one for you. / That one suits you.

C'est celui/celle qui te/vous convient.

Theme 28: Involvement
Thème 28 : La participation

Staying out of it/Not getting involved

Ne pas se mêler de/à… etc.

I don't want to get involved with/in that.
> **Je ne veux pas me mêler de/à cela/ça.**

I don't want to get involved in/caught up in that debate.
> **Je ne veux pas me mêler à ce débat(-là).**

I don't want to mix/mingle with them.
> **Je ne veux pas me mêler à eux/elles.**

He doesn't want to get caught up in/with crime. / He doesn't want to get mixed up in crime.
> **Il ne veut pas tomber dans la criminalité.**

He didn't want to get entangled/ensnared in crime.
> **Il ne voulait pas tomber dans la criminalité.**

Don't bother getting involved with/caught up with/mixed up with that person/those people. / I wouldn't bother getting involved with/caught up with/mixed up with that person/those people if I were you.
> **Inutile de se donner la peine d'aller parler à cette personne(-là)/ ces gens(-là). / Je ne prendrais pas la peine d'aller parler à cette personne(-là)/ces gens(-là), si j'étais toi.**

It's nothing to do with me! / I'm not involved!
> **Je n'y suis pour rien ! / Je n'ai rien à voir avec cela/ça / là-dedans !**

It has/It's got nothing to do with you!
> **Cela/Ça ne te/vous regarde pas !**

It's none of your business!
> **Ce ne sont pas tes/vos affaires ! / Ce ne sont pas tes/vos oignons ! / C'est (Ce n'est) pas tes/vos affaires ! / C'est (Ce n'est) pas tes/ vos oignons !**

informal (familier)

informal (familier)

(The last two are grammatically incorrect but commonly said.)

(Les deux dernières phrases sont souvent utilisées, bien qu'elles soient grammaticalement incorrectes.)

Mind your own business!
>**Mêle-toi de tes affaires ! / Mêlez-vous de vos affaires !**

Being involved
Être en cause/Être impliqué(e)(s)

The incident involved a Colombian company. / A Colombian company was involved in the incident.
>**Une société colombienne était impliquée dans l'incident.**

The accident involved an Indian airline.
>**Une compagnie aérienne indienne était impliquée dans l'accident.**

The accident involved a lorry/truck and a bus.
>**Un camion et un bus étaient impliqués dans l'accident.**

An old man was involved.
>**Un vieil homme était impliqué/en cause.**

That lady was involved.
>**Cette dame était impliquée/en cause.**

He/She was cleared of involvement.
>**Il/Elle a été mis(e) hors de cause.**

This dispute involves the ownership of an old hotel. / The ownership of an old hotel is at issue/at stake.
>**Ce litige concerne la possession d'un vieil hôtel.**

Hearing his/her account, I think the question of retirement is at issue/is the issue.
>**Après avoir entendu son témoignage, je pense que la question de la retraite est en cause.**

He/She has broken his/her silence over his/her involvement in this affair/saga.
>**Il/Elle est sorti/sortie de son silence sur sa participation dans cette affaire.**

They have broken their silence over their involvement in the…affair/scandal.
>**Ils/Elles sont sortis/sorties de leur silence sur leur participation dans l'affaire de…/dans le scandale de…**

I've not delved/got into this/his/her story as much as you have. / I have not studied this/his/her story as closely as you have. / I am not as invested/immersed in this story as you are. You know it in depth.

Je ne me suis pas aussi investi(e) que toi/vous dans cette/son histoire. / Je n'ai pas étudié cette/son histoire autant que toi/vous. C'est toi/vous qui la connais/connaissez en détail.

Theme 29: Behaviour and reputation
Thème 29 : Le comportement et la réputation

Strength, excellence, greatness, renown, fame; unique to…

La force, l'excellence, la grandeur/l'importance, la renommée/le renom, la notoriété ; propre à…

He/She has nerves of steel.
> **Il/Elle a des nerfs d'acier.**

His/Her reputation is unsurpassed.
> **Sa réputation est sans égal.**

He/She is peerless. / He/She is in a league of his/her own.
> **Il/Elle est sans pareil. / Il/Elle est sans égal. / Il/Elle est hors pair.**

He's/She's a politician of great stature.
> **C'est un(e) politicien(ne) de grande envergure.**

He/She is well-known around/throughout the world. / He/She is well-known the world over.
> **Il/Elle est réputé/réputée dans le monde entier. / Il/Elle est connu/connue dans le monde entier.**

It is known throughout/across the world. / It is known the world over.
> **C'est connu dans le monde entier.**

(Note: The following expressions are also commonly used by French-speakers:
> **C'est connu à travers le monde.**
> **C'est connu de par le monde.**
> *The first two mean 'through' in the literal sense and so are technically wrong.)*

He/She is better known by the name…
> **Il/Elle est plus connu/connue <u>sous</u> le nom de…**

He/She is better known by his/her stage name.
> **Il/Elle est plus connu/connue sous son nom de scène.**

He/She is renowned around the world for his/her skills.
> **Il/Elle est renommé/renommée dans le monde entier pour ses compétences. / Il/Elle est connu/connue dans le monde entier pour ses compétences.**

He/She is highly respected.
> **Il/Elle est très respecté/respectée.**

We hold him/her in high esteem.
> **Nous le/la tenons en haute estime.**

By virtue of his/her talents/skills, he/she is above the crowd/above the rest; he/she is in a league of his/her own.
> **Grâce à ses talents/compétences, il/elle est au-dessus de la moyenne ; il/elle est sans pareil/égal.**

His/her skills are plain to be seen/there to be seen every week. / His/Her skills are evident every week.
> **Ses compétences sont mises en évidence toutes les semaines.**

He distinguishes himself from the rest/from the others.
> **Il se distingue des autres.**

She distinguishes herself from others by… /by the way (in which) she…
> **Elle se distingue des autres par…/par la manière/façon dont…**

They have succeeded in doing something extraordinary.
> **Ils ont réussi quelque chose d'extraordinaire.**

He/She behaves as if…
> **Il/Elle se comporte comme si…**

He/She behaves like…
> **Il/Elle se comporte comme…**

It's not unique to him/her.
> **Cela/Ça ne lui est pas unique.**

He/She did so in his/her inimitable/unique style.
> **Il/Elle l'a fait dans son style inimitable.**

... doesn't cease/stop... (doing something); ... didn't stop... (doing something)

... ne cesse de... (faire quelque chose) ; ... n'a pas cessé de... (faire quelque chose)

He/She never stops talking!
Il/Elle ne cesse de parler ! / Il/Elle n'arrête jamais de parler !

more colloquial (plus familier)

People never stop saying: "We need this, we need that."
On dit tout le temps / Les gens disent tout le temps : « On a besoin de ceci, on a besoin de cela. »

(The above is the more common way of saying this in French, though alternatively one might say: On ne cesse de dire : « On a besoin de ceci, on a besoin de cela. »)
Notice that 'pas' is omitted, yet it is put in with the past tense,

e.g.
He/She never stopped talking!
Il/Elle n'a pas cessé de parler !

non-stop/relentlessly – **sans relâche/sans cesse/sans arrêt**

repeatedly – **à plusieurs reprises/à maintes reprises**

to have a habit of... /to be in the habit of... (doing something); to tend to/have a tendency to... (do something)/to have a propensity to do something; to have a way of... (doing something); to be used to doing something

Avoir pour habitude de faire quelque chose/Avoir l'habitude de faire quelque chose ; avoir tendance à... (faire quelque chose) ; avoir l'habitude de faire quelque chose/être habitué(e) à faire quelque chose

I'm not in the habit of...
Je n'ai pas l'habitude de...

He has a habit of telling lies. / He's in the habit of telling lies.
Il a l'habitude de raconter des mensonges.

Don't other people complain about it?
Les autres gens ne s'en plaignent-ils pas ?

They have an annoying habit of playing loud music at night. The neighbours complain.

Ils/Elles ont la fâcheuse habitude d'écouter de la musique fort la nuit. Les voisins s'en plaignent.

He/She has the annoying habit of snoring.

Il/Elle a la fâcheuse habitude de ronfler.

Does his/her room-mate complain (about it)?

Son/Sa camarade de chambre, s'en plaint-il/elle ? / Son/Sa colocataire, se plaint-il/elle ?

His/Her spouse used to complain about it, but he's/she's used to it now!

Son époux/épouse s'en plaignait avant, mais il/elle s'est habitué/ habituée maintenant ! / Son époux/épouse s'en plaignait avant, mais il/elle s'y est fait maintenant !

They have bad manners.

Ils/Elles ont de mauvaises manières.

They have acquired/learned bad habits. / They have acquired/learned some bad habits.

Ils/Elles ont pris de mauvaises habitudes.

He has acquired the bad habit of eating really late at night.

Il a pris la mauvaise habitude de manger très tard le soir.

He tends to mumble when he speaks. / He has a tendency to mumble when he speaks.

Il a tendance à marmonner. / Il a tendance à parler dans ses dents/parler dans sa barbe.   *informal (familier)*

He/She has a propensity to talk endlessly/to drone on/to ramble on.

Il/Elle a une propension à parler sans cesse. / Il/Elle a une propension à radoter.

His son has the same tendency.

Son fils a la même tendance.

You have a habit of bringing up/mentioning irrelevant things/stuff.

Tu as/Vous avez pour habitude d'évoquer des choses hors de propos/hors propos. / Tu as/Vous avez pour habitude de parler de choses hors de propos/hors propos.

The film director is under investigation for his alleged sexual proclivities.
> Le réalisateur fait l'objet d'une enquête pour ses tendances sexuelles présumées.

You have a way of trivialising things.
> Tu as/Vous avez tendance à banaliser les choses.

Almost every time
Presque à chaque fois

He/She does that almost every time.
> Il/Elle le fait presque à chaque fois.

Almost every time, they refused.
> Ils/Elles ont refusé presque à chaque fois.

Desirable and undesirable behaviours
Des comportements désirables et indésirables

I'm not going, that's for sure!
> Je n'y vais pas, c'est clair et net !

I'm not going, and that's final!
> Je n'y vais pas, point final !

How many times have I told you?!
> Combien de fois te/vous l'ai-je dit ?!

That suits him/her very well. / That suited them very well.
> Cela/Ça lui convient très bien. / Cela/Ça leur a très bien convenu.

He/She wouldn't go, period.
> Il/Elle ne voulait pas y aller, point. / Il/Elle refusait d'y aller, point.

She pulled his hair. / He pulled her hair.
> Elle lui a tiré les cheveux. / Il lui a tiré les cheveux.

His/Her insolence is staggering!
> Son insolence est sidérante !

He does it to attract attention. He's an attention-seeker.
> **Il le fait pour attirer l'attention. Tout ce qu'il veut, c'est attirer l'attention.**

He's his own worst enemy. / She's her own worst enemy.
> **Il/Elle est son/sa pire ennemi(e).**

If he keeps doing that, he'll eventually get caught.
> **Il va finir par se faire prendre s'il continue à faire cela/ça.**

If you keep doing that so carelessly, you'll break it.
> **Tu vas/Vous allez le/la casser à force d'être si négligent(e)(s).**

He/She (has) made a good/bad/an excellent impression on us.
> **Il/Elle nous a fait (une) bonne/mauvaise/excellente impression.**

He's/She's so childish!
> **Il/Elle est si puéril(e) ! / Qu'il/elle est puéril(e) !**

He's/She's a bit childish.
> **Il/Elle est un peu puéril(e).**

(In French slang: Il est un peu « gamin ». [Il se comporte un peu comme un gamin.] / Elle est un peu « gamine ». [Elle se comporte comme une gamine.] [He/She behaves a bit like a kid.])

He's/She's selfish.
> **Il/Elle est égoïste.**

He/She did it for selfish reasons.
> **Il/Elle l'a fait pour des raisons égoïstes.**

I've long detested the way in which…
> **J'ai longtemps détesté la manière/façon dont…**

They make an awful (lot of) fuss (about it)!
> **Ils/Elles en font tout un plat !**

informal (familier)

They kicked up a fuss/an awful fuss.
> **Ils/Elles en ont fait toute une histoire.**

informal (familier)

Their behaviour annoys him/her like he/she has never been annoyed before.
> **Leur comportement l'agace/l'ennuie/l'irrite plus que tout au monde.**

Such behaviour demands an explanation.
> **Un tel comportement nécessite des explications.**

Your change of mind/behaviour is welcome.
> **Ton/Votre changement d'avis/de comportement est apprécié/le bienvenu.**

He always asks questions beginning with the words…
> **Il pose toujours des questions commençant par les mots…**

He's/She's a killjoy. / He's/She's a spoilsport.
> **C'est un/une rabat-joie. / C'est un/une trouble-fête.**

Even so!
> **Malgré tout !**

Even if he/she is! / Even if they are!
> **Même s'il l'est ! / Même si elle l'est ! / Même s'ils le sont ! / Même si elles le sont !**

They're always at each other's throats. In fact, they're at war! But they've gone too far this time. / But they've gone over the top this time.
> **Ils sont toujours à couteaux tirés. / Ils n'arrêtent pas de se bouffer le nez. À vrai dire, ils se font la guerre ! Mais ils ont dépassé les bornes cette fois.**

A war? That's what it feels like (at the moment)! / It certainly feels like one!
> **Une guerre ? C'est l'impression qu'on en a (en ce moment) ! / On en dirait vraiment une !**

Let them argue amongst themselves.
> **Laisse-les se disputer entre eux. / Laissez-les se disputer entre eux.**

Such a fight/bust-up should never have been allowed to happen. It was uncalled for/unwelcome/completely inappropriate.
> **On n'aurait jamais dû laisser se produire une telle bagarre. C'était malvenu/fâcheux/totalement inapproprié.**

Don't let it happen again! / Let's (Let us) not let it happen again.
> **Et que cela/ça ne se reproduise pas !**   *subj.*

Let this be the last time that…
> **Assurons-nous que cela/ça soit la dernière fois que…**

This/That applies to all three of you.
> **Cela/Ça s'applique à vous trois.**

… and that goes for you too!
… et cela/ça vaut pour toi aussi !

As for you/him/her/them, …
Quant à toi/vous/lui/elle/eux, …

He/She puts the telly (television) on at full volume/full blast.
Il/Elle met le son de la télé (télévision) au maximum/au max.

He/She has done it yet again.
Il/Elle l'a refait une fois de plus.

Approach him/her directly about it.
Va/Allez lui en parler directement.

Approach him/her directly.
Va/Allez lui parler directement.

You're old enough to know better.
Tu es assez vieux/vieille/Vous êtes assez vieux/vielle(s) pour faire preuve de plus de discernement.

I bent over backwards to help these people!
Je me suis mis(e) en quatre pour aider ces gens !

Our patience is running out/has run out.
Nous sommes en train de perdre patience. / Nous perdons patience.

My patience has run out!
Ma patience a des/ses limites !

He/She drives me mad! / They drive me mad!
Il/Elle me rend fou ! / Ils/Elles me rendent fou !

That's the last straw! / That was the last straw!
C'est la goutte d'eau qui fait déborder le vase ! / La coupe est pleine ! / Cela a été la goutte d'eau qui fait déborder le vase !
(Literally: That's the drop of water that makes the vase overflow! / The cup is full! / That was the drop of water that makes the vase overflow!)

I can do without your silly remarks! / I don't need your silly remarks.
Je peux me passer de tes/vos remarques idiotes ! / Je n'ai pas besoin de tes/vos remarques idiotes.

I can do without your rudeness.
Je peux me passer de ton/votre impolitesse. / Je peux me passer de ta/votre grossièreté.

Tell him politely but firmly that this is not acceptable.
Dis-lui/Dites-lui poliment mais fermement que c'est inacceptable.

It's rude to… (do something)
C'est/Il est impoli de… (faire quelque chose)

e.g.
It's rude to stare at people.
C'est/Il est impoli de dévisager les gens.

Don't stare at them!
Ne les dévisage/dévisagez pas !

Don't stare at me!
Ne me dévisage/dévisagez pas !

What on earth… ?(!); Why on earth… ?(!); What possessed you…(to do something)?(!); What made you do something?; obsessed with; consumed with; possessed by

Que diable… ?(!) ; Pourquoi diable… ? ; Qu'est-ce qui t'a/vous a pris de…(faire quelque chose)?! ; Qu'est-ce qui t'a/vous a poussé à… (faire quelque chose)? ; être obsédé(e)(s) par ; rongé(e)(s) par quelque chose ; consumé(e)(s) par quelque chose

What on earth are you doing?!
Que diable fais-tu/faites-vous ?!

What on earth are you two doing?!
Que diable faites-vous (tous/toutes les deux) ?!

What on earth made you do that?
Qu'est-ce qui t'a pris de faire ça/cela ? / Qu'est-ce qui vous a pris de faire cela/ça ?

Why on earth didn't you refuse (to do it)?
Pourquoi diable n'as-tu pas refusé (de le faire) ? / Pourquoi diable n'avez-vous pas refusé (de le faire) ?

What on earth were you thinking?!
Que diable pensais-tu ?! / Que diable pensiez-vous ?! / Mais qu'est-ce que tu pensais ?! / Mais qu'est-ce que vous pensiez ?!

What (on earth) possessed you to do that?!
Qu'est-ce qui t'a pris de faire cela/ça ?! / Qu'est-ce qui vous a pris de faire cela/ça ?! / Qu'est-ce qui a bien pu te pousser à faire cela/ça ?! / Qu'est-ce qui a bien pu vous pousser à faire cela/ça ?!

What (on earth) are you on about?! / What (on earth) were you on about?!
**(Mais) De quoi est-ce que tu parles/vous parlez ?! / (Mais) De quoi
est-ce que tu parlais/vous parliez ?!**

*(Certains utilisent aussi les expressions « What/Why/Who/How the devil...?(!)) »,
qui se traduisent exactement par « Que/Pourquoi/Qui/Comment diable... ?! »
respectivement.)*

What made you do that?
**Qu'est-ce qui t'a poussé à faire ça/cela ? / Qu'est-ce qui vous a
poussé à faire ça ?**

*(Note: "Qu'est-ce qui t'a poussé à faire cela/ça?" / "Qu'est-ce qui vous a poussé
à faire cela/ça?" ("What made you do that?") conveys less outrage in French than
"Que diable...?!".)*

He's/She's obsessed with sport!
Le sport l'obsède. / Il/Elle est obsédé(e) par le sport.

He's/She's obsessed with that soap opera !
Ce feuilleton l'obsède ! / Il/Elle est obsédé(e) par ce feuilleton !

He/She was consumed with jealousy.
Il/Elle était rongé/rongée par la jalousie.

believed to be possessed by the devil – **on croit qu'il/elle est possédé(e)
par le diable**

Expressing negative observations
Exprimer des observations négatives

In the wrong place at the wrong time.
Au mauvais endroit, au mauvais moment.

Wrong place, wrong time.
Au mauvais endroit, au mauvais moment.

That could/will worsen the situation.
Cela/Ça pourrait/va faire empirer la situation.

Above all else, it is poorly thought out/poorly thought through.
C'est avant tout mal conçu.

The subject (of...) is full of clichés.
Le sujet (de...) est rempli de clichés.

I have a problem.
> **J'ai un problème.**

What (kind of) problem?
> **Quel genre de problème ?**

He is mistaken.
> **Il s'est trompé.**

That's the reason (why)[6] we don't understand each other.
> **C'est la raison pour laquelle nous ne nous comprenons pas.**

One minute, ... the next (minute), ...
L'instant d'après ; d'un seul coup

One minute, she says "yes", the next (minute), she says "no"./!
> **Elle dit « oui » et l'instant d'après, (elle dit) « non »./!**

One minute, he says he will attend, the next (minute), he says he won't.
> **Il dit qu'il viendra et l'instant d'après, (il dit) qu'il ne viendra pas.**

One minute, they say they'll buy it, the next (minute), they say they don't want it!
> **Ils/Elles disent qu'ils/elles vont l'acheter et l'instant d'après, (ils/elles disent) qu'ils/elles n'en veulent pas !**

One minute, you say this, the next (minute), you say that.
> **Tu dis cela/ça et l'instant d'après, (tu dis) autre chose.**

[See the same examples in the next section but with the subtle distinction French-speakers make to mean 'day' as opposed to 'minute'.]

---

6   The word 'why' is not necessary after "That's the reason". However, it is commonly found in both verbal and written English.

Le mot   « why » n'est pas nécessaire après « That's the reason ». Cependant, on peut souvent le rencontrer et à l'oral et à l'écrit en anglais

One day, … the next (day), …

Un coup ceci, un coup/l'autre coup cela

One day, she says "yes", the next (day), she says "no"./!
> **Un coup, elle dit « oui », un coup, (elle dit) « non »./! / Un coup, elle dit « oui », l'autre (coup), (elle dit) « non »./!**

One day, he says he will attend, the next (day), he says he won't.
> **Un coup il dit qu'il viendra, un coup (il dit) qu'il ne viendra pas. / Un coup il dit qu'il viendra, l'autre (coup) (il dit) qu'il ne viendra pas.**

One day, they say they'll buy it, the next (day), they say they don't want it!
> **Un coup, ils/elles disent qu'ils/elles vont l'acheter, un coup, (ils/ elles disent) qu'ils/elles n'en veulent pas ! / Un coup, ils/elles disent qu'ils/elles vont l'acheter, l'autre (coup), (ils/elles disent) qu'ils/elles n'en veulent pas !**

One day, you say this, the next (day), you say that.
> **Un coup tu dis ceci, un coup (tu dis) cela. / Un coup tu dis ceci, l'autre (coup) (tu dis) cela.**

Theme 30: Observation and reporting
Thème 30 : Observer et raconter

Asking about, watching, reporting and describing actions and people

Poser des questions sur/à propos de, observer, rapporter et décrire des actions et des gens

What did he/she tell you?
> **Qu'est-ce qu'il/elle t'a dit ? / Qu'est-ce qu'il/elle vous a dit ?**

What did I just tell you?
> **Qu'est-ce que je viens de te dire ? / Qu'est-ce que je viens de vous dire ?**

When did you tell him/her/them?
> **Quand est-ce que tu lui/leur as dit ? / Quand est-ce que vous lui/leur avez dit ?**

What were they just telling him/her?
> **Qu'est-ce qu'ils/elles étaient en train de lui dire ? / Qu'est-ce qu'ils/elles lui disaient ?**

Did he/she tell you how/when?
> **Est-ce qu'il/elle t'a dit comment/quand ? / Est-ce qu'il/elle vous a dit comment/quand ?**

Did you tell him/her/them that?
> **Est-ce que tu le lui/leur as dit ? / Est-ce que vous le lui/leur avez dit ?**

Did you just tell us a pack of lies?
> **Est-ce que tu viens/vous venez de nous raconter un ramassis de mensonges ?**

He/She replied drily.
> **Il/Elle a répondu sèchement. / Il/Elle a répondu d'un ton sec.**

He's/She's sitting on the ground, over there.
> **Il est assis par terre là-bas. / Elle est assise par terre là-bas.**

No, he's/she's not: he's/she's standing.
> **Non, c'est faux : il/elle est debout.**

(Note that, unlike 'assis(e)(s)', which is the past participle of the intransitive verb 's'asseoir', 'debout' is an adverb and is therefore invariable.)

Danielle is standing behind Alice. / Danielle was standing behind Alice.
> **Danielle est derrière Alice. / Danielle se tenait/était derrière Alice.**

She spoke sarcastically. / She spoke slightly sarcastically/with a slightly sarcastic tone (to her voice).
> **Elle a parlé de façon sarcastique. / Elle a parlé d'un ton sarcastique.**

They told me he arrived yesterday. / I heard he arrived yesterday.
> **Ils/Elles m'ont dit qu'il est arrivé hier. / On m'a dit qu'il est arrivé hier.**

Just before arriving, she telephoned us.
> **Juste avant d'arriver, elle nous a téléphoné/appelé(e)s.**

There were tears of joy running down his/her cheeks.
> **Des larmes de joie coulaient/roulaient sur ses joues.**

What do you remember?
> **De quoi te souviens-tu ? / De quoi vous souvenez-vous ? / Tu te souviens de quoi ? / Vous vous souvenez de quoi ?**

(Note: The last two alternatives are informal and should only be used in spoken French.)

I saw them gazing at each other.
> **Je les ai vu(e)s se regarder.**

Isabel first put her arms around his waist, then she put both her arms around his neck, before they started kissing (each other).
> **Isabel lui a d'abord enlacé la taille, puis a passé ses bras autour de son cou avant qu'ils/elles ne commencent/se mettent à s'embrasser.**

I heard them talking.
> **Je les ai vu(e)s se parler.**

I heard someone say/saying (that)… /I heard someone say…
> **J'ai entendu quelqu'un dire (que)…** + *indic.*

He said this without ambiguity.
> **Il a tenu ces propos sans aucune ambiguïté.**

We're talking amongst ourselves. / We were talking amongst ourselves.
> **On parle entre nous./Nous parlons entre nous. / On parlait entre nous./Nous parlions entre nous.**

I watched them play/playing tennis.
> **Je les ai regardé(e)s jouer au tennis.**

While looking at them, I began to notice…
> **En les regardant, j'ai commencé à remarquer…**

He/she slipped out of the room on tiptoes.
> **Il/Elle s'est éclipsé/éclipsée sur la pointe des pieds.**

He lost his balance/footing and fell/plunged head first into the pond.
> **Il a perdu l'équilibre et est tombé la tête la première dans la mare/l'étang.**   *(masc.)*

He/She dived into the (swimming) pool.
> **Il/Elle a plongé dans la piscine.**

He slipped and fell in the mud.
> **Il a glissé et est tombé dans la boue.**

What happened to him/her?
> **Qu'est-ce qui lui est arrivé ? / Qu'est-ce qu'il lui est arrivé ?**

What happened to them?
> **Qu'est-ce qui leur est arrivé ?**

What happened to their pet cat?
> **Qu'est-ce qui est arrivé à leur chat ?**

I don't/can't remember exactly.
> **Je ne m'en souviens pas très bien. / Je n'en ai pas de souvenir précis. / Je ne me (le) rappelle pas très bien.**

I remember everything.
> **Je me rappelle tout. / Je me souviens de tout.**

I remember that.
> **Je m'en souviens. / Je me le rappelle. / Je me souviens de cela/ça. / Je me rappelle cela/ça.**

On first appearances they looked quite good.
> **De prime abord, ils/elles semblaient assez bien.** *(objects, items, places, etc.)*
> **De prime abord, ils/elles semblaient assez bons/bonnes/doués/ douées.** *(people)*

I saw a young lady carrying two heavy bags/holding two heavy bags.
> **J'ai vu une jeune femme portant/porter deux sacs lourds. / J'ai vu une jeune femme qui portaient deux sacs lourds.**

He's/She's standing on tiptoe(s).
> **Il/Elle s'est mis/mise sur la pointe des pieds. / Il/Elle est sur la pointe des pieds.**

The man I spoke to was old.
> **L'homme à qui j'ai parlé/je parlais était vieux/âgé.**

The woman whom I asked was…
> **La femme à qui j'ai demandé était…**

The people I spoke to were young.
> **Les personnes à qui j'ai parlé étaient jeunes.**

The people who sold me the fish were mostly Scottish.
> **Les gens qui m'ont vendu les poissons étaient pour la plupart écossais. / La plupart des gens qui m'ont vendu les poissons étaient écossais.**

He/She smiled at me. / He/She smiled at us.
> **Il/Elle m'a souri. / Il/Elle nous a souri.**

I smiled at her.
> **Je lui ai souri.**

Some of them even smiled at us.
> **Certain(e)s d'entre eux/elles nous ont même souri.**

Jeanne is smiling from ear to ear.
> **Jeanne sourit jusqu'aux oreilles.**

The Queen was all smiles yesterday.
> **La reine était tout sourire hier.**

They returned home, all smiles.
> **Ils/Elles sont rentrés/rentrées chez eux/elles, tout sourire.**

People went in different directions.
> **Les gens sont partis dans des directions différentes. / Les gens sont partis dans différentes directions.**

They (all) left, every single one of them.
> **Ils sont tous partis jusqu'au dernier. / Elles sont toutes parties jusqu'à la dernière.**

He/She/They followed suit.
> **Il/Elle en a fait autant./Ils/Elles en ont fait autant. / Il/Elle a fait de même./Ils/Elles ont fait de même. (en faire autant / faire de même – to follow suit)**

We did the same. / We did likewise. / We followed suit.
> **Nous avons fait de même.**

Like her, so did we.
> **Nous avons fait comme elle. / De même pour nous. / Nous avons fait pareillement.**

We did as they did.
> **Nous avons fait comme eux/elles.**

She in turn went home.
> **Elle est, à son tour, rentrée chez elle. / Elle est ensuite rentrée chez elle.**

They welcomed us with open arms.
> **Ils/Elles nous ont accueilli(e)s à bras ouverts.**

They gave us a warm welcome./They welcomed us warmly.
> **Ils/Elles nous ont accueilli(e)s chaleureusement.**

Why did some do it while/whereas others didn't?
> **Pourquoi les uns l'ont fait alors/tandis que les autres ne l'ont pas fait ? / Pourquoi les uns l'ont fait alors/tandis que les autres non ?**

Obviously/From all the evidence, they didn't want to see us.
> **De toute évidence, ils/elles ne voulaient pas nous voir. / Manifestement, ils/elles ne voulaient pas nous voir.**

They were (actively) trying to avoid us.
> **Ils/Elles essayaient (activement) de nous éviter. / Ils/Elles tentaient (activement) de nous éviter.**

After that/Following that, we left.
> **Suite à cela/ça, nous sommes parti(e)s.**

It was a sequence of events. / It was a whole series of events.
> **C'était un enchaînement d'évènements/une série d'évènements. / C'était toute une série d'évènements.**

The shopkeeper was actually a tall lady with blonde hair and brown eyes.
> **La commerçante était en fait/en vérité une grande femme aux cheveux blonds et aux yeux marron.**

[See Theme 47, p.248, footnote 17, or see endnote 17]

He/She wears glasses/spectacles.
> **Il/Elle porte/a des lunettes.**

He/She doesn't wear glasses/spectacles.
> **Il/Elle ne porte pas de lunettes.**

He was wearing very expensive glasses/spectacles/a very expensive pair of glasses/spectacles.
> **Il portait/avait des lunettes très chères. / Il portait/avait une paire de lunettes très chère.**

He was wearing cheap sunglasses/a pair of cheap sunglasses.
> **Il portait/avait des lunettes de soleil pas chères. / Il portait/avait une paire de lunettes de soleil pas chère.**

Quoting
Citer

He/She said, and I quote: "…".
> **Il/Elle a dit, (et) je (le/la) cite : « … » .**

This is what he wrote: "…".
> **Voici ce qu'il a écrit : « … ».**

Negative reflexive verbs, past tense
Des verbes pronominaux au passé à la forme négative

Getting the word sequence right here can sometimes prove problematic for English-speakers who speak French infrequently, even if reasonably proficient.

Je ne me suis pas	**Nous ne nous sommes pas**
Tu ne t'es pas	**Vous ne vous êtes pas**
Il ne s'est pas	**Ils ne se sont pas**
Elle ne s'est pas	**Elles ne se sont pas**

e.g.
I haven't got the date of the meeting wrong, have I?
> **Je ne me suis pas trompé(e) sur la date de la réunion, n'est-ce pas ?**

You haven't washed your hair.
> **Tu ne t'es pas lavé les cheveux.**

Haven't you washed your hair yet?
> **Est-ce que tu ne t'es pas encore lavé les cheveux ? / Tu ne t'es pas encore lavé les cheveux ?**

formal (soutenu)

less formal (plus courant/ moins soutenu)

He hasn't brushed his teeth yet.
> **Il ne s'est pas encore brossé les dents.**

He hasn't brushed his teeth. / He didn't brush his teeth.
> **Il ne s'est pas brossé les dents.**

We didn't shake hands.
> **Nous ne nous sommes pas serré la main.**

We didn't notice the postman arrive. / We didn't notice that the postman had arrived.
> **Nous ne nous sommes pas aperçu que le facteur était arrivé.**   *indic.*

You three haven't looked after the garden properly. / You three haven't taken proper care of the garden.
> **Vous ne vous êtes pas occupé du jardin comme il faut.**

You three didn't look after the garden properly. / You three didn't take proper care of the garden.
> **Vous ne vous êtes pas occupé du jardin comme il fallait.**

They didn't shake hands.
> **Ils ne se sont pas serré la main. / Elles ne se sont pas serré la main.**

They didn't even shake hands. / They didn't so much as shake hands.
> **Ils ne se sont pas même serré la main. / Elles ne se sont pas même serré la main.**

No-one noticed it/them.
> **Personne ne s'en est aperçu.**

The car didn't stop soon enough, but luckily it/he/she/they didn't crash.
> **La voiture ne s'est pas arrêtée assez vite, mais par chance, elle n'a rien percuté. / La voiture ne s'est pas arrêtée assez vite, mais par chance, il/elle n'a pas eu d'accident. / La voiture ne s'est pas arrêtée assez vite, mais par chance, ils n'ont pas eu d'accident.**

Ongoing events

Des évènements en cours

The operation/The enquiry is ongoing.
> L'opération/L'enquête se poursuit. / L'opération/L'enquête est en cours.

The operation/enquiry is still going on.
> L'opération/L'enquête n'est pas terminée. / L'opération/L'enquête est toujours en cours.

The hearing continues.
> L'audience se poursuit.

The hearing is expected to last until next week.
> On s'attend à ce que l'audience dure jusqu'à ___subj.___ la semaine prochaine.

Talks/Negotiations are ongoing.
> Des pourparlers sont en cours. / Des négociations sont en cours.

The talks/negotiations have been dragging on for three days! / The talks/negotiations are still dragging on after three days!
> Cela/Ça fait trois jours, et les pourparlers/négociations ne sont toujours pas terminés/terminées !

Theme 31: Time
Thème 31: Le temps

Getting things done; progress; deadlines
Faire ce qu'il y a à faire ; le progrès ; dates limites/butoirs ; échéance

This needs to be ready by...
> **Cela/Ça doit être prêt avant/d'ici (à)...**

It needs to be ready/finished by Wednesday.
> **Cela/Ça doit être prêt/fini avant/d'ici mercredi.**

I can't (possibly) do it in that time.
> **Je ne peux pas le faire en cet espace/ce laps de temps.**

What's the urgency?
> **C'est quoi l'urgence ?**

How far have you got (with your work/studies)?
> **Où en es-tu/êtes-vous (dans tes/vos études / dans ton/votre travail) ?**

I'm confident that I'll be able to finish it today.
> **Je suis certain(e) de pouvoir le finir aujourd'hui.**

You haven't done enough work. Did you fall asleep?
> **Tu n'as pas assez travaillé. Est-ce que tu t'es endormi(e) ? / Vous n'avez pas assez travaillé. Est-ce que vous vous êtes endormi(e)(s) ?**

No, I'm fully awake/wide awake/well awake.
> **Non, je suis bien réveillé(e).**

You haven't worked hard enough.
> **Tu n'as/Vous n'avez pas travaillé suffisamment dur.**

We're (We are) making steady progress.
> **Nous faisons des progrès réguliers.**

We're on track. / We're on the right track.
> **Nous sommes/On est sur la bonne voie.**

We're on the right track for... (managing to do something).
> **Nous sommes sur la bonne voie pour... (réussir à faire quelque chose).**

We're back on track. / We're back on the right track.
Nous nous sommes ressaisi(e)s. / Nous nous sommes repris(es) en main.

They're working at a steady pace.
Ils/Elles travaillent à un rythme régulier.

Work is moving/progressing at a steady pace.
Le travail avance/progresse à un rythme régulier.

We've got plenty of time/**bags of time/loads of time**!   *colloquial (familier)*
Nous avons tout notre temps !

We're ahead of schedule.
Nous sommes en avance sur notre programme.

We're nearly there. *(both literally and metaphorically)*
Nous y sommes presque. *(à la fois littéralement et métaphoriquement)*

They're not very far ahead/behind. *(both literally and metaphorically)*
Ils/Elles n'ont pas trop d'avance/de retard.
(à la fois littéralement et métaphoriquement)

The car should be ready in three weeks at the most/   *informal (familier)*
in three weeks at the very most/in three weeks **tops**.
La voiture devrait être prête dans trois semaines au plus tard.

The work will be finished in exactly six months (six months' time)/in exactly six months from now.
La tâche/L'œuvre/L'ouvrage sera fini(e) dans exactement six mois.

The project is on target for completion.
Le projet devrait bientôt être fini.

The project was completed within a month. / The project was completed in less than a month.
Le projet a été terminé en moins d'un mois.

He/She could not have done it in that time!
Il/Elle n'aurait pas pu faire cela/ça en ce laps de temps ! / Il/Elle n'aurait pas pu faire cela/ça en si peu de temps.

It was finished within the time limit set.
Ce projet a été terminé dans les délais.

We finished ahead of schedule.
Nous avons fini notre travail en avance.

We're behind schedule.

> **Nous sommes/On est en retard sur notre programme.**

We lost all track of time.

> **Nous avons perdu la notion du temps.**

Every time/Whenever I think I've finished, I discover (that) there's (still/yet) more to do!

> **Chaque fois que je pense que j'ai fini, j'apprends qu'il y a (encore) plus de choses à faire !**

Without Laurent or Sabine, we can't complete the task. / With neither Laurent nor Sabine, we can't complete the task.

> **On ne peut pas finir cela/ça sans Laurent et Sabine.**

Without Debbie or James around/available/at hand/to hand, we're bound to overrun.

> **Sans Debbie ni James de disponible, on va sûrement dépasser le temps imparti.**

At the rate things are going/At the rate you're going, you won't finish in time.

> **Au train où vont les choses, tu ne vas/vous n'allez pas finir à temps. / Tu ne vas/vous n'allez pas finir à temps à ce rythme.**

I'm doing my best. / I'll do my best.

> **Je fais de mon mieux. / Je ferai de mon mieux.**

We ran out of time.

> **Nous n'avons pas eu le temps de le faire. / Nous n'en avons pas eu le temps.**

I really wanted to do it. But it's a real chore for me/burden for me.

> **Je voulais vraiment le faire. Mais cela/ça me pèse beaucoup.**

He/She left it for later (e.g. food, work).

> **Il/Elle l'a laissé(e) pour plus tard.**

They finished the job the very same afternoon. / They finished it the very next day.

> **Ils/Elles ont fini le travail/boulot l'après-midi même. / Ils/Elles ont fini ce qu'ils/elles avaient à faire l'après-midi même. / Ils/Elles l'ont fini(e) le lendemain même.**

They finished it in no time (at all)!

> **Ils/Elles l'ont fini(e) en un rien de temps !**

It took him/her barely ten minutes to complete.
> **Il lui a fallu à peine dix minutes pour le faire. / Il/Elle a mis à peine dix minutes à le faire.**

I had to put in so much time and effort.
> **Cela/Ça m'a pris tant de temps et d'efforts.**

unfinished – **inachevé(e)(s)**

As quickly as possible/as soon as possible; Let's waste no time in… (doing something)/Let's not delay in… (doing something)
Au plus vite ; dès que possible/aussitôt que possible ; ne tardons pas à… (faire quelque chose)

Get me the information as soon as possible!
> **Apporte-moi/Apportez-moi les renseignements au plus vite ! / Apporte-moi/Apportez-moi les renseignements dès que possible !**

Call me back as soon as you can.
> **Rappelle-moi/Rappelez-moi au plus vite/dès que possible.**

Let's waste no time in getting this done.
> **Ne tardons pas à faire cela/ça.**

I'll waste no time in getting started. / I won't delay in getting started.
> **Je ne vais pas tarder à commencer/m'y mettre.**

He/She will set about it without delay/without further ado.
> **Il/Elle va s'y mettre immédiatement/sans plus attendre/sans plus tarder.**

Until; (but) not until… ; (but) not until then
Jusqu'à ce que… + *subj.* ; (mais) pas tant que… ne pas avoir fait quelque chose… + *indic.* ; (mais) pas avant

We'll continue until we find a solution.
> **Nous continuerons/allons continuer jusqu'à ce que nous trouvions une solution.**

Whilst the locution "jusqu'à ce que" plus subjunctive is typically used for the expression of 'until' in French, there are other locutions, such as "jusqu'au moment", "jusqu'à l'instant", "jusqu'à l'heure", "jusqu'au jour", or "jusqu'à l'époque", to express 'until' (or 'until such point as'). With these the verb that follows takes the indicative,

e.g.

We'll continue until we have/find a solution.

> **Nous continuerons/allons continuer jusqu'au moment où nous aurons/trouverons une solution. / Nous continuerons/allons jusqu'au jour où nous aurons/trouverons une solution.**

All was going well for Ivan until he mislaid/lost his car keys.

> **Tout allait bien pour Ivan jusqu'au moment où il a égaré/perdu ses clés de voiture.**

Zara was certain of victory until she was pipped (narrowly overtaken/beaten) at the (finish) line by Yvonne.

> **Zara était certaine qu'elle l'emporterait jusqu'à l'instant où Yvonne la dépassa de justesse avant la ligne d'arrivée.**

The children are usually still messing about right up until it's time to leave for school.

> **D'habitude, les enfants jouent jusqu'à l'heure de partir pour l'école.**

We'll set off today, but not until you have tidied (up) your room. / We'll set off today, but not until your room is tidy.

> **On va prendre la route/partir aujourd'hui, mais pas tant que tu n'as/vous n'avez pas rangé ta/votre chambre. / On va prendre la route/partir aujourd'hui, mais pas tant que ta/votre chambre n'est pas rangée.**

We'll be going camping, but not until tomorrow.

> **On va aller camper/faire du camping, mais pas avant demain.**

Not until then. / Not before then. / Not before.

> **Pas avant.**

Until then; up until then, ...

En attendant (While waiting), ... / Entre-temps (Meanwhile), ... / Jusqu'alors... / D'ici là... / Jusque-là, ...

We (will) meet again/re-convene/resume next week. Until then, take (good) care of yourselves.

> **Nous nous reverrons la semaine prochaine./Nous reprendrons la semaine prochaine. En attendant/D'ici là, prenez (bien) soin de vous.**

See you next week/month. Until then, be good!

> **À la semaine prochaine. / Au mois prochain. D'ici là/En attendant, sois/soyez sage(s) !**

Until (the) next time! / See you next time!
À la prochaine !

Until then, we're (just) going to have to make do with…
Jusque-là/En attendant/D'ici là, on va (simplement) devoir se
contenter de…/se débrouiller avec…

Up until then, we had no way of knowing.
Jusque-là/Jusqu'alors, nous n'avions aucun moyen de savoir.

Up until then, we had no way of knowing how to fix this.
Jusque-là/Jusqu'alors, nous n'avions aucun moyen de savoir
comment réparer cela/ça.

Up until then, we had no way of curing this disease.
Jusque-là/Jusqu'alors, nous n'avions aucun moyen de guérir cette
maladie.

Once… ; during the course of/during… ; sometime (within a specific future period); sometime (no specific future timeline – or "one of these days")

Une fois ; Une fois que… + *indic.* ; au cours de… ; un de ces jours

Once (you're) alone, you can relax/you will be able to relax.
Une fois seul(e)(s), tu pourras/vous pourrez te/vous relaxer/détendre.

Once alone, he/she sat down to read. / Once alone he/she sat down and
started reading.
Une fois seul/seule, il/elle s'est assis/assise pour lire. / Une fois seul/
seule, il/elle s'est assis/assise et s'est mis/mise à lire/a commencé
à lire.

Once you have finished that, you can… / Once you have finished, you will be
able to…
Une fois que tu auras/vous aurez fini cela/ça, tu pourras/vous
pourrez…

Once they arrive/have arrived, the party can start!
Une fois qu'ils/elles seront arrivés/arrivées, la fête pourra
commencer !

Once they have left, we can start tidying up.
Une fois qu'ils/elles seront partis/parties, on pourra commencer à
ranger.

Once they had finished their work, they went home.
> **Une fois qu'ils/elles ont eu fini leur travail, ils/elles sont rentrés/ rentrées chez eux/elles.**

He/She told us of his/her worries during/over dinner.
> **Il/Elle nous a parlé de ses soucis au cours du dîner.**

He fell ill/took ill during the meeting.
> **Il est tombé malade pendant la réunion.**

The prizewinner will be announced/revealed during the course of this evening/as the evening progresses/rolls on.
> **Le/La lauréat(e)/gagnant(e) sera annoncé(e)/dévoilé(e) au cours de la soirée.**

The verdict will be announced sometime next week.
> **Le verdict sera annoncé la semaine prochaine.**

Tell me about it sometime.
> **Il faudra que tu m'en parles un de ces jours. / Il faudra que vous m'en parliez un de ces jours.**

Approach him/her directly about it sometime/one of these days.
> **Parle-lui-en un de ces jours. / Parlez-lui-en un de ces jours.**

While; at the same time/at once; … and (yet) still be… ; whereas/whilst

Pendant que ; tandis que ; en même temps ; à la fois ; …et quand même être… ; tandis que/alors que

I'm going to clean the windows while you clean the shelves. / I'll clean the windows at the same time as you clean the shelves.
> **Je vais nettoyer les fenêtres pendant que/tandis que tu nettoies/ vous nettoyez les étagères.**

I'll do it at exactly the same time as you.
> **Je le ferai exactement en même temps que toi/vous.**

You can/One can be both a successful doctor and successful singer at the same time/at once; you're (living) proof of that!
> **On peut être à la fois un(e) médecin accompli(e) et un(e) chanteur/ chanteuse couronné(e) de succès ; tu en es/vous en êtes la preuve (vivante) !**

You can/One can wear glasses/spectacles and (yet) still be a successful tennis player. He/She is (living) proof of that.

> **On peut porter des lunettes et quand même être un/une joueur/joueuse de tennis accompli/accomplie. Il/Elle en est la preuve (vivante).**

You rushed through your lunch, whereas/whilst I took my time.

> **Tu as/Vous avez mangé ton/votre déjeuner à la hâte tandis que/alors que j'ai pris mon temps.**

Ghislain likes apples whereas/whilst Ghislaine loves oranges.

> **Ghislain aime les pommes, alors que/tandis que Ghislaine, elle, aime les oranges !**

(Notice the comma after, as well as before, 'elle'. This pause produces the desired emphasis or sense of contrast, particularly in spoken French.)

Has just… ; had just… ; just enough/just right; both (to mean 'at the same time')
Vient de… ; venais de… / venais seulement/tout juste de… ; juste assez/parfait ; à la fois

It has just taken place.

> **Cela/Ça vient d'avoir lieu. / Cela/Ça vient de se produire.**

It has just happened.

> **Cela/Ça vient d'arriver.**

I just came to tell you that…

> **Je suis juste/seulement venu(e) te dire que…**

At least, according to what Frédéric has just told us.

> **Du moins, d'après ce que vient de nous raconter/dire Frédéric.**

At least, that's what Frédéric has just told us.

> **Du moins, c'est ce que vient de nous raconter/dire Frédéric.**

I was just listening to some music.

> **J'écoutais de la musique/un peu de musique.**

Hubert was just returning home.

> **Hubert venait de rentrer chez lui.**

I had just come home.

> **Je venais seulement/tout juste de rentrer chez moi.**

I had just spoken to him/her.
> Je venais seulement/tout juste de lui parler.

The snow thickness is just right for skiing.
> L'épaisseur de la neige est parfaite pour faire du ski.

Heat the cheese just enough to melt it.
> Fais/Faites chauffer le fromage juste assez pour le faire fondre.

I find the result both magnificent and significant.
> Je trouve le résultat à la fois magnifique et significatif.

Just now/Just this second/minute; right now; as I/we speak, etc.

Tout juste ; À l'instant ; à l'instant présent ; à l'instant où je (te/vous) parle / à l'instant où nous (te/vous) parlons, etc.

I've just this second/minute/moment seen him/her/it.
> Je viens tout juste de le/la voir.

It happened at this very moment. / It happened just now.
> Cela/Ça s'est passé à ce moment précis. / Cela/Ça vient seulement/ tout juste de se produire.

It's happening (right now) as I speak.
> C'est en train de se produire là (maintenant) à l'heure où je (te/vous) parle.

They're arriving (just) as I/we speak.
> Ils/Elles sont en train d'arriver à l'heure où je parle/nous parlons. / Ils/Elles sont en train d'arriver à l'heure où je te/vous parle/nous te/ vous parlons.

At the time of writing, ... /... at the time of writing.
> À l'heure où nous écrivons, .../... à l'heure où nous écrivons. / Au moment de la rédaction du présent document, ... /... au moment de la rédaction du présent document.

She's speaking right now. / She's speaking this very moment.
> Elle parle en ce moment même.

Just then/At that moment, … ; just about to… , etc.; At this/that precise moment

À ce moment-là, … ; sur le point de… (faire quelque chose) etc. ; À ce moment précis

Just then, it occurred to me that…
> À ce moment-là, il m'est venu à l'esprit que… + *indic. or conditional*

At that moment, something funny occurred to me.
> Quelque chose de drôle m'a traversé l'esprit à ce moment. /
> Quelque chose de drôle m'avait traversé l'esprit à ce moment-là.

At that moment/Just then, I had a funny thought.
> Une pensée amusante m'a traversé l'esprit à ce moment-là.

Just as I was about to speak, …
> Au moment où j'étais sur le point de parler, …

Just as they were leaving, it began to rain.
> Juste quand/Juste au moment où ils partaient, il a commencé à pleuvoir.

I was just about to… /I was just on the point of… saying/doing something when…
> J'étais sur le point de… dire/faire quelque chose lorsque…

At this precise moment, we have available/we have at our disposal…
> À ce moment précis, nous avons à notre disposition…

At that precise moment, disaster struck.
> C'est à ce moment précis que le désastre/la catastrophe a frappé.

At that very moment; on the very day when… ; at the very moment when… , etc.

à ce moment-là ; le jour même où… ; au moment même où…/à l'instant même où… etc.

It happened at that very moment.
> **Cela/Ça s'est produit à ce moment-là exactement.**

It was published (on) the very same day.
> **Cela/Ça a été publié le jour même.**

It was announced the very next day.
> **Cela/Ça a été annoncé le lendemain même.**

… and at the very moment when…
> **… et au moment même où… /… et à l'instant même où…**

He said the self-same thing.
> **Il a dit la même chose.**

He himself said it./! She herself said it./!
> **Il l'a dit lui-même./! / Elle l'a dit elle-même./!**

If there is anything to talk about, we can do that tomorrow.
> **S'il y a des choses dont on doit discuter, on peut le faire demain.**

The sooner the better.
> **Le plus tôt sera le mieux.**

That's when… /That was when…

C'est à ce moment(-là) que… + *indic.* / C'est là que… + *indic.*

That's when it happened.
> **C'est à ce moment-là que cela/ça s'est produit.**

That's when I started being interested in…
> **C'est à ce moment que j'ai commencé à m'intéresser à…**

Is that when it happened?
> **Est-ce que c'est à ce moment que cela/ça s'est produit ?**

That's when he decided it was time to buy himself a (brand) new car.
> **C'est là qu'il a décidé que le temps était venu pour lui de s'acheter une (toute) nouvelle voiture./C'est là qu'il a décidé qu'il était temps pour lui de s'acheter une (toute) nouvelle voiture.**

Like when… /Just like when… ; just when…

Comme lorsque…/Tout comme lorsque… ; juste quand…

> This is a disaster, (just) like when in 2010 (twenty-ten) the government decided to… / This is a disaster, (just) like when in 2010 (twenty-ten) the government took it upon itself to…
>> **C'est un désastre, (tout) comme lorsqu'en deux-mille-dix le gouvernement a décidé de…**

> Just when we thought things couldn't get any worse.
>> **Juste quand nous pensions que les choses ne pouvaient pas empirer. / Juste quand nous pensions que les choses ne pouvaient pas être pires. / Juste quand nous pensions que les choses ne pouvaient pas s'aggraver.**

From the moment when… / As soon as…

À partir du moment où… / Dès le moment où…/Aussitôt que… + *indic.* / Dès que… + *indic.* / Dès

> As soon as people start adopting that attitude, it's all downhill. / From the moment when people start adopting that attitude, it's all downhill.
>> **À partir du moment où les gens commencent à avoir cette attitude(-là), les choses ne font que se dégrader/s'aggraver. / Dès le moment/ l'instant où les gens commencent à avoir cette attitude(-là), les choses ne font que se dégrader/s'aggraver.**

> As soon as they arrive, let me know/tell me.
>> **Tiens-moi au courant dès qu'ils arrivent. / Tiens-moi au courant aussitôt qu'ils arrivent.**

> As soon as they arrived, we left.
>> **Nous sommes parti(e)s dès qu'ils/elles sont arrivés/arrivées.**

> We'll leave as early as tomorrow.
>> **Nous partirons dès demain.**

As soon as there is…

Dès qu'il y a/aura… / Dès que…

(Present or future tense is adopted in French, depending on the context.)

> As soon as there's food on the table, he's there!
>> **Dès qu'il y a à manger sur la table, il est là !**

As soon as there's enough drink to go round, we can start the party.
> **Dès qu'il y aura assez de boissons pour tout le monde, la fête pourra commencer.**

As soon as there are enough taxis waiting outside, (then) we'll leave.
> **Dès qu'il y aura assez de taxis (dehors), on partira.**

As soon as there is news, let me know.
> **Préviens-moi dès qu'il y aura des nouvelles.**

As soon as there is an opportunity, we'll take it.
> **Dès qu'une occasion se présentera, on la saisira.**

As soon as there was/were…
Dès qu'il **y eut**… / Dès qu'il **y a eu**…

passé simple

passé composé

As soon as the requisite number of guests were present, the party really got under way!
> **Dès qu'il y a eu le nombre d'invités requis, la fête a vraiment commencé ! / Dès qu'il y eut le nombre d'invités requis, la fête commença vraiment !**

As from… ; from…
À compter de… ; à partir de…

As from next week, trains will be running regularly again.
> **À compter de la semaine prochaine, les trains circuleront à nouveau normalement.**

As from this week, the party's stance on this is official and will be in its manifesto.
> **À compter de cette semaine, la position du parti sur ce sujet sera officielle et (sera) dans son manifeste.**

As from/From May 10th (May the tenth/[the] tenth of May), that banknote will no longer be/ceases to be/will cease to be legal tender.
> **À compter du/À partir du dix mai, ce billet de banque n'aura plus cours.**

Unusually, her sporting prowess actually increased from her thirties onwards.
> **Étrangement, ses capacités sportives se sont en fait améliorées quand elle a atteint la trentaine.**

From... onwards/From... upwards; from now; from now on; from then on

À partir de... ; dès à présent ; désormais/dorénavant ; désormais ; à partir de maintenant ; depuis...

The show runs from/will run from June 1st (the first of June/June the first) onwards.
> **L'exposition commence à partir du premier juin.**

It is available from thirty euros a/per month upwards.
> **C'est disponible à partir de trente euros par mois.**

Your ticket is valid from tomorrow.
> **Ton/Votre billet est valable à partir de demain.**

The new policy is effective from now.
> **La nouvelle politique est en vigueur dès à présent.**

It is (to be) hoped that they will act/behave better from now on.
> **On espère qu'ils/elles se comporteront mieux désormais/ dorénavant.**

From then on, the ship remained on course for Southampton.
> **Depuis, le navire a continué en direction de Southampton.**

Since; Ever since... ; ... ever since

Depuis/Depuis que... ; ... depuis

Since I was nine years old, ...
> **Depuis que j'ai neuf ans, ...**

Since I was little/young, ...
> **Depuis que je suis petit(e)/jeune, ...**

I've been working since I turned eighteen/since I was eighteen/since eighteen years of age.
> **Je travaille depuis que j'ai dix-huit ans. / Je travaille depuis mes dix-huit ans.**

I've been a car enthusiast since I bought my first car.
> **Je suis passionné(e) de voitures depuis que j'ai acheté ma première voiture.**

I've been an aeroplane/aircraft enthusiast since my parents bought me my own toy plane.

> **Je suis passionné(e) d'avions depuis que mes parents m'ont acheté mon propre petit avion.**

It's three years since Horace had his stroke. He has been different ever since.

> **Cela/Ça fait trois ans que Horace a eu son AVC (accident vasculaire cérébral). Il n'est plus le même depuis.**

Ever since she was a child, Amber has had a keen interest in maths and science.

> **Depuis son enfance, Amber s'intéresse aux mathématiques et à la science/aux sciences.**

Since then, …

> **Depuis lors, … / Dès lors, …**

As…
Alors que…

As Christmas approaches, this song is very much in the spirit of the season/ in the spirit of Christmas.

> **Alors que Noël approche, cette chanson représente vraiment l'ambiance des fêtes de fin d'année/des fêtes de Noël. / Alors que Noël approche, cette chanson est vraiment dans l'esprit des fêtes de fin d'année/des fêtes de Noël.**

As we move into winter, …

> **Alors que l'hiver commence, …**

As spring returns, let's talk about…

> **Alors que le printemps se réveille, parlons de…**

As we start our journey, …

> **Alors que nous commençons notre voyage/parcours, …**

As the journey started off, …

> **Alors que le voyage commençait, …**

As we set off, …

> **Alors que nous nous mettions en route, …**

The amount of time that… (someone has spent doing something)! / Someone has been doing this for ages! / Long before/Well before…; Even before…

Depuis le temps que… ! + *indic. present* / … le temps que quelqu'un a passé à faire quelque chose! / Quelqu'un fait quelque chose depuis des lustres/depuis une éternité ! / Bien avant que + subj. +/- ne explétif *[See Theme 69]* ; Avant même de + *infinitive* (Not to be confused with 'même avant', which means the same but is followed by a noun [See Part II, Chapter 1, p.383])

The amount of time I've spent looking for this!
> **Depuis le temps que je cherche cela/ça !**

The amount of time I've spent looking for this, you wouldn't believe!
> **Tu ne pourrais/vous ne pourriez pas le croire le temps que j'ai passé à chercher cela/ça ! / Tu ne croirais/Vous ne croiriez pas le temps que j'ai passé à chercher cela/ça !**

I have (I've) been saying this for ages!
> **Depuis le temps que je dis cela/ça ! / Cela/Ça fait une éternité que je le dis !**

I've been saying I'll do that for ages!
> **Depuis le temps que je dis que je vais le faire ! / Cela/Ça fait un moment que je dis que je vais le faire !**

We haven't seen each other for/in ages!
> **Depuis le temps qu'on/que l'on ne s'est pas vu(e)s ! / On ne s'est pas vu(e)s depuis des lustres/une éternité ! / Cela/Ça fait des lustres/une éternité qu'on ne s'est pas vu(e)s !**

They've been driving the same car for ages!
> **Depuis le temps qu'ils conduisent la même voiture ! / Ils conduisent la même voiture depuis des lustres !**

Long before/Well before they had even thought of it, he had already bought one.

le 'ne' explétif [See Theme 69]

> **Bien avant qu'ils (n')y aient ne serait-ce que pensé, il en avait déjà acheté un/une.**

Even before she had bought her first car, she was thinking about buying another/a second.
> **Avant même d'avoir acheté sa première voiture, elle pensait à en acheter une autre/une deuxième.**

Even before he had turned eighteen, he had decided he wanted his own car.
> **Avant même d'avoir dix-huit ans, il avait décidé qu'il voulait sa propre voiture.**

The certificate wasn't received in time.
Le certificat n'a pas été reçu à temps.

―――――――――――――

Other references to time
D'autres références au temps

■ **(a) The right time; the need for time**
Le temps juste/Le bon temps ; le besoin de temps

When the day comes when/that…
Quand arrivera le jour où…

We need time.
Nous avons besoin <u>de</u> temps.

We need <u>some</u> time.
Nous avons besoin <u>d'un peu de</u> temps.

We need time to think!
Nous avons besoin <u>de</u> temps pour réfléchir !

I'm so busy, I don't even have time to think, let alone/much less speak to anyone!
Je suis si occupé(e), je n'ai même pas le temps de penser/réfléchir, et encore moins de parler à qui que ce soit !

I need some time to think about it/to prepare.
J'ai besoin d'un peu de temps pour y réfléchir/pour me préparer/ pour m'y préparer.

They took some time/quite some time to prepare.
Ils ont mis pas mal de temps à se préparer.

They took some time/quite some time to prepare for it.
Ils ont mis pas mal de temps à s'y préparer.

That's the length of time necessary/required.
C'est le temps nécessaire. / C'est le temps qu'il faut.

Tell me about it sometime.
Parle-m'en/Parlez-m'en un de ces jours.

I'll let you know in due course.
Je te/vous tiendrai au courant le moment venu. / Je te/vous tiendrai au courant en temps voulu.

■ (b) Referring to fractions of time
Faire référence aux fractions de temps

half the time – **la moitié du temps**

e.g.
You're asleep half the time! / You spend half the time asleep!
Tu passes/Vous passez la moitié de ton/votre temps à dormir !

You talk rubbish half the time!
Tu racontes/Vous racontez n'importe quoi la moitié du temps !

I spend about a third/two-thirds of my time with them each week.
Je passe environ un tier/deux tiers de mon temps avec eux/elles chaque semaine.

I spend time with them every other week.
Je passe du temps avec eux/elles une semaine sur deux.

We spent some time with him/her last month.
Nous avons passé du temps avec lui/elle le mois dernier.

■ (c) Referring to points in time
Faire référence à des moments précis

It has just turned nine o'clock. / It's exactly nine o'clock.
Il est tout juste neuf heures/vingt-et-une heures. / Il est neuf heures/vingt-et-une heures précises. (an expression commonly used on French radio)

It was exactly two years ago.
Il y a exactement deux ans.

It's going to be three years ago next month. / It will be three years ago next month.
Cela/Ça va faire trois ans le mois prochain. / Cela/Ça fera trois ans le mois prochain.

It happened nearly five years ago.
Cela/Ça fera bientôt/presque cinq ans que cela/ça s'est produit. / Cela/Ça s'est produit il y aura bientôt/presque cinq ans.

It is twenty years ago to the day since the opening of the Channel Tunnel.
Cela/Ça fait vingt ans, jour pour jour, que le tunnel sous la Manche est ouvert.

It was the sixth of June just gone.
C'était le six juin dernier.

It was (on) the twentieth of August last year.
C'était le vingt août l'année dernière.

The festival should/is due to take place on the tenth of May and the days following that.
Le festival devrait avoir lieu à partir du dix mai. / Le festival devrait avoir lieu le dix mai et les jours qui suivent.

■ (d) Sooner or later; the first time
Tôt ou tard ; la première fois

Immediately after, ... / Straight after, ...
Tout de suite après, ... / Immédiatement après, ...

A short time later, ...
Peu de temps après, ...

Shortly before, ...
Peu de temps avant, ...

Long before, ... / Well before, ...
Bien avant, ... / Longtemps avant, ...

shortly – sous peu

soon – bientôt/prochainement

coming soon – prochainement/bientôt/à venir

just a few moments ago
il y a tout juste quelques instants

Three quarters of an hour later, ...
Trois quarts d'heure plus tard, ...

A quarter of a century later, ...
Un quart de siècle plus tard, ...

Half a century earlier, ...
Un demi-siècle plus tôt, ...

for quite a while
depuis un bon moment

For the first time in the history of mankind, ...
Pour la première fois dans l'histoire de l'humanité, ...

For the first time in its/their history, ...
Pour la première fois dans son/leur histoire, ...

For the first time in quite a while, …
>Pour la première fois depuis un bon moment, …

For the first time in a long time, …
>Pour la première fois depuis longtemps, …

■ **(e) Going back in time; reminiscences**
>Se remémorer ; les souvenirs

Let's go back in time to the start of the (first) English Civil War, in 1642 (sixteen forty-two).
>Reportons-nous au début de la (première) guerre civile anglaise, en 1642 (mille six cent quarante-deux / seize-cent quarante-deux).

Let's go back in time. (in a time machine)
>Remontons le temps. (dans une machine à remonter le temps)

Going back two centuries, it is possible to draw parallels between Sino-Japanese tensions then and now.
>En se reportant deux siècles en arrière, il est possible d'établir/de faire un parallèle entre les tensions sino-japonaises d'alors et de maintenant/d'aujourd'hui.

Take yourself back to…
>Reportez-vous à… / Reporte-toi à…

e.g.
Take yourself back to the 1950s (nineteen fifties).
>Reportez-vous aux années cinquante. / Reporte-toi aux années cinquante.

Take yourself back as far as…
>Reportez-vous aussi loin que… / Reporte-toi aussi loin que…

Let's take ourselves back to…
>Reportons-nous à…

(Note: 'jusqu'à' is used more for distance or for going forward in time.)

Remember back in the summer, when, …?
>Tu te rappelles/vous vous rappelez quand en été,… ?

■ **(f) Then and now**
>À l'époque et maintenant

At one time, …
>À une époque, …

In my time, ... / In my day, ...
> À mon époque, ...

There was a time when... / There used to be a time when... / There was a point in time when, ...
> Il **fut** un temps où...   *passé simple*

(Note: "fut un temps" and its derivative "Il fut un temps où" are locutions figées and are therefore used in spoken as well as written French.)

In today's generation, ... / Among today's generation, ...
> La génération d'aujourd'hui, ...

At one point, ... *(e.g. in a book, story, conversation, meeting, or during a film or any event)*
> À un moment donné, ...

At one point in time
> À un moment donné

At this point in time, ... / At this moment in time, ... / At this point, ... /... at this point. / At <u>this</u> moment, ... / At the present time, ... /... at the present time. / Right now, ...
> À l'heure actuelle, ... / ... à l'heure actuelle

At the moment, ... / ... at the moment.
> En ce moment, ... / ... en ce moment.

■ (g) Waiting for people/events; early starts, late finishes
Attendre les gens/les évènements ; des démarrages rapides, des fins tardives

I won't be long.
> Je n'en ai pas pour longtemps. / Je ne serai pas long(ue).

We won't be long.
> Nous n'en avons pas pour longtemps. / Nous ne serons pas longs/longues.

I'll be back at four this afternoon.
> Je serai de retour à quatre heures de l'après-midi/cet/cette après-midi. / Je serai de retour à seize heures.

They'll be here any minute now. / They should be here any minute now.
> Ils/Elles devraient arriver d'un instant à l'autre.

It's going to start/finish any minute now.
> Cela/Ça va commencer/se terminer d'un instant à l'autre.

He should be home by now.
> Il devrait être rentré maintenant/à cette heure-ci.

They'll be back this evening.
> Ils/Elles seront de retour ce soir.

They got here on time, for once. / For once, they got here on time.
> Ils/Elles sont arrivés/arrivées à l'heure, pour une fois. / Pour une fois, ils/elles sont arrivés/arrivées à l'heure.

They were there at the said/appointed time/hour.
> Ils étaient là à l'heure convenue.

By now, … /… by now.
> … maintenant. / … à cette heure-ci.

The **kids** have been up and about and playing non-stop since early this morning!
> **Les gamins**/gamines sont debout et jouent sans-cesse depuis tôt ce matin !

slang for 'children' (argot anglais pour « children »)

'Les gamins'/'Les gamines' are very informal French for 'les enfants' (français très familier pour « les enfants »)

He worked late into the night.
> Il a travaillé jusqu'à tard dans la nuit.

The restaurant will be open until late tonight.
> Le restaurant sera ouvert jusqu'à tard ce soir.

The outdoor festival should last until this evening.
> Le festival en plein air devrait durer jusqu'à ce soir.

They set off in the early hours of the morning.
> Ils/Elles sont partis/parties tôt le matin.

This week marks the return of…
> Cette semaine marque le retour de…

It's been a long wait.
> Cela/Ça a été une longue attente.

Why did you wait all this time?
> Pourquoi as-tu/avez-vous attendu tout ce temps ?

Twenty years is a long time./!
> C'est très long vingt ans./ !

■ **(h) The passage of time**
Le fil du temps/Au fil du temps

('As time goes by')

Ten years have elapsed. / A decade has elapsed.
Dix ans se sont écoulés. / Une décennie s'est écoulée.

Many years have elapsed/passed since then.
Plusieurs années se sont écoulées depuis/depuis lors/depuis cette date/depuis cet évènement.

During this time, …
Pendant ce temps, …

During this long absence, …
Pendant cette longue absence, …

Right at the beginning, …
Tout au début…

Right at the end.
Tout à la fin.

Right from the beginning, …
Depuis le début, …

For a while I thought (that) … / For a while I used to think (that)…
Pendant un moment, je pensais/croyais que …

For a time I thought (that) …
Pendant quelques temps, je pensais/je croyais que …

For a moment I thought (that)…
Pendant un moment, je pensais/croyais que… / L'espace d'un instant, je pensais/croyais que…

To this day, we still don't know.
Encore aujourd'hui, nous ne savons toujours pas.

for that length of time
pendant cette durée de temps

an equally long absence
une absence aussi longue

the passage of time – **le passage du temps**

in the fullness of time/in time – **avec le temps**

across the centuries/down the centuries – **au fil des siècles**

throughout the day – **tout au long de la journée**

Right in the middle of... *(in terms of either time or place)*
 En plein milieu de...

e.g.
Right in the middle of the day.
 En plein milieu de la journée.

in broad daylight – **en plein jour**

in the middle of the night – **en pleine nuit**

the day after tomorrow – **le surlendemain**

the day after that – **le jour d'après**

the week after that – **la semaine d'après**

Sooner or later, ... – **Tôt ou tard, ...**

in the long run – **à long terme**

in the short run – **à court terme**

in the long term – **à long terme**

in the medium term – **à moyen terme**

in the short term – **à court terme**

to wait as long/little as possible – **attendre le plus/le moins longtemps possible**

within a reasonable length of time – **dans un délai raisonnable**

the day before/after the coronation – **la veille du couronnement/sacre / le lendemain du couronnement/sacre**

the week before/after – **la semaine avant/après**

the month before/after the tornado – **le mois avant/après la tornade**

newly crowned – **fraîchement couronné(e)**

newly discovered – **fraîchement découvert(e)**

newly elected – **nouvellement/fraîchement élu(e)**

every other minute – **toutes les quelques minutes**

at any moment – **à tout moment**

constantly – **constamment ; à tout propos**

Theme 32: Quantifying
Thème 32 : Quantifier

"How... ?" to mean "To what extent... ?"; to get an idea of...
Dans quelle mesure… ? / À quel point… ? ; se faire une idée de…

How satisfied are you with your progress?
> **Dans quelle mesure/À quel point es-tu/êtes-vous satisfait(e)(s) de tes/vos progrès ?**

How satisfied are you with your performance?
> **Dans quelle mesure/À quel point es-tu/êtes-vous satisfait(e)(s) de ta/votre performance ?**

How happy/satisfied are you with the decision?
> **Dans quelle mesure/À quel point es-tu/êtes-vous content(e)(s)/satisfait(e)(s) de la décision ?**

How proud are you of... (e.g. someone, or your work/achievement)? / How proud are you of the fact that... ?
> **Dans quelle mesure/À quel point es-tu/êtes-vous fier(s)/fière(s) de… (par ex. quelqu'un / ton/votre œuvre/ ta/votre réussite) ?**

How proud are you that/of the fact that... ?
> **Dans quelle mesure/À quel point es-tu/êtes-vous fier(s)/fière(s) que…+ *subj.* ?**

How ready/prepared are you to agree on... /agree to...?
How ready/prepared are you for... (e.g. this (sport) contest)?

French-speakers (at least in mainland France) tend to couch questions like these two somewhat differently, as follows:

> **Es-tu/Êtes-vous réellement prêt(e)(s) à accepter… ?**
> (Are you really prepared to agree to/accept...?)

and
> **Es-tu/Êtes-vous réellement prêt(e)(s) pour ce concours ?**
> (Are you really ready for this contest?) respectively.

How hungry are you?

Again, French-speakers (at least in mainland France) would tend to phrase a question like this rather differently:

> **Est-ce que tu as/vous avez très faim ?**
> (Are you very hungry?)

How important is this to you?
> À quel point est-ce que cela compte pour toi/vous ?

In what respect?/In what way?
> **Comment ?**

To get an idea of how important this is to them, you need only/simply (to)…
> **Pour se faire une idée à quel point c'est important pour eux/elles, il suffit de…**

Having spoken to/with him/her, I got the measure of/I came to realise/I realised how much difficulty he/she was in.
> **Après avoir parlé avec lui/elle, j'ai pris conscience/je me suis rendu compte à quel point il/elle était en difficulté.**

We haven't grasped the extent of the problem: people are confined to their homes.
> **On n'a pas compris/saisi l'étendue du problème : les gens restent enfermés chez eux.**

It's a difficult but not insurmountable problem/task. / It's a difficult yet surmountable problem/task.
> **C'est un problème/une tâche difficile mais pas insurmontable/ irréalisable.**

To the extent that… ; to a greater/lesser extent; largely; partly
Dans le mesure où… ; dans une plus grande mesure/à un moindre degré ; en grande partie ; en partie

To that extent, yes, I agree.
> **Dans cette mesure, oui, je suis d'accord.**

It is to a greater/large extent…
> **Cela/Ça l'est dans une plus grande mesure…**

It is to a lesser extent…
> **Cela/Ça l'est à un moindre degré…**

It is to a small extent…
> **Cela/Ça l'est dans une moindre mesure…**

It's the lesser of two evils.
> **C'est le moindre mal.**

It is partly due to…
> **C'est en partie dû à…**

It/This may partly explain why…
> **Cela/Ça pourrait en partie expliquer pourquoi…** + *indic.*

---

so much so that… / to such an extent that…
tant et si bien que… / à tel point que… + *indic.*

They squabbled and squabbled – so much so that they missed the show.
> **Ils/Elles se sont chamaillé(e)s et chamaillé(e)s tant et si bien qu'ils/ elles ont raté le spectacle.**

Inflation rose to such an extent that interest rates had to be increased.
> **Le taux d'inflation a augmenté à tel point que l'on a dû élever le taux d'intérêt.**

… to say the least; at the very least/most, etc.
… c'est le moins qu'on/que l'on puisse dire ; la moindre des choses, au moins, au plus, etc.

It's shocking, to say the least.
> **C'est choquant, c'est le moins qu'on (que l'on) puisse dire.**

We remain concerned by Alain's behaviour, to say the least.
> **Le comportement d'Alain nous préoccupe toujours, c'est le moins qu'on (que l'on) puisse dire.**

At the very least, …
> **La moindre des choses serait de…**

At the very most, …
> **Tout au plus, … / Au plus, …**

not least because – **notamment parce que/particulièrement parce que/ en particulier parce que**

All the more because… / All the less because…

D'autant plus parce que… / a fortiori / D'autant moins parce que…

I dislike it all the more because it is so unreliable.

**Je ne l'aime pas d'autant plus parce qu'il/elle est si peu fiable. /
Je ne l'aime pas, a fortiori parce qu'il/elle est si peu fiable. / Le fait
que cela/ça soit si peu fiable ne me fait que détester cela/ça encore
plus.**

The need for a new, tougher law, and quickly, is acute – the more so because
it is so easy to get round the current law on the internet.

**Le besoin d'une nouvelle loi plus dure/stricte, et rapidement, est
important, d'autant plus/a fortiori/en particulier parce qu'il est
tellement facile de contourner la loi actuelle sur internet.**

All the more/Even more incomprehensible is the way in which…

La façon dont… est d'autant plus incompréhensible.

I have no desire to have one, all the less because it is of such poor quality.

**Je n'ai aucune envie d'en avoir un/une, d'autant moins/en
particulier parce que c'est de mauvaise qualité.**

Theme 33: Explanation; establishing facts
Thème 33 : Explication ; établir des faits

How?
This is how. / Like this.

Comment ?
C'est ainsi. / Ainsi. / Comme cela/ça.

> This is how to play the violin. / This is how you play/one plays the violin.
> **C'est ainsi/comme cela/ça qu'on (que l'on) joue du violon.**

> How do you play the trumpet? / How does one play the trumpet?
> **Comment est-ce qu'on (que l'on) joue de la trompette ? / Comment joue-t-on de la trompette ?**

> This is how you do it. / Like this.
> **Voilà comment il faut faire. / Ainsi. / Comme cela/ça.**

> How do you do it?
> **Comment est-ce que tu fais/vous faites cela/ça ?**

> Like this. / I'll show you. / Here's how.
> **Ainsi. / Comme cela/ça. / Je vais te/vous montrer. / Voilà comment.**

> How does he do it?! / How does he manage (to do) it?! / How is he able to do it?!
> **Comment est-ce qu'il réussit à faire cela/ça ? / Comment est-il capable de faire cela/ça ?!**

> Like this.
> **Ainsi. / Comme cela/ça.**

> This is the right way to do it. That's the wrong way to do it.
> **C'est la bonne façon de le faire. C'est la mauvaise façon de le faire.**

Establishing the origin/provenance/source of things… ; straight from

Établir la provenance des choses… ; tout droit de / directement

I've just found an envelope/letter/postcard addressed to you.
> **Je viens de trouver une enveloppe/lettre/carte postale à ton/votre nom.**

I recognised the handwriting (on it) straight away.
> **J'ai aussitôt/immédiatement reconnu l'écriture dessus.**

In it, he's/she's asking me how I am.
> **Dedans, il/elle me demande comment je vais.**

He/She asked me how I was.
> **Il/Elle m'a demandé comment j'allais.**

The document/letter/statement makes reference to…
> **Le document/La lettre/Le constat fait référence à…**

I don't know where this letter comes/came from. / I don't know the origin/source of this letter.
> **J'ignore la provenance de cette lettre. / Je ne sais pas d'où vient cette lettre.**

colloquial (moins soutenu)

I don't know where that story/report/rumour came from. I cannot go into any further detail with you therefore. / I can't go any further with you on this topic at the moment/at this stage.
> **J'ignore la provenance de cette histoire/de ce rapport/de cette rumeur. Je ne peux donc pas entrer/rentrer dans les détails avec vous. / Je ne peux pas m'étendre davantage sur ce sujet avec vous/toi pour le moment.**

This letter/document is from Spain.
> **Cette lettre/Ce document vient d'Espagne.**

According to a communiqué from the Élysée Palace, …
> **Selon un communiqué en provenance de l'Élysée (du palais de l'Élysée), …**

This kind of humour/comedy comes straight from England! / This style of music comes straight from America.
> **Ce type d'humour/de comédie vient tout droit d'Angleterre ! / Ce style de musique vient tout droit des États-Unis.**

He/She has come straight from Italy.
Il/Elle est venu/venue tout droit d'Italie.

This directive has come straight from the Department of Justice.
Cette directive vient directement du ministère de la Justice.

It/This has come straight from the horse's mouth!
C'est l'intéressé lui-même/l'intéressée elle-même qui me l'a dit !

Theme 34: Detail
Thème 34 : Le détail

Going into detail/details/the details; sparing someone the details, etc.

Entrer/Rentrer dans les détails ; s'étendre sur les détails ; épargner à quelqu'un les détails, etc.

It's an enormous subject. Let's not go into too much detail. / Let's not delve too much into the details.

> **C'est un énorme sujet. Ne rentrons pas trop dans les détails.**

I don't have time to go into the details/go into detail. / I don't have enough time to go into the technical details.

> **Je n'ai pas le temps de rentrer dans les détails. / Je n'ai pas le temps de rentrer dans les détails techniques.**

For obvious reasons, I don't want to go into detail/into the details at this precise moment.

> **Pour des raisons évidentes, je ne veux pas rentrer dans les détails à ce moment précis.**

Without going into the technical details, …

> **Sans rentrer/entrer dans les détails techniques, …**

Let's not dwell on the details. / Let's not get bogged down with the details. / Don't get bogged down with the details.

> **Ne nous étendons pas sur les détails. / Ne t'étends pas sur les détails. / Ne vous étendez pas sur les détails.**

Let's skip the details./!

> **Laissons tomber les détails./!**

I'll spare you the details./!

> **Je t'épargne les détails./! / Je vous épargne les détails./!**

Spare me the details! (Please!)

> **Épargne-moi les détails ! (S'il te plaît !) / Épargnez-moi les détails ! (S'il vous plaît !)**

Spare a thought for… (someone/something)

> **Ayons une pensée pour… (quelqu'un/quelque chose)**

The heart of the matter; it doesn't matter/never mind; it's immaterial/it's not important

Le cœur/fond du problème / le vif du sujet ; peu importe ; ne pas avoir d'importance

That's the root/core/heart of the problem/matter.
C'est l'origine/le fond/le cœur du problème.

That's the essence of the relationship (e.g. between two or more people, objects or events).
C'est l'essentiel de la relation (par ex. entre deux personnes, objets, évènements ou plus).

It doesn't matter/It matters little that…
Peu importe…

e.g.
It doesn't matter that you decided to give it back after all.
Peu importe que tu aies/vous ayez décidé de le/la rendre après tout.

It matters little that you chose to say nothing about it.
Peu importe que tu aies choisi/vous ayez choisi de ne rien dire à ce sujet.

It doesn't matter who the captain of the team is, so long as we win!
Peu importe qui est le capitaine, tant que nous gagnons !

It doesn't matter who the company appoints as Marketing Director next week: all the candidates are excellent.
Peu importe qui l'entreprise nommera directeur/directrice marketing la semaine prochaine : tous les candidats/toutes les candidates sont excellents/excellentes.

It doesn't matter if the Bill gets through Parliament tomorrow or not; we will call for an election.
Peu importe si le projet de loi est voté demain ou pas ; on va demander/exiger une élection.

(Note: 'exiger' has a stronger meaning than 'demander'. 'Exiger' conveys 'to demand' in the truest sense, whereas 'demander' means 'to ask for', 'to call for' or 'to require'.)

Never mind the weather, let's get going!
Ne t'en fais pour le temps, allons-y. / Ne vous en faites pas pour le temps, allons-y. / Ne t'inquiète pas pour le temps, allons-y. / Ne vous inquiétez pas pour le temps, allons-y.

Never mind whose idea it was; it was a bad idea!

> **Peu importe qui a eu cette idée, c'était une mauvaise idée ! / Peu importe qui a eu cette idée, c'en (cela en) était une mauvaise.**

Never mind!

> **Peu importe ! / C'est (Ce n'est) pas grave./! / Ne t'en fais pas./! / Ne vous en faites pas./! / Tant pis./!**

The timing of the announcement is immaterial/is of little importance/matters little.

> **La date de l'annonce n'a pas d'importance.**

What happens/happened next is immaterial/doesn't matter/doesn't count.

> **Ce qui se passe ensuite n'a pas d'importance.**

The length of the speech is immaterial.

> **La durée du discours n'a pas d'importance.**

The wording of the statement is immaterial/matters little to me.

> **La formulation du constat n'a pas d'importance pour moi/à mes yeux.**

The weather is neither here nor there.

> **Le temps n'a aucune importance.**

The time doesn't matter.

> **L'heure n'a pas d'importance.**

What's important to me is only that the train is fast. / The only important thing to me is that the train is fast.

> **La seule chose qui m'importe est que le train soit rapide/aille vite.**

Many a person dreams of becoming rich and famous. / Many people dream of being rich and famous. But this is not the be all and end all.

> **Beaucoup de gens rêvent de devenir riches et célèbres. Mais ce n'est pas la seule chose qui compte dans la vie.**

In matters of… ; as a matter of course; for that matter
Dans la domaine de… / En matière… ; automatiquement/ naturellement ; d'ailleurs

In matters medical, … / In medical matters, …
> **Dans la domaine de la médecine, … / Dans le monde de la médecine, …**

As far as finance is concerned, …
> **En ce qui concerne les finances, …**

They usually do this as a matter of course.
> **D'habitude, ils/elles le font automatiquement/naturellement.**

We would normally allow them to participate as a matter of course – but not this time. / Ordinarily, we would allow them to participate as a matter of course – but not this time.
> **On leur permettrait normalement de participer automatiquement – mais pas cette fois. / En temps normal, on leur permettrait de participer automatiquement – mais pas cette fois.**

I don't like your attitude… nor yours, for that matter.
> **Je n'aime pas ton attitude… ni la tienne, d'ailleurs.**

Before (doing something); at length; in depth
Avant de… ; en détail/longuement ; en profondeur/en détail

Before announcing/saying/proclaiming that, why not take a moment to/take the time to have a little think about/think hard about/think carefully about…
> **Avant d'annoncer/de dire/de proclamer cela/ça, pourquoi ne pas prendre un moment pour/prendre le temps de réfléchir longuement/bien réfléchir…**

Before talking in depth about this, …
> **Avant d'en parler en détail, … / Avant de parler de cela/ça en détail, …**

I explained it at length.
> **Je l'ai expliqué(e) longuement/en détail.**

I spoke at length about…
> **J'ai parlé longuement de… / J'ai parlé en détail de…**

I have already explained at length that that has nothing to do with what we're talking about at the moment.

J'ai déjà expliqué en détail que cela/ça n'a rien à voir avec ce dont nous parlons en ce moment.

Does that seem complicated to you? / Does that explanation seem complicated to you?

Est-ce que cela/ça te/vous semble compliqué ? / Est-ce que cette explication te/vous semble compliquée ?

We are going to speak in depth about…

On va parler en profondeur/en détail de…

Theme 35: Managing (in the sense of coping)
Thème 35 : Se débrouiller, faire avec

to manage/to cope/to cope with/to put up with something/to get oneself out of trouble or difficulty; to make do with something

Se débrouiller/Faire avec ; se contenter de/se débrouiller avec/faire avec quelque chose

We'll manage/We'll get by.
> **On va gérer. / On va se débrouiller.**

They'll have to manage. / They'll have to cope. / They'll have to put up with it.
> **Ils/Elles devront gérer. / Ils/Elles devront se débrouiller. / Ils/Elles devront faire avec.**

I (can) cope. / I get by. / I put up with it. / I just jog along. / I just get on with it. / I just carry on.
> **Je peux gérer. / Je me débrouille. / Je gère.**

You're going to have to get out of this yourself.
> **Tu vas devoir t'en sortir tout seul/toute seule. / Vous allez devoir vous en sortir tout seul/toute seule/tout seuls/toutes seules.**

We're going to have to/We'll have to make do with what we have for now/ what we've got for now.
> **On va devoir se contenter de ce qu'on (que l'on) a pour le moment. / On va devoir se débrouiller avec ce qu'on (que l'on) a pour le moment. / On va devoir faire avec ce qu'on (que l'on) a pour le moment.**

Theme 36: Statements of fact or opinion
Thème 36 : Affirmer des faits ou des opinions

That's obvious/self-evident, that's debatable, etc.

Cela/Ça va de soi / C'est évident/indéniable / Cela/Ça se voit, cela/ça se discute, etc.

That's obvious/self-evident from the results/the figures.
> **C'est indéniable, les résultats/chiffres le prouvent.**

That's obvious/self-evident from his/her behaviour.
> **Cela/Ça se voit dans son comportement.**

It's/That's obvious./! It jumps out at you!
> **Cela/Ça se voit./! / C'est évident./! / Cela/Ça saute aux yeux !**

It's quite obvious.
> **C'est une évidence.**

The facts speak for themselves.
> **Les faits parlent d'eux-mêmes.**

Person 1: I'm delighted!
> *Personne 1 :* **Je suis ravi(e) !**

Person 2: (It) sounds like you are!
> *Personne 2 :* **Cela/Ça se voit !**

"Ça s'entend" only applies literally. Thus, for example:

Person 1: My piano is out of tune.
> *Personne 1 :* **Mon piano est désaccordé.**

Person 2: (It) sounds like it!
> *Personne 2 :* **Cela/Ça s'entend !**

Person 1: Sebastian's guitar has a string missing.
> *Personne 1 :* **Il manque une corde à la guitare de Sebastian.**

Person 2: (It) sounds like it!
> *Personne 2 :* **Cela/Ça s'entend !**

Person 1: The washing machine is faulty.
Personne 1 : **Mon lave-linge ne marche pas très bien.**

Person 2: (It) sounds like it!
Personne 2 : **Cela/Ça s'entend !**

That goes without saying.
Cela/Ça va de soi. / Cela/Ça va sans dire.

That's debatable.
Cela/Ça se discute. / C'est sujet à débat.

That's indisputable.
C'est indiscutable/incontestable.

If he were to take the wrong dose of medicine, that would soon become apparent.
S'il prenait la mauvaise dose de médicament(s), cela/ça deviendrait vite évident. / Cela/Ça se verrait vite/rapidement s'il prenait la mauvaise dose de médicament(s).

It's easier said than done. / That's easier said than done.
Plus facile à dire qu'à faire. / C'est plus facile à dire qu'à faire.

It stands to reason that…
Il est raisonnable de penser que…

Needless to say, …
Inutile de dire/préciser que… / Il va sans dire que… / Il va de soi que…

That's understandable.
Cela/Ça se comprend. / C'est compréhensible.

That explains it./!
Cela/Ça explique tout./ !

That's due to the fact that… / That's explicable by… /by the fact that…
C'est dû au fait que…

Is the increase explicable by… ?
Est-ce que… peut expliquer l'augmentation ?

Not really. But it is correlated with…
Pas vraiment. Mais c'est en corrélation avec… / Mais c'est lié à…

One of the contributory factors for the increase is…
> **Un des facteurs contribuant/qui contribuent à l'augmentation est…**

A second contributory factor is…
> **Un deuxième facteur contribuant/qui contribue est…**

This/That/It can be summarised as…
> **Cela/Ça peut se résumer à/comme…**

Correct me if I'm wrong: your feelings/your point of view can be summarised as/by…
> **Corrige-moi/Corrigez-moi si je me trompe : tes/vos sentiments peuvent/ton/votre point de vue peut se résumer à/comme/par…**

His/Her speech can be summarised as a criticism/critique of the system.
> **Son discours peut se résumer comme étant une critique du système. / Son discours peut se résumer à une critique du système.**

This task and the methods/ways of completing it can be summarised by the concept of…
> **Cette tâche et les moyens de la réaliser peuvent se résumer par le concept de…**

It's hardly noticeable.
> **Cela/Ça se voit à peine.**

It's important that this is known.
> **Il faut que cela/ça se sache.**

It's important that that fact is known.
> **Il faut/est important que ce fait soit connu.**

The truth must be known! / It's important/essential/vital that the truth be known!
> **Il faut que la vérité éclate !**

The truth must come out/must be revealed/disclosed.
> **Il faut que la vérité éclate au grand jour.**

What really happened?
> **Que s'est-il vraiment/réellement passé ? / Qu'est-ce qui s'est vraiment/réellement passé ?**

That's far from the truth. / That falls short of the truth.
> **C'est loin d'être la vérité.**

We need to get to the truth.
  Nous devons/On doit découvrir la vérité.

We need to get to the truth as soon as possible. / We need to establish the truth as soon as possible.
  Nous devons/On doit découvrir la vérité le plus vite possible. / Nous devons/On doit établir la vérité le plus vite possible.

The truth **will out** in the end. (The truth will come out in the end.)   colloquial (familier)
  La vérité finira par éclater au grand jour.

Justice will be done.
  Justice sera rendue.

As well as…
Ainsi que… ; outre

We bought a cake as well as balloons for the birthday party.
  Nous avons acheté un gâteau ainsi que des ballons pour la fête d'anniversaire.

Jean, as well as Chantal and Mireille, will be at the party.
  Jean ainsi que Chantal et Mireille seront à la fête.

You can bring (along) Marion as well as Tanya.
  Tu peux/Vous pouvez amener Marion ainsi que Tanya.

I went to Besançon as well as Dijon.
  Je suis allé(e) à Besançon ainsi qu'à Dijon.

In terms of coats, I have a grey one as well as a blue (one).
  En termes de manteaux, j'en ai un gris ainsi qu'un bleu.

She is proud as well as happy.
  Elle est fière ainsi qu'heureuse. / Outre fière, elle est aussi heureuse.

He's ambitious as well as hard-working.
  Il est ambitieux en plus d'être travailleur. / Il est ambitieux ainsi que travailleur. / Outre ambitieux, il est aussi travailleur.

They are rude as well as lazy.
  Ils sont impolis ainsi que paresseux. / Outre paresseux, ils sont aussi impolis.

We do hearing tests as well as eye tests.
Nous faisons des tests auditifs ainsi que des tests de vision.

We treat cats in this clinic as well as dogs.
Nous traitons les chats ainsi que les chiens dans cette clinique.

Theme 37: Meetings/summits and conferences – what you are likely to hear… and get used to saying
Thème 37 : Les réunions/sommets et les conférences – ce que vous entendrez probablement... et allez vous habituer à dire

Scheduling, postponing and cancelling meetings
Fixer la date/l'heure, reporter et annuler des réunions

A round-table meeting is scheduled for/set for this afternoon. / A round-table meeting has been convened for this afternoon.
> **Une table-ronde est prévue pour cet/cette après-midi.**

Due to unforeseen circumstances, the meeting has been cancelled/postponed.
> **En raison de circonstances imprévues/inattendues, la réunion est annulée/reportée. / La réunion est annulée/reportée en raison de circonstances imprévues/inattendues.**

The meeting has had to be cancelled/postponed.
> **La réunion a dû être annulée/reportée.**

There'll be no further meetings this afternoon until we have found the cause of the electrical fault and rectified it.
> **Il n'y aura pas d'autres réunions cet/cette après-midi jusqu'à ce que la cause de la défaillance/panne électrique soit trouvée et rectifiée.**

We'll meet again at a date yet to be set.
> **Nous nous réunirons à une date à prévoir. / Nous nous reverrons/ On se reverra à une date à prévoir.**

(Note: The verb 'se réunir' is used more for formal settings such as meetings, conferences or conventions, as in this example. 'Se revoir' can also be used for these, as exemplified here, but is more often used in the context of meeting again socially.)

Do we agree to… ?
> **Acceptons-nous de…? / Sommes-nous d'accord pour…?**

Do we (all) agree to re-convene tomorrow?
> **Sommes-nous (tous) d'accord pour que nous reprenions demain ? /**
> **Sommes-nous (tous) d'accord pour reprendre demain ?**

Is everyone agreed that we should meet again tomorrow?
> **Sommes-nous tous d'accord pour nous réunir à nouveau demain ?**

Shall we...?
> **(Et) si on/l'on**[7] **... ? +** *indic. imperfect (imparfait de l'indicatif)*

(In a similar way: How about... ? Et si on/l'on... ? + indic. imperfect (imparfait de l'indicatif))

e.g.
Shall we meet again tomorrow?
> **(Et) si on/l'on se revoyait demain ? /**
> **(Et) si l'on se revoyait demain ?**

*indic. imperfect
(imparfait de l'indicatif)*

How about meeting[8] tomorrow?
> **Et si on se voyait demain ? / Et si l'on se voyait demain ?**

Attendance, non-attendance and apologies for absence
Assistance, absence et des excuses pour l'absence

He/She didn't attend the meeting.
> **Il/Elle n'a pas assisté à la réunion.**

He/She is excused from attending the meeting.
> **Il/Elle est exempté/exemptée d'assister à la réunion.**

He/She excused himself/herself from the meeting.
> **Il/Elle a pris congé pendant/avant la réunion.**

---

7   Note also that 'si l'on' is often preferred in spoken as well as written French, because it avoids the hiatus created by the vowels 'i' and 'o' in "si on…". That said, French-speakers prefer a hiatus to alliteration. So for instance, they would say "si on lisait…" instead of "si l'on lisait…".

8   Notice that 'How about' is followed by a gerund in English.
Notez que « How about » est suivi du gérondif en anglais.

Delegations, delegates and objectives
Des délégations, des délégué(e)s et des objectifs

The Swiss delegation will be attending.
La délégation helvétique/suisse sera présente.

The delegates have a single objective in mind. / The delegates are focused on a single objective.
Les délégués ont un seul objectif en tête. / Les délégués sont concentrés sur un seul objectif.

The delegates are very focused.
Les délégués sont très concentrés.

Some of the representatives declare themselves ready for tough negotiations.
Certains des représentants se déclarent prêts pour des négociations difficiles.

There needs to be a frank discussion. / We need to have a frank discussion.
Une discussion franche est nécessaire. / Il faut qu'on (que l'on) ait une discussion franche.

Aims and objectives
Des buts et des objectifs

This will not be just any **(old)** meeting. / This will be no ordinary meeting.   *informal (familier)*
Ce ne sera pas n'importe quelle réunion. / Ce ne sera pas une réunion ordinaire/comme les autres.

The meeting is going to focus on… / The meeting will focus on…
La réunion portera sur…

The meeting will focus especially on…
La réunion portera surtout sur…

It's something we're working towards/we're going to work towards.
C'est quelque chose pour lequel on travaille/nous travaillons. / C'est quelque chose pour lequel on va travailler/nous allons travailler.

It's important/essential/crucial that the meetings take place at the highest level. / It's important/essential/crucial that the meetings are held at the highest level.
Il faut que les réunions se déroulent/aient lieu au niveau le plus élevé.

Preliminaries
Préliminaires

Ahead of today's meeting, we are going to (do something)
On va/Nous allons (faire quelque chose)… avant la réunion d'aujourd'hui.

Just before starting, let's just touch on/let's just mention…
Avant de commencer, abordons…

We need to touch on a few things before starting the meeting proper.
Nous devons aborder/évoquer quelques sujets/thèmes avant la réunion elle-même.

Pre-meeting declarations
Des déclarations avant la réunion

We are keeping an open mind ahead of the meeting/as we go into these talks.
On garde/Nous gardons l'esprit ouvert avant la réunion. / Nous commençons ces négociations l'esprit ouvert.

Keep an open mind.
Garde/Gardez l'esprit ouvert.

We are always open to discussion. / We are always open to discussing it with him/her/them.
Nous sommes toujours ouverts/ouvertes à la discussion. / Nous sommes toujours ouverts/ouvertes à l'idée d'en discuter avec lui/elle/eux/elles.

We are open to talking about…
Nous sommes ouvert(e)s à l'idée de parler de…

We are open to agreement on…
Nous sommes ouvert(e)s à un accord sur…

This is the ideal time to get an agreement, but we're bracing ourselves for/we're braced for a long day/we're set for a long day.
C'est le moment idéal pour parvenir à un accord, mais nous savons que la journée va être longue.

Let's talk about it tomorrow.
Parlons-en demain.

The round-table discussion/debate scenario
Scénario de discussion/débat autour d'une table-ronde

■ (a) Opening remarks
Des commentaires/remarques préliminaires

I start/I'll start by saying/I'll just start by saying…
Je vais commencer par dire… / Je commencerai par dire… / Je vais simplement commencer par dire…

The theme of today's discussion is…
Le thème de la discussion d'aujourd'hui est…

First and foremost,…
Avant toute chose/Tout d'abord,…

We need to weigh up the pros and cons. / We must weigh up the pros and cons first.
Il nous faut peser le pour et le contre. / On doit/Nous devons d'abord peser le pour et le contre.

■ (b) Posing questions or presenting the facts and the use of imperatives
Poser des questions ou présenter les faits et l'utilisation de l'impératif

We have/need to face the facts/face up to the facts/face facts.
Il faut regarder les choses en face.

Let's face (the) facts.
Regardons les choses en face. / Rendons-nous à l'évidence.

Let's face up to a simple truth/a simple fact.
Il faut accepter une vérité/un fait simple.

We need to face up to reality/deal with reality.
Il nous faut accepter la réalité. / Il nous faut prendre la réalité telle qu'elle est.

Let's be serious!
Soyons sérieux ! / Soyons sérieuses !

Let's be clear!
Soyons clair(e)s !

We are grappling with… / We find ourselves grappling with…
> **Nous sommes aux prises avec… / Nous sommes confronté(e)s à… / On se trouve aux prises avec… / Nous nous trouvons aux prises avec…**

We have to tackle this question/confront this problem head-on.
> **Il nous faut/Nous devons aborder cette question de front/sans détour. / Il nous faut/Nous devons nous attaquer à ce problème de front.**

That's the (very) first step.
> **C'est le (tout) premier pas. / C'est la (toute) première étape.**

It's a prerequisite for action.
> **C'est un prérequis à l'action.**

There are three components to this problem. These are as follows: …
> **Ce problème est divisé en trois éléments. Ces éléments sont : …**

First of all, we need to address the burning question of…
> **Tout d'abord, il nous faut/nous devons aborder la question brûlante de…**

This is the preliminary question.
> **C'est la question préliminaire.**

The question that arises is…
> **La question qui se pose, c'est…**

The question before us is…
> **La question à laquelle nous sommes/faisons face, c'est… / La question à laquelle nous sommes/faisons face est…**

I have the following question: …
> **J'ai la question suivante : …**

My main question is the following: …
> **Ma question principale est la suivante : …**

The corollary to that question is…
> **Le corollaire de cette question est…**

What defines… ?
> **Qu'est-ce qui définit… ?**

We remain exercised by the vexed question of…
> **Nous sommes toujours préoccupé(e)s par la question délicate/épineuse de…**

We keep coming back to this crucial/pivotal question, which is in fact an existential one./We return constantly/all the time to this crucial/pivotal question, which is in fact an existential one.

On en revient/Nous en revenons constamment à cette question cruciale/essentielle, qui est en fait une question existentielle.

■ **(c) Common responses**
Des réponses courantes

That's a valid question.

C'est une question pertinente (ça).

It's worth looking into that/giving that some thought/pondering that/examining that/scrutinising that.

Cela/Ça vaut la peine d'y réfléchir. / Cela/Ça vaut la peine d'examiner cela/ça minutieusement.

It's worth mulling over that question/pondering that question/focusing on that question/examining that question/giving that question some thought.

Cela/Ça vaut la peine de s'interroger sur cette question. / Cela/Ça vaut la peine de se concentrer sur cette question. / Cela/Ça vaut la peine de bien réfléchir à cette question.

That's a sensitive question.

C'est une question sensible/délicate (ça).

They are very sensitive to the question of…

Ils/Elles sont très sensibles à la question de…

That's a wise question. / That's a well thought-out question.

C'est une question prudente/sage. / C'est une question bien réfléchie.

That's a leading question.

C'est une question orientée (ça).

That's a loaded question. / That's a trick question.

C'est une question-piège (ça).

That's a provocative question.

C'est une question provocante (ça).

It's/That's a reasonable/sensible question, to which I believe/think I know the answer.

C'est/Ça c'est une question raisonnable, dont je crois/pense connaître la réponse.

The question remains unanswered.
> **La question reste sans réponse.**

This remains an open question.
> **La question reste posée. / La question reste en suspens.**

It's not a question of…
> **C'est (Ce n'est) pas une question de…**

That's only part of the question/problem/reason.
> **Ce n'est qu'une partie de la question/du problème.**

■ (d) Broadening the debate; defining problems; elaborating on them
Approfondir le débat ; définir des problèmes ; les décrire en détail

That's the main/central point.
> **C'est le point principal/central.**

Broadening the point, I would say that…
> **Pour approfondir le thème, je dirais que…+ indic.**

I would like to broaden the debate somewhat. / I'd like to broaden the debate a little.
> **J'aimerais approfondir un peu le débat.**

It's important that people understand that there is an imbalance between… and…. / People need to/must understand that there is an imbalance between…and….
> **Il faut que les gens comprennent qu'il y a un déséquilibre entre… et… / Il faut que les uns (et) les autres comprennent qu'il y a un déséquilibre entre… et …./ Il faut que les gens comprennent qu'il existe un déséquilibre entre… et… / Il faut que les uns (et) les autres comprennent qu'il existe un déséquilibre entre… et… / Les gens doivent comprendre qu'il y a un déséquilibre entre… et… / Les uns (et) les autres doivent comprendre qu'il y a un déséquilibre entre… et… / Les gens doivent comprendre qu'il existe un déséquilibre entre… et… / Les uns (et) les autres doivent comprendre qu'il existe un déséquilibre entre… et…**

[See Footnote 1 (Theme 5, p.31) about the use of 'les uns (et) les autres' in this context.]

Very few people understand that.
> **Très peu de gens comprennent cela/ça. / Très peu de gens le comprennent.**

We need to appreciate the size of the problem. / We need to appreciate/be aware of the depth/gravity of the problem.

Il nous faut prendre conscience de l'ampleur du problème. / Il nous faut prendre conscience de la gravité du problème.

The sheer (size and) scale of the problem needs to be understood/appreciated. / We need to appreciate the sheer (size and) scale of the problem.

Il est important de comprendre l'ampleur du problème. / Nous devons nous assurer de comprendre l'ampleur du problème.

(The word 'size' in this context and 'scale' each translate to the same word – l'ampleur)

(Dans ce contexte, les mots « size » et « scale » se traduisent tous deux par le mot « ampleur »)

No-one else talks about it. / No-one else even talks about it.

Personne d'autre n'en parle. / Personne d'autre ne fait, ne serait-ce qu'en parler.

Almost nobody/no-one else talks about it. / Hardly anybody/anyone else talks about it.

Presque personne d'autre n'en parle. / Pratiquement personne d'autre n'en parle.

Almost no-one notices it. / Hardly anyone notices it.

Presque personne n'en prend conscience. / Pratiquement personne n'en prend conscience.

People are always comparing… with… / People are always drawing comparisons/drawing the comparison between… and…

Les gens comparent toujours… avec… / Les gens font toujours la comparaison entre… et…

This/That illustrates two things: …

Cela/Ça illustre deux choses : …

This highlights an enormous problem.

Cela/Ça met l'accent sur/souligne un énorme problème.

This poses enormous problems.

Cela/Ça pose d'énormes problèmes.

I'll give you a perfect example.

Je vais te/vous donner un bon exemple.

It's an age-old problem. / It's a longstanding problem.

C'est un problème séculaire/de longue date.

Nowhere is the problem bigger than here.
> **Nulle part n'est le problème plus important qu'ici. / Nulle part le problème n'est plus important qu'ici.**

Nowhere is the problem as big/so big.
> **Nulle part n'est le problème aussi important qu'ici. / Nulle part le problème n'est aussi important qu'ici.**

At the heart/root of the problem is…
> **Au cœur/À la source/À la racine du problème, il y a …**

The question centres on communication. / The question is one of communication.
> **La question porte sur la communication. / La question est celle de la communication.**

That's not a/the problem in itself. / That's not a/the problem in and of itself.
> **Ce n'est pas un/le problème en soi.**

The key problem, it seems to me, is…
> **Le problème fondamental, me semble-t-il, c'est/est…**

That's where the problem lies. / That's where the problem is.
> **C'est là que se situe le problème. / C'est là que se trouve le problème.**

The problem to solve/resolve is…
> **Le problème à résoudre, c'est…**

The problem I pointed out continues to increase/is growing.
> **Le problème que j'ai signalé/souligné ne cesse d'empirer.**

What about…? / And what about…?
> **Qu'en est-il de… ? / Et qu'en est-il de… ?**

I'm coming to that.
> **J'y viens.**

Wait, I'm coming to that point.
> **Attends/Attendez, j'en viens à ce sujet.**

There's a new urgency to this problem.
> **Ce problème connaît une urgence nouvelle.**

We need to appreciate that. / We need to be aware of that.
> **Nous devons en être conscient(e)s.**

It's important to take that into account. / It's important to factor that in.
> **Il est important de prendre cela/ça en compte.**

People aren't necessarily aware of that.
> **Les gens ne s'en rendent pas forcément compte. / Les gens ne se rendent pas forcément compte de cela/ça.**

No-one has yet taken into account the fact that...
> **Personne ne prend encore en compte le fait que...** + *indic./subj.*

We need to take stock of the situation.
> **Nous devons faire le point/bilan de la situation.**

It's (very) important to make clear that...
> **Il est (très) important de préciser que...** + *indic.*

I/We wish to make (it) clear that...
> **Je tiens à préciser que...** + *indic.* / **Nous tenons à préciser que...** + *indic.*

It's important to explain/clarify that...
> **Il est important de préciser que...** + *indic.*

It's a widely held view that...
> **C'est une idée/opinion largement répandue que...** + *indic* / **... est une idée/opinion largement répandue.**[9]

It is widely known that...
> **C'est/Il est bien connu que...** + *indic.*

---

9   The second phrase is the more commonly used form of these two sentence constructions, e.g."It's a widely held view that the recent measles outbreak could have been prevented by a compulsory vaccination programme."

« Le fait que la récente épidémie de rougeole aurait pu être évitée grâce à un programme de vaccination obligatoire est une idée/opinion largement répandue. » / « Le fait qu'un programme de vaccination obligatoire aurait pu empêcher la récente épidémie de rougeole est une idée/opinion largement répandue. »

■ **(e) Entering (into) the debate; getting involved in the debate; contributing to the debate**
Entrer dans le débat / s'impliquer dans le débat / participer au débat / contribuer au débat

I would like to comment on the subject which is being discussed/talked about at the moment.
Je voudrais/J'aimerais faire une remarque/un commentaire sur le sujet dont on parle en ce moment.

I would like to join (in)/take part in the debate. / I would like to get involved in the debate.
Je voudrais/J'aimerais prendre part/me joindre au débat. / Je voudrais/J'aimerais participer au débat.

■ **(f) Seeking clarification**
Demander des éclaircissements

It's (very) important to make clear that…
Il est (très) important de préciser que… + *indic.*

I/We wish to make (it) clear that…
Je tiens à préciser que… + *indic.* / **Nous tenons à préciser que…** + *indic.*

It's important to explain/clarify that…
Il est important de préciser que… + *indic.*

I must/I feel I must/I really feel I must/I would very much like to clarify something/clarify this point/make a clarification here.
Je tiens à préciser quelque chose/faire une mise au point/clarifier quelque chose.

Can you clarify that?
Peux-tu/Pouvez-vous clarifier cela/ça ?

I would like to know… / I'd like to know whether…
J'aimerais savoir… / J'aimerais savoir si…

Does that answer your question?
Est-ce que cela/ça répond à ta/votre question ?

That's half the answer. / That's only half the question.
C'est la moitié de la réponse. / Ce n'est que la moitié de la question.

Just a small/slight clarification please.
Juste une petite précision s'il te/vous plaît.

Just a little detail/clarification on what François has just said/just said…
> **Juste un petit détail/une petite clarification/précision sur ce que vient de dire François…**

I can't (quite) understand why/how… / I struggle/I'm struggling to understand why/how / I find it difficult to understand why/how… / I'm finding it difficult to understand why/how…
> **Je n'arrive pas à comprendre pourquoi/comment… / J'ai du mal à comprendre pourquoi/comment… / Il m'est difficile de comprendre pourquoi/comment…**

I don't follow (you).
> **Je ne te/vous suis pas.**

You're going off at a tangent.
> **Tu pars/Vous partez dans des digressions.**

I'm having great difficulty following you. / I'm having a lot of trouble following you.
> **J'ai beaucoup de mal à te/vous suivre.**

If I follow you correctly, …
> **Si je te/vous suis bien, …**

If I understand you correctly, you're saying that… / If I understood you correctly, you said (that)…
> **Si je te/vous comprends bien, tu dis/dites que… + *indic.* / Si je t'ai/vous ai bien compris(e)(s), tu as/vous avez dit que… + *indic.***

In that sense, yes.
> **Dans ce sens-là, oui.**

Going by what you say, …
> **D'après/Selon ce que tu dis/vous dites, …**

It/That goes against common sense. / It's/That's an affront to common sense.
> **C'est un défi au bon sens.**

This is unorthodox.
> **C'est peu orthodoxe. / C'est (Ce n'est) pas très orthodoxe.**

■ (g) Discussion and disagreement
> La discussion et le désaccord

Do you agree with the idea that/suggestion that…?
> **Es-tu/Êtes-vous d'accord avec l'idée/la suggestion que… + *subj.* ? / Es-tu/Êtes-vous d'accord avec l'idée selon laquelle… + *indic.* ?**

I don't agree with the idea that…
> **Je ne suis pas d'accord avec l'idée que…** + *subj.*

I don't agree that… (something should happen/be allowed to happen)/
I don't agree to that.
> **Je ne suis pas d'accord pour que…** + *subj.*

e.g.
I don't, however, agree they should be allowed to…
> **Je ne suis pas d'accord, toutefois, pour qu'ils aient l'autorisation de… (faire quelque chose)**

I would go further and say that…
> **J'irais plus loin et dirais que…** + *indic.*

e.g.
I would go further and say that it is the case. / I would go further and say that that is the case.
> **J'irais plus loin et dirais que c'est le cas.**

I would go further and say that it is definitely the case. / I would go further and say that that definitely is the case.
> **J'irais plus loin et dirais que c'est certainement/assurément le cas.**

I would even go so far as to say that… /as far as to say that…
> **J'irais même jusqu'à dire que…** + *indic.*

That's not true, actually.
> **Ce n'est pas vrai, en fait. / À vrai dire/En vérité, ce n'est pas vrai.**

Yes it is.
> **Si, c'est vrai. / Si si.**

That's your reading of the situation (not mine). You have misread the situation.
> **C'est ton/votre interprétation de la situation. Tu as/Vous avez mal interprété la situation.**

You have misunderstood the current/present situation.
> **Tu as/Vous avez mal compris la situation actuelle.**

to stick to/keep to/confine oneself to/focus on something
> **s'en tenir à quelque chose**

e.g.
Let's stick to the facts.
> **Tenons-nous-en aux faits.**

Stick to the facts!
> **Tiens-t'en aux faits ! / Tenez-vous-en aux faits !**

(Note: "Tiens-t'en" is a contraction for "Tiens-toi-en", in the same way as "Va-t'en !" ["Go away!"] is for "Va-toi-en !".)

Please confine yourself/limit yourself to the topic of discussion.
> **Tiens-t'en/Tenez-vous-en au sujet de discussion s'il te plaît/s'il vous plaît.**

Let's focus on what's important.
> **Tenons-nous-en à l'essentiel.**

Let's stick to the original plan./Let's keep to the original plan.
> **Tenons-nous-en au plan originel.**

Despite the fact that...
> **En dépit du fait que...** + *subj.* **/ Bien que...** + *subj.*

The fact remains that... / It remains the case that...
> **Toujours est-il que...** + *indic.* **/ Il n'en reste pas moins que...** + *indic./conditional*

e.g.
Even if the situation is as you say it is, the fact remains that...
> **Même si la situation est telle que tu le dis/vous le dites, toujours est-il que/il n'en reste pas moins que...** + *indic./conditional*

Even if the facts are as you say they are, the fact remains that...
> **Même si les faits sont tels que tu le dis/vous le dites, toujours est-il que/il n'en reste pas moins que...** + *indic./conditional*

You used the same reasoning in relation to...
> **Tu as/Vous avez utilisé le même raisonnement en ce qui concerne...**

I think I know why.
> **Je crois savoir pourquoi.**

What are you implying?
> **Qu'est-ce tu sous-entends/vous sous-entendez (par là) ?**

Whose side are you on?!
> **Dans quel camp es-tu/êtes-vous ?!**

He is right to say these things, but he forgets certain very important points: ...
> **Il a raison de dire cela/ça, mais il oublie certains points très importants : ...**

I'm not one of those who...
> **Je ne fais pas partie de ceux/celles qui...**

I'm one of/among those who say/think/believe that...
> **Je fais partie de ceux/celles qui disent/pensent/croient que...**

I oppose the term…
> **Je suis contre l'utilisation du terme…**

I'm tired of the term…
> **Je suis fatigué(e) d'entendre le terme…**

I heard someone say (that)…
> **J'ai entendu quelqu'un dire que…**

You sometimes hear people say that… /One sometimes hears people say that…
> **On entend parfois des gens dire que…** + *indic.*

That point of view/That argument doesn't hold water/hold up/stand up to scrutiny.
> **Ce point de vue(-là)/Cet argument(-là) ne tient pas la route.**

I would like to know… / I'd like to know whether…
> **J'aimerais savoir… / J'aimerais savoir si…**

I don't claim to be an expert on this (subject), but I must say (that)…
> **Je n'ai pas la prétention d'être un expert sur ce sujet, mais je tiens à dire que…** + *indic.*

What do you mean, "I don't claim to be"? You *are* an expert!
> **Comment ça, « Je n'ai pas la prétention d'être… » ? Tu es/Vous êtes un expert !**

I feel obliged to say that…
> **Je me sens obligé(e) de dire que…** + *indic.*

e.g.
I feel obliged to say that the proposed policy concerns me: it makes me a little uneasy/makes me feel a little uncomfortable.
> **Je me sens obligé(e) de dire que la politique proposée m'inquiète : elle me met un peu mal à l'aise.**

I feel obliged to say nothing.
> **Je me sens obligé(e) de ne rien dire.**

Deep down, I think (that)…
> **Au fond, je pense que…** + *indic.*

You are entitled to your opinion. / You are welcome to your opinion.
> **Tu es/Vous êtes en droit d'avoir ta/votre propre opinion. / Tu as/ Vous avez le droit d'avoir ton/votre opinion.**

In the opinion of…
> **D'après/Selon/Suivant l'opinion de…**

That's all very well.
>   **Tout cela/ça c'est très bien.**

That's all very well, but…
>   **Tout cela/ça c'est bien, mais…**

As Aurélie says, …
>   **Comme (le) dit Aurélie, …**

As Marc was saying earlier, …
>   **Comme (le) disait Marc tout à l'heure, …**

As Gaël mentioned earlier, … / As Gaël touched on earlier, …
>   **Comme Gaël l'a évoqué(e) plus tôt, …**

Pascal brought it up even earlier.
>   **Pascal l'a évoqué(e) encore plus tôt.**

Going back to what Olivia said, …
>   **Pour en revenir à/Pour revenir sur ce qu'a dit Olivia…**

Picking up on / Just to pick up on what you just said, …
>   **Pour en revenir à/Pour revenir sur ce que tu viens de dire…, … /ce que vous venez de dire, … / Juste pour revenir sur ce que tu viens de dire, …/ce que vous venez de dire, …**

To pick up on that point, … / Picking up on that point, …
>   **Pour revenir sur ce point, …**

As you indicated, …
>   **Comme tu as/vous avez indiqué, …**

To borrow/use your expression/phrase, …
>   **Pour utiliser ton/votre expression, …**

To borrow the expression/phrase Ben used, …
>   **Pour reprendre l'expression utilisée par Ben, …**

I don't see this as… / I don't consider this (to be)…
>   **Je ne vois pas cela/ça comme… / Je ne considère pas cela/ça comme étant…**

e.g.
I don't see this as a political issue. / I don't consider this (to be) a political issue.
>   **Je ne vois pas cela/ça comme étant une question politique. / Je ne considère pas cela/ça comme étant une question politique.**

That is what I am saying! / This is what I am saying.
 C'est ce que je suis en train de dire./!

This argument is going nowhere! / This argument is getting us nowhere! / This argument is leading (to) nowhere!
 Ce débat ne mène nulle part ! / Cette discussion ne mène nulle part !

We're getting nowhere! / We're not getting anywhere! / We're getting nowhere fast!
 On n'arrive à rien !

We're going round and round in circles. / We're just going round and round in circles.
 On tourne en rond. / On ne fait que tourner en rond. / Nous tournons en rond. / Nous ne faisons que tourner en rond.

I'm sick (to the back teeth) of/fed up (to the back teeth) with hearing that!/all that! / I've had enough of hearing that!/all that! / I'm sick (to the back teeth) of/fed up (to the back teeth) with hearing (that)… / I've had enough of hearing (that)…
 J'en ai marre d'entendre cela/ça ! / J'en ai marre d'entendre dire… / J'en ai assez d'entendre cela/ça ! / J'en ai assez d'entendre dire…

I've had enough of hearing that! / of hearing that…
 J'en ai assez d'entendre ça ! / d'entendre dire…

Whatever the cause, we need to solve this problem/we need to fix this; that's the basic point.
 Quelle qu'en/Quelle que soit la cause, on doit/nous devons résoudre ce problème ; c'est l'idée de base.

That goes for… just as much as for… / That goes just as much for… as it does for…
 Cela/Ça vaut autant pour… que pour …

We need to put things in perspective.
 Il faut relativiser les choses. / Il faut mettre les choses en perspective.

You/We/People need to realise that…
 Il faut se rendre compte que… + *indic.* **/ Les gens doivent se rendre compte que…** + *indic.*

We need to draw attention to the fact that…
 Il nous faut attirer l'attention sur le fait que…

That must have consequences in terms of...
> Cela/Ça doit avoir des conséquences en matière de...

Considering the circumstances, ...
> Compte tenu des circonstances, ...

Given the fact that... / Considering (the fact) that...
> Étant donné que... / Compte tenu du fait que...

And that brings/leads me to my next point...
> Et cela/ça m'amène à mon prochain point...

It should be/needs to be stressed that... / I should stress that... /
It's important to underline the fact that...
> Il faut souligner que... + *indic.* / Je dois souligner que... + *indic.* /
> Il faut souligner le fait que... + *indic.*

It's worth stressing that...
> Cela/Ça vaut la peine d'insister sur...

Only in exceptional circumstances should we... / should we allow...
> On ne devrait/Nous ne devrions permettre... qu'en cas de
> circonstances exceptionnelles.

And what is your rationale?
> Et quelles sont tes/vos raisons ?

What's the reasoning/rationale for your argument/for your point of view?
> Quel est le raisonnement derrière ton/votre argument/point de vue
> ? / Quelle est la logique derrière ton/votre argument/point de vue ?

I read/heard somewhere that...
> J'ai lu/entendu quelque part que... + *indic.*

That's unheard of.
> C'est sans précédent. / C'est du jamais-vu.

The document as it is/in its current form, is quite comprehensive.
> Le document, tel qu'il est, est assez complet.

That serves our purpose/meets our objective.
> Cela/Ça sert notre objectif.

Our strategy needs to be carefully thought through/thought out.
> Notre stratégie doit être mûrement réfléchie.

We're endeavouring to find a solution.
> **On s'efforce/Nous nous efforçons de trouver une solution.**

We need to find a viable solution.
> **Il faut trouver une solution viable.**

■ (h) Any solutions? / Is there a solution?
> Y-a-t-il une solution ?

I want/wish to put forth/forward… *(e.g. an idea, a candidate).*
> **Je veux/souhaite mettre en avant…** *(par ex. une idée, un candidat).*

It's/That's a kind gesture/proposition, but…
> **C'est gentil, mais… / C'est une gentille proposition, mais… / C'est gentil comme geste, mais… / C'est gentil comme proposition, mais…**

(Note: These latter two phrases, though correct, are used less often. Note, "gentil" remains masculine, as it relates to "c'est".)

People take it to be a negative/positive gesture. / They take it to be a negative/positive gesture.
> **Les gens considèrent ce geste comme étant négatif/positif. / On considère ce geste comme étant négatif/positif. / Ils/Elles considèrent ce geste comme étant négatif/positif.**

What can we do? / What more can we do?
> **Qu'est-ce qu'on (que l'on) peut faire ? / Qu'est-ce qu'on (que l'on) peut faire de plus ? / Que pouvons-nous faire ? / Que pouvons-nous faire de plus ?**

What can we say about… ?
> **Qu'est-ce qu'on (que l'on) peut dire à propos de/au sujet de… ? / Que pouvons-nous dire à propos de/au sujet de ?**

What more can be said?
> **Qu'est-ce qu'on (que l'on) peut dire de plus ? / Que pouvons-nous dire de plus ?**

What more can I say?
> **Que puis-je dire de plus ? / Qu'est-ce que je peux dire de plus ?**

The idea that we could accept this suggestion is bizarre.
> **L'idée qu'on (que l'on) puisse accepter cette suggestion est bizarre/étrange.**

If not this suggestion, can you think of a better one?

> Si tu n'aimes/vous n'aimez pas cette suggestion, peux-tu/pouvez-vous en trouver une qui (te/vous) convient mieux ? / Si cette suggestion(-là) ne te/vous plaît pas, peux-tu/pouvez-vous en trouver une qui (te/vous) convient mieux ? / Si tu n'aimes/vous n'aimez pas cette suggestion, peux-tu/pouvez-vous en trouver une meilleure ? / Si cette suggestion(-là) ne te/vous plaît pas, peux-tu/pouvez-vous en trouver une meilleure ?

If not him/her, who then?
> Sinon lui/elle, alors qui/qui alors ? / Si pas lui/elle, alors qui/qui alors ?

(Note: the second sentence is an abbreviation of "Si ce n'est/n'était pas lui/elle, alors qui c'est/c'était ? / Si ce n'est/n'était pas lui, qui c'est/c'était alors ?" and should only be used in informal spoken speech.)

That argument is far from convincing.
> Cet argument(-là) est loin d'être convaincant.

It's wrong in every way.
> C'est faux en tous points.

You are clearly wrong.
> Tu as/Vous avez manifestement tort.

Where you are wrong/right is…
> Tu as/Vous avez tort/raison à propos de…

That's where you are wrong.
> C'est là que tu te trompes/vous vous trompez.

Much as/As much as I would like to accept (it), I can't.
> Bien que j'aimerais[10] (l')accepter, je ne peux pas.

Much as I like the suggestion, circumstances prevent us from accepting it.
> Bien que j'aime cette suggestion, les circonstances nous empêchent de l'accepter.

It'll/That'll only make matters worse.
> Cela/Ça ne fera qu'aggraver les choses.

---

10 Note that the conditional has been used in the first sentence after "bien que" and not subjunctive. This is because, although the subjunctive is strictly speaking the correct tense to use, many French-speakers find it cumbersome to use in informal spoken French and so dispense with it in favour of the indicative or conditional. It's a contentious area in French. The québécois (French-Canadian) *Bureau de la traduction (BtB)* has a useful online resource which covers this topic, among others.

https://www.btb.termiumplus.gc.ca/tpv2guides/guides/chroniq/index-fra.html?lang=fra&lettr=indx_titls&page=9U66xqoK0nJk.html

There's nothing to gain from that. / There's nothing to gain from… (a person or doing something).

> **Il n'y a rien à obtenir/gagner de cela/ça. / Il n'y a rien à obtenir/ gagner… (« de quelqu'un » ou « à faire quelque chose »).**

That would be a backward step.

> **Ce serait faire un pas en arrière.**

That complicates things slightly. / That has complicated things slightly.

> **Cela/Ça complique un peu les choses. / Cela/Ça a un peu compliqué les choses.**

We need to keep one step ahead (of someone/something).

> **Nous devons garder une longueur d'avance (sur quelqu'un/quelque chose).**

That's not the solution. It's not the solution to… (do something else), either.

> **C'est (ce n'est) pas la solution. (Et) Faire… n'est pas la solution non plus.**

That would pose even more problems. You risk opening Pandora's box.

> **Cela/Ça poserait encore plus de problèmes. Tu risques/Vous risquez d'ouvrir la boîte de Pandore.**

So/Therefore/Thus, acting as you suggest is out of the question.

> **Il est donc hors de question de faire ce que tu suggères/vous suggérez.**

It's not as simple as that.

> **C'est (Ce n'est) pas aussi simple que cela/ça.**

It's not as simple as it first appears. / It's not as simple as it appears at first.

> **Ce n'est pas aussi simple qu'il y paraît. / Ce n'est pas aussi simple qu'à première vue.**

It's not as simple as it would at first appear/seem.

> **Ce n'est pas aussi simple qu'il y paraîtrait.**

It's not as clear-cut as that. / It's not as cut and dried as that.

> **C'est (Ce n'est) pas aussi net/évident que cela/ça.**

There's no secret or magic formula.

> **Il n'y a pas de formule secrète ou magique.**

The key is to…
> **La clé, c'est de…**

We/You/People need to look at things realistically.
> **Il faut regarder les choses de façon réaliste. / Il faut que l'on regarde les choses de façon réaliste. / Nous devons regarder les choses de façon réaliste.**

What could we do better?
> **Qu'est-ce que l'on/qu'on pourrait mieux faire ? / Qu'est-ce que nous pourrions mieux faire ?**

The solution is (very much) in the hands of…
> **La solution est entre les mains de…**

You are undoubtedly right.
> **Tu as/Vous avez sans aucun doute raison.**

He/She is open to compromise.
> **Il/Elle est ouvert/ouverte à l'idée de faire des compromis.**

He/She has pledged to work/consult closely with his/her counterparts/colleagues.
> **Il/Elle a promis de travailler en étroite collaboration avec ses homologues/collègues. / Il/Elle a promis d'en discuter en détail avec ses homologues/collègues.**

What should I/we/one do? / What does one do? /
What do I/you[11] do? / What's to be done?   *colloquial (familier)*
> **Que faire ?**

We need to be careful to… / so that…
> **Nous devons faire attention afin de…**

We need to be (very) careful not to… / It behoves us (all) not to…
> **Nous devons faire (très) attention à ne pas… / Il nous incombe (à tous) de faire (très) attention à ne pas…**

It's incumbent on us to… (do something).
> **Il nous incombe de… (faire quelque chose).**

We need to be very careful not to overstep the mark.
> **Nous devons faire très attention à ne pas dépasser les bornes.**

---

11 Pour les lecteurs francophones : « You » est impersonnel dans ce contexte-ci, c-à-d., « What do you do? » équivaut à « What does one do? »

We need to be careful not to go too far/not to go over the top.

Nous devons faire attention à ne pas aller trop loin. / Nous devons faire attention à ne pas dépasser les bornes.

It's not enough to say that…

Il ne suffit pas de dire… / Dire… ne suffit pas.

It's more than enough to say (that)…

Dire… suffit amplement.

That's more than enough to allow/enable… (someone to do something/something to happen).

C'est plus que suffisant pour permettre à… (quelqu'un de faire quelque chose/quelque chose de se produire).

It amounts to/boils down to the same thing.

Cela/Ça équivaut/revient à la même chose.

That amounts to saying 'no'.

Cela/Ça équivaut/revient à dire « non ».

Up to a point, I don't have a problem with that.

Je n'ai pas de problème avec cela/ça, mais il y a des limites.

What shall we tell them?

Qu'est-ce qu'on (que l'on) devrait leur dire ? / Que devrions-nous leur dire ?

Aren't we forgetting something?

N'oublions-nous pas quelque chose ?

Aren't we all forgetting something – each and every one of us?

N'oublions-nous pas tous quelque chose – nous tous sans exception ?

Actually, you've put your finger on something I hadn't thought about/I haven't given much thought to. / Actually, you've put your finger on something I hadn't really considered.

À vrai dire, tu as/vous avez mis le doigt sur quelque chose auquel je n'avais pas pensé/réfléchi. / À vrai dire, tu as/vous avez mis le doigt sur quelque chose que je n'avais pas vraiment considéré.

■ (i) Decisions

Des décisions

We have been deliberating on this matter for days now. It is time to make a decision.

Nous nous penchons sur ce sujet/problème depuis des jours. Il est temps de prendre une décision.

The decision rests on whether… or not.

La décision dépend de si… ou non.

We need to make a clear/difficult choice.

Il nous faut faire un choix évident/difficile.

The choice before us is… / We have the following choice: …

Le choix qui s'offre à nous est…/ Nous avons le choix suivant : …

We have a clear/difficult choice/decision to make. Either we… or we…

Nous avons/On a un choix évident/difficile à faire. / Nous avons une décision évidente/difficile à prendre. Soit… (faire quelque chose), soit… (faire quelque chose). / Soit nous/on… (faisons/fait quelque chose), soit nous/on… (faisons/fait quelque chose).

We have nothing to fear. / There's nothing to fear.

Nous n'avons rien à craindre. / On n'a rien à craindre. / Il n'y a rien à craindre.

When the decision (to do something) is taken, …

Lorsque la décision (de faire quelque chose) sera prise, …

I (have) decided that…

J'ai décidé que… + *indic.*

It seems to have been decided that…

Il semble avoir été décidé que… + *subj.*

It seems to have been decided to… (do something).

Il semble avoir été décidé de… (faire quelque chose).

He/She seems to have decided that…

Il/Elle semble avoir décidé que… + *indic./conditional*

He/She seems to have decided to… (do something).

Il/Elle semble avoir décidé de… (faire quelque chose).

The decision has already been taken.

La décision a déjà été prise. / La décision est déjà prise.

(Note the second French sentence translates directly as "The decision is already taken." We don't say this in English: we would say "The decision has already been taken/made.")

That's a wise decision.
> **C'est une sage décision.**

■ **(j) Agreement/An agreement**
   Être d'accord/Un accord

I'm of the same opinion.
> **Je suis du même avis.**

I tend to agree with you.
> **J'ai tendance à être d'accord avec toi/vous. / Je suis enclin à être d'accord avec toi/vous.**

I partially/partly agree with you.
> **Je suis partiellement d'accord avec toi/vous. / Je suis en partie d'accord avec toi/vous.**

Where I agree with you is…
> **Là où je suis d'accord avec toi/vous, c'est…**

That's where I agree with you.
> **C'est là que je suis d'accord avec toi/vous.**

I agree with you on that.
> **Je suis d'accord avec toi/vous là-dessus. / Je te/vous rejoins là-dessus.**

The lady/gentleman is partly right. / The lady/gentleman is right in/about part of what he/she says.
> **La dame/Le monsieur a en partie raison. / La dame/Le monsieur a en partie raison dans ce qu'il dit.**

I agree with what Marianne is saying/with what Marianne just said.
> **Je suis d'accord avec ce que dit Marianne. / Je suis d'accord avec ce que vient de dire Marianne.**

I share that opinion. / I share that point of view.
> **Je partage le même avis. / Je partage le même point de vue.**

I absolutely share that opinion. / I absolutely share the opinion of…
> **Je partage tout à fait cet avis/cette opinion. / Je partage tout à fait l'avis/l'opinion de…**

Is everyone agreed that we do nothing?

Est-ce que tout le monde est d'accord pour qu'on (que l'on) ne fasse rien ? / Tout le monde est-il d'accord pour que nous ne fassions rien ?

Do we/people agree that this is fair? Does everyone agree that it is seemingly so easy to spend, or rather lose, so much money per month on this?

Sommes-nous/Tout le monde est-il d'accord sur le fait que ce soit juste ? Tout le monde est-il d'accord sur le fait qu'il est apparemment si facile de dépenser, voire gaspiller, tant d'argent par mois sur cela/ça ?

I entirely agree. / I entirely agree with you. / I'm entirely in agreement with you.

Je suis entièrement d'accord. / Je suis entièrement d'accord avec toi/vous.

We agree one hundred percent. / We are a hundred per cent agreed. / We a hundred percent agree.

Nous sommes/On est d'accord à cent pour cent.

We are agreed. / We have reached agreement.

Nous sommes d'accord. / Nous sommes parvenu(e)s à un accord.

On that, we are all agreed.

Là-dessus, nous sommes tous d'accord.

It is agreed that…

Il est convenu que… + *indic.*

e.g.
It is agreed (that) we'll meet again next week.

Il est convenu que nous nous reverrons la semaine prochaine.

Let's work together (on this).

Travaillons tous ensemble (là-dessus).

We shook hands on it. *(This expression is both literal and idiomatic in English. / Cette expression est à la fois littérale et figurée en anglais.)*

Nous en avons convenu.

■ (k) Chairperson's closing remarks
Les observations finales du président/de la présidente

Firstly, thank you for your comments.

Tout d'abord, je tiens à te/vous remercier pour tes/vos commentaires.

Thank you all for your latest comments. / Thanks to all of you for your latest

comments.
> **Merci à tous pour vos derniers commentaires. / Merci à toutes et à tous pour vos derniers commentaires.**

Not everyone agrees, but…
> **Tout le monde n'est pas d'accord, mais…**

As things currently stand, we've reached a stalemate/deadlock. / As things currently stand, matters are deadlocked.
> **Dans l'état actuel des choses, nous sommes dans l'impasse. / Dans l'état actuel des choses, on est face à une impasse.**

At the rate we're going/At the rate things are going, we won't reach/get a consensus: this matter will remain unresolved/is going to remain unresolved.
> **Au train où/auquel vont les choses/Au rythme où/auquel on va, on ne va pas parvenir à un consensus : la question restera non résolue. / Au train où /auquel vont les choses, nous ne parviendrons pas à un consensus : la question restera non résolue.**

We need to break the deadlock. How?
> **Il faut sortir de l'impasse. Comment ?**

I take full account of…
> **Je tiens entièrement compte de…**

I take full account of the fact that/I very much take account of the fact that there may be underlying risks, or that there may be legal obstacles beyond (that).
> **Je tiens entièrement compte du fait qu'il puisse y avoir des risques sous-jacents, ou qu'il puisse y avoir des obstacles juridiques au-delà (de cela/ça).**

Is it right to say that… ?
> **Est-il juste/correct de dire que…** + *indic.* **?**

It is correct/right/accurate/true to say that… / It is the right thing to say that…
> **Il est juste de dire que…** + *indic.*

It's safe to say that… / It can safely be said that… / One can safely say that… / I can safely say that…
> **On peut dire sans trop s'avancer que…** + *indic.* **/ Je peux dire sans trop m'avancer que…** + *indic.*

Let's just say that…
> **Disons simplement que…** + *indic.*

Many of you are right to point out/highlight (the fact that)…
> **Nombre d'entre vous ont raison de souligner (le fait) que…** + *indic.*

In all fairness, …
> **En toute justice, …**

It's a reminder of/to/that…
> **C'est un rappel de… / C'est un rappel que…** + *indic.*

It's a timely and welcome reminder of the fact that…
> **C'est un rappel opportun et bienvenu (du fait) que…** + *indic.*

That's what's important.
> **C'est ça qui importe. / C'est ça l'important.**

That's what counts.
> **C'est ça qui compte.**

That's what's at stake.
> **C'est ça qui est en jeu.**

Very few people understand that. / Very few people understand that…
> **Très peu de gens le comprennent. / Très peu de gens comprennent que…** + *indic.*

In the same vein, …
> **De la même veine, … / Dans le même esprit, …**

It's perhaps for that reason that…
> **C'est peut-être pour cette raison(-là) que…** + *indic.*

It's perhaps because of that that…
> **C'est peut-être pour cela/ça que…** + *indic.*

(Note: NOT "parce que ça" or "car ça")

What does that say about us?
> **Qu'est-ce que cela/ça dit sur nous ?**

I interpret that as…
> **J'interprète cela/ça comme…**

I find that…
> **Je trouve que…** + *indic.*

On balance, …
> **Tout bien considéré, … / Tout compte fait, …**

Above all, …
> **Surtout, …**

One thing is clear: …
   Une chose est claire : …

My position is absolutely/quite clear.
   Ma position est tout à fait claire.

My mind is very clear on that.
   Mon avis est très tranché là-dessus.

There's nothing more to say.
   Il n'y a plus rien à dire. / Il n'y a rien de plus à dire.

A/One very last question: …
   Une toute dernière question : …

A/One very last word: …
   Un tout dernier mot : …

We're going to have to conclude. *(close/finish up/'wrap up' e.g. this discussion/conversation/meeting/consultation/interview/ bring this discussion/ conversation/meeting/consultation/interview to a close)*
   On va devoir conclure. *(par ex. cette discussion/conversation/réunion/ consultation/cet entretien)*

There were so many points/subjects to cover that we were unable to/we have been unable to complete the discussion. / There were so many points/ subjects to cover that we couldn't complete the discussion.
   Il y avait tant/tellement de points/sujets à couvrir/traiter que nous n'avons pas pu achever/terminer/finir la discussion.

In the final analysis, …
   En dernière analyse, …

To conclude, …
   Pour conclure, …

I think I/we can safely say that…
   Je pense pouvoir dire sans trop m'avancer que… + *indic.* **/ Je pense pouvoir dire en toute certitude que…** + *indic.*

Opinions are divided on the cause/causes of this problem and possible solutions. / Opinions are divided on the cause/causes of this problem and the solution.
   Les avis sont partagés sur la cause/les causes de ce problème et les solutions possibles. / Les avis sont partagés sur la cause/les causes de ce problème et la solution.

To sum up/Summing up, the general feeling is one of optimism/pessimism/despair/relief.

En résumé, le sentiment général est un sentiment d'optimisme/de pessimisme/de désespoir/de soulagement.

We have a broad consensus on… / There is a broad consensus on…

On a/Nous avons un large consensus sur… / Il y a un large consensus sur…

We have a broad consensus on how to proceed/on the way forward.

On a/Nous avons un large consensus sur comment procéder/avancer.

There's a general feeling of consensus around the room/table.

Il y a un sentiment général de consensus dans la salle/autour de la table.

It is encouraging that…

C'est encourageant que… + *subj.*

Before finishing, I will just make some closing remarks/statements: …

Avant de finir, je vais juste faire quelques dernières remarques/déclarations : …

I finish on the following point/on this point: …

Je termine/finis sur le point suivant/sur ce point/sur ce point-ci : …

Let me finish on this point: we can't just sit here and do nothing.

Laisse-moi/laissez-moi terminer/finir sur ce point/ce point-ci : on (ne) peut pas simplement/se contenter de rester assis à ne rien faire.

There is (still) yet the thorny question/issue of… to address/confront/tackle.

La question épineuse/délicate / Le problème épineux/délicat de/du… doit encore être abordée/abordé.

Let's get this (thing) done once and for all.

Faisons-le une bonne fois pour toutes.

Handling the press – possible discussions behind the scenes
Faire face à la presse — des discussions possibles en coulisse

Let's not speak to the press until we have all the information to hand/available to us.
> **Ne parlons pas à la presse avant d'avoir tous les renseignements disponibles.**

Don't announce it to the press until you have notified your colleagues.
> **Ne l'annonce/l'annoncez pas à la presse avant d'avoir prévenu tes/vos collègues.**

It's none of the press's business!
> **Cela/Ça ne regarde pas la presse ! / Ce n'est pas l'affaire de la presse. / Ce ne sont pas les affaires de la presse.**

The press release and the press conference
Le communiqué de presse et la conférence de presse

There'll be no further announcements until (after) we have spoken to the other delegates and agreed/set a date for that meeting.
> **Il n'y aura pas d'autres annonces jusqu'à ce que nous ayons parlé avec les autres délégués et convenu d'une date/fixé une date pour cette réunion.**

The meeting/press conference proper will be held tomorrow. A preliminary meeting was held yesterday.
> **La réunion/La conférence de presse elle-même aura lieu demain. Une réunion préliminaire a eu lieu hier.**

Theme 38: Taking no notice/Disregarding; disregard
Thème 38 : Ne pas tenir compte de quelque chose ; le mépris

Regardless; regardless of… ; irrespective of… ; irrespective of whether… or not, … (Identical to Whether or not [See Theme 23])

Malgré tout ; en dépit de… / sans se soucier de… ; quel que soit…/ quel que fût… ; indépendamment de… ; peu importe si… ou pas (indic.) ; que… + *subj.* ou non, …

They carried on regardless./They continued regardless.
Ils/Elle ont passé outre./Ils/Elles ont continué malgré tout.

Regardless of your reasoning, it was the wrong decision. / Regardless of your reasoning, it was a bad decision.
Quel que fût/Peu importe ton/votre raisonnement, c'était la mauvaise décision. / Quel que fût/Peu importe ton/votre raisonnement, c'était une mauvaise décision.

subj. imperfect (subjonctif imparfait)

Regardless of risk, he sped along the mountain road. *(in his car)*
En dépit des risques, il a roulé à toute vitesse sur la route de montagne.

Regardless of risk, he sped along the mountain road. *(on his bike)*
En dépit des risques, il a roulé à toute vitesse avec son vélo/à vélo sur la route de montagne.

Regardless of the time, just finish your work!
Peu importe l'heure, contente-toi/contentez-vous simplement de finir ton/votre travail !

Regardless of the fine he knew he'd (he would) incur, he continued to shout at the umpire/chair umpire.
En dépit de l'amende qu'il savait qu'il encourait, il a continué à crier contre l'arbitre/l'arbitre de chaise./Sans se soucier de l'amende qu'il savait qu'il encourait, il a continué à crier contre l'arbitre/l'arbitre de chaise.
(Pour les lecteurs francophones : notez que, dans ce contexte, « would » signifie « was going to », il se traduit donc par de l'imparfait de l'indicatif et non par du conditionnel présent.)

Regardless of the punishment he knew he would incur/suffer, he continued to abuse the umpire verbally.

En dépit de la punition qu'il savait qu'il encourait, il a continué à injurier l'arbitre/l'arbitre de chaise. / Sans se soucier de la punition qu'il savait qu'il encourait, il a continué à injurier l'arbitre/l'arbitre de chaise.

We will close all schools in order to limit the outbreak/to limit the spread of the infection, regardless of whether your school has reported any cases (or not).

Toutes les écoles seront fermées afin de limiter la propagation de l'infection, que votre école ait signalé des cas ou non.

Irrespective of/Regardless of who is right or wrong, stop arguing/quarrelling!

Peu importe qui a raison et qui a tort, arrêtez de vous disputer !

Irrespective of which way round you look at the drawing/painting, it's beautiful!

Le dessin/tableau est beau, peu importe dans quel sens on le regarde !

Irrespective of whether we take out a loan (or not), we can still afford this.

Nous avons les moyens d'acheter cela/ça, et ce[12] que nous contractions/fassions un prêt/emprunt ou non. / Que nous contractions/fassions un prêt ou non, nous avons les moyens d'acheter cela/ça.

---

12 The locution 'et ce' (if translated literally, 'and this') is a term of emphasis widely used in French. In this example, it conveys the same sentiment as "still" does in the English.

Theme 39: Not particularly; nothing particularly/nothing in particular
Thème 39 : Pas particulièrement ; rien en particulier

I don't particularly like… ; I'm not (particularly) impressed by… ; I'm not over-impressed by…

Je n'aime pas particulièrement… ; cela/ça ne m'impressionne pas (particulièrement) ; je ne suis pas impressionné(e) outre mesure par…

I don't particularly like the… /like the way (in which)…
> **Je n'aime pas particulièrement le/la…/Je n'aime pas particulièrement la manière/façon dont…**

I don't particularly like it/like that.
> **Cela/Ça ne me plaît pas particulièrement. / Je n'aime pas particulièrement cela/ça.**

That doesn't impress me much.
> **Cela/Ça ne m'impressionne pas beaucoup. / Cela/Ça ne m'impressionne pas vraiment.**

We were not particularly impressed by his/her performance. / We were not over-impressed by his/her performance.
> **Sa performance ne nous a pas particulièrement impressionné(e)s. / Sa performance ne nous a pas impressionné(e)s outre mesure.**

There's nothing (particularly) wrong with… ; there's nothing (particularly) wrong with… (doing something); not particularly

Il n'y a rien de (particulièrement) mal à…/Il n'y a pas de/aucun problème (en particulier) avec… ; Il n'y a rien de (particulièrement) mal à… (faire quelque chose) ; pas particulièrement

There was nothing wrong with his/her performance.
> **Sa performance était tout à fait correcte.**

There was nothing particularly wrong with his/her performance.
> **Il n'y avait pas de problème en particulier avec sa performance.**

There's nothing wrong with your watch.
> **Il n'y a aucun problème avec ta montre. / Ta montre fonctionne parfaitement bien.**

There's nothing wrong with it. *(any object or item of merchandise)*
> **Il n'y a aucun problème avec...** *(n'importe quel objet ou article (merchandise))*

There's nothing wrong with writing to him/her. / There's nothing particularly wrong with writing to him/her.
> **Il n'y a rien de mal dans le fait de lui écrire.**

Theme 40: Contents
Thème 40 : Contenus

What's in/inside...?
Qu'est-ce qu'il y a dans... ?

What's in/inside your bag?
Qu'est-ce qu'il y a dans ton/votre sac ?

What else is in your bag?
Qu'est-ce qu'il y a d'autre dans ton/votre sac ?

What's in/inside that box?
Qu'est-ce qu'il y a dans cette boite(-là) ?

What's in the suitcase?
Qu'est-ce qu'il y a dans la valise ?

What's in a name?
Qu'y a-t-il dans un nom ?

Consisting of..., etc.
Consister en..., etc.

What does... consist of?
En quoi consiste... ?

What does it consist of?
En quoi consiste-t-il/elle ?

It/That/This consists of....
Cela/Ça consiste en...

made of...
en...

wooden/made of wood – **en bois**

metal/made of metal – **en métal**

a wooden chair – **une chaise en bois**

The back of the chair is made of bamboo.
> **Le dossier de la chaise est en bambou.**

a metal plate – **un plat en métal**

The ball got stuck in a metal fence.
> **Le ballon s'est coincé dans une clôture en métal.**

a glass tube – **un tube en verre**

Theme 41: Resemblance, connections
Thème 41 : Ressemblance et liens

Looking like, sounding like
Ressembler à

What does it look like?
> À quoi ressemble-t-il/elle ? / À quoi cela/ça ressemble ?

What does it sound like?
> À quoi ressemble ce son/bruit ?

What does this machine sound like?
> Quel bruit fait cette machine? / À quoi ressemble le bruit de cette machine? / À quoi te/vous fait penser le bruit de cette machine? (Similar to: "What does this machine's noise remind you of?" or "Que te/vous rappelle le bruit de cette machine?")

What did it look/sound like?
> À quoi ressemblait-il/elle ? / À quoi cela/ça ressemblait ? / À quoi ressemblait ce son/bruit ?

It resembles…
> Cela/Ça ressemble à…

It sounds empty.
> On dirait que c'est vide.

You sound like your dad.
> On croirait entendre ton père. / Tu as/Vous avez la même voix que ton/votre père.

He resembles him/her.
> Il lui ressemble.

She resembles him/her.
> Elle lui ressemble.

His/Her voice was unmistakeable.
> Sa voix était facilement reconnaissable. / Sa voix était reconnaissable entre toutes.

You sound tired.
> Tu sembles fatigué(e).

You sound terrible/awful. *(e.g. to someone with a bad throat infection [pharyngitis, tonsillitis or laryngitis] or a bad cough.*

> **Tu as/Vous avez l'air vraiment mal en point. / Tu n'as/Vous n'avez vraiment pas l'air bien.** *(par exemple, à quelqu'un qui a une angine, une laryngite aiguë ou une toux violente.)*

The language sounds like Dutch.

> **La langue ressemble à du hollandais.**

He/She sounds German.

> **À l'entendre parler, on dirait un Allemand/une Allemande.**

The words, the way they are pronounced, sound Russian.

> **À leur prononciation, les mots ont l'air d'être du/en russe.**

I didn't know their meaning, but the sentences, the way they were pronounced, sounded Greek.

> **Je ne savais pas ce qu'elles voulaient dire/signifiaient, mais à leur prononciation, ces phrases avaient l'air d'être du grec. / Je ne savais pas ce qu'elles voulaient dire/signifiaient, mais à leur prononciation, ces phrases avaient l'air d'être en grec.**

Linked to/with… /Connected with… ; related to something

Être lié(e) à…/être en lien avec…/avoir un lien avec…/avoir de rapport avec…/avoir trait à…[13] ; être apparenté(e) à quelque chose ; être impliqué(e) dans…

This financial instability is linked to the political crisis in that country.

> **Cette instabilité financière est liée à la crise politique dans ce pays.**

This report is related to another one published three months ago.

> **Ce rapport est lié à/est en lien avec un autre (rapport) publié il y a trois mois.**

This poem is related to the two short stories published last year by the same author.

> **Ce poème est lié à/est en lien avec deux nouvelles publiées par le/la même auteur l'an dernier.**

---

13 *L'Académie française* considers "avoir trait à" to be a more old-fashioned term, so its dictionary uses "se dit encore" in reference to it. The term is used less, in general, than the other terms.

Scientists say these two species of plant are linked genetically with a species of algae.

Les scientifiques disent que ces deux espèces de plantes ont un lien génétique avec une espèce d'algues.

The two incidents are not linked. / There is no connection between the two incidents.

Il n'y a pas de rapport/aucun rapport entre les deux incidents. / Ces deux incidents n'ont pas de trait./Ces deux incidents n'ont aucun trait.

The case in Italy may or may not be connected with/linked with/linked to the one in Austria.

Il se peut que le cas en Italie soit lié ou non à celui en Autriche. / Il se peut que le cas en Italie ait trait ou non à[12] celui en Autriche.

You make a tenuous link between… and… / You make tenuous links between… and…

Tu fais/Vous faites un lien ténu entre… et… / Tu fais/Vous faites des liens ténus entre… et…

These five chemical compounds are related to each other.

Ces cinq composés chimiques sont apparentés.

He is connected with the incident of yesterday.

Il est impliqué dans l'incident d'hier.

Theme 42: Spirit and feelings
Thème 42 : L'esprit et les sentiments

Mind, body and spirit
L'esprit, le corps et l'esprit/l'âme

He/She has an analytical mind.
> **Il/Elle a un esprit analytique/d'analyse.**

In a spirit of camaraderie, …
> **Dans un esprit de camaraderie, …**

In a spirit of goodwill, …
> **Pour faire preuve de bonne volonté, …**

It plays on his/her mind.
> **Cela/Ça le/la travaille. / Cela/Ça lui trotte dans la tête.**
> (*Note: The second option can also be used when talking about, for example, a song or melody that sticks in one's mind.*)

It has been playing on my mind for (quite) a while.
> **Cela/Ça me travaille depuis un (bon) moment. / J'y pense depuis un (bon) moment. / Cela/Ça me trotte dans la tête depuis un (bon) moment.**

(The locution "for quite a while" also translates to "depuis pas mal de temps", but this expression is somewhat more colloquial.)

He/She has spirit.
> **Il/Elle a du courage. / Il/Elle est vif/vive. / Il/Elle est déterminé/déterminée.**

He/She lacks spirit.
> **Il/Elle manque de courage/détermination/vivacité.**

He/She is in good spirits.
> **Il/Elle a le moral. / Il/Elle est de bonne humeur.**

They're keeping their spirits up.
> **Ils/Elles gardent le moral. / Ils/Elles ne se laissent pas abattre.**

They're in high spirits.
> **Ils/Elles sont enjoués/enjouées.**

I felt as though... ; I almost feel as though... ; I almost feel like... ; I feel like...

Je me suis senti(e) comme si... ; Je me sens presque comme si... ; J'ai presque l'impression... ; J'ai l'impression...

I felt as though a great/huge weight had been lifted from my shoulders.
> **Je me suis senti(e) comme si un grand poids avait été retiré de (sur) mes épaules. / J'ai eu l'impression qu'un grand poids avait été retiré de (sur) mes épaules.**

I felt as though I had been liberated from some pain/from some kind of pain.
> **Je me suis senti(e) libéré(e) d'une douleur/d'un genre de douleur. / J'ai eu l'impression d'être libéré(e) d'une douleur/d'un genre de douleur.**

I felt as though I were/was falling from a skyscraper.   *(subjonctif, parfaitement correct en anglais)*
> **J'avais l'impression de tomber d'un gratte-ciel.**

I used to feel as though...
> **Je me sentais comme si... / J'avais l'impression...**

At the time, I felt as though.../At the time, I used to feel as though.../At the time, I was feeling as though...
> **À l'époque, je me sentais comme si... / À l'époque, j'avais l'impression...**

I almost feel as though...
> **Je me sens un peu comme si... / J'ai presque l'impression... / Je me sens presque comme si...**

(Note: In my experience and from my investigations on the subject, 'Je me sens presque comme si' appears to be more common outside of France, e.g. in québécois and Belgian French speech and writing.)

I almost feel like... (doing something).
> **J'ai presque envie de... (faire quelque chose).**

e.g.
I almost feel like screaming!
> **J'ai presque envie de hurler/de crier !**

I almost feel like vomiting./!
> **J'ai presque envie de vomir./!**

I almost feel like hitting him!
> **J'ai presque envie de le frapper !**

I feel like…/I have the desire to… (do something).
> **J'ai envie de…**

That gave me the desire to be a film-maker. / That made me want to be a film-maker.
> **Cela/Ça m'a donné l'envie d'être cinéaste. / Cela/Ça m'a donné envie d'être cinéaste.**

Theme 43: Effort, drive, determination
Thème 43 : L'effort, le dynamisme, la détermination

to do everything
Tout faire pour…

He/She did everything he/she could to help/rescue the injured.
Il/Elle a tout fait pour aider/secourir les blessés.

They did all they could (do) to prevent…
Ils/Elles ont tout fait pour empêcher…

He did everything he could to prove that…
Il a tout fait pour prouver que… + *indic.*

He does everything he can to distinguish himself from the others.
Il fait tout (son possible) pour se distinguer des autres.

Everything that could happen happened!
Tout ce qui pouvait arriver est arrivé !

Everything I do is for you.
Tout ce que je fais, c'est pour toi/vous.

We never gave up.
On n'a jamais abandonné. / Nous n'avons jamais abandonné.

We put in all our effort./We gave everything./We
gave **our all**.   *colloquial (familier)*
Nous avons tout donné. / On a tout donné.

Try as I might, …
Avoir beau essayer de faire quelque chose

Try as I might, I can't open this bottle!
J'ai beau essayer, je n'arrive pas à ouvrir cette bouteille !

Try as I might, I couldn't understand a word he was saying./!
J'ai eu beau essayer, je n'arrivais pas à comprendre ce qu'il disait./!

to reap the benefits/rewards; to benefit from; to profit from; to take advantage of

profiter de quelque chose/En profiter ; tirer avantage/profit de quelque chose

> We took advantage of the savings.
>> **Nous avons profité des économies. / Nous avons tiré profit des économies. / Nous avons tiré avantage des économies.**

> He's beginning to reap the benefits/rewards of his labours/efforts.
>> **Son travail commence à porter ses fruits. / Ses efforts commencent à porter leurs fruits.**

> A holiday/The holiday will do him/her some good. / He/She will benefit from a/the holiday.
>> **Des/Les vacances lui feront du bien.**

> He/She could do with a good holiday, I'm sure.
>> **De bonnes vacances lui feraient du bien, j'en suis sûr(e).**

to be determined to do something; to be determined that something should happen

être déterminé(e)(s)/résolu(e)(s) à faire quelque chose ; être décidé(e)(s) à ce que + *subj.* /être déterminé(e)(s) à ce que + *subj.*

> I'm determined to find a quicker train route to St.Austell and back.
>> **Je suis déterminé(e)/résolu(e) à trouver un itinéraire plus vite/court entre Saint-Austell et ici par train. / Je suis déterminé(e)/résolu(e) à trouver un itinéraire plus vite/court à Saint-Austell aller-retour par train.**

> The company is determined not to allow its competitors/rivals to increase their market share.
>> **L'entreprise est déterminée/résolue à ne pas permettre ses concurrentes/rivales d'augmenter leur part du marché.**

> We're determined that any attempt to circumvent the rules will be taken very seriously.
>> **Nous sommes décidé(e)s/déterminé(e)s à ce que l'on prenne très en sérieux n'importe quelle tentative de tourner/contourner les règles.**

> The Government is determined that there should be an in-depth/thorough investigation into this company's alleged irregular business dealings before any proposal to grant an export licence.
>> **Le gouvernement est décidé/déterminé à ce qu'il y ait une enquête approfondie sur les affaires irrégulières alléguées/prétendues de cette entreprise avant toute proposition d'accorder une licence d'exportation.**

Theme 44: Overcoming hardship; survival; relief
Thème 44 : Surmonter des épreuves ; la survie ; le soulagement

Disappearance and escape; lost and found; capture and liberation

Disparition et fuite ; perdu(e)(s) et retrouvé(e)(s) ; capture et libération

Fabian/Jane is missing/has been reported missing.
> **Fabian est porté disparu./Jane est portée disparue.**

What became of Fabian/Jane? / What will become of Fabian/Jane?
> **Qu'est devenu/devenue Fabian/Jane ? / Qu'est-il advenu de Fabian/Jane ? / Que va devenir Fabian/Jane ?**

I haven't heard anything from…
> **Je n'ai pas de nouvelles de…**

One week on, we have (still) heard nothing. / One week on, (we still have) no news. / One week on, and we still have heard nothing/have no news.
> **Une semaine plus tard, on n'a (toujours) pas de nouvelles.**

Three weeks on, (there is) still nothing/not a word.
> **Trois semaines plus tard, toujours pas de nouvelles.**

One month on, still nothing has happened.
> **Un mois plus tard, il ne s'est toujours rien passé.**

A child has been reported missing.
> **Un(e) enfant est porté(e) disparu(e).**

The child is still missing.
> **L'enfant est toujours porté(e) disparu(e).**

Two days have elapsed and the child is still missing.
> **Deux jours se sont écoulés et l'enfant est toujours porté(e) disparu(e).**

They went from house to house and from train station to train station in search of their missing dog.

Ils/Elles sont allés/allées de maison en maison et de gare en gare à la recherche de leur chien perdu/à la recherche de leur chien qui a disparu.

The child, who has a slightly round face, was found wandering in a neighbouring village, is now reunited with his parents and is reportedly unharmed/is said to be unharmed.

L'enfant, dont le visage est un peu rond, a été retrouvé en train de vagabonder dans un village voisin, est maintenant réuni avec ses parents et serait indemne/sain et sauf.

He/She is safe and sound.

Il est sain et sauf. / Elle est saine et sauve.

They ended up lost.

Ils/Elles ont fini par se perdre.

They ended up in prison.

Ils/Elles ont fini en prison.

They were/have been taken hostage. / They were/have been taken prisoner.

Ils/Elles ont été pris/prises en otage. / Ils/Elles ont été fait prisonniers/prisonnières.

They are being held hostage/prisoner.

Ils/Elles sont retenus/retenues en otage. / Ils/Elles sont détenus/détenues. / Ils/Elles sont retenus/retenues prisonniers/prisonnières.

The government has demanded their immediate release.

Le gouvernement a exigé qu'ils/elles soient libérés/libérées immédiatement.

We must, nevertheless/all the same, proceed carefully/step by step.

Nous devons/On doit, néanmoins/toutefois/tout de même, procéder prudemment/étape par étape. / Nous devons/On doit, néanmoins/toutefois/tout de même, agir prudemment/avec prudence.

We had a narrow escape. / We narrowly escaped.

Nous l'avons échappé belle.

He narrowly escaped. / He escaped by the skin of his teeth.

Il s'est enfui/échappé de justesse. / Il s'en est tiré de justesse.

Luckily, she escaped.

Par chance/Heureusement, elle s'est enfuie/échappée.

Perhaps they escaped.

> **Peut-être se sont-ils échappés/enfuis/se sont-elles échappées/ enfuies.**

They are in the most severe difficulties.

> **Ils/Elles connaissent les pires difficultés.**

He endured a difficult time but he came through unscathed/unharmed.

> **Il a traversé une période difficile, mais il s'en est sorti indemne.**

You have lived through a difficult period/time and come through it/pulled through. Well done.

> **Tu as/Vous avez traversé/connu/vécu une période difficile et tu t'en es sorti(e)/vous vous en êtes sorti(e)(s). Bravo.**

You have all come through a very difficult time.

> **Vous avez tous/toutes traversé une période très difficile.**

No news is good news.

> **Pas de nouvelles, bonnes nouvelles.**

The good news is that there has been a breakthrough/a turnaround/a turning point/a change in fortunes, and the hostages have escaped/have been freed/ have been set free/have been released.

> **La bonne nouvelle, c'est qu'il y a eu une percée/une avancée et que les otages se sont échappés/ont été libérés. / La bonne nouvelle, c'est que la chance a tourné et que les otages se sont échappés/ont été libérés.**

Therefore/Thus/So a major crisis/a disaster/catastrophe has been averted.

> **Donc, une crise majeure/une catastrophe/un désastre a été évitée/ évité.**

Being alive, staying alive; survival; to live through something

Être en vie, rester en vie ; la survie ; connaître/vivre quelque chose

The surviving villagers spent the night in a temporary shelter.

> **Les villageois ont passé la nuit dans un abri/refuge provisoire.**

The survivors are now being treated in hospital for hypothermia.

> **Les survivants/survivantes sont maintenant/à présent à l'hôpital et reçoivent un traitement pour l'hypothermie.**

They had to take their lives[14] into their own hands.
> **Ils/Elles ont dû prendre leur vie[14] en main.**

They are practically out of danger, but they still have to be very, very careful.
> **Ils/Elles sont pratiquement/presque hors de danger, mais ils/elles doivent rester très, très prudent(e)s. / Ils/Elles sont pratiquement/presque hors de danger, mais ils/elles doivent toujours/quand même faire très, très attention.**

They spent the night outdoors.
> **Ils/Elles ont passé la nuit dehors.**

He is survived by his wife and children.
> **Sa femme et ses enfants ont survécu sans lui. / Il a laissé sa femme et ses enfants derrière lui.**

In 1975 (nineteen seventy-five), I got to know an elderly French woman who survived the Nazi gas chambers.
> **En 1975 (mille neuf cent soixante-quinze/dix-neuf cent soixante-quinze), j'ai fait la connaissance d'une vieille dame française qui a survécu aux chambres à gaz nazies.**

We have lived through some hard/difficult times.
> **Nous avons/On a connu/traversé des temps/moments/périodes difficiles.**

We have lived through some harsh winters.
> **Nous avons/On a connu de rudes hivers.**

to be alive – **être vivant(e)(s)/être en vie**

to be still alive – **être encore vivant(e)(s)/être encore en vie**

the will to live – **la volonté de vivre**

to keep someone alive – **maintenir/garder quelqu'un en vie**

to survive – **survivre**

---

14 Note that whereas in English the possession of something singular in common with other individuals can be said or written as plural in certain contexts, such as 'their lives' in this example, the French language has a different rule: no matter what the number of owners, the object remains singular. Hence in the case of life, it is "leur vie" in this example and not "leurs vies" because the French view is that we each have (as far as we know!) one life only.

À noter qu'alors qu'en français la possession commune de quelque chose de singulier est traitée strictement comme singulier, par exemple la vie ou un objet, en anglais il n'existe pas une telle règle: on peut exprimer la possession commune soi comme étant singulière soi comme étant plurielle selon le contexte, donc « their lives (« leurs vies ») » dans cet exemple.

surviving – **survivant(e)(s)**

survival – **la survie**

Overcoming
Surmonter

to overcome (e.g. hardship/an illness) – **surmonter (par ex. des épreuves, une maladie)**

to overcome someone/to overcome opposition/an opposing team – **vaincre quelqu'un / triompher de quelqu'un / venir à bout de l'opposition / vaincre l'équipe adverse**

to be overcome with emotion – **être accablé(e)(s) d'émotions/par l'émotion ; être submergé(e)(s) par l'émotion**

to overhear – **entendre par hasard / entendre malgré soi / surprendre**

Relief and jubilation
Soulagement et jubilation

It's/That's a great relief.
> **C'est un grand soulagement.**

I'm relieved.
> **Je suis soulagé(e).**

I'm greatly/mightily relieved!
> **Je suis grandement soulagé(e) ! /**
> **Je suis vachement soulagé(e).**

colloquial (familier)

It is/was a great relief.
> **C'est/C'était un grand soulagement.**

To my/our great relief, …
> **À mon/notre grand soulagement, …**

I'm jubilant!
> **Je jubile !**

It's a day of jubilation/celebration!
> **C'est une journée de jubilation/joie/liesse/fête !**

Theme 45: Superlatives
Thème 45 : Superlatifs

Predominantly for English-speaking readers:

Superlatives (e.g. the biggest, smallest, most, least, only), the phrase 'au monde' (literally, 'to the world') versus 'du monde' ('of the world'), and when to use the subjunctive.

(This is a part of the French language that often causes confusion among non-French speakers. The words 'au' and 'du' are used interchangeably after superlatives.)

Principalement pour les lecteurs anglophones :

Les superlatifs (par exemple, le/la plus grand(e), le/la plus petit(e), le/la plus, le/la moins, le/la seul(e)), l'expression « au monde » par opposition à « du monde », et quand utiliser le subjonctif.

(C'est une partie de la langue française qui pose souvent problèmes aux non-francophones. Les locutions « au monde » et « du monde » sont utilisées de façon interchangeable.)

> e.g.
> North Korea is the only country in the world never to have signed the…
>> **La Corée du Nord est le seul pays au/du monde à n'avoir jamais signé le/la…**
>
> It is by far the tallest building in the world.
>> **C'est de loin le bâtiment le plus haut au/du monde. / C'est de loin le plus grand/haut bâtiment au/du monde.**
>
> It's the second longest river in the world.
>> **C'est la deuxième plus longue rivière au/du monde.**

In other spaces, the superlative is followed by 'de'.

> e.g.
> That's the biggest chair in the room.
>> **C'est la plus grande/grosse chaise de la salle.**

When a superlative is followed by a clause (a subject and a predicate[15]), the subjunctive is most commonly used in that clause.

---

15 A predicate is the verb describing the subject's actions.
Ici, un prédicat est le verbe qui exprime les actions du sujet.

e.g

It's the oldest book I have.

C'est le plus vieux livre que je possède.

It's the only book I have. / It's the only book **I've got**.   *colloquial (familier)*

C'est le seul livre que j'aie/je possède.

… but not if followed by a verb alone; here the infinitive is used.

… mais pas s'il est suivi d'un verbe seul ; dans ce cas, on utilise l'infinitif.

e.g.

She's the most likely to win.

Elle est la plus susceptible de gagner.

He's the least likely to have tidied up. / He's the least likely to tidy up after himself.

Il est le moins susceptible d'avoir rangé.

When expressing superlatives in the past tense the 'subjonctif passé' is used.

e.g.

Of all the exotic marine life we could have seen on our trip, dolphins were the only sea creatures we saw.

De toute la faune marine exotique que nous aurions pu voir pendant notre excursion, les dauphins sont les seuls animaux marins que nous ayons vus.

The subjunctive imperfect (le subjonctif imparfait) and subjunctive pluperfect (le subjonctif plus-que-parfait) are rarely, if ever, used in modern French. In the case of the verb 'voir' ('to see'), used here, this would be 'que nous vissions' and 'que nous eussions vu' respectively. So for example, the sentence above spoken or written in the subjunctive imperfect would be:

Of all the exotic marine life there was, dolphins were the only sea creatures we used to see.

De toute la faune marine exotique qu'il y avait, les dauphins furent les seuls animaux marins que nous vissions.

In practice, it would be far more natural in French to say:

De toute la faune marine qu'il y avait, les dauphins sont les seuls animaux marins que nous ayons vus.

… of all

… de tous/de toutes

It's the greatest show of all!

C'est la meilleure de toutes les expositions ! / C'est le meilleur de tous les concerts/spectacles !

The biggest fear of all is…
> **La pire/plus grande de toutes les peurs, c'est…**

The giant redwood tree is the tallest tree of all.
> **Le Séquoia géant est le plus grand de tous les arbres.**

It's the tallest one of all.
> **C'est le/la plus grand/grande.**

It's the oldest church of all.
> **C'est la plus vieille de toutes les églises.**

It's the oldest one of all. / This is the oldest one of all.
> **C'est le/la plus vieux/vieille.**

Of all the Second World War veterans still alive, he's the oldest one of all.
> **C'est le plus âgé/vieux de tous les vétérans/tous les anciens combattants de la Deuxième/Seconde Guerre mondiale encore en vie.**

Worst of all, it wasn't even ready.
> **Le pire/Pour couronner le tout, ce/il/elle n'était même pas prêt(e).**

colloquial ("To crown it all, …", also used in English)

Of all the lies he told, that was by far the worst.
> **De tous les mensonges qu'il a dits, c'était de loin le pire.**

It's the best one of all.
> **C'est le meilleur. / C'est la meilleure.**

It's the best song of all.
> **C'est la meilleure de toutes les chansons.**

… ever/never
… jamais/ne… jamais

There were more varieties of butterfly in flight than I've ever seen.
> **Je n'avais jamais vu autant de variétés de papillons différentes voler au même endroit.**

There was a greater variety of landscape than I had ever seen.
> **Je n'avais jamais vu une si grande variété de paysages.**

I've never seen so many lakes in one place.
> **Je n'ai jamais vu autant de lacs dans un seul endroit. / Je n'ai jamais vu autant de lacs au même endroit.**

… more than… put together/combined.
> **… plus que tous/toutes les autres réuni(e)s.**

Canada has an estimated two million lakes. That's more than all the others in the world put together/combined!
> **On estime qu'il y a plus de deux millions de lacs au Canada. C'est plus que tous les lacs du monde réunis !**

It astonishes me more than I've ever known! It renders me spellbound.
> **Je n'ai jamais été aussi étonné(e)/stupéfait(e) ! Je suis émerveillé(e)/ captivé(e)/envoûté(e).**

I've never seen a castle as old/quite as old.
> **Je n'ai jamais vu de château aussi vieux.**

This is the oldest example in history of…
> **C'est le plus vieil exemple dans l'histoire de…**

I've never seen a church so old.
> **Je n'ai jamais vu d'église aussi vieille.**

---

ever/never seen… anything like it; nothing of its kind anywhere else (in the world); has there ever been a better/worse example?

jamais/n'avoir… jamais vu… de semblable ; il n'existe rien de semblable/Rien de semblable n'existe nulle part ailleurs (dans le monde) ; Y a-t-il déjà eu un meilleur/pire exemple ? / N'y a-t-il jamais eu un meilleur/pire exemple ?

I've never seen anything like it.
> **Je n'ai jamais rien vu de semblable.**

There's nothing of its kind anywhere else in the world.
> **Il n'existe rien de semblable nulle part ailleurs dans le monde. / Rien de semblable n'existe nulle part ailleurs dans le monde.**

Has there ever been a better example?
> **Y a-t-il déjà eu un meilleur exemple ? / N'y a-t-il jamais eu un meilleur exemple ?**

Has there ever been a better example of it?
> **Y a-t-il déjà eu un meilleur exemple de cela/ça ? / N'y a-t-il jamais eu un meilleur exemple de cela/ça ?**

Has there ever been a worse example of this?
> **Y a-t-il déjà eu un pire exemple de ceci/cela?**

Theme 46: Spatial relationships, place, movement
Thème 46 : Relations spatiales, lieu, mouvement

Each other and one another (as in Theme 5)
L'un(e) l'autre, l'un(e) et l'autre etc. (comme vu au Thème 5)

They are at right angles to each other.
> **Ils/Elles sont à angle droit l'un(e) de l'autre.**

They're not mutually exclusive.
> **L'un(e) n'exclut pas l'autre.**

The two villages are (situated) six kilometres apart.
> **Les deux villages se situent à six kilomètres l'un de l'autre.**

They are situated a few kilometres from each other.
> **Ils/Elles sont situés/situées à quelques kilomètres l'un/l'une de l'autre.**

two objects (deux objets)

They are situated a few kilometres from one another.
> **Ils/Elles sont situés/situées à quelques kilomètres les uns/unes des autres.**

more than two objects (plus de deux objets)

They were piled/stacked one on top of the other/ one above the other.
> **Ils/Elles étaient empilés/empilées l'un/l'une sur l'autre.**

refers to two objects (en parlant de deux objets)

They were piled/stacked one on top of another. / They were stacked one above another.
> **Ils/Elles étaient empilés/empilées les uns/ unes sur les autres.**

refers to more than two objects (en parlant de plus de deux objets)

They were placed/positioned one in front of the other.
> **Ils/Elles étaient mis/mises/placés/placées/ posés/posées l'un/l'une devant l'autre.**

refers to two objects (en parlant de deux objets)

They were placed/positioned one in front of another.
**Ils/Elles étaient mis/mises/placés/placées/
posés/posées les uns/unes devant les autres.**

*refers to more than two
objects (en parlant de
plus de deux objets)*

They were placed/positioned one behind the other.
**Ils/Elles étaient mis/mises/placés/placées/
posés/posées l'un/l'une derrière l'autre.**

*refers to two objects
(en parlant de deux
objets)*

They were placed/positioned one behind another.
**Ils/Elles étaient mis/mises/placés/placées/
posés/posées les uns/unes derrière les
autres.**

*refers to more than two
objects (en parlant de
plus de deux objets)*

Here, there and everywhere!
Ici, là et partout !

Everywhere I go, I find a good hotel.
**Partout où je vais/Partout où je me rends, je trouve un bon hôtel. /
Je trouve un bon hôtel partout où je vais/me rends.**

Everywhere we looked, there was beautiful scenery.
Où que nous regardions, il y avait de beaux paysages.

They're just about everywhere! / They're almost everywhere!
Ils/Elles sont presque partout !

They're practically/virtually everywhere!
Ils/Elles sont pratiquement/quasi partout !

Here, there… and people
Voici, voilà… et les gens

Here he/she is! / There he/she is!
Le/La voici ! / Le/La voilà !

I can hear them coming. There they are!
Je les entends approcher/arriver. Les voilà !/Ils/Elles sont là !

Queues and queuing; at the end of, and other prepositions
Des queues et faire la queue ; à l'arrière, et d'autres prépositions

The queuing time is more than (exceeds) twenty minutes.
> **Le temps d'attente dépasse les vingt minutes.**

There are a good hundred people in the queue. / I'd say there are a good hundred people in the queue.
> **Il y a une bonne centaine de personnes dans la file d'attente/la queue. / Je dirais qu'il y a une bonne centaine de personnes dans la queue/la file d'attente.**

There's a two-hour queue.
> **Il y a une file d'attente de deux heures. / Il y a deux heures de queue.**

a queue – **une file d'attente/une queue**

to queue – **faire la queue**

to join a queue/to go to the back of the queue – **aller à la queue**

at the back/front of the queue – **à l'arrière/à l'avant de la queue**

to queue for half an hour – **faire la queue une demi-heure**

Describing position
Décrire où l'on se trouve / Décrire où se trouve quelque chose

at the rear – **à l'arrière/en queue**

e.g.
I'm at the rear of the bus. / I'm at the rear of the train.
Je suis à l'arrière du bus. / Je suis en queue de train.

They are near/toward the rear (end) of the boat/ship/train/plane.
Ils/Elles sont vers l'arrière du bateau/train/de l'avion.

the tail of a plane (aircraft/aeroplane) – **la queue d'un avion**

the tail of an animal – **la queue d'un animal**

the tail of a comet – **la queue d'une comète**

---

at the bottom – **en bas/au fond**

at the bottom of the list – **en bas de la liste**

at the top of the list – **en tête de liste/en haut de la liste**

halfway down the list – **au milieu de la liste**

The list goes on (and on). / The list is endless.
Le liste est sans fin.

The company is on their blacklist.
La société/L'entreprise est sur leur liste noire.

There are piles of books here and there.
Il y a des piles de livres ici et là.

Some (of the books) are lying flat, some are (standing) upright.
Certains (des livres) sont à plat, certains sont debout.

Rearrange them from largest to smallest.
Réarrange-les/Réarrangez-les du plus grand au plus petit/de la plus grande à la plus petite.

He's/She's second from the left. *(e.g. in a picture/photo)*
C'est le/la deuxième en partant de/à partir de la gauche. *(par ex. dans un tableau/une photo)*

It's the one in the top left-hand corner.
> **C'est celui/celle dans le coin en haut à gauche.**

It's in the bottom right-hand corner.
> **Il/Elle est dans le coin en bas à droite.**

---

at the end of each sentence/at the end of the sentence – **à la fin de chaque phrase/en fin de phrase**

This corresponds with:

at the beginning of the sentence – **en début de phrase**

in the middle of the sentence/in mid-sentence – **au milieu de la phrase / en milieu de phrase**

Every story/song has a beginning, middle and an end.
> **Chaque histoire/chanson a un début, un milieu et une fin.**

Next to him is Amélie.
> **À côté de lui, c'est Amélie. / Amélie est à ses côtés.**

From the top of the hill, you can see the city draped in cloud.
> **Du haut de la colline, on peut voir la ville drapée de nuages.**

at the top of the hill – **en haut de la colline**

at the bottom of the hill – **en bas de la colline**

Back and forth; to come and go; to shuttle between... and..., etc.
De long en large ; faire les allées et venues/des allers-retours/aller et venir ; faire la navette entre… et…, etc.

They paced back and forth anxiously awaiting news. / They paced up and down, anxiously awaiting news.
> **Ils/Elles ont fait nerveusement les cent pas en attendant des nouvelles. / Ils/Elles faisaient nerveusement les cent pas en attendant des nouvelles.**

Stop pacing up down the corridor with that worried look on your face! You're making *me* nervous now!
> **Arrête/Arrêtez de parcourir le couloir de long en large d'un air inquiet ! / Arrête/Arrêtez d'arpenter le couloir de long en large d'un air inquiet ! C'est moi que tu rends nerveux/nerveuse maintenant ! / C'est moi que vous rendez nerveux/nerveuse maintenant !**

The Prime Minister has been going backwards and forwards/coming and going between Downing Street and Buckingham Palace all day today. / The Prime Minister has been shuttling between Downing Street and Buckingham Palace all day today.

Le Premier Ministre a fait des allées et venues/allers-retours entre Downing Street et le palais de Buckingham toute la journée. / Le Premier Ministre a fait la navette entre Downing Street et le palais de Buckingham toute la journée.

They walked back and forth/forwards and backwards.

Ils/Elles ont fait des allées et venues/allers-retours.

Telephone calls and emails have been going back and forth between the two heads of state.

Les deux chefs d'État ont échangé des appels téléphoniques et des courriels/e-mails.[16]

The two heads of state have been exchanging emails.

Les deux chefs d'État s'échangent des courriels/e-mails.

He/She acted as (an) intermediary.

Il/Elle a joué les intermédiaires.

I skip/flit between England and France all year round for work/as part of my job.

Je fais des allers-retours entre l'Angleterre et la France toute l'année pour mon travail.

On French radio I flit between… and… ; I switch from one station to the other.

Quand j'écoute la radio française, je fais des va-et-vient entre… et… ; je passe d'une station (de radio) à l'autre.

16 Note: Whilst the term 'e-mail' (in English, 'email') is common usage in France, it is an anglicism and *l'Académie française* discourages its use in favour of the French term for it, 'un courriel'.

Which way round is it?

Dans quel sens ? / Où sont le haut et le bas de… ? / Où sont l'avant et l'arrière… ?

That's the right way round.
C'est le bon sens.

No, it's the other way round.
Non, c'est l'inverse. / Non, c'est le contraire. / C'est à l'envers. / C'est dans le mauvais sens.

(Note an important distinction here in French for "It's the other way round":

For situations:
C'est l'inverse. / C'est le contraire.

For objects:
C'est à l'envers. / C'est dans le mauvais sens.)

That's the front of the house.
C'est la façade de la maison. / C'est l'avant de la maison.

That's the front of the car.
C'est l'avant de la voiture.

That's the back/rear of the car.
C'est l'arrière de la voiture.

That's the front wheel. / That's the back wheel.
C'est la roue avant. / C'est la roue arrière.

That's the back of the chair.
C'est le dossier de la chaise.

You're wearing your jumper/pullover back to front.
Tu as/Vous avez mis ton/votre pull à l'envers. / Ton/Votre pull est à l'envers.

That picture is hanging upside down.
Ce tableau est à l'envers.

It's the right way up./It's the right way round
C'est à l'endroit.

Theme 47: Colour
Thème 47 : La couleur

Pick any colour.
> **Choisis/Choisissez n'importe quelle couleur. / Choisis/Choisissez une couleur quelconque.**

Why did you choose the red one rather than the blue (one)?
> **Pourquoi as-tu/avez-vous/tu as/vous avez choisi le/la rouge plutôt que le bleu/la bleue ?**

The walls are all white.
> **Les murs sont tous blancs.**

I've just bought a few new formal shirts. When it comes to choice of colour of men's formal shirts/formal shirts for men, there are nearly always only a few – blue, pink and white!
> **Je viens d'acheter quelques nouvelles chemises habillées. En ce qui concerne les couleurs de chemises habillées pour homme, le choix est presque toujours limité au bleu, au rose ou au blanc.**

There were (shirts with) other patterns, but I decided to buy him two plain blue and two plain white (ones).
> **Il y en avait avec d'autres motifs/Il y avait d'autres motifs, mais j'ai décidé de lui en acheter deux bleu uni et deux blanc uni. [17(1)]**

James has a bright yellow tie.
> **James a une cravate jaune vif.**

Marie-Laure is wearing a light blue dress.
> **Marie-Laure porte une robe bleu clair.**

There are three dark blue cars displayed in the showroom. There are also some light green ones.
> **Il y a trois voitures bleu foncé exposées dans la salle d'exposition.**
> **Il y en a aussi quelques vert clair.**

Your sofa goes well with those five dark brown cushions.
> **Ton/Votre sofa/canapé va bien avec ces cinq coussins marron foncé.**

We bought the children two bright pink balloons each.
> **Nous avons acheté deux ballons rose vif [17(1)] pour chacun(e) des enfants.**

We bought the children two orange balloons each. We also bought them two pink marbles each.

Nous avons acheté deux ballons orange[17(2)] pour chacun(e) des enfants. Nous leur avons aussi acheté deux billes roses chacun(e).

Jill has a bright green dress and a collection of four black Japanese silk scarves.

Jill a une robe vert vif et une collection de quatre écharpes japonaises noires[17(3)] en soie.

Alexandre has a blue and white striped shirt.

Alexandre a une chemise rayée bleu et blanc./Alexandre a une chemise à rayures bleues et blanches.[17(3)]

Denise has two grey and black striped skirts.

Denise a deux jupes rayées gris et noir./Denise a deux jupes à rayures grises et noires.

Delphine has two pink and white check blouses.

Delphine a deux chemisiers à carreaux roses et blancs. *(masc.)*

These colours aren't very bright.

Ces couleurs ne sont pas très vives.

The colours match.

Les couleurs sont assorties.

Rebecca has a beige coat and matching beige hat.

Rebecca a un manteau beige et un chapeau beige assorti.

It's blue on a white background.

C'est bleu sur fond blanc.

It's white on a grey background.

C'est blanc sur fond gris.

The water(s) of this lagoon is (are) in various beautiful shades of blue.

L'eau de cette lagune est de diverses nuances de bleu/divers tons de bleu. / Les eaux de cette lagune sont de diverses nuances de bleu/ divers tons de bleu.

Francesca has a pair of black boots. / Francesca has a black pair of boots.
   Francesca a une paire de bottes noires.[17(4)]

Ned bought a pair of grey trousers and four pairs of dark grey socks.
   Ned a acheté un pantalon gris et quatre paires de chaussettes gris foncé.[17(4)]

---

17 This, and the examples that follow, illustrate some important and somewhat idiosyncratic rules of the French language with regard to colour descriptors:

1) When any colour is used as an adjective on its own to describe an object, it follows the gender and number, e.g. un blouson gris, une chemise grise, deux jupes vertes, une paire de chaussures noires, trois pantalons bleus. However, when it is accompanied by other adjectives to describe the colour itself to form so-called composite colour adjectives, e.g. light blue, dark blue, bright yellow, then they remain invariable.

2) When the colours used on their own also happen to serve as nouns, e.g. orange (adjective – orange) is also 'une orange' (an orange), marron (adjective – brown) is also 'un marron' (a chestnut), olive (adjective – olive/olive-green) is also 'une olive' (an olive), turquoise (adjective – turquoise) is also 'une turquoise' (a turquoise) they too remain invariably MASCULINE SINGULAR, even if the objects are feminine and/or plural.

The following three: fauve (adjective – fawn/tawny) is also 'un fauve' (big cat) mauve (adjective – mauve) is also 'une mauve' (a mallow [flower]) rose (adjective – pink/rose) is also 'une rose' (a rose) are an exception to rule (2); they follow rule (1), i.e. the same rule as regular colour adjectives. Thus, for example,

There are two pink vases in the hallway.
Il y a deux vases roses dans le vestibule.

3) When it comes to items of more than one colour, the French language has the following rule to make the distinction between different colours within the same object and objects of different colours:

(a) If we are referring to different colours in the same object, the colours remain MASCULINE SINGULAR,

e.g.
'a blue and white tie' is 'une cravate bleu et blanc'
'two blue and white ties' is 'deux cravates bleu et blanc'

(b) If we are referring to two or more objects of different colours, then the colour follows the gender and number of objects,

e.g.
'Pete has a mixture of blue and white ties.'
'Pete a des cravates bleues et blanches.'

4) When describing a paired item, e.g. shoes, socks, the colour and gender and the above rules apply to the items themselves rather than to the word 'paire'.

Theme 48: Negative phrasal forms of emphasis
Thème 48 : Locutions négatives d'emphase

… if any; if any at all; if at all/if… at all
si tant est que… + *subj.*

I bet they'll only buy two, if any at all.
> **Je parie qu'ils/elles n'en achèteront que deux, si tant est qu'ils/elles en achètent.**

Give me a/the reason, if any, for your poor attendance/for your poor attendance record. / Give me a/the reason, if there is one (at all), for your poor attendance/your poor attendance record.
> **Donne-moi/Donnez-moi une/la raison pour laquelle tu es/vous êtes (si) souvent absent(e)/absent(e)s, si tant est qu'il y en ait une.**

In the current political/economic climate, and with so little parliamentary time left, this bill will only/barely scrape through the Commons, if at all.
> **Dans le climat politique/économique actuel, et avec si peu de temps parlementaire restant, ce projet de loi sera accepté de justesse par les communes, si tant est qu'il soit accepté.**

They have little support, if any at all.
> **Ils/Elles ont peu de soutien, si tant est qu'ils/elles en aient.**

In this weather, because of the stoppages for injuries and so forth, the match will finish later than planned, (that's) if/assuming it finishes at all!
> **Avec ce temps, à cause des arrêts pour blessures et ainsi de suite, le match finira plus tard que prévu, si tant est/en supposant qu'il finisse !**

… not… at all; Not at all
… pas… du tout ; Pas du tout/Du tout/Aucunement

He/She isn't happy (about it) at all.
> **Il n'est pas du tout content./Elle n'est pas du tout contente. / Il n'est pas content du tout./Elle n'est pas contente du tout.**

That's not correct/right at all.

Ce/Cela/Ça n'est pas correct du tout.

Was I upset? Disappointed? Not at all.
**Étais-je troublé(e) ? Déçu(e) ? Pas du tout./Point du tout./Du tout./
Aucunement.**

No, not quite
Non, pas tout à fait

No, that's not quite right.
Non, c'est (ce n'est) pas tout à fait vrai.

No, that's not quite the same thing.
Non, c'est (ce n'est) pas tout à fait la même chose.

---

let alone
encore moins ; sans parler de

We haven't even read the introduction, let alone the main body of the report!
**Nous n'avons même pas lu l'introduction, encore moins le corps du
rapport/sans parler du corps du rapport !**

I'm/We're not alone in this / I'm not the only one/We're not the only ones / I'm not the only one affected/We're not the only ones affected; exclusively; just as much / just as... as
Je ne suis pas le seul/la seule/ Nous ne sommes pas les seul(e)s / Je
ne suis pas le seul touché/affecté/la seule touchée/affectée/Nous ne
sommes pas les seul(e)s touché(e)/affecté(e)s ; exclusivement ; aussi
bien que ; autant…que

We're not alone in this.
**Nous (ne) sommes pas tout seuls/toutes seules (dans cette
situation).**

I'm not the only one.
Je (ne) suis pas le seul/la seule.

We're not the only ones affected.
**Nous (ne) sommes pas les seuls touchés/affectés/les seules
touchées/affectées.**

We're not the only ones doing this.
> **Nous (ne) sommes pas les seul(e)s à le faire.**

I'm not alone in thinking that…
> **Je (ne) suis pas le seul/la seule à penser/croire/estimer que…+** *indic.*

We're not alone in thinking that. / We're not the only ones who think that.
> **Nous (ne) sommes pas les seul(e)s à le penser/croire.**

It's not specifically/exclusively French.
> **C'est (Ce n'est) pas quelque chose de spécifiquement/ d'exclusivement français.**

It's not specifically/exclusively a French problem; the crisis affects Germany and the United States just as much.
> **Ce n'est pas un problème spécifiquement/exclusivement français ; la crise affecte autant l'Allemagne et les États-Unis.**

Theme 49: Expressing estimates with a degree of emphasis; indicating a switch in focus of attention
Thème 49 : Exprimer des évaluations/ estimations avec un degré d'emphase ; indiquer un changement de point d'intérêt

a good...

un bon.../une bonne...

There was a good ten of them/a good hundred of them there.
> **Il y en avait une bonne dizaine. / Il y en avait une bonne centaine.**

I've been living here **(for)** a good twenty years.
> **J'habite ici depuis une bonne vingtaine d'années.**

often omitted in colloquial English (fréquemment omis en anglais familier)

There are at least a good forty other cases.
> **Il y a au moins une bonne quarantaine d'autres cas.**

There was a good thousand demonstrators according to the organisers. The police say there were fewer.
> **Il y avait un bon millier de manifestants, selon les organisateurs. La police dit qu'il y en avait moins.**

It took firemen a good four hours to put out the fire.
> **Les pompiers ont mis quatre bonnes heures à éteindre l'incendie/ le feu.**

It took a good quarter of an hour for the rain to stop.
> **Il a fallu un bon quart d'heure pour que la pluie cesse/s'arrête.**

It took a good six weeks to renovate our flat.
> **Il a fallu six bonnes semaines pour rénover notre appartement. / Cela/Ça a pris six bonnes semaines pour rénover notre appartement.**

It will take me a good month to complete.
> **Cela/Ça va me prendre un bon mois pour le faire.**

Note however, that 'bon(s)'/'bonne(s)' is not always used in French.

For example:
It took me a good three days to get there.
> **J'ai mis plus de trois jours à y aller/à m'y rendre. / Il m'a fallu plus de trois jours pour y aller/m'y rendre.**

Even; or even; perhaps even; if not
Voire (= et même) ; peut-être même ; sinon

My friend's parents' house has three, perhaps even four floors.
> **La maison des parents de mon ami(e) a trois, peut-être même quatre étages./La maison des parents de mon ami(e) a trois, voire quatre étages.**

There were five if not six people there.
> **Il y avait cinq sinon six personnes.**

Leaving aside… / Leaving to one side… / Putting to one side… / Besides/Other than…
Mis à part… /Sans compter/Sans tenir compte/D'ailleurs/De plus, … /Outre que… +*indic.*/Excepté/Hormis

Leaving aside the United States, the responsibility for security in the form of NATO (the North Atlantic Treaty Organization) must be/has to be shared by the member states, especially those of the European Union.
> **Mis à part/Sans compter les États-Unis, la responsabilité pour la sécurité sous la forme de l'OTAN (l'Organisation du traité de l'Atlantique Nord) doit être partagée par les États membres, en particulier ceux de l'Union européenne.**

Leaving aside for the moment their age, …/ Leaving to one side for the moment their age, … / Putting aside for the moment their age, …
> **Sans tenir compte pour le moment de leur âge, …**

Besides that fact, …
> **Outre ce fait, …**

Besides the fact that…
> **Outre (le fait) que… + *indic.***

Besides, you're (you are) right. / You're right otherwise.
> **D'ailleurs tu as/vous avez raison.**

… and a lot more besides.
… et beaucoup plus d'ailleurs/encore.

Other than…
Outre… / À part…

Apart from… / Other than that, … / Apart from that, …
Outre cela/ça, … / À part cela/ca…

Other than that, no. / Apart from that, no. / Other than that, no.
À part cela/ça, non. / Mais sinon, non.

Theme 50: Being specific
Thème 50 : Être spécifique

Especially/Exclusively; solely for/from
Spécialement/Uniquement/Exclusivement ; rien que pour/
seulement pour

I have bought this especially/just for you.
> **J'ai acheté ceci/cela/ça uniquement pour toi/vous. / J'ai acheté ceci/
> cela/ça rien que pour toi/vous.**

I've made you this cake especially for your birthday.
> **Je t'ai/vous ai fait ce gâteau spécialement pour ton/votre
> anniversaire.**

I wrote this song/have written this song exclusively for this show.
> **J'ai écrit cette chanson exclusivement pour ce spectacle.**

We buy our food/goods solely from… (i.e. We only buy our food/goods
from…)
> **Nous ne faisons nos courses qu'à/au…**

They send their children exclusively to private schools.
> **Ils scolarisent leurs enfants uniquement en écoles privées.**

It is solely for you. / It's solely for your use.
> **Ce n'est rien que pour toi/vous.**

The former and the latter
Le premier/La première et le dernier/la dernière/le second/la
seconde

John Brown and Tom Smith are part of a British business delegation visiting
Continental Europe. The former is the chief executive of… and the latter (is)
the chairman of…
> **John Brown et Tom Smith font partie d'une délégation de
> commerces britanniques visitant l'Europe continentale./John
> Brown et Tom Smith font partie d'une délégation de commerces
> britanniques qui visite l'Europe continentale. Le premier est le
> directeur général de… et le second (est) le président de…**

Professor Caroline de Beauvoir and Dr Viviane Charpentier are well-known in France as leaders in their respective fields. The former lectures at... and the latter at...

> Le professeur Caroline de Beauvoir et le docteur Viviane Charpentier sont bien connues en France en tant que cheffes de file/ en tant que leaders dans leurs domaines respectifs. La première enseigne (le/la...)... à... et la seconde... à...

The British Museum and the Institute of Fiscal Studies, a British economics research institute, are situated quite close to each other in the Bloomsbury area of central London. The former is on Great Russell Street and the latter on Ridgmount Street.

> Le British Museum et l'Institute for Fiscal Studies, un institut de recherches économiques, sont non loin l'un de l'autre. Ils sont tous deux situés dans le quartier de Bloomsbury, dans le centre de Londres. Le premier est à Great Russell Street, (et) l'autre à Ridgmount Street.

Theme 51: Demeanour/Comportment
Thème 51 : Le comportement/l'allure/ le maintien

Politeness/Polite requests
La politesse / Des demandes polies

Do you mind if… ?
> **Est-ce que cela/ça te/vous dérangerait si… ? / Cela/Ça te/vous dérangerait si… ? / Cela/Ça ne te/vous dérange pas que… ? / Cela/ Ça ne t'ennuie/vous ennuie pas que… ?**

e.g.
Do you mind if I leave the door ajar?
> **Cela/Ça ne vous dérange/ennuie pas que je laisse la porte entrouverte ? / Cela/Ça ne te dérange/t'ennuie pas que je laisse la porte ouverte ?**

I hate to be rude but/I don't wish to be rude but would you mind turning down/off the music?
> **J'ai horreur d'être impoli(e), mais/Je ne voudrais pas être impoli(e), mais cela/ça te/vous dérangerait de baisser/couper le son ? / J'ai horreur d'être impoli(e), mais/Je ne voudrais pas être impoli(e), mais cela/ça t'ennuierait/vous ennuierait de baisser/d'éteindre la musique ?**

I hate to say this, but…
> **Cela/Ça ne me plaît pas de le dire, mais… / Cela/Ça ne me fait pas plaisir de le dire, mais…**

Sorry to say this, but…
> **Je suis désolé(e), mais…**

Sorry to interrupt you.
> **Désolé(e) de te/vous interrompre/couper.**

Would you be so good/kind as to close that window? / Would you be kind enough to close that window?
> **Aurais-tu l'amabilité/la gentillesse de fermer cette fenêtre ? / Auriez-vous l'amabilité/la gentillesse de fermer cette fenêtre ?**

Allow me to…/Let me…/Permit me to…
> **Permettez que je…** + *subj.*

(Note: Formal, and hence would tend only to be used with the vouvoiement.)

e.g.
Let me take that cup.
> **Permettez que je prenne cette tasse.**

Let me make you some tea.
> **Permettez que je vous fasse un thé.**

Let me take your cup and make you some more tea.
> **Permettez que je prenne votre tasse et vous fasse un autre thé.**

(In all the above cases, in a more casual context, a French person would be more likely to tutoyer and say, "Je vais prendre cette tasse / Je vais te faire un thé...")

She gave me a polite smile.
> **Elle m'a fait/adressé un sourire poli.**

Sarcasm
Le sarcasme

What brings you here/to see me (after all this time/after so long)?
> **Quel bon vent t'amène/vous amène (après tout ce temps/après si longtemps) ?**
> *(Literally, "What good wind brings you here...?" It is actually also a very old-fashioned French way of greeting people in a friendly way.)*

I can do without your sarcasm.
> **Dispense-moi/Dispensez-moi de ton/votre sarcasme. / Je n'ai pas besoin de ton/votre sarcasme.**

What's so funny?
> **Qu'est-ce qu'il y a de si drôle ?**

Don't bother./!
> **C'est (Ce n'est) pas la peine./! / Ne t'embête pas ! / Ne te prends pas la tête !**   *informal (familier)*

What now ?!
> **Quoi encore ?!**

What else does he/she want?!
> **Qu'est-ce qu'il/elle veut d'autre ?!**

He declared in a rare moment of lucidity that...
> **Il a déclaré, dans un rare éclair de lucidité, que...** + *indic.*

So much for…
> **Pour… on repassera./ ! / Adieu… / Fini… / Tant pis pour… / Tu parles de…**

e.g.

So much for entertainment!
> **Pour le divertissement/spectacle, on repassera ! / Tant pis pour le divertissement/spectacle ! / Tu parles d'un divertissement/spectacle !**

So much for reliability!
> **Pour la fiabilité, on repassera ! / Tu parles de fiabilité !**

So much for your/his/her/their reliability!
> **Tu parles d'une personne fiable !**

So much for your kindness!
> **Pour la gentillesse, on repassera ! / Tant pis pour la gentillesse !**

So much for his/her great chances of winning the tournament!
> **Adieu/Finies ses grandes chances de gagner/remporter le tournoi !**

Is this[18]/that what you call… ?! / Is this[18]/that what he/she calls/they call… ?!
> **C'est ça[17] que tu appelles… ?! / C'est ça[18] que vous appelez… ?!**

e.g.

Is this what you call an omelette?!
> **C'est ça que tu appelles/vous appelez une omelette ?!**

Is this what you call a fully renovated office?!
> **C'est ça que tu appelles/vous appelez un bureau entièrement rénové ?!**

Is that what you call your best effort?!
> **C'est ça que tu appelles ton/vous appelez votre meilleur effort ?!**

Is that what they call a well-run election campaign?!
> **C'est ça qu'ils/elles appellent une campagne électorale bien gérée ?!**

If you're sorry, you have a funny way of showing/saying it!
> **Si tu es désolé(e)/vous êtes désolé(e)(s), tu as/vous avez une drôle de façon de le montrer/le dire !**

---

18 Note 'this' is expressed 'ça' when speaking in this sarcastic manner.

Funny; a funny…
Drôle ; un drôle de…

Something funny happened to me.
Il m'est arrivé quelque chose de drôle./Quelque chose de drôle m'est arrivé.

I heard a funny noise. / I just heard a funny noise.
J'ai entendu un drôle de bruit. / Je viens d'entendre un drôle de bruit.

He painted a funny/funny-looking picture.
Il a peint un drôle de tableau.

She drew a funny face.
Elle a dessiné un drôle de visage.

This animal has a funny/funny-looking mouth!
Cet animal a une drôle de gueule/un drôle de museau !

I have a/the funny feeling that…
J'ai l'étrange sentiment que… + *indic.* / **J'ai l'étrange impression que…** + *indic.*

It gives me a funny feeling.
Cela/Ça me fait drôle. / Cela/Ça me fait tout drôle.

It gives me a funny feeling to return to the school of my early childhood.
Cela/Ça me fait drôle/tout drôle de retourner à l'école de mon enfance.

It's funny you should say that.
C'est drôle que tu dises/vous disiez ça/cela. *(subj.)*

He thinks he's funny/clever. / She thinks she's funny/clever.
Il se croit drôle/intelligent. / Elle se croit drôle/intelligente. / Il croit/pense être drôle/intelligent. / Elle croit/pense être drôle/intelligente.

Out-and-out; strict; through and through; nothing of the sort; nothing but…etc.
Fieffé(e), fini(e), pur(e) et dur(e), jusqu'au bout des ongles, rien de la sorte, rien de tel, rien que, etc. *("to the tips/ends of the nails")*

He's an out-and-out cheat.
C'est un fieffé tricheur. / C'est un tricheur fini.

She's an out-and-out troublemaker.
> **C'est une fieffée fautrice de troubles. / C'est une fieffée perturbatrice.**
> *(Larousse says 'fautrice' is rare.)*

He's an out-and-out liar.
> **C'est un fieffé menteur. / C'est un menteur fini.**

Note that the adjectives 'out-and-out' and its French equivalents 'fieffé(e)' and 'fini(e)' are only used negatively, i.e. to emphasise negative or undesirable traits in people. However, 'out and out' can also be applied to negative or undesirable experiences whereas 'fieffé(e) is not.

Notez que l'adjectif anglais « out and out » et ses traductions françaises « fieffé(e) » et « fini(e) » ne sont utilisés que péjorativement, c'est-à-dire pour accentuer des traits négatifs ou indésirables chez les gens. Cependant, contrairement à « fieffé(e) », « out and out » peut être utilisé pour des expériences négatives ou indésirables.

e.g.
It was an out-and-out failure!
> **C'était un échec complet !**

It was an out-and-out disaster!
> **C'était un désastre complet !**

He's/She's a strict vegan.
> **C'est un végétalien pur et dur./C'est une végétalienne pure et dure.**
> *(Many French-speakers do also say: C'est un végan pur et dur./C'est une végane pure et dure.)*

He's/She's English/French through and through.
> **Il est anglais/français jusqu'au bout des ongles. / Elle est anglaise/française jusqu'au bout des ongles.**

I'm a historian through and through.
> **Je suis historien/historienne jusqu'au bout des ongles.**

He's/She's a politician through and through.
> **Il/Elle est politicien/politicienne jusqu'au bout des ongles.**

He's/She's (a) Eurosceptic through and through.
> **Il/Elle est eurosceptique jusqu'au bout des ongles.**

They're (They are) musicians through and through.
> **Ils/Elles sont musiciens/musiciennes jusqu'au bout des ongles.**

Nothing of the sort!
Rien de la sorte !

He does nothing of the sort!
Il ne fait rien de la sorte ! / Il ne fait rien de tel !

We'll have nothing of the sort!
Nous n'aurons rien de la sorte ! / Nous n'aurons rien de tel !

They gave us nothing but bread and water.
Ils/Elles ne nous ont donné que du pain et de l'eau.

She does nothing but complain. / She has (She's) done nothing but complain.
Elle ne fait que se plaindre. / Elle n'a fait que se plaindre.

They do nothing but argue.
Ils/Elles ne font que se disputer.

He tells nothing but lies!
Il ne dit/raconte que des mensonges ! / Il ne nous raconte que des mensonges !

So far, he has told a pack of lies.
Jusqu'à présent, il a dit/raconté un paquet/ramassis/tas de mensonges.

It's a tissue of lies!
C'est un tissu de mensonges !

We/We'll need to sort (out)/disentangle the truth from the lies.
Il (nous) faut/faudra distinguer/démêler le vrai du faux. / Nous devons/devrons distinguer/démêler le vrai du faux.

… the evidence I shall give shall be the truth, the whole truth, and nothing but the truth.
… le témoignage que je donnerai sera la vérité, toute la vérité, et rien que la vérité.

(In the United Kingdom, this is part of the oath that witnesses about to give evidence in court must swear.)

(Au Royaume-Uni, cela fait partie du serment que les témoins doivent prêter avant de donner leurs témoignages au tribunal.)

Rien que ça !

(Literally, "Only that!" is an expression of antiphrasis ('une expression qui exprime quelque chose par antiphrase'), i.e. the rhetorical method of expressing the opposite of what is actually meant, by French-speakers to express astonishment or irony.)

We're all alone, (it's) just you and me.
Nous sommes tout seuls/toutes seules, il n'y a que toi et moi.

(Note 'tout' remains invariable when it is placed before the adjective it modifies – "seul" in this case – except when it precedes the adjective in its feminine form and that adjective begins with a consonant, as in "seule" here, or an aspirated 'h'.)

This is typical of… / This typifies…
C'est caractéristique/typique de…

That's typical of him/her.
C'est typique de lui/d'elle.

A typical Welshman. / Your typical Welshman.
Le Gallois moyen.
(Literally, 'The average Welshman')

A typical Parisian woman.
La Parisienne moyenne.
(Literally, 'The average Parisian woman')

Theme 52: Accident, chance, luck
Thème 52 : Accident, le hasard, la chance

Accidental/By chance/By fluke or deliberate/intentional/on purpose?
Par hasard ou délibéré/intentionnel/fait exprès

Do you think it happened accidentally/by chance/by fluke or that it was done deliberately/intentionally/on purpose?
> **Est-ce que tu penses/crois que c'était par hasard/accidentel ou que c'était délibéré/intentionnel ? / Est-ce que vous pensez/croyez que c'était par hasard/accidentel ou que c'était délibéré/intentionnel ?**

Chance
Chance

It (just) happens to be the right style of lighting.
> **Il se trouve que c'est le bon type/style d'éclairage.**

It (so) happens that…
> **Il se trouve que…** + *indic.* / **Il s'avère que…** + *indic.*

e.g.
It (so) happens that my work colleague is my girlfriend's brother.
> **Il se trouve/s'avère que mon collègue est le frère de ma copine.**

It just happens that…
> **Il se trouve justement que…** + *indic.*

This is where we find ourselves at present.
> **C'est là où nous en sommes à présent.**

He/She is going to try something that has never been done before. What are his/her chances of success?
> **Il/Elle va essayer/tenter quelque chose qui n'a jamais été fait.**
> **Quelles sont ses chances de réussite ?**

He/She tried his/her luck at doing it.
> **Il/Elle a tenté sa chance.**

Good luck; bad luck
La chance ; la malchance

He's/She's in luck! / He's/She's lucky!
**Il/Elle a de la chance ! / Il/Elle est chanceux/
chanceuse. / Il/Elle est en veine.** *informal (familier)*

That's a stroke of luck! / That's a bit of luck!
C'est un coup de chance !

He's/She's out of luck. / He/She has no luck. / *informal (familier)*
He's/She's unlucky.
**Il/Elle n'a pas de chance. / Il/Elle n'est
pas chanceux/chanceuse. / Il/Elle est
malchanceux/malchanceuse. / Il/Elle n'est
pas en veine.**

They had a stroke of good fortune come their way.
Ils/Elles ont eu un coup de chance. / La chance leur a souri.

Coincidence; by coincidence
Une coïncidence ; par une coïncidence

It was a coincidence.
C'était par/un hasard. / C'était une coïncidence.

It was by sheer coincidence. / It was purely coincidental.
C'était une pure coïncidence.

By sheer coincidence, …
Par (une) pure coïncidence, …

By a strange coincidence, … / By the strangest coincidence, …
Par une étrange coïncidence, … / Par la plus étrange coïncidence, …

Theme 53: Claims, pretexts, perceptions, imagination
Thème 53 : Des affirmations/prétentions, des prétextes et des perceptions, l'imagination

to claim to be; to be supposed to be/meant to be; so-called/quote, unquote/in quotes; supposedly; to pretend to be something/someone; to pretend to be doing something; to feign something; to impersonate/imitate someone

Prétendre être/prétendre que/se dire/se vouloir ; être censé(e) (être) ; soi-disant/entre guillemets ; prétendument ; se faire passer pour quelque chose/quelqu'un ; faire semblant de faire quelque chose/faire croire que l'on fait quelque chose ; feindre quelque chose/se faire passer pour quelque chose/simuler quelque chose ; se faire passer pour quelqu'un/imiter quelqu'un

She claims to be satisfied with the decision.
> **Elle se dit satisfaite de la décision. / Elle prétend être satisfaite de la décision.**

This article claims to be authentic/genuine.
> **Cet article se veut authentique.**

He claims to have a job. / He claims to be employed.
> **Il prétend qu'il a un emploi/travail.**

He claims to be working.
> **Il prétend qu'il travaille.**

I'm supposed to be working.
> **Je suis censé(e) travailler.**

They're supposed to be at school.
> **Ils/Elles sont censés/censées être à l'école.**

The so-called apology was received yesterday. / The apology, quote-unquote, was received yesterday. / The quote, apology, unquote, was received yesterday. (The "apology" was received yesterday.)
> **Les soi-disant excuses ont été reçues hier. / Les excuses, entre guillemets, ont été reçues hier.** *(Les « excuses » ont été reçues hier.)*

The so-called letter of guarantee is in there. / The letter of guarantee, quote-unquote/in quotes, is in there. / The quote, letter of guarantee, unquote, is in there.

> **La soi-disant lettre de garantie est là-dedans. / La lettre de garantie, entre guillemets, est là-dedans.**

The so-called head of department is supposed to be (to mean 'is due to be/should be') resigning later today. The head of department, quote-unquote/in quotes, is supposed to be resigning later today.

> **Le soi-disant chef de service doit/est censé donner sa démission plus tard dans la journée. / Le chef de service, entre guillemets, doit/est censé donner sa démission plus tard dans la journée.**

In a tone intended to be/meant to be/In a tone supposedly gentle but firm, he/she said…

> **D'un ton qui se veut à la fois doux et ferme, il/elle a dit…/D'un ton prétendument doux et ferme, il/elle a dit…**

He's pretending to be tired/asleep.

> **Il prétend être fatigué/endormi. / Il prétend qu'il est fatigué/endormi. / Il fait semblant d'être fatigué/endormi. / Il feint la fatigue/d'être endormi.**

She's pretending to be surprised. / She's feigning surprise.

> **Elle feint la surprise. / Elle prétend être surprise. / Elle fait semblant d'être surprise. / Elle prétend qu'elle est surprise.**

He/She is feigning illness. / He/She is malingering.

> **Il/Elle feint la maladie. / Il/Elle prétend être malade. / Il/Elle feint d'être malade. / Il/Elle fait semblant d'être malade.**

That's a very good impression/imitation of Winston Churchill!

> **C'est une très bonne imitation de Winston Churchill !**

On or under the pretext of…
Sous prétexte de… ;

He/She came to us on/under the pretext of needing some help/being hungry/ thirsty/cold.
Il/Elle est venu(e) nous voir sous prétexte d'avoir besoin d'aide/ d'avoir faim/d'avoir soif/d'avoir froid.

That may not necessarily be true, but I have no reason not to believe him/her.
C'est (Ce n'est) peut-être pas forcément vrai, mais je n'ai aucune raison de ne pas le/la croire.

to do something under false pretences
faire quelque chose sous de faux prétextes/des prétextes fallacieux

in the form of
sous la forme de

It appeared in the form of a sphinx.
Il est apparu/Elle est apparue sous la forme d'un sphinx.

to see someone/something in a new light
voir quelqu'un/quelque chose sous un nouveau jour

We now see Leonard in a new light.
On voit maintenant Leonard sous un nouveau jour.

The general public now sees this formerly respected institution in a new light.
Le grand public voit cette institution, autrefois/jadis respectée, sous un nouveau jour.

I/We have a feeling that… / I/We sense that… / I/We get the feeling that…
J'ai le sentiment/l'impression que… / On a/Nous avons le sentiment/ l'impression que… / Je sens/On sent/Nous sentons que…

I have a feeling that that could be the case. / I have a feeling that that could be correct/true.
J'ai le sentiment que cela/ça pourrait être le cas. / J'ai le sentiment que cela/ça pourrait être vrai.

I have the impression that…
>   **J'ai l'impression que…** + *indic.*

I sense that they're not ready to start yet. / I sense that they're not yet ready to start.
>   **J'ai le sentiment qu'ils/elles ne sont pas encore prêts/prêtes à commencer. / Je sens qu'ils/elles ne sont pas encore prêts/prêtes à commencer.**

We get the feeling that he's/she's lying.
>   **On a le sentiment/l'impression qu'il/elle ment. / Nous avons le sentiment/l'impression qu'il/elle ment.**

Imagination
Imagination

I can't imagine that's true. / I can't imagine that that's true.
>   **Je ne peux pas imaginer que ce soit vrai.**

You can easily imagine that…
>   **On peut facilement imaginer que…**

I can't imagine them accepting this verdict unconditionally/without a fight.
>   **Je ne les imagine pas accepter ce verdict purement et simplement/sans se battre/sans réagir.**

I imagine you had to…
>   **J'imagine qu'il t'a fallu/qu'il vous a fallu… (faire quelque chose)**

I imagine it/that wasn't easy.
>   **J'imagine que cela/ça n'a pas été facile/simple.**

Just as one might/would imagine.
>   **Tel/Telle qu'on l'imagine/l'imaginerait.**

Imagine a hot air balloon flying over a valley.
>   **Imagine/Imaginez une montgolfière volant au-dessus d'une vallée.**

In the world of surrealism, imagine, if you like, a ship in a vertical position.
>   **Dans le monde du surréalisme, imagine/imaginez, si tu le veux bien/si vous le voulez bien, un bateau/navire à la verticale.**

Theme 54: Assumptions, supposition and certitude
Thème 54 : Suppositions et certitude

Assuming that.../...assuming that... etc.

En supposant que… + *indic.* or subj./… en supposant que… + *indic.* or *subj.*, depending on context, etc.

Assuming that that's the case, …
En supposant que ce soit le cas, …

… assuming he gets here on time, that is!
… en supposant qu'il arrive à l'heure, cela dit ! *subj.*

Let's suppose that…
Supposons que… + *indic.* or subj. / Mettons que… + *indic.* or subj.*

I dare say; to dare; to keep quiet; to break/end one's silence over something

Je suppose ; oser ; se taire ; sortir du silence à propos de quelque chose

You're right, if I may say so.
Tu as/Vous avez raison, si j'ose dire/si je puis me permettre.

That's a pretty name, if I may say so.
C'est joli comme nom, si j'ose dire/si je puis me permettre.

I dare say, …
Je suppose…

I dare say that…
Je suppose que… + *indic.* or subj.

No-one dared utter/speak a word.
Personne n'a osé dire quoi que ce soit.

No-one dared contradict him/her. / No-one contradicted him/her.
Personne n'a osé le/la contredire. / Personne ne l'a contredit/contredite.

No-one dared argue with the teacher.
>**Personne n'a osé contredire le professeur.**

Everyone kept quiet/remained silent.
>**Tout le monde est resté silencieux.**

Everyone needs to be/keep quiet.
>**Il faut se taire. / Tout le monde doit se taire.**

He/She has ended his/her silence over his/her ordeal.
>**Il/Elle est sorti/sortie de son silence à propos de son épreuve.**

Certainty
Certitude

It is certain that…
>**Il est certain que…** + *indic.*

I'm sure/certain that…
>**Je suis sûr(e) que…** + *indic.* / **Je suis certain(e) que…** + *indic.*

Are you sure?
>**Es-tu sûr/sûre/certain/certaine ? / Êtes-vous sûr(s)/sûre(s)/certain(s)/ certaine(s) ? / Est-ce que tu es sûr/sûre/certain/certaine ? / Est-ce que vous êtes sûr(s)/sûre(s)/certain(s)/certaine(s) ? / Tu es sûr/sûre/ certain/certaine ? / Vous êtes sûr(s)/sûre(s)/certain(s)/certaine(s) ?**

Are you sure about that?
>**En es-tu sûr/sûre/certain/certaine ? / En êtes-vous sûr(s)/sûre(s)/ certain(s)/certaine(s) ? / Est-ce que tu en es sûr/sûre/certain/ certaine ? / Est-ce que vous en êtes sûr(s)/sûre(s)/certain(s)/ certaine(s) ? / Tu en es sûr/sûre/certain/certaine ? / Vous en êtes sûr(s)/sûre(s)/certain(s)/certaine(s) ?**

Are you sure you want to (do that)?
>**Tu es sûr/sûre/certain/certaine de vouloir faire cela/ça ? / Vous êtes sûr(s)/sûre(s)/certain(s)/certaine(s) de vouloir faire cela/ça ?**

Yes, I'm sure (about that).
>**Oui, j'en suis sûr(e)/certain(e).**

The only thing certain for the moment is…
>**La seule certitude pour le moment, c'est…**

Certainly, there are a few cases where….
> **Certes, il y a quelques cas où…**

Person 1: May I borrow one?
> ***Personne 1 :* Puis-je en emprunter une/une ?**

Person 2: Certainly!
> ***Personne 2 :* Bien sûr ! / Naturellement !**

I'm more or less sure that…
> **Je suis plus ou moins sûr(e) que…** + *indic.*

I know for a fact that…
> **Je sais très bien/pertinemment que…** + *indic.*

Theme 55: Purpose
Thème 55 : Le but

as though (in order) to…

comme pour…

He raised his hand as though (in order) to call/hail a taxi.
> **Il a levé la main comme pour appeler/héler un taxi.**

She rested her head against his chest as though (in order) to hear his heartbeat.
> **Elle a posé la tête sur sa poitrine comme pour écouter les battements de son cœur.**

He rested his forehead against hers as though (in order) better to know her thoughts.
> **Il a appuyé son front contre le sien comme pour mieux savoir ses pensées.**

They cupped their ears as though (in order) to hear better the faint traffic noise in the distance.
> **Ils ont mis les mains à leurs oreilles comme pour mieux entendre le faible bruit de la circulation au loin.**

in such a way as to… ; in such a way as not to…

de façon à… (faire quelque chose) ; de façon à ne pas… (faire quelque chose)

He behaved in such a way as to convince others that he was genuine.
> **Il s'est comporté de façon à convaincre les autres qu'il était sincère.**

They spoke in such a way as not to alarm the guests.
> **Ils/Elles ont parlé de façon à ne pas alarmer les invités.**

so as not to....

pour ne pas…/afin de ne pas…

We walked on tiptoes and spoke softly so as not to wake the baby.

Nous avons marché sur la pointe des pieds et (avons) parlé doucement pour ne pas réveiller le bébé. / Nous avons marché sur la pointe des pieds et (avons) parlé à voix basses afin de ne pas réveiller le bébé.

We took our seats quickly, so as not to delay the start of the performance.

Nous avons rapidement rejoint nos places afin de/pour ne pas retarder le début du spectacle.

The manifesto needs to be clear and concise so as not to mislead the public.

Le manifeste/programme doit être clair et concis afin de/pour ne pas tromper le public.

Theme 56: Abbreviations, accents, punctuation marks and other symbols
Thème 56 : Abréviations, accents, signes de ponctuation et autres symboles

Names and abbreviations
Des noms et des abréviations

The first name Michel (as opposed to Michelle) is the commonest/most common first name in France at present.
> **Le prénom masculin Michel est le prénom le plus commun en France actuellement/à l'heure actuelle.**

Fred is short for Frederick.
> **Fred est le diminutif de Frederick.**

Mr Harris, first name Paul.
> **M. (Monsieur) Harris, prénom : Paul.**

What's Mr Gireau's first (Christian) name?
> **Quel est le prénom de M. Gireau ?**

His first name is Jean.
> **Son prénom est Jean. / Il s'appelle Jean.**

What does "BT" stand for?
> **Que signifie « BT » ? / À quoi correspondent les lettres « BT » ?**

"BT" stands for British Telecom.
> **« BT » signifie British Telecom. / « BT » est l'abréviation de British Telecom. / « BT » correspond à British Telecom.**

'A' for 'apple' – **A comme « apple » (pomme)**

'E' for 'echo' – **E comme « echo » (écho)**

'G' for George – **G comme George**

The letter 'H' on its own has the spelling "aitch" in English. Hence, when pronounced on its own is correctly pronounced "aitch" in English, not "haich". The pronunciation "haich" is often heard these days, but this is more an Irish pronunciation.

Seule, la lettre H s'écrit « aitch » en anglais et doit être prononcée ainsi. On entend souvent la prononciation « haich » de nos jours, mais c'est plutôt une prononciation irlandaise.

in upper case/in capitals – **en capitales/majuscules**

in lower case/in small letters – **en minuscules**

an upper case letter/a capital letter – **une majuscule**

a lower case letter/a small letter – **une minuscule**

capital 'A' – **A majuscule**

lower case 'S' – **S minuscule**

pound with a capital 'P' – **pound avec un P majuscule**

small print – **petits caractères**

For English-speaking readers:
Certain key symbols and letters used in written French, their names and their purposes

Pour les lecteurs anglophones :
Certains symboles et lettres clés utilisés à l'écrit en français, leurs noms et leurs fonctions

■ (a) Le tréma ¨

This symbol is placed above letters 'e' and 'i' in certain French words when those letters follow another vowel to indicate the intention that the letter 'e' or 'i' is pronounced separately from the preceding vowel.

Thus, for example:
The ë tréma, is used in the word/name 'Noël' and in the name 'Gaël'.
The ï tréma, is used in the adjectives 'égoïste' and 'naïf'/'naïve'.

In English, le tréma is known as a dieresis, but is not used except essentially in imported French words such as 'naïve'. Even then, in English, the dieresis is often dispensed with and the ordinary form of the letter is used. Thus, 'naïve' in English is often written as 'naive'.

Le tréma is also used on the letter 'u' in some words, for example in the feminine for the adjective "aigu", which is "aigüe" (Note: This word can also be written "aiguë"). Here, its purpose is to ensure the letter 'u' is pronounced.[19]

■ (b) Accent aigu – acute accent ´

An upward-slanting (as you look at it from left to right) short bar used exclusively above the letter 'e' to indicate that it should be pronounced 'ay'. Thus it is exclusively 'e accent aigu'.

It is used in the past participle in verbs ending in 'er' in their infinitive form. Thus, for example, the past participle of the verbs 'acheter', 'aller', 'crier', 'donner' is 'acheté', 'allé', 'crié' and 'donné' respectively. Thus,

e.g.

J'ai acheté quelque chose. (I bought something.)

Il/Elle est allé/allée au magasin. (He/She went to the shop.)

Ils/Elles ont crié. (They shouted/yelled/screamed.)

Nous leur avons donné un cadeau. (We gave them a gift.)

This is also true for the past participle of many other verbs. In the case of 'être', the past participle has 'é' on both first and last letter, thus 'été'.

Il a été renvoyé hier. (He was **sacked** / **fired** yesterday.)

British English /
American English

anglais britannique /
anglais américain

Il est né le neuf mars./Elle est née le neuf mars. (He/She was born on the ninth of March.)

The 'e' accent aigu is also found in nouns and adjectives,

e.g.

'idée' *(noun, feminine)* (idea)

'portée' *(noun, feminine)* (litter; range; reach)

and

'aîné(e)' (adjective) (elder/eldest)

---

19 For further reading (in French) on the use of accents on letters in written French, visit the website for *l'Académie française.*

■ (c) Accent grave – grave accent `

This downward-slanting bar (as you look at it from left to right) is used on letters 'a', 'e' and 'u'.

In the case of 'a', the word 'à' ('at', 'away', 'to' and 'within') is the shortest example, e.g.

Nous sommes à la poste. (We're at the post office.)

À quelle distance se trouve la ville la plus proche (d'ici) ?
(How far away is the nearest town?)

Les enfants retourneront à l'école demain. (The children (will) return to school tomorrow.)

La fenêtre est tout juste à portée. (The window is just within reach.)

It is also used in 'déjà' ('already'), 'au-delà'/'par-delà' ('beyond') and 'là' ('there'), e.g.

Il/Elle est là. (He's/She's there/here.)

or to specify something, e.g.

'ce jardin-là' ('that garden').

In the case of 'e', its purpose is to indicate that the pronunciation is 'eh'.

e.g. the French for the word 'event' can be spelt and pronounced in one of two ways

'événement' ('ayvaynement')
or **'évènement'** ('ayvennement').

In the case of 'u', its only use is in the word 'où', to mean 'where', as distinct from 'ou' to mean 'or'.

■ (d) Accent circonflexe – circumflex accent ^

This is used above all five vowels 'a', 'e', 'i', 'o' and 'u'.

In the case of 'a', it is used to prolong or stretch the pronunciation of the letter from "a" to "aa".

e.g.
'âme' (soul)

In the case of 'e', its purpose is identical to that of 'e' accent grave ('è'),

> e.g.
> **forêt** (forest)
>
> **honnêtement** (honestly); **honnêteté** (honesty)
>
> **même** (same; even)

Often, it merely distinguishes it from other words that sound the same but have different meanings,

> e.g.
> **sur** (on) and **sûr** (sure)

In other instances, it is there for phonetic purposes, i.e. to mark a differentiation in pronunciation,

> e.g.
> **'une côte'** (a coast), as distinct from **'une cote'** (a rating/quotation)

(Beware, however, la 'côte' can easily be confused with le 'côté' to mean 'the side'. The circumflex doesn't help to avoid this confusion, even with the accent aigu on the 'e' in the second case!)

In some cases, there is an etymological basis: the spelling represents the loss of another letter in older French,

> e.g.
> **'âge'** (age) replaced 'aage' some centuries ago
>
> **'côte'** also replaces the old French **'coste'**
>
> **'hôpital'** replaces 'hospital' ('hospital' is now just the English spelling), though **'hospitaliser'** (to hospitalise) is still there in French
>
> **'août'** (the month of August) replaces **'aoust'**
>
> **'goût'/'goûter'** ('taste'/'to taste') replace **'goust'** and **'gouster'** respectively

■ (e) La cédille – the cedilla ç

Used beneath the consonant 'c' in certain words containing 'c' followed by the vowels 'a', 'o' and 'u', thus: ç.

Its purpose is to indicate that the 'c' in those words should be a 'soft' 'c' (i.e. pronounced as an 's') as opposed to a 'hard' 'c' (i.e. pronounced as a 'k') as it would otherwise be pronounced when followed by these vowels.

The shortest and most well-known example is '**ça**', to mean 'that'.

Other examples include the adjectives:

niçois/niçoise (from/of Nice; native of Nice)

perçant/perçante (sharp; piercing; shrill)

the noun:

garçon (boy)

and the past participles of the verbs **décevoir** (to disappoint) and **recevoir** (to receive):

déçu/déçue (disappointed)   **reçu/reçue** (received)

The letter 'c' is as a matter of course pronounced in the French language as a 'hard' 'c' except when it is followed by 'e', 'i' and 'y', when it is pronounced as 'soft' 'c'.

■ (f) Le trait d'union (the hyphen) - and Le tiret (the em-dash ['M'-dash]) —

e.g.
grand-chose   *trait d'union*

It is hyphenated.
Il y a un trait d'union.

a hyphenated word – **un mot avec trait d'union**

(*Note: Whereas in English the use of the hyphen for compound adjectives depends on its position in relation to the noun, the French language invariably does not use the hyphen.*

So, for example, we have in English

"a well-done steak…". The compound adjective is positioned before the noun [attributive compound adjective] and the hyphen is used, and

"The steak is well done." The compound adjective is positioned after the noun [predicative compound adjective] and the hyphen is not used.

The French language makes no such distinction and the hyphen is invariably not used. So "un steak bien cuit/le steak est bien cuit".)

■ 'Le tiret' is used in much the same way as it is used in English:

(i) to list items (Just as it is in English, it is common to omit the determiner [le, la, les, des etc.])

> e.g.
> **L'électroménager**   (*Electrical appliances*)
>
> — ordinateurs
> — radios
> — téléphones portables

(ii) to cite categories (Again, as in English, the determiner is usually omitted)

> e.g.
> **Les causes peuvent étre :**
> (The causes can be:)
>
> — médicales
> — sociales

(iii) to emphasise (in contrast to brackets)

> e.g.
> **La nouvelle tour — appelée *Le Ciel* — doit être dévoilée au public demain.**
> (The new tower — called *Le Ciel (The Sky)* — is due to be unveiled to the public tomorrow.)

(iv) In the French language it is commonly used to differentiate different speakers in a dialogue or discussion written down

> e.g.
> **Le dialogue dans le livre commence ainsi :**
>
> — **Adrienne, Jacques et moi sommes allés voir Coralie hier soir.**
> — **Ah, génial! Comment va-t-elle ?**
> — **Très bien.**

■ (g) 'œ' and 'æ'

Known in French as the "e dans l'o" and the "e dans l'a" respectively

These are known in English as 'digraphs','diphthongs' [which derives from the Greek word 'diphthongos' meaning "twice-voice" or "twice-sound"] or a 'compound vowel' or the 'o-e ligature' and 'a-e ligature' respectively.

This merging of the letters 'o' and 'e' is commonly done in French in words where these two letters follow each other in this order, e.g. in 'œuf' ('egg'), 'cœur' ('heart') and 'sœur' (sister). Examples of where it isn't include 'coefficient' and 'moelle' (e.g. 'la moelle épinière' ['the spinal cord']).

The a-e ligature appears in French and several other languages. In the case of French it is a clear manifestation of its Latin roots. For example, in the realm of astronomy, it appears in the plural of 'supernova', 'supernovæ', whereas in English this tends to be written 'supernovae'. Another example is in the anatomical structure the caecum, in French 'le cæcum'.

■ (h) le 'h' aspiré[20] – the aspirated[20] 'h'

In writing, this looks exactly like the standard letter 'h' at the beginning of a word, which is usually silent in French (le 'h' muet), e.g. in 'hôtel'. However, whereas 'le 'h' muet' is treated in speech and writing in the same way as vowels at the beginning of words in that:

- it undergoes 'liaison' – linkage with the final consonant in a word preceding it, thus, for example: "un hôtel", "des hôtels", when spoken

- it undergoes what the French call 'élision': the definite articles 'le' and 'la' before it are replaced with 'l' followed by an apostrophe, i.e. 'l', e.g. "l'hôtel"

le 'h' aspiré is pronounced and does not undergo either of these.

Examples of words beginning with le 'h' aspiré include 'halle' (covered market or grand hall), 'hanche' (hip) and 'hasard' (chance). The definite article singular for the three words 'halle', 'hanche' and 'hasard' is written and pronounced without 'élision', i.e. "la halle", "la hanche" and "le hasard" respectively.

---

20 In English phonetics, the aspirated 'h' is essentially the same thing – the pronounced or 'plosive' 'h', e.g. in 'hat'.

Ellipsis (Dot dot dot)
Points de suspension (…)

e.g.
The book is entitled "What I know", dot dot dot ("What I know…").
> **Le livre s'intitule « Ce que je sais » points de suspension. / Le titre du livre est « Ce que je sais » points de suspension. (« Ce que je sais… »)**

The article ends "Watch this space", dot dot dot ("Watch this space…").
> **L'article se termine par « À suivre » trois petits points.**

Other punctuation marks
D'autres signes de ponctuation *(masc.)*

The colon :
> **Les deux-points**

The semi-colon ;
> **Le point-virgule**

The comma ,
> **La virgule**

The full-stop .
> **Le point**

Stroke (or slash in computer parlance) /
> **La barre oblique** *(sometimes simply called 'oblique' or 'slash' [an anglicism])*

(Cf. 'backslash' in computer language under Certain computer keys next.)

Brackets (Parentheses) **( )**
> **Parenthèses** *(fem.)*

Square brackets **[ ]**
> **Crochets** *(masc.)*

Curly brackets **{ }**
> **Accolades** *(fem.)*

The asterisk *
> **Astérisque** *(masc.)*

Certain computer keys
Certaines touches de clavier d'ordinateur

The hash key #
La touche dièse

Forward slash /
La barre oblique/L'oblique/Le slash *(anglicisme)*

Back slash \
La barre oblique inversée/La contre-oblique/L'antislash

(Cf. "stroke" in standard punctuation marks. See Punctuation marks above.)

Spelling
L'orthographe

The word begins with…
Le mot commence par…

It's (It is) spelt "bed", space, "of", space, "roses".
Cela/Ça s'écrit « bed » espace, « of » espace, « roses ». / Cela/Ça s'écrit « bed » plus loin, « of », plus loin, « roses ».

a spelling mistake – **une faute d'orthographe**

a spelling test – **un test d'orthographe/un contrôle/une évaluation d'orthographe** (in a school setting)

Spelling out web addresses and email addresses
Épeler des sites internet/web et des adresses électroniques (adresses e-mail)

… all one word./… no dot.
… en un seul mot./… sans point.

at – **arobase**

(Note: French-speakers sometimes say 'at' [an anglicism])

e.g. johnsmith@…com

t.brown@…co.uk

chloebruin@…fr

heleneleroi@…fr

simon.crecy@…fr

My email address is "john smith, all lower case, all one word (no dots), at … dot com".
> **Mon adresse électronique/e-mail, c'est « john smith », en minuscules, tout attaché (sans point), « arobase, … point com ».**

My email address is "t dot brown at… dot co dot uk".
> **Mon adresse électronique, c'est « t point brown, arobase, … point co point uk ».**

My email address is "chloe bruin, all one word, at… point fr".
> **Mon adresse électronique, c'est « chloe bruin », tout attaché, « arobase, … point fr ».**

My email address is "helene le roi, all one word, at… point fr".
> **Mon adresse électronique, c'est « helene le roi », tout attaché, « arobase, … point fr ».**

My email address is "simon dot crecy at… point fr".
> **Mon adresse électronique, c'est « simon point crecy, arobase, … point fr ».**

"www.myowngarden.com"
The website is "double-u, double-u, double-u, dot, my own garden, all one word, dot com".
> **Le site internet/site web, c'est « trois double vé, point, my own garden », tout attaché/en un seul mot, « point com ». / L'adresse du site internet/web, c'est « trois double vé, point, my own garden », tout attaché/en un seul mot, « point com ».**

"bbc.co.uk/…"
Go to "bbc dot co dot uk, slash…".
> **Visitez « bbc point co point uk, slash… »**

Visit lefigaro.fr/bourse
> **Visitez le « Figaro point fr » à la page bourse.**

Is it hyphenated?
> **Est-ce que cela/ça s'écrit avec un trait d'union ?**

Theme 57: Habituation, excellence
Thème 57 : L'habitude et l'excellence

to get used to something ; to get used to doing something

S'habituer à quelque chose / se faire à quelque chose ; s'habituer à faire quelque chose / se faire à faire quelque chose

Are you getting used to it?
> **Tu t'y fais ? / Tu t'y habitues ? / Vous vous y faites ? / Vous vous y habituez ?**

You need to get used to the idea that…
> **Il faut que tu te fasses/vous vous fassiez à l'idée que… / Tu dois te/ Vous devez vous faire à l'idée que…**

It's important that everyone gets used to the idea that there's not enough food and drink to go round until new supplies arrive in an hour or two/in one to two hours.
> **Il faut que tout le monde se fasse à l'idée qu'il n'y a pas assez de nourriture et de boissons pour tout le monde jusqu'à ce que nous recevions de nouvelles provisions d'ici une heure ou deux/dans une heure ou deux. / Il faut que tout le monde se fasse à l'idée qu'il n'y a pas assez à manger et à boire pour tout le monde jusqu'à ce que nous recevions de nouvelles provisions d'ici une heure ou deux/ dans une heure ou deux.**

(Note: "à manger" and "à boire" are informal.)

It's important that everyone gets used to the new way of doing this. / It's important that everyone gets used to the new method.
> **Il faut/Il est important que tout le monde s'habitue/se fasse à la nouvelle façon de faire ceci/cela/ça. / Il faut/Il est important que tout le monde s'habitue/se fasse à la nouvelle méthode.**

It takes a while to get used to driving on the opposite side of the road/on the other side of the road.
> **Cela/Ça prend du temps de s'habituer à conduire de l'autre côté de la route.**

Handling pressure

Gérer la pression

He/She knows how to handle the pressure.
  Il/Elle sait (comment) gérer la pression.

Good at... ; a good...

Être bon/doué en/pour/à quelque chose ; savoir bien… ; un bon…/
une bonne…

He's good at tennis.
  Il est bon en tennis.

She's good at chess.
  Elle est douée pour les échecs. / Elle sait bien jouer aux échecs.

He's a good speaker.
  Il a des talents d'orateur. / C'est un bon orateur.

She's a good writer.
  C'est une bonne écrivain. / Elle écrit bien.
  (Note 'écrivain' remains masculine.)

They're good drivers. They know how to handle the steering wheel.
  Ce sont de bons conducteurs. Ils/Elles savent bien conduire.

Theme 58: Locutions around action
Thème 58 : Des locutions exprimant une action

to remain to be done; What remains of... ?; remaining

rester à faire ; qu'est-ce qu'il reste de... (quelque chose) ? ; restant/ restante

What remains to be done? / What is left to do?
> **Qu'est-ce qu'il reste à faire ?**

What remains to be done (now) in order that/so that... ?
> **Qu'est-ce qu'il reste à faire (maintenant) pour que... ?** + *subj.*

What remains of the (oil) rig after the explosion?
> **Qu'est-ce qu'il reste/Que reste-t-il de la plate-forme pétrolière/du derrick après l'explosion ?**

That applies to the remaining ten per cent (10%) of cases.
> **Cela/Ça s'applique aux dix pour cent (10 %) restants des cas.**

might as well/may as well... ; for that matter; While I'm at it... / While you're at it...

Faire aussi bien de.../Autant... + infinitive ; d'ailleurs ; Tant qu'à faire.../Tant que j'y pense.../Pendant que tu y es.../Tant que tu y es...

We may as well eat here. / We **might** as well eat here.
> **Nous ferions/On ferait aussi bien de manger ici. / Autant manger ici.**

more colloquial/less formal (plus courant/ moins soutenu)

I'm not going to buy that; I'm not going to buy anything at all, for that matter.
> **Je n'achèterai pas cela/ça ; je n'achèterai rien du tout, d'ailleurs.**

While I'm at it, I might as well remind you that... / While I'm at it, let me remind you that...
> **Tant que j'y pense, je ferais aussi bien de te/vous rappeler que... / Tant que j'y pense, laisse-moi/laissez-moi te/vous rappeler que...**

While you're at it, tidy up your room and put the rubbish out/put the rubbish in the bin.

> **Pendant/Tant que t'y (tu y) es, range ta chambre et sors la poubelle/ mets les déchets dans la poubelle. / Pendant/Tant que vous y êtes, rangez votre chambre et sortez la poubelle/mettez les déchets dans la poubelle. / Tant qu'à faire, range ta chambre et sors la poubelle/ mets les déchets dans la poubelle. / Tant qu'à faire, rangez votre chambre et sortez la poubelle/mettez les déchets dans la poubelle.**

---

to be worthwhile; to be worthwhile doing something/to be worth someone's while to do something; to be (well) worth doing something

Louable/Utile ; valoir la peine ; valoir le coup…/(en) valoir la peine… ; gagner à faire quelque chose/c'est quelque chose qu'on gagne à faire ; vraiment valoir le coup…/vraiment (en) valoir la peine…

It's a worthwhile project.

> **C'est un projet louable. / C'est un projet qui en vaut la peine.**

Is it worth it?/Is it worth the trouble? / Is it worth it at all?

> **Est-ce que cela/ça en vaut la peine ? / Est-ce que cela/ça vaut le coup ?**

Is there any point (in)… (doing something?) / Is it worth at all… (doing something)?

> **Est-ce que cela/ça vaut la peine de… (faire quelque chose) ? / Est-ce que cela/ça vaut le coup de… (faire quelque chose) ?**

e.g.
Is there any point (in) asking? / Is it worth asking at all?

> **Est-ce que cela/ça vaut la peine de demander ? / Est-ce que cela/ça vaut le coup de demander ?**

It would be worth your while seeing him/her/it.

> **Tu gagnerais/Vous gagneriez à aller le/la voir.**

It wasn't worth his while taking the job.

> **L'emploi/Le travail n'en valait pas la peine.**

It isn't worth my while waiting. / It wasn't worth my while waiting.

> **Cela/Ça ne vaut pas le coup d'attendre. / Je ne gagne/gagnais rien à attendre. / Cela/Ça ne valait pas le coup d'attendre.**

He's/She's a person well worth seeing/going to see.

> **C'est une personne qu'on (que l'on) gagne à aller voir. / Cela/Ça vaut le coup d'aller le/la voir.**

It would be well worth seeing/going to see your doctor.

> **Tu gagnerais à aller chez le médecin. / Cela/Ça vaudrait vraiment le coup que tu ailles chez le médecin.**

It was well worth it!

> **Cela/Ça en valait bien/vraiment la peine ! / Cela/Ça en valait vraiment le coup !**

You had better... (do something); you had better not... (do something); to warn against something; a warning; to heed a warning

Tu ferais mieux de/Vous feriez mieux de... (faire quelque chose) ; Tu ferais mieux/Vous feriez mieux de ne pas... (faire quelque chose) ; mettre en garde contre quelque chose/prévenir/avertir de quelque chose ; une mise en garde/un avertissement ; tenir compte d'une mise en garde/d'un avertissement

You had better get going. / You had better get going now!

> **Tu ferais/Vous feriez mieux de te/vous mettre en route. / Tu ferais/Vous feriez mieux de te/vous mettre en route tout de suite/ immédiatement ! / Tu ferais/Vous feriez mieux de partir. / Tu ferais/ Vous feriez de partir tout de suite/immédiatement !**

You had better give it back.

> **Tu ferais/Vous feriez mieux de le/la rendre.**

You had better not.

> **Tu ferais/Vous feriez mieux de ne pas le faire.**

You had better not tell them yet.

> **Tu ferais/Vous feriez mieux de ne pas le leur dire pour le moment.**

The police have warned of new attacks. / The police have warned that there could be new attacks.

> **La police a prévenu qu'il y aurait de nouveaux attentats.**

The newly inaugurated president warned of/warned against excessive optimism about the economy.

> **Le président nouvellement investi a mis en garde contre l'optimisme excessif à propos de l'économie.**

It would seem business leaders are largely heeding his/her warning.

> **Il semblerait que les directeurs du commerce tiennent en grande partie compte de sa mise en garde/de son avertissement.**

---

to make someone do something; to have/get something done/ made by someone; to force one to do something; to get (as in, literally, to make oneself)

faire faire quelque chose à quelqu'un ; obliger quelqu'un à faire quelque chose ; se faire

It makes you…

e.g.
It's a cake that makes you go "Mmm!"
> **C'est un gâteau qui fait dire « Hummm ! »**

The pollen makes us sneeze.
> **Le pollen nous fait éternuer.**

I had a suit made by my tailor.
> **J'ai fait faire un costume/un tailleur par mon tailleur.**
> *(for men)*   *(for women)*

We made our children do their homework. / We made them do their homework.
> **Nous avons fait faire leurs devoirs à nos enfants. / Nous leur avons fait faire leurs devoirs.**

I made my parents buy me a new wardrobe! / I got my parents to buy me a new wardrobe!
> **J'ai convaincu mes parents de m'acheter une nouvelle armoire.**

It/That forces us/you to…
> **Cela/Ça nous oblige à…**

You cannot but admire it.
> **On ne peut que l'admirer.**

You can't (cannot) help but admire it.
> **On ne peut s'empêcher de l'admirer.**

It makes him/her feel like throwing up (vomiting).
> **Cela/Ça lui donne envie de vomir.**

It/That sickens me/makes me sick!
> **Cela/Ça me rend malade !**

He's getting old. / He's ageing.
> **Il se fait vieux. / Il vieillit.**

They're getting tired.
> **Ils/Elles fatiguent/commencent à fatiguer.**

Really to want to do something; really to like to know something; really to have wanted to do something; really to have liked to do something

Tenir à faire quelque chose ; avoir très envie de faire quelque chose ; avoir tenu à faire quelque chose ; avoir eu envie de faire quelque chose

I really want to know why…
> **Je tiens à savoir pourquoi…**

I really want to know! / I'd really like to know!
> **J'ai très envie de savoir ! / J'aimerais vraiment savoir !**

I really wanted to tell him/her myself! / I would really have liked to tell him/her myself! / I would have really liked to tell him/her myself!
> **J'ai tenu à le lui dire moi-même ! / J'aurais vraiment aimé le lui dire moi-même !**

to be anxious/eager/keen/desperate to…

être impatient(e) de…/avoir hâte de…/vouloir à tout prix…

I'm anxious to know why. / I'm anxious to know why…
> **Je suis impatient(e) de savoir pourquoi. / Je suis impatient(e) de savoir pourquoi…**

I'm eager/keen to know why. / I''m eager/keen to know why…
> **J'ai hâte de savoir pourquoi. / J'ai hâte de savoir pourquoi…**

I'm desperate to know why…
> **Je veux à tout prix savoir pourquoi…**

I'm eager to learn.
> **Je suis impatient(e) d'apprendre. / J'ai hâte d'appendre.**

I'm eager to learn (how) to use my new camera.
> **Je suis impatient(e)/J'ai hâte d'apprendre à me servir de mon nouvel appareil photo.**

You came through/escaped without a scratch. I'm eager to know/find out how!
> **Tu t'en est sorti(e) sans une égratignure/sans aucune égratignure. Je suis impatient(e)/J'ai hâte de savoir comment !**

I can't wait! / I look forward to it! / I'm **chomping at the bit**!   *slang (argot)*
> **J'ai hâte ! / Je piaffe/trépigne d'impatience !**

to be capable of doing something; to be in a position to do something

pouvoir faire quelque chose ; être apte à faire quelque chose/être de taille à faire quelque chose/être capable de faire quelque chose ; être à même de faire quelque chose ; être en mesure de faire quelque chose

(Note: "Être de taille à faire quelque chose" literally translates to "to be of the size to do something".)

He/She is well capable of handling the responsibility.
> **Il/Elle est parfaitement capable de gérer cette responsabilité. / Il/Elle est parfaitement à même de gérer cette responsabilité. / Il/Elle est parfaitement capable de faire face à cette responsabilité. / Il/Elle est parfaitement à même de faire face à cette responsabilité.**

He/She is easily capable of winning or losing this match against this particular opponent.
> **Il/Elle pourrait facilement gagner ou perdre ce match contre cet adversaire en particulier.**

to be capable of doing something; to be in a position to do something
> **être capable de faire quelque chose ; être en mesure de faire quelque chose**

I'm capable of doing it.
> **Je suis capable de le faire. / Je suis en mesure de le faire.**

He's/She's not in a position to buy it.
> **Il/Elle n'est pas en mesure de l'acheter.**

Is it possible that we could…?
> **Serait-il possible que l'on puisse… ?**

In an ideal world, …
> **Dans un monde idéal, …**

I'll see what I can do.
> **Je vais voir ce que je peux faire. / Je verrai ce que je peux faire.**

We'll do what we can.
> **On fera ce qu'on peut. / Nous ferons ce que nous pouvons.**

(Note: As in English, when the first and principal clause is in the future tense, such as in the above two examples, the verb in the second and subordinate clause is in the present tense.)

to manage to do something; to manage not to do something

arriver/parvenir à faire quelque chose ; arriver à ne pas faire quelque chose

> Did you manage to make up/make up for the time you lost?
>> **Es-tu/Êtes-vous parvenu(e)(s) à rattraper le temps que tu avais/vous aviez perdu ? / Est-ce que tu es/vous êtes arrivé(e)(s) à rattraper le temps que tu avais/vous aviez perdu ?** *(less formal (moins soutenu))*

> Did you manage to make up for the damaged goods?
>> **Es-tu/Êtes-vous parvenu(e)(s) à compenser les marchandises endommagées ?**

> How did you manage to do it? / How did you manage it?
>> **Comment as-tu/avez-vous réussi à le faire ? / Comment es-tu/êtes-vous parvenu(e)(s) à le faire ? / Comment est-ce que tu es/vous êtes arrivé(e)(s) à le faire ?** *(less formal (moins soutenu))*

> How did you manage not to do it?
>> **Comment es-tu/êtes-vous parvenu(e)(s) à ne pas le faire ?**

> How did you manage not to spill it?
>> **Comment as-tu/avez-vous fait pour ne pas le/la renverser ? / Comment es-tu/êtes-vous parvenu(e)(s) à ne pas le/la renverser ?**

to go to the trouble of doing something

prendre la peine de faire quelque chose/se donner la peine de faire quelque chose ; prendre le temps de faire quelque chose

> Thank you for taking the trouble to call me. /
> Thank you for **having taken** the trouble to call me.
>> **Merci d'avoir pris la peine/le temps de me téléphoner/m'appeler. / Merci de t'être/vous être donné la peine de me téléphoner/m'appeler.**

more formal and grammatically correct (plus soutenu et grammaticalement correct)

By doing something, … ; using the English gerund alone

En + participe présent, … ; utiliser le gérondif anglais seul

> By playing football regularly, you can keep fit/stay in (good) shape.
>> **En jouant au football régulièrement/de façon régulière, on peut rester en forme.**

You can get there more quickly by taking the train.

> **On peut s'y rendre/y aller plus vite en prenant le train.**

By being vigilant/keeping on the look-out, he averted a disaster.

> **En étant vigilant/En restant sur le qui-vive, il a prévenu/empêché une catastrophe/un désastre.**

When translating the English gerund used alone, in French it is, generally speaking, the infinitive that is used.

e.g.
Exercising regularly helps.

> **Faire de l'exercice régulièrement, aide.**

There are exceptions. For example, 'being' is translated by the present participle alone ('étant') in some contexts and by the infinitive ('être') in others.

e.g.
Being Greek, he should know all about the Peloponnesian war(s).

> **Étant grec, il devrait tout savoir de la guerre/des guerres du Péloponnèse. / Étant grec, il devrait tout savoir au sujet de la guerre/des guerres du Péloponnèse.**

Being a watchmaker requires a good deal of skill.

> **Être horloger exige beaucoup d'habileté/de savoir-faire.**

The first to… (do something)/The first to have… (done something)

Le premier/La première à… (faire quelque chose)

She is the first woman to cross the Atlantic (Ocean) solo/singlehanded/by herself.

> **Elle est la première femme à traverser l'océan Atlantique seule. / Elle est la première femme à traverser l'Atlantique seule.**

Yuri Gagarin is the first man to have orbited the earth in a space vessel. He did so in 1961 (nineteen sixty-one) for the then Soviet Union (Union of Soviet Socialist Republics (USSR)).

> **Yuri Gagarin est le premier homme à avoir orbité autour de la Terre dans un vaisseau spatial. Il l'a fait en 1961 (mille neuf cent soixante-et-un), alors pour l'Union soviétique (l'Union des républiques socialistes soviétiques (URSS)).**

to set foot on/in
mettre les pieds sur/dans

They never set foot inside that house.
> **Ils/Elles ne mettent jamais les pieds dans cette maison. / Ils/Elles n'ont jamais mis les pieds dans cette maison.**

As you can see, the above English statement can be interpreted as past or present in English and thereby translated into both present and past tense in French. This is because the third person plural present and past tenses of the English verb 'to set' are exactly the same. The context generally makes clear in English which tense is intended. There are other examples – "to bet", "to cost", "to cut", for instance. In the above case, any misunderstanding, be it in English or in translation, could be avoided by using the present perfect for the past tense, were the past tense intended, i.e. "They have never set foot inside that house."

Comme on peut le voir, la phrase en anglais ci-dessus peut être interprétée comme étant soit au passé soit au présent et de ce fait, traduite par du présent ou du passé en français. C'est parce que la troisième personne du pluriel du verbe « to set » est la même au présent et au passé. En général, le contexte permet de savoir clairement quel temps est utilisé. Il existe d'autres verbes similaires, « to bet » (parier), « to cost » (coûter), « to cut » (couper), par exemple. Dans le cas ci-dessus, toute incompréhension peut être évitée en utilisant le « present perfect » si la phrase est au passé : « They have never set foot inside that house. » (« Ils/Elles n'ont jamais mis les pieds dans cette maison.»)

I would never even set foot in that place!
> **Je n'oserais pas mettre les pieds là-bas !**

We've never even set foot in North Korea! / We've never so much as set foot in North Korea!
> **Nous n'avons jamais ne serait-ce que mis les pieds en Corée du Nord !**

They've never set foot on Guam.
> **Ils/Elles n'ont jamais mis les pieds sur l'île de Guam.**

Thus far, only a handful of astronauts have ever set foot on the moon.
> **Jusqu'à présent/Jusqu'ici, seuls quelques astronautes ont mis les pieds sur la Lune.**

Theme 59: 'If' and certain esoteric French locutions
Thème 59 : « Si » et certaines locutions françaises ésotériques

For English-speaking readers (Pour les lecteurs anglophones):

On the subject of 'si' to mean 'if'

'Si' can be followed by the indicative mood, the subjunctive mood and the conditional mood. In the case of the indicative mood, it is typically the following tenses of the indicative that follow it:

le présent (the present),

> e.g.
>> « Si l'eau est chaude maintenant, (alors) c'est très bien. »
>> ("If the water is now hot, then great.")

le futur (the future), where concession is being expressed,

> e.g.
>> « Si cela semblera toujours bizarre à plusieurs d'entre nous, il n'en reste pas moins que c'est sa décision. »
>> ("Strange as it will always seem to many of us, the fact remains that that is his/her decision.")

le passé composé (in this case the simple past tense rather than the present perfect),

> e.g.
>> « S'il/Si elle a perdu le match, tant pis. »
>> ("If he/she lost the match, too bad/never mind.")

l'imparfait (the imperfect),

> e.g.
>> « Si les enfants jouaient dans le parc, ils n'auraient pas vu la procession/parade dans la rue. »
>> ("If the children were playing in the park, they wouldn't have seen the street procession/parade.")
>> *(The second clause in this example is in le conditionnel passé.)*

le plus-que-parfait (the pluperfect),

e.g.

« Si nous avions pris le train plus tôt, nous aurions été à l'heure. »
("Had we caught an earlier train, we would have been on time.")

(The second clause in this example is in le conditionnel passé (past conditional).)

If something isn't done, (then) we're going to have to… /we're going to… ; if it isn't done, (then) I'm afraid we're going to have to…

Si quelque chose n'est pas fait, on va devoir… (faire quelque chose)/ on va… (verbe temps futur) ; si quelque chose n'est pas fait, je crains que l'on doive… (faire quelque chose)/ si quelque chose n'est pas fait, je suis désolé(e) mais…

If he/she doesn't arrive soon, (then) we're going to have to leave without him/her. / If he/she doesn't arrive soon, we're going to leave.

S'il/Si elle n'arrive pas bientôt, on va/nous allons devoir partir/y aller sans lui/elle. / S'il/Si elle n'arrive pas bientôt, on va/nous allons partir/y aller.

If they don't bring it soon, (then) I'm afraid we're going to have to leave without it.

S'ils/Si elles ne l'apportent pas bientôt, je crains que l'on doive partir sans. / S'ils/Si elles ne l'apportent pas bientôt, je suis désolé(e), mais on va/nous allons devoir partir sans.
(Note: The second option is more colloquial.)

If they fail to/don't manage to reach agreement, we'll have to meet again tomorrow.

S'ils/Si elles ne parviennent pas à se mettre d'accord, on devra se/nous devrons nous réunir à/de nouveau demain. / S'ils/Si elles n'arrivent pas à parvenir à un accord, on devra se/nous devrons nous réunir à/de nouveau demain.

If only…

Si seulement… / Si… simplement…

If only you knew./!
  Si seulement tu savais/vous saviez ! / Si tu savais/vous saviez !

If only you knew how difficult it was!
  Si tu savais/vous saviez comme c'était difficile !

If only I'd known./!
  Si seulement j'avais su/je l'avais su./!

If only I'd seen it, I would have bought it.
  Si je l'avais simplement vu(e), je l'aurais acheté(e).

The use of 'si' with 'le 'ne' littéraire' (the literary 'ne')[21]

'Pas' can be omitted in French in two-clause sentences where the second clause is subordinate to the first and the clauses are linked by 'si' to mean 'unless' or "if I/you/we/they don't…". In such constructions the 'si' plays a conditional role that reduces the negativity or negation of the first clause by making it conditional on the second. Put another way, it is possible to use 'ne' in the second clause without any other adverb of negation when it follows the conditional 'si'. Aside from that, 'pas' is often omitted purely for euphonic/phonetic reasons, i.e. because it sounds better and is less cumbersome on the speaker. In all cases, it is perfectly fine to include the 'pas'.

---

21 The term 'le 'ne' littéraire' is something of an oddity in that, though French, it was not coined in the French language but in the English language to refer to the use of 'ne' as described here and with 'on ne peut' without 'pas' and certain other constructions, e.g. 'Je ne sais quoi', which are dealt with elsewhere in this book. There is no specific term in French for it. In English it is also called 'the literary 'ne''. *Further reading: Price G., 2008, A Comprehensive French Grammar, 6th edition., Blackwell, Oxford.*

Le terme « "ne" littéraire » (ou « literary "ne" ») est une sorte de curiosité : bien que formulé en français et faisant référence à la syntaxe française, le terme a été inventé par les anglophones pour désigner « ne » utilisé sans « pas », comme dans « on ne peut » ou « je ne sais quoi », même si cette construction n'a pas de nom spécifique en français. Lecture complémentaire : *Price G., 2008, A Comprehensive French Grammar, 6th edition., Blackwell, Oxford*

e.g.
I won't let you go out with your friends unless you finish your homework first. / I won't let you go out with your friends if you don't finish your homework first.

Je ne te laisserai pas sortir avec tes ami(e)s si tu ne finis (pas) tes devoirs auparavant.

We can't give you a clear answer if we don't have all the information. / We can't give you a clear answer unless we have all the information.

Nous ne pouvons pas te/vous donner un réponse claire si l'on n'a (pas) tous les renseignements.

If I'm not mistaken, it's the number four bus we need.

Si je ne m'abuse (pas), c'est l'autobus numéro quatre que nous devons prendre. / Si je ne me trompe (pas), c'est l'autobus numéro quatre que nous devons prendre.

(Note: This is one of many examples of locutions where 'ne' can stand alone. See next two sections.)

---

to bother to do something/to deign to do something; 'le 'ne' littéraire'
prendre la peine/se donner la peine de faire quelque chose/daigner faire quelque chose

He didn't (even) bother to go.

Il n'a (même) pas pris la peine d'y aller.

Without bothering to tell anybody, he/she left the meeting.

Il/Elle a quitté la réunion sans prendre la peine de prévenir qui que ce soit.

He/She didn't (even) deign to reply.

Il/Elle n'a (même) (pas) daigné répondre.

[Also see 'ne cesse de', p.123.]

Like 'cesser', 'daigner' is one of a small number of verbs, including 'oser', 'pouvoir' and 'savoir', where 'pas' can be omitted in certain contexts,

e.g.
I wouldn't dare/venture to guess why.

Je n'ose (pas) deviner pourquoi.

They couldn't be kinder.

Ils/Elles sont on ne peut plus gentils/gentilles.

I don't know yet.
> **Je ne sais encore.** (Je ne sais pas encore.)

I don't know what.
> **Je ne sais quoi.** (Je ne sais pas quoi.)

I don't know who.
> **Je ne sais qui.** (Je ne sais pas qui.)

As stated in footnote 19, this optional omission of the 'pas' is known to English-speakers as 'le ne littéraire'. To French-speakers, they are simply viewed as elevated figures of speech or a convenient manner of speaking purely for euphony.

[Also see next section]

A selection of 'locutions figées' (French set expressions/ idiomatic expressions) using 'ne' alone, and their meanings in English

Une sélection de locutions figées utilisant « ne » seul, et leurs significations en anglais

■ (a) Qu'à cela ne tienne – Never mind

e.g.
We've missed the beginning of the film. Never mind, we can get it when it comes out on DVD.
> **Nous avons raté le début du film. Qu'à cela ne tienne, nous pourrons l'acheter quand il sortira en DVD.**

■ (b) n'avoir de cesse que + subj. – not to rest until (something is obtained)

e.g.
I won't rest until a solution is found.
> **Je n'aurai de cesse qu'une solution soit trouvée.**

They would not rest until the perpetrators were brought to justice.
> **Ils/Elles n'ont eu de cesse que les auteurs/responsables soient traduits en justice.**

■ (c) Ne vous en déplaise – Whether you like it or not/ Regardless of what you think

'Déplaire' means 'ne pas plaire' or 'être désagréable', i.e. 'to displease' or 'to be disagreeable/unpleasant' respectively.

and

N'en déplaise à... quelqu'un/quelque chose

This means 'quoi qu'en pense(nt)...',
i.e. Regardless of... / Notwithstanding... / Despite/Never mind (to mean "Don't take any notice of" / "Don't worry about" in the dismissive sense.

Essentially it has the same meaning as "Ne vous en déplaise" but refers to a third party,

e.g.
Whether you like it or not, the decision is final.
Ne vous en déplaise, la décision est définitive.

Regardless of/Notwithstanding/Despite/Never mind/Don't worry about what the trade unions think (of it), the policy change will go ahead.
N'en déplaise aux syndicats, le changement de politique aura lieu.

Despite what the authorities might think, say or do, we believe we are right to go on strike.
N'en déplaise aux hautes autorités, nous croyons/pensons que nous avons raison de faire grève/de nous mettre en grève.

Forget what they the so-called experts think, I reckon this theory is false.
N'en déplaise aux soi-disant experts, je pense que cette théorie est fausse.

■ (d) ne dire mot/ne souffler mot – keep silent (garder le silence ; ne dire pas un mot)

This term is used in literary rather than colloquial settings, hence usually in passé simple.

e.g.
He/She didn't say a word.
Il/Elle ne dit mot. / Il/Elle ne souffla mot.

Theme 60: Common expressions with exclamation
Thème 60 : Des expressions et des points d'exclamation

'Poor' and 'afraid', metaphorically speaking ('poor' to mean 'unfortunate' or 'unlucky' and to express pity for this; 'afraid' to express politely the anticipation of and to try to cushion someone else's disappointment or upset); alas

« Pauvre » et « craindre » au figuré (« pauvre » pour vouloir dire « malheureux/euse » ou « malchanceux/euse » et pour exprimer de la pitié/de la compassion ; « craindre » ou « avoir (bien) peur » pour exprimer poliment que l'on regrette que quelque chose se produira) ; hélas

Poor them!
> **Les pauvres !**

Poor boy/man!/Poor girl/woman!
> **Le pauvre ! / La pauvre !**

Poor Kate!
> **Pauvre Kate !**

Poor Charlie!
> **Pauvre Charlie !**

Poor Wesley and Maya!
> **Pauvres Wesley et Maya !**

I'm afraid so! / I'm afraid not!
> **J'ai bien peur que oui ! / J'en ai bien peur. / J'ai bien peur que non ! / Hélas, oui. / Hélas, non.**

I'm afraid it was too little, too late.
> **Je crains que ce fût trop peu, trop tard. / J'ai bien peur que ce fût trop peu, trop tard.**

I'm afraid we couldn't. / Alas, we couldn't.
> **Je suis désolé(e), mais on ne pouvait pas. / Hélas, on ne pouvait pas.**

That's a… !; What a… !; How…! You're/He's/She's/They're so… !

C'est… comme… ; Quel/Quelle/Quels/Quelles… ! ; Que tu es/ vous êtes… ! ; Tu es/il est/elle est, etc., tellement…!

Elodie. That's a pretty first name./!
Elodie. C'est joli comme prénom./!

What a pretty name!
Quel joli nom/prénom !

What good news!
Quelle bonne nouvelle !

What a sight to behold!
Quelle vue !

Good for you!
C'est bien ! / Bravo ! / Tant mieux pour toi/vous ! / Je suis content(e) pour toi/vous !

You are so beautiful!
Que tu es belle ! / Que vous êtes belle(s) !

You are so stupid!
Que tu es bête ! / Que vous êtes bête(s) !

How funny!
Qu'est-ce que c'est drôle ! / C'est si drôle !

What a nightmare!
Quel cauchemar !

What a question!
Quelle question !

What a stupid thing to say! / What a stupid thing to say that…
C'est vraiment stupide/bête de dire cela/ça ! / C'est vraiment stupide/bête de dire…

What a beautiful speech! / Beautiful speech !
Quel beau discours ! / Beau discours !

What a waste!
Quel gâchis !

What good luck to see… /to have seen… /to have… (something)!
Quelle chance de voir…/d'avoir vu…/d'avoir… (quelque chose) !

What a dreadful week!
> **Quelle semaine épouvantable !**

What a horrible week!
> **Quelle horrible semaine !**

So many people!
> **Il y a tant de monde/gens !**

I wish he/she would shut up!
> **J'aimerais bien qu'il/elle se taise ! / Il/Elle ne pourrait pas se taire un peu ?**

You don't need to get (yourself) worked up. / There's no need to get worked up.
> **Pas besoin de t'énerver/s'énerver.**

You are so predictable!
> **Tu es tellement/si prévisible ! / Vous êtes tellement/si prévisible(s) !**

They spent (the) time talking nonsense/rubbish.
> **Ils/Elles ont passé leur temps à dire/raconter des bêtises/inepties.**

I'm bored./I'm getting bored.
> **Je m'ennuie. / Je commence à m'ennuyer.**

I don't know about you, but I'm starting to get bored.
> **Je ne sais pas pour toi/vous, mais je commence à m'ennuyer.**

Just about! / Only just! / Just! / Hardly! / Barely!; hardly/barely
Tout juste ! / De justesse ! / À peine !

He just/just about scraped through his exam.
> **Il a réussi/passé son examen de justesse.**

Did you pass your exam?
> **As-tu/Avez-vous réussi ton/votre examen ? / Est-ce que tu as/vous avez réussi ton/votre examen ? / Tu as/Vous avez réussi ton/votre examen ?**

Only just! / Just about! / Just!
> **De justesse ! / À peine ! / Tout juste !**

Did you win?
> **As-tu/Avez-vous gagné ? / Est-ce que tu as/vous avez gagné ? / Tu as/Vous avez gagné ?**

Hardly! (Far from it!)
> **Bien au contraire ! / Loin de là !**

There are hardly any books left in our local library.
> **Il ne reste presque aucun livre dans notre bibliothèque locale.**

People hardly notice the change in his/her dress sense.
> **Les gens remarquent à peine le changement dans sa façon de s'habiller. / On remarque à peine le changement dans sa façon de s'habiller.**

People hardly notice the new furniture any more. / Hardly anyone notices the new furniture any more.
> **Les gens ne remarquent presque plus les nouveaux meubles.**
> **/ Presque personne ne remarque les nouveaux meubles maintenant/à présent. / On ne remarque presque plus les nouveaux meubles maintenant/à présent.**

I hardly noticed your dog sitting there in the corner.
> **J'ai à peine remarqué ton/votre chien, assis dans le coin.**

He hardly/barely moved!
> **Il n'a presque pas bougé ! / Il n'a guère bougé !**

(Note: The second expression is considered by French-speakers to be a rather elevated one.)

---

to call someone something/to describe someone as something/ to describe something as something
traiter[22] quelqu'un de quelque chose/qualifier quelqu'un de quelque chose/qualifier quelque chose de quelque chose

They called Bob a moron!
> **Ils/Elles ont traité Bob d'idiot/d'abruti/de crétin. / Ils/Elles ont qualifié Bob d'idiot/d'abruti/de crétin !**

Mary also called him a cheat. He in turn called her a moron.
> **Mary l'a aussi traité de tricheur. Il l'a à son tour/pour sa part/ ensuite traitée d'idiote/d'abrutie/de crétine.**

They called him a fool. / He was described as a fool.
> **Ils/Elles l'ont traité d'imbécile/d'idiot. / Ils/Elles l'ont qualifié d'imbécile/d'idiot. / Il s'est fait traiter d'imbécile/d'idiot.**

---

22 'Traiter' is used only for pejorative terms.

You idiot!
> **Espèce d'idiot ! / Espèce d'idiote !**

They called him a genius/described him as a genius.
> **Ils/Elles l'ont qualifié de génie. / Ils/Elles l'ont appelé un génie.**

The political summit was described as a resounding success.
> **Le sommet politique a été décrit comme (étant) un franc succès/un succès retentissant.**

You have another think coming! / If you thought… think again! / You are mistaken

(Expressions utilisées pour détromper quelqu'un) Détrompe-toi/ Détrompez-vous./!

(Expressions that disabuse someone of an idea or belief they had)
(Literally, "Unmistake yourself!")

You've (You have) got another think coming! / You're mistaken/wrong!
> **Détrompe-toi ! / Détrompez-vous !**

If you think I'm going to lend it to you, you've got another think coming!
> **Si tu penses/crois que je vais te le/la prêter, détrompe-toi ! / Si vous pensez/croyez que je vais vous le/la prêter, détrompez-vous !**

You're wrong/quite wrong, he/she (has) won! / You're mistaken/quite mistaken, he/she (has) won!
> **Détrompe-toi/Détrompez-vous, il/elle a gagné ! / Tu te trompes / Vous vous trompez, il/elle a gagné !**

Some other exclamations
Quelques autres exclamations

Fingers crossed! (i.e. Hopefully! / Here's hoping! / Let's hope so!)
> **Croisons les doigts ! (Avec un peu de chance !)**

Guess what! We finally won!
> **Devine/Devinez quoi ! Nous avons enfin gagné !**

We won/gained/earned a very large sum of money!
> **Nous avons gagné une très grosse somme d'argent !**

Well done! You've done very well! / Takes some doing! / That's no mean feat!
> **Bravo ! / Chapeau ! / C'est pas rien ! / C'est bien !**

Well said! / Well done!
>   **Bien dit ! / Bien joué !**

We jumped for joy!
>   **Nous avons sauté de joie !**

I can't believe I/I've won it!
>   **Je n'arrive pas à croire que j'ai gagné !**

I can't believe he/she has finally won it!
>   **Je n'arrive pas à croire qu'il/elle a enfin gagné !**

You're in luck… as long as it lasts!
>   **Tu as/Vous avez de la chance / Tu es/Vous êtes en veine… tant que cela/ça dure !**

We made the most of it while we could!
>   **Nous en avons profité au maximum tant que nous le pouvions !**

Well done for winning the match!
>   **Bravo/Chapeau pour ta/votre victoire !**

Well done for passing your exams!
>   **Bravo/Chapeau pour tes/vos examens !**

Brilliant!
>   **Génial !**

Great!
>   **Génial ! / Super !**

Everything's fine/great! /All is well! / All good!
>   **Tout va bien ! / Ça baigne !**   *colloquial (familier)*

Everything is/**Everything's** going wrong at the moment!   *colloquial (familier)*
>   **Tout va de travers/Tout va mal en ce moment !**

That's it! *(e.g. when one has just found the word one was looking for)*
>   **Ça y est ! / C'est ça !**

Well well!
>   **Tiens, tiens !**

That's really set the cat among the pigeons!
>   **Cela/Ça a vraiment jeté un pavé dans la mare !**

Certainly not!
> **Certainement pas ! / Sûrement pas !**

Give me a chance!
> **Donne-moi/Donnez-moi une chance !**

Give him/her a chance!
> **Donne-lui/Donnez-lui une chance !**

That makes my blood boil!
> **Cela/Ça me met hors de moi !**

That made me jump!
> **Cela/Ça m'a fait sursauter !**

That's nothing new!
> **C'est pas nouveau !**

What am I saying?! / What am I talking about?!
> **Qu'est-ce que je dis ?! / De quoi est-ce que je parle ?!**

No, my mistake, you're right!
> **Non, au temps pour moi, tu as/vous avez raison !**

It's on the tip of my tongue!
> **Je l'ai sur le bout de la langue !**

I had a question for you, but it has just escaped me!
> **J'avais une question pour toi/vous, mais elle m'échappe !**

Don't just stand there
> **Ne reste/restez pas planté(e)(s) là !**

Get to the point! / Don't beat about the bush!/Stop prevaricating/vacillating!
> **Viens-en au fait !/Venez-en au fait ! / Abrège !/Abrégez ! / Arrête/**
> **Arrêtez de tourner autour du pot ! / Cesse/Cessez/Arrête/Arrêtez de**
> **tergiverser ! / Accouche !/Accouchez !**
> *(Note: 'accoucher' is informal.)*

Stupidly, I forgot! / Stupidly, I forgot it!
> **J'ai oublié, tout bêtement ! / Je l'ai oublié(e), tout bêtement ! / J'ai**
> **tout bonnement oublié ! / Je l'ai tout bonnement oublié(e) !**

She's bloody beautiful!
> **Elle est vachement belle !**

This tune is bloody good!
> **Il est vachement bien, cet air !**

Good luck! *(e.g. to someone before an exam (examination/test) or a performance)*

Bonne chance ! / **Bon courage !** *(par exemple à quelqu'un avant un examen ou une représentation)*

Good luck *(to someone, for example, in difficulty/going through a difficult time/going through hardship/suffering an illness, especially a serious or severe one)*

Bon courage ! *pour quelqu'un, par exemple en difficulté/traversant une période difficile/des épreuves/qui souffre d'une maladie (surtout si elle est grave)*

Theme 61: Strange, stranger and the stranger
Thème 61 : L'étrange, le plus étrange et l'inconnu(e)

Isn't it strange that...?/Is it not strange that...?

N'est-il pas étrange/bizarre que... ? + *subj.*

Isn't it strange that no-one knows the reason (why)? / Isn't it strange that no-one knows why?

> **N'est-il pas étrange/bizarre que personne ne sache pourquoi ?**

Isn't it bizarre that someone who considers himself competent can/could/should be so naive?

> **N'est-il pas étrange/bizarre que quelqu'un qui se considère comme compétent soit si naïf ?**

That's even more strange. / That's even stranger.

> **C'est encore plus étrange/bizarre.**

Strangers
Des inconnu(e)s

We have not met before.

> **Nous ne nous sommes pas rencontré(e)s auparavant. / On ne s'est pas rencontré(e)s auparavant.**

We have never met before.

> **Nous ne nous sommes (encore) jamais rencontré(e)s (auparavant). / On ne s'est (encore) jamais rencontré(e)s (auparavant).**

I have never seen this person in (all) my life!

> **Je n'ai jamais vu cette personne de (toute) ma vie !**

He's/She's a complete/total stranger.

> **C'est un parfait inconnu./C'est une parfaite inconnue.**

A man/woman by the name of…
> **Un homme/Une femme du nom de… / Un homme/Une femme nommé/nommée… (= Un homme/Une femme qui s'appelle…)**

Bob and Elizabeth so and so.
> **Bob et Elizabeth Untel.**

Mr and Mrs so and so.
> **Monsieur et Madame Untel.**

Theme 62: Looking good
Thème 62 : Être beau/belle

to look good (on a person)/Looking good in something
aller bien à quelqu'un/seoir à quelqu'un

That hat looks good on you. / You look good in that hat.
Ce chapeau te/vous va bien. / Ce chapeau te/vous sied.[23]

---

23 The infinitive of 'sied' is the defective verb 'seoir'. French verbs are categorised into Groups 1, 2 and 3 and also into regular, irregular and defective. These are summarised in the table below.

Group	Type	Ending	Examples
1	Regular (Régulier)	-er, with the notable exception of 'aller', which is part of the third group.	acheter, donner, parler
2	Regular (Régulier)	-ir, and their conjugation follows the model of 'finir'. In particular, this group differs from the third group in that the present participle ends in '-issant', e.g. 'en finissant', whereas for the several exceptions, e.g. 'courir', 'découvrir', 'faillir', that reside in group 3, their present participle ends in '-ant', e.g. 'en courant'	choisir, finir, réussir
3	Irregular (Irrégulier)	-aire, -aître, -cre, -dre, -er, -ir, -ire, -ivre, -oir, -oire, -oître, -ore, -pre, -ttre, -uire, -ure	plaire, naître, vaincre, atteindre, attendre, craindre, joindre, prendre, résoudre, **aller**, envoyer, renvoyer, découvrir, couvrir, obtenir, offrir, lire, rire, suffire, pleuvoir, pouvoir, savoir, voir, croire, croître, clore, interrompre, suivre, vivre, **être**, mettre, cuire, produire, traduire, conclure, inclure
Defective (Défectif)	This is not a group per se but rather a separate collection of verbs that deviate in various ways from groups 1, 2 and 3.	-aître, -eoir, -er, -indre,- ir, -oir, -oire	paître, repaître, messeoir, seoir, béer, oindre, poindre, faillir, gésir, choir, déchoir, échoir, accroire

He/She looks good in that coat. / That coat looks good on him/her.
Ce manteau lui va bien. / Ce manteau lui sied.

There are countless resources (books and online) on French verbs and verb tables. Some of these are listed in Sources and further reading.

to look good (inanimate objects)
être beau/belle (objets inanimés)

That car looks good.
Cette voiture est belle.

to go well with something
aller bien avec quelque chose

That shirt goes well with that jacket.
Cette chemise va bien avec cette veste/ce blouson.
(Note: 'blouson' is a thick jacket.)

Theme 63: Facts and figures
Thème 63 : Des faits et des chiffres

How many?
Combien ?

How many of you are there?
> **Combien êtes-vous ?**

There are three of us in all. / There are three of us in total.
> **Nous sommes trois en tout/au total. / On est trois en tout/au total.**

How many of them are there? *(People/any other life form/any inanimate object)*
> **Combien y en a-t-il ? / Combien sont-ils/elles ? / Il y en a combien ? / Ils/Elles sont combien ?**

There are five (of them).
> **Il y en a cinq. / Ils/Elles sont cinq.**

There should be eight (of them).
> **Il devrait y en avoir huit. / Ils/Elles devraient être huit.**

Why is there such a large number of… ?
> **Pourquoi y a-t-il un si grand nombre de… ?**

The basics of maths (mathematics)
Les bases des mathématiques

Two plus two equals four. / Two plus two is four.
> **Deux plus deux égale/égalent quatre./Deux et deux font quatre.**

Ten minus seven equals three.
> **Dix moins sept égale/égalent trois.**

Twenty divided by two equals ten.
> **Vingt divisé par deux égale/égalent dix. / Vingt divisé par deux donne dix. / Vingt divisé par deux est égal à dix.**

Five times three equals fifteen. / Five multiplied by three equals fifteen. / Five threes are fifteen.
> **Cinq fois trois égale/égalent quinze.**

The basic signs of arithmetic
Les signes de base de l'arithmétique

The plus sign +
Le signe plus

The minus sign -
Le signe moins

The multiplication sign x
Le signe de (la) multiplication

The division sign ÷
Le signe de (la) division/ le symbole de division

The equals sign =
Le signe égal

Stats (Statistics) and figures
Des stats (statistiques) et des chiffres

More and more young people in English and Welsh cities, and especially in London, are having to rent than ever before, because house prices are too high for them to stump up (generate) a deposit to buy their first home.
Dans les grandes villes anglaises et galloises, et en particulier à Londres, de plus en plus de jeunes doivent désormais louer, car les prix de l'immobilier sont trop élevés pour qu'ils puissent payer l'acompte pour leur première maison/premier appartement.

Can you give figures?
Peux-tu/Pouvez-vous donner des chiffres ? / Tu peux/Vous pouvez donner des chiffres ?

Can you quantify that?
Peux-tu/Pouvez-vous quantifier cela/ça ? / Tu peux/Vous pouvez quantifier cela/ça ?

The number of people living without shelter/rendered homeless is in the millions/runs into millions.
Le nombre de personnes sans-abri/sans domicile fixe est dans les millions.

Just over a million/two million people have signed the petition so far.
Un peu plus d'un million de personnes/de deux millions de personnes ont signé la pétition jusqu'à présent/jusqu'ici. / Jusqu'ici/

Jusqu'à présent, un peu plus d'un million de personnes/de deux millions de personnes ont signé la pétition.

Just over/A little over three million dollars has been spent so far/thus far.
Un peu plus de trois millions de dollars ont été dépensés jusqu'ici/jusqu'à présent. / Jusqu'ici/Jusqu'à présent, un peu plus de trois millions de dollars ont été dépensés.

A billion people world-wide have been affected by…
Un milliard de personnes à travers le monde ont été touchées/affectées par…

A billion euros has been allocated this year to help the Greek economy.
Un milliard d'euros ont été affectés/alloués cette année à aider l'économie grecque.

A similar sum in pounds in the UK has been earmarked for overseas aid.
Au Royaume-Uni, une somme similaire en livres a été affectée/allouée à l'aide internationale.

Charts, graphs, spreadsheets
Des graphiques et des feuilles de calculs ou tableurs

In the right column, we see… ; in the left, we see…
Dans la colonne de droite on voit… ; dans celle de gauche, on voit…

Multiples
Multiples

There are more than twice as many unemployed in our country now as (there were) three years ago. / There are more than twice as many unemployed in our country now compared with three years ago. In other words, the unemployment rate has more than doubled in the space of just three years.

Les chômeurs sont maintenant/à présent plus de deux fois plus nombreux qu'il y a trois ans. / Les chômeurs sont maintenant/à présent plus de deux fois plus nombreux par rapport à il y a trois ans. Autrement dit/En d'autres termes, le taux de chômage a plus que doublé en l'espace de seulement trois ans.

We outnumbered them (by) five to one.
Nous étions cinq fois plus nombreux qu'eux.

They outnumber us by almost/nearly two to one.
Ils/Elles sont presque deux fois plus nombreux/nombreuses que nous.

They'll think twice before doing that again.
Ils/Elles y réfléchiront à deux fois avant de le refaire/avant de refaire cela/ça.

They'll think a hundred times before attempting anything silly/foolish.
Ils/Elles y réfléchiront à cent fois avant d'essayer de faire une bêtise/quelque chose d'idiot/d'imprudent.

Odd and even numbers
Nombres impairs et pairs

Two is an even number whereas/whilst three is an odd number.
Deux est un nombre pair alors que/tandis que trois est un nombre impair.

Probability
La probabilité

The probability of this happening is one in a hundred, or one per cent.
La probabilité que cela/ça se produise est   *subj.*
de un sur cent, soit un pour cent.

The probability of this is one in ten.
> **La probabilité est de un sur dix.**

Weights and measures; dimensions, quantities; fractions
Poids et mesures ; dimensions, quantités ; fractions

What fraction of a metre is a nanometre? / What is a nanometre in relation to a metre?
> **À quoi correspond un nanomètre par rapport à un mètre ?**

A nanometre is a billionth of a metre.
> **Un nanomètre est égal à un milliardième de mètre.**

A microgram is a millionth of a gram.
> **Un microgramme est un millionième de gramme.**

A millimetre is a thousandth of a metre.
> **Un millimètre est un millième de mètre.**

In English, the verb 'to be' is used in descriptions of length and width. In French, the verb 'to make/to do' is used.

En anglais, on utilise le verbe « être » (to be) pour décrire la longueur et la largeur.

e.g.
The River Thames is 215 (two hundred and fifteen) miles (346 [three hundred and forty-six] kilometres) long. In terms of width, it is 60 (sixty) feet (18 [eighteen] metres) wide at its narrowest and 18 (eighteen) miles (28.96 [twenty-eight point nine six] kilometres) wide at its estuary.
> **La Tamise fait 346 (trois cents quarante-six) kilomètres de longueur/de long. Pour ce qui est de sa largeur, elle fait 18 (dix-huit) mètres en son point le plus étroit et son estuaire fait 28,96 (vingt-huit virgule quatre-vingt-seize) kilomètres (de largeur/de large).**

He is 5'10" (five feet ten inches) tall. / He stands 5'10" (five feet ten inches) tall. / He is five feet[24] ten. / He is 1.78m (one metre seventy-eight/one point seven eight metres) in height.
> **Il fait 1m78 (un mètre soixante-dix-huit).**

---

24 It is common to hear "foot" instead of the plural "feet", e.g. "He is five foot ten" but this is not strictly correct, grammatically speaking.

En anglais, on entend souvent « foot » au lieu du pluriel « feet », par ex. « He is five foot ten », mais ce n'est pas vraiment correct grammaticalement.

This tower is a hundred feet tall. / This tower is a hundred feet in height.
　　Cette tour fait un peu plus de 30 (trente) mètres de hauteur/de haut.

She weighs 8½ (eight and a half) stone. / She weighs 54 kilograms (kilos/kg)
　　Elle pèse/fait 54 (cinquante-quatre) kilogrammes (kilos/kg).

The quantities are equal.
　　Les quantités sont égales.

They are of equal size/quantity/quality. / They are of the same size/quantity/
quality.
　　Ils/Elles sont de taille/quantité/qualité égale. / Ils/Elles sont de la
　　même taille/qualité.

They are of equal/even length/width (breadth)/height.
　　Ils/Elles sont de longueur/largeur/hauteur égale.

They are of equal weight.
　　Ils/Elles sont de poids égal.

Approximations
Des approximations

It's roughly here.
　　C'est à peu près là.

It's roughly here on the map.
　　Cela/Ça se trouve aux alentours de cet endroit sur la carte.

There are roughly five left.
　　Il en reste environ cinq.

There are roughly ten left. / There are about ten left.
　　Il en reste environ dix/une dizaine.

About forty people turned up.
　　(Environ) une quarantaine de personnes sont venues. / Environ
　　quarante personnes sont venues.

There were about a hundred boats taking part in the race. / There were about
a hundred boats participating in the race.
　　Une centaine de bateaux ont participé/pris part à la course. /
　　Environ cent bateaux ont participé/pris part à la course.

About a hundred boats took part in the race. Only some eighty-odd managed to finish it.

> **Environ cent bateaux/Une centaine de bateaux ont participé/pris part à la course. Seuls quatre-vingt et quelques sont parvenus à la finir.**

Thirty something/Thirty-odd

> **Trente et quelques**

He's/She's in his/her thirties.

> **Il/Elle a la trentaine.**

more or less – **à peu près ; plus ou moins**

All/Everything or nothing

Tout ou rien

He/She talks about everything!

> **Il/Elle parle <u>de</u> tout !**

(Cf. He/She talks about anything! Il/Elle parle de n'importe quoi !)

He/She talks to everyone!

> **Il/Elle parle à tout le monde !**

(Cf. He/She talks to anyone! Il/Elle parle à n'importe qui !)

He/She loves everything!

> **Il/Elle aime tout !**

He/She has everything to live for!

> **Il/Elle a toutes les raisons de vivre !**

I got in for free – no charge! / I managed to get in for free – no charge!

> **Je suis entré(e) gratuitement – sans frais ! / J'ai fini par réussir à entrer gratuitement – sans frais !**

Nothing serious.

> **Rien de grave/sérieux.**

Theme 64: Distances (actual and metaphorical)
Thème 64 : Des distances (réelles et métaphoriques)

How far?; return journeys; being lost
À quelle distance ? ; aller-retours[25] ; être perdu

How far is it to Geneva?
> À quelle distance se trouve Genève ?

How far (is it)?
> C'est à quelle distance ?

It's forty kilometres away. / It's forty kilometres from here.
> C'est à quarante kilomètres. / C'est à quarante kilomètres d'ici.

How far is Lisbon from Oporto?
> À quelle distance de Porto Lisbonne se trouve-t-elle ? / À quelle distance de Porto se trouve Lisbonne ? / Quelle est la distance de Lisbonne à Porto ?

How often do you go there?
> Y vas-tu souvent ? / Y allez-vous souvent ? / Est-ce que tu y vas/vous y allez souvent ?

How often do you come here?
> Viens-tu/Venez-vous (ici) souvent ? / Est-ce que tu viens/vous venez (ici) souvent ?

---

25 How to spell the plural of 'aller-retour' is the subject of some debate. The convention was to treat 'aller-retour' as a compound noun and hence write the plural 'allers-retours'. However, since the French orthographic reforms of 1990, the plural form 'aller-retours' is accepted on the basis that 'aller' is a verb and verbs remain invariable, just as the plural of 'porte-bagage' is accepted as 'des porte-bagages'. Those arguing for 'allers-retours' say that only when it is an adjective should it remain invariable, and in its entirety, e.g. 'quatre billets aller-retour'.

I went to Winchester and back the other day.
> **J'ai fait l'aller-retour jusqu'à Winchester l'autre jour.**

There's (still) a long way to go.
> **Il y a (encore) beaucoup de route/chemin à parcourir/faire.**

There's still a long way to go before we get to…
> **Il y a encore beaucoup de route/chemin à parcourir/faire avant que nous arrivions à/avant d'arriver à…**

[Also see 'a long way to go' in the figurative sense in Theme 16, p.59]

I managed to do it (the whole trip) in/within four hours.
> **J'ai réussi à faire le trajet en quatre heures.**

He left to live in the Paris region.
> **Il est parti vivre en région parisienne.**

They went to France and back last week.
> **Ils/Elles ont fait l'aller-retour jusqu'en France la semaine dernière.**

The journey there and back (the round trip) was quicker than expected.
> **Le trajet aller-retour était plus rapide/moins long que prévu. / L'aller-retour était plus rapide/moins long que prévu.**

The round trip took longer than expected.
> **L'aller-retour était plus long que prévu.**

Normally, you can do that trip in half a day/in the space of half a day.
> **Normalement, on peut faire l'aller-retour en une demi-journée/en l'espace d'une demi-journée.**

They took a long time to get here.
> **Ils/Elles ont mis du temps à arriver.**

It's a twenty-minute journey.
> **Le trajet fait vingt minutes. / C'est un trajet de vingt minutes. / Il y a vingt minutes de trajet.**

I live an hour and a half away by train.
> **J'habite à une heure et demie en train.**

We're halfway there.
> **Nous sommes/On est à mi-chemin.**

We're halfway to Edinburgh.
> **Nous sommes/On est à mi-chemin d'Édimbourg.**

We're halfway to Spain.
Nous sommes/On est à mi-chemin de l'Espagne.

I'm lost.
Je suis perdu(e).

I've lost my bearings.
J'ai perdu mes repères. (Je suis désorienté(e).)

We're on the right path/track and should stay put.
Nous sommes sur le bon chemin et devons y rester.

Short distances
De courtes distances

It's just a minute away. / It's just a stone's throw from here. / It's down the road./It's just round the corner.
C'est à deux pas d'ici.
("It's two steps from here.")

It's just a few feet away. / It's a short distance from here.
C'est seulement à quelques pas d'ici. / Ce n'est pas loin d'ici.

Par ici

(a) This way
(b) Around here

e.g.
This way! / This way please.
Par ici ! / Par ici, s'il vous/te plaît.

The exit is this way. / The exit, this way!
La sortie est par ici. / Par ici la sortie !

It's somewhere around here.
C'est quelque part par ici.

He lives (somewhere) around here.
Il habite (quelque part) par ici.

to get away from someone/something; to get away with something; to distance oneself from someone/something

échapper à quelqu'un/quelque chose ; faire quelque chose impunément/faire quelque chose en toute impunité ; s'en tirer ; s'éloigner de quelque chose/prendre ses distances vis-à-vis de quelque chose/se distancier de quelqu'un/quelque chose

I'm trying to get away from him/her.
> **J'essaye de lui échapper.**

We wanted to get away from the crowds.
> **Nous avons voulu/Nous voulions échapper à la foule.**

The Prime Minister has distanced himself/herself from his/her Foreign Secretary's comments.
> **Le Premier ministre s'est distancié des propos/commentaires de son ministre des Affaires étrangères.**

Theme 65: All matters telephonic
Thème 65 : Tout au sujet du téléphone

On the telephone (landline and mobile phone)
Au téléphone (fixe et portable)

Who's calling/speaking? *(When answering the phone)*
Vous êtes ? / Qui est à l'appareil ? *(Quand on répond au téléphone)*

I had a/received a telephone call from…
J'ai reçu un appel/un coup de fil de…

I made a long-distance phone call to my cousin.
J'ai passé un appel (téléphonique) longue distance pour contacter mon cousin/ma cousine.

You can reach/contact me on 07… / You can reach
me by calling 07 (zero seven/**'O' seven**)…   *colloquial (familier)*
Tu peux/Vous pouvez me contacter/m'appeler au 07… / Tu peux/ Vous pouvez me contacter en appelant le 07 (zéro sept)…

I can be reached on this number… / I can be reached on…
Je suis joignable à ce numéro… / Je suis joignable à…

It's an answer-phone message.
C'est un message sur le répondeur.

We have a bad line. / The line is poor. / The line isn't (very) good.
Nous avons une mauvaise ligne. / La ligne n'est pas bonne.

The line isn't clear.
La ligne n'est pas bonne. / La ligne est mauvaise.

There's (There has) been a break in the line. / We've been cut off.
La ligne a été coupée.

I can't get through.
L'appel ne passe pas.

The phone is out of order.
Le téléphone est hors-service/en panne. / Le téléphone ne fonctionne/marche pas.

Some switchboard operators' answers:
Quelques réponses des standardistes :

"Whom shall/should I say is calling?"
        « Qui dois-je annoncer ? »

"Please hold." / "Please stay on the line." (Don't hang up.)
        « Ne quittez pas. » / **« Ne raccrochez pas. »**

"I'm putting you through." *(to the person to whom you wish to speak)*
        « Je transfère votre appel. » *(à la personne à qui vous souhaitez parler)*

"There's no reply on his/her extension. Would you like to leave a message?"
        « Il n'y a pas de réponse à son poste. Voulez-vous laisser un message ? »

"I'll pass on the message. / I'll give him/her the message."
        « Je lui ferai la commission. » / **« Je lui transmettrai le message. »**

Examples of messages one might leave:
Exemples de messages pouvant être laissés :

"I'll call back in a quarter of an hour."
        « Je rappellerai dans un quart d'heure. »

"Could you ask him/her to call me back please?"
        « Pouvez-vous lui demander de me rappeler s'il vous plaît ? »

On an automated switchboard/*Sur un standard automatique:*

"You can leave a message by pressing "two"."
        « Pour laisser un message, tapez « deux ». »

Common initial verbal exchanges in a telephone call:
Échanges verbaux initiaux communs durant un appel téléphonique :

(a)

Person 1: Hello. Is that...?
        Personne 1 : Allô. C'est... ?

Person 2: Speaking. Who's calling?
        Personne 2 : Oui /Lui-même/Elle-même. Qui est à l'appareil ?

Person 1: It's... / It's... calling.
        Personne 1 : C'est...

Person 2: Where are you calling from?
Personne 2 : D'où m'appelles-tu/appelles-tu ? / D'où m'appelez-vous/appelez-vous ?

(b)

Person 1: Hello. Is that… ?
Personne 1 : Allô. C'est… ?

Person 2: No. I think you've got the wrong number.
Personne 2 : Non. Je pense que vous vous êtes trompé(e) de numéro.

(c)

Person 1: Hello. Is that… ?
Personne 1 : Allô. C'est… ?

Person 2: Who?
Personne 2 : Qui ?

Person 1: Vincent.
Personne 1 : Vincent.

Person 2: There's no one here by that name.
Personne 2 : Il n'y a personne de ce nom(-là) ici.

Person 1: I'm sorry, I've dialled the wrong number.
Personne 1 : Désolé(e), j'ai dû faire/composer un faux numéro.

---

at/on the switchboard – **au standard**

to listen to one's answer-phone messages – **écouter le répondeur**

In relation to text messages (**Par rapport aux SMS**):

You need to send your message preceded by the word…
Tu dois envoyer ton message/ton SMS précédé <u>du</u> mot…

Theme 66: Seniority/Rank; deputising
Thème 66 : L'ancienneté/Le rang ; l'intérim

Junior and senior (colleagues); junior and senior (in age); younger and older; youngest, eldest

Subalterne/en-dessous et supérieur(e)/au-dessus ; cadet(te) et ainé(e) ; plus jeune et âgé(e) ; la plus jeune, l'ainé(e)

Colleagues/Collègues:

He/She is my junior colleague.
> Il/Elle est mon/ma subalterne.

He/She is junior to me.
> Il/Elle est en-dessous de moi dans la hiérarchie.

He/She is my senior colleague. / He/She is senior to me. / He/She is my senior.
> Il/Elle est mon/ma supérieur/supérieure. / Il/Elle est au-dessus de moi dans la hiérarchie.

Siblings, other relatives, friends, partners:
> Frères et sœurs, autres parents, ami(e)s, époux/épouses/conjoint(e)s :

He/She is older than me.
> Il/Elle est plus âgé/âgée que moi.

He/She is five years my senior.
> Il/Elle est de cinq ans mon ainé/ainée.

He/She is younger than me.
> Il/Elle est plus jeune que moi.

He/She is five years my junior.
> Il/Elle est de cinq ans mon cadet/ma cadette.

He/She is the youngest of my brothers/sisters.
> C'est le/la plus jeune de mes frères/sœurs. / C'est le cadet/la cadette de mes frères/sœurs.

The eldest of them is Jack/Jill.
> Jack est l'aîné. / Jill est l'aînée. / Jack est leur aîné. / Jill est leur aînée. / Jack est le plus âgé. / Jill est la plus âgée.

to speak on behalf of... (someone/an institution/organisation); to act on behalf of... (someone/an institution/organisation); On behalf of... (someone/an institution), I/we...

parler pour/parler au nom de/de la part de... (quelqu'un/une institution/un établissement/une organisation) ; agir au nom de/représenter... (quelqu'un/une institution/un établissement/une organisation) ; Je/Nous... de la part de... (quelqu'un/une institution/un établissement/une organisation).

The lawyer spoke on behalf of his client.
> **L'avocat a parlé pour/au nom de/de la part de son client/sa cliente.**

The two of them speak on behalf of their family.
> **Les deux parlent pour/au nom de/de la part de leur famille.**

I spoke on his/her/its (e.g. an organisation's) behalf. / I spoke on their behalf.
> **J'ai parlé en son nom. / J'ai parlé en leur nom.**

He/She/They spoke on my behalf.
> **Il/Elle a parlé en mon nom. / Ils/Elles ont parlé en mon nom.**

They spoke on our behalf.
> **Ils/Elles ont parlé en notre nom.**

We act on behalf of the board of directors.
> **Nous agissons au nom du conseil d'administration. / Nous représentons le conseil d'administration. / Nous agissons de la part du conseil d'adminstration.**

Mia and Max act on behalf of Oscar.
> **Mia et Max agissent au nom d'Oscar. / Mia et Max représentent Oscar. / Mia et Max agissent de la part d'Oscar.**

They acted on our behalf.
> **Ils/Elles ont agi en notre nom. / Ils/Elles nous ont représenté(e)s.**

Acting on our behalf, they took the case to the Supreme Court.
> **Ils/Elles ont agi en notre nom et ont porté cette affaire devant la Cour suprême. / Ils/Elles nous ont représenté(e)s et ont porté cette affaire devant la Cour suprême.**

(Note: Whilst commencing sentences with the present participle is common and natural in English, it is less so in French.)

On behalf of my/our team, I/we would like to wish you a pleasant holiday. /
On behalf of my/our team, I/we wish you a pleasant holiday.

> **J'aimerais/nous aimerions vous souhaiter de bonnes vacances
> de la part de mon/notre équipe. / Je vous souhaite/nous vous
> souhaitons de bonnes vacances de la part de mon/notre équipe.**

---

to entrust something to somebody/to leave someone to look after something/to leave something in the care of somebody; to entrust someone/something to the care of somebody

confier quelque chose à quelqu'un ; charger quelqu'un de quelque
chose ; confier quelqu'un/quelque chose aux soins de quelqu'un

I'm entrusting the Crown Jewels to you.

> **Je te/vous confie les joyaux de la couronne.**

I'll let you look after the shop.

> **Je te/vous confie le magasin.**

I'll let you take care of the car.

> **Je confie la voiture à tes/vos soins. / Je te laisse te charger de la
> voiture. / Je te laisse t'occuper de la voiture. / Je vous laisse vous
> charger de la voiture. / Je vous laisse vous occuper de la voiture.**

I'll leave you to take care of the youngsters.

> **Je te/vous confie les enfants.**

I'll leave this in your capable hands.

> **Je te/vous le/la confie. / Je te/vous confie cela/ça. / Je laisse cela/ça à
> tes/vos soins.**

Theme 67: Miscellaneous
Theme 67 : Divers

■ **(a) Moving things, reaching things**
Déplacer et atteindre des choses

to put something away/aside/to one side / to set something aside – **ranger quelque chose**

e.g.
Put it away.
 Range-le/Range-la/Rangez-le/Rangez-la.

to put (specifically) some money away – **mettre de l'argent de côté**

e.g.
Put that money away for now/for the time being.
 Mets/Mettez cet argent de côté pour le moment.

Put it back.
 Remets-le/la à sa place./Remettez-le/la à sa place.

Leave it as it is. / Leave them as they are.
 Laisse/Laissez cela/ça là. / Ne touche/touchez pas (à) cela/ça. / Ne les touche/touchez pas.

(Note: 'toucher à' is a standard construction in French.)

Leave it where it is.
 Laisse-le/la où il/elle est. / Laissez-le/la où il/elle est.

to retrieve something – **récupérer quelque chose**

e.g.
Patricia managed to retrieve her old handbag from the top shelf.
 Patricia est arrivée/parvenue à récupérer son vieux sac à main sur l'étagère du haut./Patricia a réussi à récupérer son vieux sac à main sur l'étagère du haut.

to be within reach – **être à la portée**

to be out of reach – **être hors de portée**

■ **(b) Getting to the point**
En venir au fait

What do you have in mind?
Qu'as-tu en tête ? / Qu'avez-vous en tête ? / Qu'est-ce que tu as en tête ? / Qu'est-ce que vous avez en tête ?

What do you want exactly? / What does he/she want exactly? / What do they want exactly?
Qu'est-ce que tu veux/vous voulez exactement/au juste ? / Qu'est-ce qu'il/elle veut exactement/au juste ? / Qu'est-ce qu'ils/elles veulent exactement/au juste ?

(Note: 'au juste' can be seen by native French-speakers to be somewhat less empathic, or more interrogative or impatient than 'exactement'.)

I don't know how to explain (it/that) to you.
Je (ne) sais pas comment t'expliquer/vous expliquer / te/vous l'expliquer.

I don't know what to tell you.
Je (ne) sais pas quoi te/vous dire.

■ **(c) Thinly veiled**
À peine masquée/À peine voilée

It's a thinly veiled/barely concealed accusation.
C'est une accusation à peine voilée/masquée.

It/This was a thinly veiled attempt to…
C'était une tentative à peine masquée/voilée de/pour…
(faire quelque chose)

■ **(d) Winning and losing; starts and setbacks**
Gagner et perdre ; des débuts et des contretemps/revers

We're onto a winner!
On est/Nous sommes parti(e)s pour gagner !

It's a win-win situation.
C'est une situation où tout le monde trouve son compte. / C'est une situation gagnant-gagnant.

Well, no, it's definitely not that!
Eh bien, non, ce n'est absolument/certainement pas cela/ça !

It wasn't a good start to the match/meeting.
    Le match/La réunion n'a pas bien commencé.

Why is that? / Why was that? / How is that so?
    Pourquoi cela/ça ?

We've had a setback.
    On a/Nous avons eu un contretemps/un revers.

I felt it was a (a bit of a) setback for me. / It felt like a (bit of a) setback for me.
    J'ai eu le sentiment/l'impression que c'était un contretemps/que cela/ça m'a ralenti.

Well, it's a bit complicated, huh/hmm/eh?
    Eh bien, c'est un peu compliqué, hein ?

Well, that's a bit complicated.
    Eh bien, c'est un peu compliqué.

The situation is getting complicated. / The situation is getting/becoming more and more complicated.
    La situation se complique. / La situation devient de plus en plus compliquée.

They're fighting a losing battle. / They're fighting a losing battle against…
    Ils/Elles mènent un combat perdu d'avance.

to put something *(e.g. an experience, a setback)* behind one (and move on)
    – laisser quelque chose derrière soi/tourner la page (et passer à autre chose/et avancer)

■ (e) Intransigence and persuasion
    L'intransigeance et la persuasion

We offer him/her everything, but he/she refuses everything.
    Nous lui offrons tout, mais il/elle refuse tout.

The door remains open for him/her to reconsider/to change his/her mind.
    La porte reste ouverte pour qu'il/elle reconsidère/change d'avis/ revienne sur sa décision.

■ (f) Suitability, convenience
    Convenir

As long as you don't forget, it'll be fine.
    Tant que tu n'oublies/vous n'oubliez pas, cela/ça ira.

That'll be fine.
> **Cela/Ça ira.**

This is suitable for any age.
> **Cela/Ça convient à tous les âges.**

at any price – à tout prix

at any age – à tout âge

■ **(g) Curiosity, interest and incredulity**
> La curiosité, l'intérêt et l'incrédulité

Still, it piqued my curiosity.
> **Cela/Ça a quand même piqué ma curiosité.**

It aroused my interest.
> **Cela/Ça a suscité mon intérêt.**

This is likely to be of interest to him/her.
> **C'est susceptible de l'intéresser.**

I/We find it interesting that…
> **Je trouve (cela/ça) intéressant que…** + *subj.* **/**
> **Nous trouvons (cela/ça) intéressant que…** + *subj.*

e.g.
I find it interesting that the Italian language contains so few 'j's, 'k's, 'w's, 'x's and 'y's.
> **Je trouve (cela/ça) intéressant que les lettres « j », « k », « w »,**
> **« x » et « y » soient si peu utilisées en italien.**

We find it interesting that you didn't tell us your whereabouts until today.
> **Nous trouvons (cela/ça) intéressant que tu ne nous aies pas dit où tu**
> **étais jusqu'à aujourd'hui./Nous trouvons (cela/ça) intéressant que**
> **vous ne nous ayez pas dit où vous étiez jusqu'à aujourd'hui.**

I find that hard to believe!
> **Je trouve que c'est difficile à croire. / Je trouve cela/ça difficile à**
> **croire. / C'est difficile à croire.**

■ **(h) Welcome or not?**
> Bienvenu(e)(s) ou non ?

We welcome people from all walks of life. We always have (done).
> **Nous accueillons des gens de tous horizons. Nous l'avons toujours**
> **fait. / On l'a toujours fait.**

That has always been the case. / That has always been so.
> **Cela/Ça a toujours été le cas. / Cela/Ça a toujours été ainsi.**

That's all very well.
> **Tout cela/ça c'est bien. / C'est très bien tout cela/ça.**

That's all very well, but…
> **Tout cela/ça c'est bien, mais… / C'est très bien tout cela/ça, mais…**

That's all very well, but that hasn't always been the case. / You say that, but that hasn't always been so.
> **Tout cela/ça c'est bien, mais cela/ça n'a pas toujours été le cas. /**
> **C'est bien tout cela/ça, mais cela/ça n'a pas toujours été ainsi.**

(At least) That has not been my experience. In fact, mine has been totally the opposite/the reverse.
> **(Du moins,) Je n'ai pas eu la même expérience. À vrai dire, j'ai eu une expérience complètement différente./À vrai dire, la mienne était complètement différente.**

It was completely the opposite.
> **C'est/Cela a été/Ce fut/C'était complètement l'inverse.**

Look around you.
> **Regarde autour de toi. / Regardez autour de vous.**

■ (i) Majority, minority and entirety
La majorité, la minorité et l'intégralité/la totalité

The majority of them are…
> **La plupart d'entre eux/elles sont…**

Most of us are…
> **La plupart d'entre nous sont…**

A minority of people are…
> **Une minorité de gens sont…**

(Note: The collective noun is often treated as plural in French when it is preceded by the indefinite article or determinant 'un'/'une'.)

in its entirety – **en entier/dans son intégralité/dans sa totalité**

■ **(j) Phraseology**
La phraséologie

It's a play on words.
C'est un jeu de mots.

It's a slang/slangy phrase.
C'est une expression argotique.

That's the kind of phrase/turn of phrase people use at the moment.
C'est le genre d'expression/de tournure de phrase qu'on utilise en ce moment/qui est à la mode en ce moment.

That's a Swiss idiom.
C'est une expression suisse/helvétique. / C'est un helvétisme.

■ **(k) Thought, sleep, wakefulness, inebriation (drunkenness), appetite (metaphorically speaking)**
La pensée, le sommeil, l'éveil, l'enivrement/l'ébriété, l'appétit (métaphoriquement parlant)

He's/She's lost in thought.
Il/Elle est perdu/perdue dans ses pensées.

He's/She's lost in thought about his/her forthcoming holiday.
Il/Elle est perdu/perdue dans ses pensées à propos de ses prochaines vacances.

He's/She's half-asleep.
Il est à moitié endormi./Elle est à moitié endormie.

He/She overslept.
Il/Elle s'est réveillé/réveillée trop tard/en retard. / Il/Elle ne s'est pas réveillé/réveillée (à l'heure).   *usually omitted*

We woke him/her up gently.
Nous l'avons réveillé/réveillée en douceur.

He's/She's drunk.
Il/Elle est ivre. / Il/Elle est soûl/soûle/saoule/saoule. / Il/Elle a trop bu. / Il/Elle est bourré/bourrée.
(Note: 'bourré(e)' is informal.)

He's/She's blind drunk.
> Il/Elle est ivre mort/morte. / Il/Elle est complètement bourré/bourrée.

He's well and truly drunk!
> Il est bel et bien ivre !

informal (familier)

He/She is drunk/intoxicated.
> Il/Elle est en état d'ivresse/d'ébriété.

formal (soutenu)

That path/road/hill is steep. I don't have the appetite/stomach for such a steep climb.
> Ce chemin est raide/escarpé. / Cette route est raide/escarpée. / Cette colline est raide/escarpée. Je n'ai pas le goût pour une ascension si difficile/compliquée.

Expressing varying degrees of visual acuity
Exprimer divers degrés d'acuité visuelle

Can you see the little purple dot?
> Peux-tu/Pouvez-vous voir le petit point violet ? / Est-ce que tu peux/vous pouvez voir le petit point violet ?

Yes, clearly.
> Oui, clairement.

You can see it from a short distance.
> De près, on peut le discerner.

It's possible to discern the outline of a mountain in the distance. / It's possible to make out the outline of a mountain in the distance.
> On peut discerner/distinguer au loin la silhouette d'une montagne.

You can see/view it from many angles.
> On peut le/la voir <u>sous</u> différents angles.
> *(Note, not "depuis de différents angles".)*

I can see it completely.
> Je peux le/la voir complètement.

I caught a glimpse of it.
> Je l'ai entrevu(e). / Je l'ai aperçu(e) / Je l'ai entraperçu(e).

I only caught a glimpse of it.
> **Je ne l'ai qu'entrevu(e)/aperçu(e)/entraperçu(e).**

We can just about make out a second one.
> **Nous pouvons à peine en voir un(e) deuxième.**

Routine
Routine

as a matter of routine/on a routine basis – **de façon routinière/habituelle**

e.g.
I did it as a matter of routine.
> **Je l'ai fait de façon routinière/habituelle.**

routinely – **systématiquement/régulièrement**

I regret… / I regret that…
Je regrette de ne pas… + *indic.* or infinitive ; Je regrette que… + *subj.*

I regret I can't do more. / I regret (that) I'm unable to do more.
> **Je regrette de ne pas pouvoir faire plus. / Je regrette que je ne puisse pas faire plus.**

I regret not having done more. / I regret (that) I didn't do more.
> **Je regrette de ne pas avoir fait plus.**

I regret not having been able to do more. / I regret (that) I was unable to do more.
> **Je regrette de ne pas avoir été capable de faire plus.**

I regret it, but I'm unable to do any more.
> **Je regrette, mais je ne peux pas faire plus.**

I regret it, but I'm not in a position to do any more.
> **Je regrette, mais je ne suis pas à même de faire plus.**

I regret to say we narrowly lost the match.
> **Je regrette que nous ayons perdu le match de peu.**

They regret selling their car now! They wish they hadn't!
> **Ils/Elles regrettent d'avoir vendu leur voiture à présent ! Ils/Elles n'auraient pas dû la vendre ! / Ils/Elles aimeraient ne pas l'avoir vendue !**

Right and left
Droit(e) et gauche ; la droite et la gauche

(adjective/**adjectif**) (noun/**nom**)

I'm right-handed.
> **Je suis droitier/droitière.**

I'm left-handed.
> **Je suis gaucher/gauchère.**

He's/She's a right-hander in tennis.
> **Il est droitier au tennis. / Elle est droitière au tennis.**

He's a left-handed guitarist.
> **C'est un guitariste gaucher.**

Further to…
> **Suite à…**

Further to your letter, …
> **Suite à ta/votre lettre, …**

Further to our meeting, …
> **Suite à notre entrevue/réunion, …**

Further to our conversation, …
> **Suite à notre conversation, …**

This gives rise to… ; to give way to someone/something
Cela/Ça donne lieu à…/Cela/Ça déclenche/provoque… ; céder/ laisser place à quelqu'un/à quelque chose

This research has given rise to a useful set of principles that we can rely on time and again/again and again.
> **Cette recherche a donné lieu à un ensemble de principes utiles auquel on peut se remettre à maintes reprises.**

This kind of attitude gives rise to…
> Ce genre d'attitude donne lieu à… / Ce genre d'attitude provoque…

This gave way/has given way to a softening of attitudes.
> Cela/Ça a laissé place à des attitudes plus modérées.

They have given way to their opposite numbers/their counterparts on a few points.
> Ils/Elles ont cédé à leurs homologues sur quelques points.

---

to stumble across (as in bump into (figuratively speaking)/ meet/encounter) someone/to chance upon someone
croiser quelqu'un/tomber sur quelqu'un/rencontrer quelqu'un par hasard

In Paris I stumbled across someone who works for my company/firm.
> À Paris, j'ai croisé quelqu'un qui travaille pour mon entreprise/ ma société/ma firme. / À Paris, je suis tombé(e) sur quelqu'un qui travaille pour mon entreprise/ma société/ma firme.

---

to stumble across/on/upon something/to come across something/to fall upon/chance upon something; to stumble
> tomber sur quelque chose ; trébucher

I stumbled across/on/upon/came across/fell upon an article that says there are…
> Je suis tombé(e) sur un article dans lequel il est dit qu'il y a…

I (just) stumbled across/on/upon it by (sheer) chance.
> Je viens (tout juste) de tomber dessus par hasard.

Sometimes it's difficult when you stumble across/encounter an unheard-of slang word in a foreign language.
> C'est parfois difficile quand on tombe sur un mot d'argot qu'on (que l'on) ne connaît pas dans une langue étrangère.

He stumbled and ended up on all fours.
> Il a trébuché et a fini/s'est retrouvé à quatre pattes.

Nadia tripped over a piece of loose carpet./Nadia tripped up on a piece of loose carpet./Nadia was tripped up by a piece of loose carpet.
> Nadia a trébuché sur un bout de moquette mal fixée./Nadia a buté contre un bout de moquette mal fixée.

Noel was tripped up by one of his own lies.
Noel a fait une gaffe en mentant.

---

to be hooked on something (e.g. sport, music, games)
être accro à/mordu(e)(s) de/fana de quelque chose (par ex. : sport, musique, jeux)
('Accro' is an abbreviation of 'accroché(e)(s)')

Denise is hooked on jazz. Denis is hooked on video games.
Denise est accro au/mordue de jazz. Denis est accro aux/mordu de jeux vidéo.

He's hooked on football.
C'est un fana de foot.   *French abbreviation*

---

to be hooked on something potentially harmful
être accro à quelque chose

He/She is hooked on drugs.
Il/Elle est accro aux drogues.

He/She got hooked on drugs/has become hooked on drugs.
Il/Elle est devenu/devenue accro aux drogues.

For English-speaking readers (Pour les lecteurs anglophones):

ne... point

A form of negation that was common in old French but has been superseded since the twentieth century by 'ne... pas' except in literary or elevated French,

e.g.
Je n'y vais point souvent. (I don't go there often.)

Ce n'est point leur affaire ! (It's none of their business!)

or one of the Ten Commandments in the Bible:
« Tu ne voleras point. » ("Thou shalt not steal.")

---

auprès de

This is a composite preposition and adverb derived from the prepositions 'au' and 'près'. It shares almost but not quite the same literal meaning as 'près de' (Larousse defines 'auprès de' as 'very close to' or 'in immediate proximity to' and 'près de' as 'not far from'). Of the two terms 'auprès de' in its literal sense tends to translate to 'next to'/'alongside'/'beside' when referring to people especially, but also to objects,

e.g.
Simon sat down next to/alongside/beside Simone. / Simon took his seat next to/alongside/beside Simone.
Simon s'est assis auprès de Simone. / Simon s'est installé auprès de Simone. / Simon a pris place auprès de Simone.
(Simon s'est assis à côté de Simone. / Simon s'est installé à côte de Simone. / Simon a pris place à côté de Simone.)

The pharmacy is next to/alongside/beside the clinic.
La pharmacie se situe/est située auprès de la clinique.
(La pharmacie se situe/est située à côté de la clinique.)

whereas 'près de' would be more suitable here:

The pharmacy is situated close to/near the clinic. (to mean 'near but not next to', e.g. 'in the same neighbourhood')
La pharmacie se situe/est située près de la clinique.
(La pharmacie se situe/est située proche de la clinique. / La pharmacie se situe/est située à prox-imité de la clinique.)

'Auprès de' also has wider, less literal meanings:

■ **(a) compared with/in comparison with (par rapport à; en comparaison de/avec)**

e.g.
The choices available to us are very limited compared with/in comparison with a week ago.
Les choix disponibles à nous sont très limités auprès de la semaine passée.
(Les choix disponibles à nous sont très limités par rapport à la semaine passée. / Les choix dis-ponibles à nous sont très limités en comparaison d'il y a une semaine/en comparaison avec la semaine passée.)

(Note that a verb cannot follow 'auprès de' or 'par rapport à', so cannot be followed by 'il y a' [as in 'il y a semaine'].)

■ (b) to/directed to (à/dirigé(e)(s) à)

e.g.
We complained to Head Office. / We directed our complaint to Head Office. /
We lodged a com-plaint with Head Office.
Nous nous sommes plaint(e)s auprès du siège social.

He/She is the French Permanent Representative to the United Nations (UN).
**Il/Elle est Représentant(e) permanent(e) de la France auprès de
l'Organisation des Nations unies (l'ONU).**

■ (c) in the opinion of/in the eyes of someone/in the esteem of (au regard de/aux yeux de quelqu'un)

This incident has harmed/tarnished the image of the sport in the eyes of the
public.
Cet incident a nui/terni l'image du sport auprès du grand public.
*(Cet incident a nui/terni l'image du sport au regard du grand public. / Cet
incident a nui/terni l'image du sport aux yeux du grand public.)*

The Foreign Minister is held in high esteem by his international colleagues.
**Le/La ministre des Affaires étrangères est considéré(e) auprès de ses
collègues internationaux.**
*(Le/La ministre des Affaires étrangères est considéré(e) aux yeux de ses
collègues internationaux.)*

■ (d) to convey 'with' in the context of raising a subject with someone or an or-ganisation/reporting something to someone or an organisation (soulever un sujet avec quelqu'un ou avec une organistation/signaler quelque chose à quelqu'un ou à one organi-sation) with the following locution: faire ses démarches auprès de quelqu'un - to take something up with somebody

e.g.
I'll take it up with Lucas.
Je ferai mes démarches auprès de Lucas.

We'll take it up with the local council/local authority.
Nous ferons nos démarches auprès du conseil municipal.

Theme 68: Waxing lyrical
Thème 68 : Envolée lyrique

Axioms, proverbs, advice, warnings, pearls of wisdom
Des axiomes, des proverbes, des conseils, des mises en garde, de sages paroles

The bigger the family (is), the more complicated (it is).
> **Plus la famille est nombreuse, plus elle est compliquée.**

The less you listen, the less you/you'll learn.
> **Moins tu écoutes/vous écoutez, moins tu apprends/apprendras/ vous apprenez/apprendrez.**

The less people listen, the less likely we will find a good solution.
> **Moins on écoute, moins on aura de chances de trouver une bonne solution.**

You should act like them. / You should do as they do. "When in Rome, do as the Romans do", as the saying goes.
> **Tu dois te/Vous devez vous comporter comme eux. / Tu dois/Vous devez faire comme eux. Comme dit le proverbe : « À Rome, fais comme les Romains ».**

Better late than never!
> **Mieux vaut tard que jamais !**

Which just goes to show what happens if…
> **Cela montre simplement ce qui arrive/se passe si…**

Which just goes to show everyone makes mistakes. No-one's (No-one is) / Nobody's (Nobody is) perfect.
> **Comme quoi tout le monde peut se tromper. Personne n'est parfait.**

It just goes to show how… / It just shows how…
> **Cela/Ça montre simplement comment…**

Everyone has their cross to bear.
> **Tout le monde porte sa croix. / On porte/Nous portons tous notre croix.**

That's the way life goes sometimes. (That's life.)
> **C'est la vie.**

That's how football goes sometimes.

Ce sont des choses qui arrivent quand on joue au football. / Ce sont des choses qui arrivent dans le monde du football.

These things happen. / Things happen.

Ce sont des choses qui arrivent.

It takes all sorts to make a world.

Il faut de tout pour faire un monde.

Great minds think alike.

Les grands esprits se rencontrent.
(Literally: "Great minds meet.")

Theme 69: Some quirks and difficulties
Thème 69 : Quelques curiosités et difficultés

For English-speaking readers:
A note on a few oddities (quirks) of the French subjunctive

Pour les lecteurs anglophones :
Une note sur quelques curiosités/singularités du subjonctif français

Many an English-speaker, myself included, has experienced bafflement or perplexity on first encountering the French subjunctive before getting used to using it. By and large, as with other Latin languages such as Spanish, Italian and Portuguese, this tense is used when expressing a feeling/emotion or desire/wish on something that may or may not exist or is not necessarily rooted in fact, or when there is some doubt or uncertainty about something or an outcome,

> e.g.
> We want a car that is reliable.
> > **Nous voulons une voiture qui soit fiable.**

> or

> It's essential that our new house, when we find one, has a garden.
> > **Il faut que notre nouvelle maison, quand nous en trouverons une, ait un jardin.**

Some French-speakers do their best to avoid the subjunctive altogether, as could easily be done in these two cases respectively by saying:

> We want a reliable car. (**Nous voulons une voiture fiable.**)

> and

> Our new house must have a garden. (**Notre nouvelle maison doit avoir un jardin.**)

There are certain constructions where it cannot easily be avoided, e.g. after 'avant que', and, moreover, some where many find it odd that it is used at all, for example, 'although' ('quoique'), 'even though' ('bien que').

'Avant que' can be followed by the remainder of the sentence containing 'ne' without 'pas', though this is often omitted in colloquial French.

> e.g.
> Hurry (Let's hurry), before we miss the train!
> > **Dépêchons-nous, avant que nous (ne) manquions/rations le train !**

The 'ne' used in this way with 'avant que' and other verbs in these contexts of expressing fear (e.g. 'avoir peur que', 'craindre que'), doubt ('douter que') or anticipation of a negative or undesirable event, which serves no purpose (as it does not impart negation to or in any way alter the meaning of the sentence) is known as 'le 'ne' explétif'. It has nothing to do with the word 'expletive' as commonly understood in the narrow sense to mean the swear word in English but equates to the second meaning of 'expletive' in English, namely, any word that adds nothing to the meaning of the sentence (including but not confined simply to swear words or other exclamations such as 'Damn!').

Conversely, there are certain verbs, such as 'espérer' ('to hope') and 'soupçonner' ('to suspect') with which, following the rule about feeling or wish or doubt, one might expect the verb following them always to take the subjunctive. However, in the case of 'espérer', it takes the indicative, conditional or infinitive, with tenses as appropriate,

> e.g.
> This team is no longer hoping to win; the manager is happy to settle for second place.
>> **Cette équipe n'espère plus gagner ; l'entraîneur/l'entraîneuse est disposé/disposée à se contenter de la deuxième place.**
>
> We hope the weather will hold out for the picnic tomorrow afternoon.
>> **Nous espérons qu'il fera beau pour le pique-nique demain après-midi. »**
>
> I was hoping to leave work earlier today.
>> **J'espérais quitter le travail plus tôt aujourd'hui.**
>
> They had hoped that he would turn up for the match.
>> **Ils/Elles avait espéré qu'il viendrait pour le match.**
>
> We/You would hope the accusations are baseless/unfounded.
>> **Nous espérerions que les accusations seraient sans fondement/ seraient infondées. / On espérerait que les accusations seraient sans fondement/seraient infondées.**
>
> We would have hoped for a better result, given the amount of work you (had) put in.
>> **Nous aurions espéré de meilleurs résultats, compte tenu de la quantité de travail que tu avais/vous aviez fournie.**
>
> Let's hope so!
>> **Espérons !**
>
> Lets's hope not!
>> **Espérons que non !**

In the case of 'soupçonner', it takes the infinitive after 'de' and the indicative after 'que',

e.g.
We suspect Jacques of having stolen the jewellery.
> **Nous soupçonnons Jacques d'avoir volé les bijoux. / On soupçonne Jacques d'avoir volé les bijoux.**

We suspect that Jacques stole the jewellery.
> **Nous soupçonnons que Jacques a volé les bijoux. / On soupçonne que Jacques a volé les bijoux.**

Commonly, it takes the passive form:

> Jacques is suspected of having stolen the jewellery.
> **Jacques est soupçonné d'avoir volé les bijoux.**

Lastly 'au cas où' ('(just) in case') is followed by the conditional, not the subjunctive,

e.g.
I've brought an umbrella, in case/just in case it rains.
> **J'ai apporté un parapluie, au cas où il pleuvrait.**

The subjunctive is, in my view, part of the beauty of the French language and, besides, there is no shortage of quirks in the English language that perplex or irk non-native speakers and which we struggle to give a logical explanation for. One of these is prepositions. A simple example would be getting 'on' a bus or train, while we get 'into' cars! Language has rules that are not necessarily logical or uniform!

For English-speaking readers (Pour les lecteurs anglophones):

Further notes on the 'ne explétif' (the 'ne' minus the 'pas')[26]

Though some native French-speakers see it as redundant/superfluous, even extravagant, and so dispense with its use, especially in spoken French, e.g. with 'avant que' mentioned in the previous section, this device is deployed in a variety of ways in the French language, especially in the written form. Hence it's important I elaborate more on it here.

---

26 The 'ne littéraire' also does this, e.g. with 'On ne cesse de...', 'ne daigner', 'On ne peut...', 'On ne sait' and 'si' and has been dealt with in Theme 59.

■ **(a) It is used with certain conjunctions. With most, not all of these, the verb that follows takes the subjunctive.**

e.g.
'à moins que' ('unless')

Thierry will not be allowed back into the club unless he apologises for his behaviour of yesterday.

> **Thierry ne sera pas autorisé à retourner/revenir au club à moins qu'il (ne) présente ses excuses pour son comportement d'hier**

Inflation will continue to spiral out of control unless there is a rise in interest rates.

> **L'inflation continuera de s'envoler de façon incontrôlable à moins qu'il n'y ait une augmentation des taux d'intérêt. / L'inflation continuera de s'envoler de façon incontrôlable à moins qu'il y ait une augmentation des taux d'intérêt.**

We will not be going out unless there's an improvement in the weather soon.

> **Nous ne sortirons pas à moins que le temps/la méteo (ne) s'améliore bientôt.**

'avant que' *('before')* + *subj.*

This can be whether the anticipated event is desirable or not.

Quick! Quick! Let's get (back) inside, before it rains!

> **Vite ! Vite ! Rentrons avant qu'il (ne) pleuve !**

Act now, before it's too late./! / Get it done!/Do it! Before it's too late!

> **Agis/Agissez avant qu'il (ne) soit trop tard./! / Fais-le/Faites-le !**
> **Avant qu'il (ne) soit trop tard !**
> **'de/par crainte que' ('for fear that') + *subj.***
> **'de/par peur que' ('for fear that') + *subj.***

Their government opted against announcing the new regulations for fear that it might aggravate an already volatile situation.

> **Leur gouvernement a décidé de ne pas annoncer les nouvelles règles de/par crainte qu'elles n'aggravent/n'exacerbent la situation déjà instable/explosive. / Leur gouvernement a décidé de ne pas annoncer les nouvelles règles de peur qu'elles n'aggravent/ n'exacerbent la situation déjà instable/explosive.**

Marcel didn't tell his boss about the storm damage to the building until the following week for fear of upsetting him further.

> **Marcel n'a informé son patron des dégâts causés par la tempête qu'une semaine après de/par crainte que cela ne le contrarie encore plus. / Marcel n'a informé son patron des dégâts causés par la**

tempête qu'une semaine après de/par peur que cela ne le contrarie encore plus.

■ (b) 'sans que' ('without')

With this locution, the 'ne explétif' is used when the sentence begins with a negative premise. The verb that follows takes the subjunctive.

e.g.
I will not answer any questions without my lawyer being present.
> **Je ne répondrai à aucune question sans que mon avocat(e) (ne) soit présent(e).**

We are not supposed to use social media at work without permission.
> **Nous ne sommes pas censé(e)s utiliser les réseaux sociaux au travail sans que l'on (ne) nous y autorise./ Nous ne sommes pas censé(e)s utiliser les réseaux sociaux au travail sans qu'on (ne) nous y autorise.**

■ (c) It is used with other locutions denoting comparison, or inequality.

These include 'autre que' ('other than'), 'autrement que' ('differently'/'different'), 'meilleur que' ('better than'), 'mieux que' ('better than'), 'moins que' ('less than'), 'pire que' (worse than), 'plus que' ('more than') and 'plutôt que' ('rather than'). This list is not exhaustive and the use of the 'ne explétif' is optional in many instances. What's more, it varies from locution to locution in this group. These intricacies and idiosyncrasies not only confound many a learner of French but have long since been the source of debate amongst French speakers as to what purpose, if any, the 'ne explétif' serves and whether it should be dispensed with altogether!

I will summarise the key variations and cite a few examples here:

(i) The use of the 'ne explétif' is optional either in statements where the first clause is an affirmative statement or with questions. The mood of the verb in the second clause of the sentence is frequently indicative (with the tense present, past or imperfect) but may be subjunctive. This is true of 'autrement que' for example.

e.g.
It turned out differently to what we were expecting.
> **Cela/Ça s'est passé autrement que ce à quoi** *imperfect (imparfait)*
> **nous (ne) nous attendions.**

(ii) With some locutions expressing comparison, the 'ne explétif' is mandatory, whilst being optional if it follows a negative proposition. This is true of 'meilleur que' for example. The verb mood tends to be indicative.

e.g.

The team's performance was better today than it was last week.

La performance de l'équipe aujourd'hui était meilleure qu'elle n'était la semaine dernière./La performance de l'équipe aujourd'hui était meilleure qu'elle ne l'était la semaine dernière.

The team's performance today was no better than that of last week.

La performance de l'équipe aujourd'hui n'était pas meilleure qu'elle (n')était la semaine dernière. / La performance de l'équipe aujourd'hui n'était pas meilleure qu'elle (ne) l'était la semaine dernière.

(iii) It is mandatory to use the 'ne explétif' with certain locutions when two verbs are compared and the second verb is conjugated rather than being in the infinitive. Both verbs are typically indicative présent when spoken, and typically in the indicative présent or passé simple, but can also be in passé composé or l'imparfait. This is true of 'plus que' and 'plutôt que', for example.

e.g.
Melissa talks more than she listens.

Melissa parle plus qu'elle n'écoute.

Joseph sneers rather than smiles.

Joseph ricane plutôt qu'il ne sourit. (l'indicatif présent) / Joseph ricana plutôt qu'il ne sourit. (passé simple)

Hélène shouts rather than sings.

Hélène crie plutôt qu'elle ne chante. /
Hélène cria plutôt qu'elle ne chanta.

(l'indicatif présent)

(passé simple)

The children squabbled rather than played.

Les enfants se sont querellés/chamaillés plutôt qu'ils/elles n'ont joué. (passé composé) / Les enfants se querellaient/se chamaillaient plutôt qu'ils/elles ne jouaient.

(d) It is used with verbs that express doubt.

(e.g. 'douter que' + subjunctive), or negation (not to contest or deny something, e.g. 'ne pas disconvenir que' + subj., 'ne pas nier que' + subj.), fear or dread, (e.g. 'avoir peur que' + subj., 'craindre que' + subj., 'redouter que' + subj.), avoidance ('éviter que' + subj.) or prevention ('empêcher que' + subj.), but only in certain sentence forms. There are also several other locutions, some of them impersonal (e.g. 'il y a un risque que' ['there is a risk that/of'] and 'il y a un danger que' ['there is danger that/of']).

(i) In the case of 'douter que', for example, the 'ne explétif' is used in formal French when the main clause is negative, whilst it is generally omitted in informal French.

e.g.
I don't doubt that that's true. / I don't doubt that it's true.

    Je ne doute pas que cela/ça ne soit la vérité.   *formal (soutenu)*

or

    Je ne doute pas que cela/ça soit la vérité.   *colloquial (familier)*

As you will see in the above examples, with 'ne pas douter que' the verb that follows takes the subjunctive. But this is not always so: the verb following 'ne pas douter que' can also take the indicative, in which case the 'ne explétif' is not used.

e.g.
I don't doubt that Thomas will mention it in his speech.

    Je ne doute pas que Thomas le mentionnera au cours de son discours   *indicative, future (futur de l'indicatif)*

We don't doubt that Janine would buy it if she could afford it.

    Nous ne doutons pas que Janine l'achèterait si elle en avait les moyens.   *conditional (conditionnel présent)*

Be in no doubt that the perpetrators (of the crime) will be caught. / Don't be in any doubt that the perpetrators (of the crime) will be caught.

    Ne doute/doutez pas que les auteurs (du crime) seront appréhendés.

Be in no doubt that we wouldn't forget so important an occasion as your graduation ceremony!

    Ne doute/doutez pas que nous n'oublierons pas une occasion aussi importante/un événement aussi important que ta/votre cérémonie de remise des diplômes!

The 'ne explétif' is also used in formal French when 'douter que' is interrogative, whilst it is generally omitted in informal French.

e.g.
Do you doubt that Christophe will be champion this time tomorrow?

    Doutes-tu/Doutez-vous que Christophe ne soit champion demain à cette heure-ci ?   *formal (soutenu)*

or

    Doutes-tu/Doutez-vous que Christophe soit champion à cette heure-ci ?   *less formal (moins soutenu)*

It is not used in affirmative statements,

e.g.
We doubt he'll win.

    Nous doutons qu'il gagne.

I doubt that that is so.
> **Je doute que cela/ça soit le cas.**

(ii) With 'ne pas disconvenir que', and 'ne nier que' the use of the 'ne explétif' is optional,

e.g.
I don't deny that it's a serious problem.
> **Je ne disconviens pas que ce soit un problème sérieux/sérieux problème.**

or
> **Je ne disconviens pas que ce ne soit un problème sérieux/sérieux problème.**

Bob doesn't deny that it's a serious blunder.
> **Bob ne nie pas que ce soit une sérieuse gaffe/bévue.**

or
> **Bob ne nie pas que ce ne soit une sérieuse gaffe/bévue.**

Zoë doesn't deny that she is in the wrong.
> **Zoë ne nie pas qu'elle ait tort.**

or
> **Zoë ne nie pas qu'elle n'ait tort.**

(iii) In the case of 'craindre que', the 'ne expletif' is optional for affirmative statements but is used in formal French.

e.g.
With all this rain, I fear there'll be flooding tomorrow.
> **Avec toute cette pluie, je crains qu'il n'y ait une/des inondation(s) demain.** *formal (soutenu)*

or
> **Avec toute cette pluie, je crains qu'il y ait une/des inondation(s) demain.** *colloquial (courant)*

For negative statements ('ne pas craindre que') the 'ne explétif' is not used.

e.g.
We have no fear of him/her not succeeding.
> **Nous ne craignons pas qu'il/elle ne réussisse pas.**

In the affirmative interrogative form, it is the same rule as for negative statements.

e.g.
Do you fear the show will be cancelled?
> **Crains-tu/Craignez-vous que le spectacle soit annulé ?**

In the negative interrogative (la forme interro-négative) the second and subordinate clause either takes the same forms as in the affirmative statement.

e.g.
Do you not fear (that) the show will be cancelled?
> **Ne crains-tu/craignez-vous pas que le spectacle soit annulé ?**

or the 'ne explétif' is used
> **Ne crains-tu/craignez-vous pas que le spectacle ne soit annulé?**

Alternatively, one could phrase the question as below, in which case the 'ne explétif' is not an option at all:

Do you not fear the show will not go ahead?
> **Ne crains-tu/craignez-vous pas que le spectacle n'ait pas lieu ?**

But in practice, this form, where both clauses are negative, tends to be avoided as it is considered cumbersome, as is indeed the English equivalent.

Note from the above examples that 'craindre que' and 'ne pas craindre que' always take the subjunctive in both statements and questions.

(iv) 'Avoir (bien) peur que' and 'redouter que' tend to be used in the affirmative. They follow the same rules for this as 'craindre que'.

e.g.
I'm afraid that they'll be late for the meeting. / I fear they'll be late for the meeting.
> **J'ai (bien) peur qu'ils/elles ne soient en retard pour la réunion.** *formal (soutenu)*

or
> **J'ai peur qu'ils/elles soient en retard pour la réunion.** *colloquial (courant)*

I dread Ronald making yet another ill-thought-out/poorly thought-out decision.
> **Je redoute que Ronald ne prenne encore une mauvaise décision.**

or
> **Je redoute que Ronald prenne encore une mauvaise décision.**

(v) With 'éviter que' + subj., the use of the 'ne explétif' is optional.

e.g.
That avoids me having to pay twice for essentially the same item/thing.
> **Cela évite que je (ne) paie deux fois pour essentiellement le même article/la même chose.**

(vi) The rules around 'empêcher que' are somewhat more involved.

In affirmative statements, the 'ne explétif' is frequently used, along with the subjunctive.

e.g.
The heavy traffic prevented Gerard from getting to work in/on time.

> **La circulation dense a empêché que Gerard arrive à l'heure au travail.**

or

> **La circulation dense a empêché que Gerard n'arrive à l'heure au travail.**

In negative statements (it translates as 'It doesn't detract from the fact that'), the verb that follows also takes the subjunctive, and the 'ne explétif' is almost never used.

e.g.
The success of the company this last quarter doesn't detract from the fact that its owner still has questions to answer about suspected fraud.

> **Le succès de l'entreprise ce dernier trimestre n'empêche que le/ la propriétaire doive répondre aux questions sur les suspicions de fraude.**

'Il n'empêche que…' and 'N'empêche que…', translate to 'Even so, …', 'Despite this, …', 'And yet, …', 'All the same', or 'though'. With both of these, the verb that follows takes the indicative or conditional. Neither of these terms is used with the 'ne explétif' at all, nor is 'Cela n'empêche que' + indicative, subjunctive or conditional.

In the interrogative form (the verb that follows takes the subjunctive), the 'ne explétif' is generally omitted.

e.g.
Do you think these new strains of coronavirus in this covid-19 pandemic will prevent things (from) returning rapidly to normal?

> **Penses-tu/Pensez-vous que ces nouvelles souches du coronavirus découvertes pendant cette pandémie de la/du Covid-19 empêcheront que les choses retournent rapidement à la normale ? (or "Penses-tu/Pensez-vous que ces nouvelles souches du coronavirus découvertes pendant cette pandémie de la/du Covid-19 empêcheront que les choses ne retournent rapidement à la normale ?")**

(vii) For 'il y a un risque que' + *subj.* and 'il y a un danger que' + *subj.*, the 'ne explétif' is sometimes used.

e.g.
There's a risk of people drawing the wrong conclusions. / There's a risk that people may draw the wrong conclusions.

> **Il y a un risque que les gens tirent de mauvaises conclusions.**

or

> **Il y a un risque que les gens ne tirent de mauvaises conclusions.**

There is a high/low risk of this contaminant being harmful to health.

Il y a un gros/faible risque que ce polluant soit nocif pour la santé.

or

Il y a un gros/faible risque que ce polluant ne soit nocif pour la santé.

There is a danger that the forest fire may reach nearby towns.

Il y a un danger que le feu de forêt atteigne les villes non loin.

or

Il y a un danger que le feu de forêt n'atteigne les villes non loin.

There is a danger that things might get out of hand. / There is a danger of things getting out of hand.

Il y a un danger que les choses deviennent incontrôlables/dégénèrent.

or

Il y a un danger que les choses ne deviennent incontrôlables/ne dégénèrent.

Theme 70: The English subjunctive
Thème 70 : Le subjonctif anglais

Some examples of the use of the subjunctive in English
Quelques exemples de l'utilisation du subjonctif en anglais

If I were you, ...
> Si j'étais toi ,...

imperfect (imparfait)

It's logical that he/she stay.
> C'est logique qu'il/elle reste.

subjunctive (subjonctif)

God grant that he/she not be disappointed! / Let's pray that he's/she's not disappointed!
> Plaise à Dieu, qu'il/elle ne soit pas déçu/déçue ! / Prions qu'il/elle ne soit pas déçu/déçue !

It's important that a meeting be arranged.
> Il faut qu'une réunion soit arrangée/organisée. / Il est important qu'une réunion soit arrangée/organisée. / Une réunion doit être arrangée.

It's important (that) you arrange a meeting.
> Il faut que tu arranges/organises une réunion. / Il faut que vous arrangiez/organisiez une réunion. / Tu dois arranger/organiser une réunion. / Vous devez arranger/organiser une réunion.

It's important that you three arrange to meet.
> Vous devez vous arranger/organiser pour vous réunir/voir tous les trois. *(depending on the context (en fonction du contexte))*

That's (That is) proof, if any were needed, that...
> C'est la preuve, si j'en avais/tu en avais/il/elle/on en avait/nous en avions/vous en aviez/ils/elles en avaient besoin d'une, que...

It (this piece of music) was written with the intention that the three bars (should) be played in quick succession.
> Il (ce morceau de musique) a été écrit dans l'intention que les trois mesures soient jouées coup sur coup.

Theme 71: A word or two on dialect
Thème 71 : Un mot sur les dialectes

For English-speaking readers (Pour les lecteurs anglophones):

Some francophone dialectical differences: A quirk of Belgian, Swiss and Canadian French

In Belgium and Switzerland, the numbers seventy, eighty and ninety, soixante-dix, quatre-vingt and quatre-vingt-dix respectively, are commonly called '**septante**', '**octante**' and '**nonante**' respectively. This is also true of some French people living in parts of France bordering these two countries. Some inhabitants of a small region in the south-west of the Canadian province of Nova Scotia also do the same.

> e.g.
> In the nineteen seventies, …
>> **Dans les années soixante-dix, …** *(French)*
>> **Dans les années septante, …** *(Belgian, Swiss, French)*

There are of course other dialectical differences, some regional within France too, some subtle, some less so, just as there are between English English and American English, and indeed between the various regions of England, but those are not the focus of this book.[27]

The term '(le) patois' refers to local or rural dialects.

---

27 *Le Grand Dictionnaire Terminologique* (québécois) is an excellent resource in this regard as well as on French generally.

Theme 72: 'Or' and the topic of false friends
Thème 72 : « Or » et le sujet des faux amis

'Or' and 'or': a conjunction in both French and English but completely unrelated

'Or' et 'or' : une conjonction en anglais et en français, mais sans aucun rapport

They have different meanings in the two languages: they are false friends.

« Or » et « or » se ressemblent, mais ont des sens différents dans les deux langues ; ce sont des faux amis.

Word/Mot	Meaning as a conjunction/ Signification en tant que conjonction
The English 'or'	ou
The French 'or'	but, now, well, yet

Examples of the French 'or'

e.g.
The British say they have the most reliable weather in western Europe, but that's not quite true. / The British say they have the most reliable weather in western Europe. Well, that's not quite true.

Les Britanniques disent qu'ils ont le temps le plus fiable de l'Europe de l'ouest. Or, ce n'est pas exactement la vérité. / Or, ce n'est pas tout à fait vrai.

The dam has been repaired. Yet millions of gallons of water are still escaping into the sea every day.

On a réparé le barrage. Or/Pourtant des millions de litres d'eau se déversent toujours dans la mer. / On a réparé le barrage. Or/Pourtant des millions de litres d'eau continuent à se déverser dans la mer.

They were unwilling to compromise last week. Now here they are, acting as though they had agreed from the outset!

Ils/Elles ne voulaient pas faire de compromis la semaine dernière. Or/Maintenant ils/elles font comme s'ils/si elles étaient d'accord depuis le début !

The conjunction 'or donc' is often used to signal a return to a previous point made or to recapitulate.

e.g.

And so, he left. / To reiterate, he left.

Or donc, il est parti.

'Or' is also the French noun for gold.

Cf. a few examples of the English 'or':
Cf. quelques exemples d'« or » anglais :

Do you prefer tea or coffee?

Préfères-tu le thé ou le café ? Préférez-vous le thé ou le café ?

Did Sheila do the shopping or not?

Sheila a-t-elle fait ou non les courses ?

We can either travel today or tomorrow.

Nous pouvons partir soit aujourd'hui, soit demain. / Nous pouvons partir aujourd'hui ou demain.

It's the 9th (ninth) (of the month) today isn't it? Or is it the 10th (tenth)?

Nous sommes le neuf (du mois) aujourd'hui, n'est-ce pas ? Ou sommes-nous le dix ?

Tony may have missed his train. Or perhaps he didn't want to travel after all.

Peut-être Tony a-t-il raté son train. Ou peut-être ne voulait-il pas partir après tout. / Peut-être que Tony a raté son train. Ou peut-être qu'il ne voulait pas partir après tout.

formal (soutenu)

informal/spoken (familier)

A selection of other false friends
Une sélection d'autres faux amis

English word(s)/ Mot(s) anglais	French translation/ Traduction en français	French word(s)/ Mot(s) français	English translation/ Traduction en anglais
to achieve	accomplir	achever	to finish
actual	vrai/véritable	actuel/actuelle	current/present
location	un endroit/lieu	location	rent/rental
notoriety	une mauvaise réputation	notoriété	fame
proper	comme il faut/ correct(e)(s)	propre	clean; one's own
sensible	raisonnable	sensible	sensitive
susceptible	vulnérable/ sensible	susceptible	sensitive/easily offended; likely
versatile	aux talents/ fonctions variés/ variées	versatile	fickle/changeable/ capricious

Note: One could argue that 'to pretend' (faire semblant) and 'prétendre' are semi-true friends in that 'to claim' is not dissimilar to 'to pretend'.

On pourrait dire que les verbes « to pretend » et « prétendre » ne sont pas complètement des faux-amis car « to claim » et « to pretend » ont des définitions semblables en anglais.

PART II
DEUXIÈME PARTIE

ADVANCED FRENCH IN ACTION
LE FRANÇAIS AVANCÉ EN ACTION

This part of the book features sentence constructions, expressions and themes commonly encountered in specialist areas or specific areas of life.

Cette partie du livre contient des constructions syntaxiques, des expressions et des thèmes généralement rencontrés dans des domaines spécialisés ou dans des moments spécifiques de la vie.

Chapter 1: Politics and international relations
Chapitre 1 : La politique et les relations internationales

Elections
Élections

The presidential election in France is followed by the legislative elections, which are, in a way, more important.
> **L'élection présidentielle/La présidentielle est suivie des/par les (élections) législatives, qui sont, en quelque sorte, plus importantes.**

Who do you see winning the general (presidential) election?
> **Qui vois-tu/voyez-vous gagner/remporter l'élection présidentielle ?**

According to the latest opinion polls, the new candidate has taken the lead.
> **Selon/D'après les derniers sondages, le nouveau candidat a pris la tête.**

He has/He demonstrates considerable political skill.
> **Il fait preuve d'une grande habileté politique.**

When you look at/study/analyse the current polls, there are two things that argue in favour of… (a candidate/something, e.g. a hung parliament).
> **Quand on regarde/étudie/analyse les résultats des derniers sondages, il y a deux choses qui jouent en faveur de… (un candidat / quelque chose par ex. un parlement sans majorité).**

He/She seems/would seem an unlikely candidate for president.
> **Il/Elle semble/semblerait peu indiqué/indiquée pour être candidat/ candidate à la présidentielle.**

He tends to/He has a tendency to mix politics with showbiz. He is on the political fringes/margins. Is it legitimate that someone can come to power on so few votes?
> **Il a tendance à mélanger la politique et le showbiz. Il est en marge de la politique. Est-il légitime que quelqu'un puisse passer au pouvoir avec si peu de votes ?**

Is the leader of the opposition right or wrong to propose a change to the constitution?

Le chef/leader de l'opposition a-t-il raison ou tort de proposer de modifier la constitution ?

What if he's elected? / What do we do/are we going to do if he's elected? / Suppose he's elected?

Et s'il est élu ? / Qu'allons-nous faire s'il est élu ? / Suppose/ Supposons/Supposez qu'il soit élu ?

He claims to embody the anger felt by the population toward the Finance Minister.

Il prétend incarner/représenter la colère ressentie par la population envers le ministre des Finances.

The party retains its two-thirds majority in Parliament/in the National Assembly.

Le parti conserve une majorité de deux tiers au Parlement/à l'Assemblée Nationale.

Some political observers see this as a good/bad thing.

Certains experts politiques considèrent cela/ça comme une bonne/mauvaise chose.

In the past, the Prime Minister has refused to engage on the topic of the date of the next (general) election. He/She has eluded/evaded all questions on it. That's why legislation for fixed term Parliaments is so welcome and so essential.

Par le passé, le Premier ministre a refusé de s'exprimer sur la date des prochaines élections législatives. Il/Elle a éludé toutes les questions à/sur ce sujet. C'est pour cette raison qu'une législation/ des lois mettant en place des mandats fixes pour les membres du Parlement est/sont si bienvenue/bienvenues et essentielle/ essentielles.

The president has decided to dissolve parliament and call a snap election.

Le président a décidé de dissoudre le parlement et d'organiser des élections anticipées.

It was a move calculated to…

C'était un mouvement délibéré pour/afin de…

It was a move designed to…

C'était un mouvement visant à…

In a move calculated/designed to… he/she… (did something).

À l'aide d'un mouvement délibéré…/visant à… il/elle… (a fait quelque chose).

It's a bit of a gamble, especially in the current political climate.
C'est un peu risqué, surtout/en particulier dans le climat politique actuel.

It's a political gamble therefore.
C'est donc/par conséquent un pari politique.

It's important that anyone can vote.
Il faut/Il est important que tout le monde puisse voter.

People are getting bored with politics and politicians.
Les gens commencent à se lasser de la politique et des politiciens.

Voter boredom is a major stumbling block, which leads to poor engagement and, in turn, low voter turnout, and will be difficult to overcome.
Le désintérêt des électeurs est une pierre d'achoppement majeure/ un obstacle majeur qui conduit à un faible engagement politique, qui cause ensuite un faible taux de participation électorale, et sera difficile à surmonter.

It's a recurring theme.
C'est un thème récurrent. / C'est un thème qui revient fréquemment/souvent.

That's/It's not healthy for democracy.
Ce n'est pas bon pour la démocratie.

Public opinion at the moment is largely driven by fear. That could be counterproductive.
L'opinion publique est en majeure/en grande partie influencée par la peur en ce moment. Cela/Ça pourrait être contre-productif.

It is driven by fear to such an extent that…
La peur a une telle influence dessus que…

In America there's an appetite for change… without which… would not have been elected.
Aux États-Unis, il y a un goût pour le changement… sans lequel… n'aurait pas été élu(e).

For this referendum to be valid, the rules in this country are that there has to be a greater than forty per cent voter turnout.
Selon les règles mises en place dans ce pays, le taux de participation électorale doit être supérieur à quarante pour cent pour/afin que les résultats de ce référendum soient légitimes.

As a political commentator, what's your analysis/reading of the situation? / What's your analysis/reading of the political situation?

> **En tant que commentateur/commentatrice politique, quelle est votre analyse de la situation ? / En tant que commentateur/ commentatrice politique, comment interprétez-vous cette situation ? / Quelle est votre analyse de la situation politique ? / Comment interprétez-vous cette situation politique ?**

I'll respond briefly. On the face of it, the results are an expression of an enormous dissatisfaction among voters.

> **Je vais répondre de manière brève/Je vais être bref/brève. À première vue, les résultats démontrent une grande insatisfaction/ un grand mécontentement chez/parmi les électeurs.**

This party is losing ground.

> **Ce parti perd du terrain.**

That's a fair assessment.

> **C'est juste. / Ton/Son/Votre jugement est juste.**

The pendulum has swung to the left and then back again.

> **Il y a eu un revirement vers la gauche, puis dans l'autre direction.**

The pendulum has swung one way, then the other.

> **Il y a eu un revirement dans un sens, puis dans l'autre.**

The political balance has been shaken up. / The political equilibrium has been disturbed.

> **L'équilibre politique a été bouleversé/perturbé.**

The two main parties are on an equal footing/on a roughly equal footing.

> **Les deux partis principaux sont sur un pied d'égalité/sont à peu près sur un pied d'égalité.**

What do you think, political analyst that you are, the next five-year presidency might look like?

> **Comment sera le prochain quinquennat présidentiel, selon vous, en tant qu'analyste politique ?**

I'll reserve my reply/response for the moment. / I'll reserve judgement for the moment.

> **Je ne vais pas me prononcer pour le moment.**

There'll be winners and losers.

> **Il y aura des gagnant(e)s et des perdant(e)s.**

The winner was not the one I (had) wanted/not the one I had hoped for.

> **Le gagnant/La gagnante n'était pas celui/celle que je souhaitais. / Le gagnant/La gagnante n'était pas celui/celle que j'espérais.**

Elections are taking place in Afghanistan under the watchful eye of Washington.

> **Des élections ont lieu/se déroulent en Afghanistan, sous l'œil (très) attentif de Washington.**

Winners and losers
Gagnants/gagnantes et perdants/perdantes

The newly elected President commenced/opened his/her victory speech with the words: "My fellow citizens, …"

> **Le président nouvellement élu a commencé son discours de victoire par les mots : « Mes chers concitoyens, … »**

The Prime Minister admitted defeat and will tender his/her resignation shortly.

> **Le Premier ministre s'est avoué vaincu et va donner sa démission sous peu.**

He/She resigned/tendered her resignation against his/her will.

> **Il/Elle a démissionné contre sa volonté/contre son gré.**

He/She made no apology.

> **Il/Elle ne s'est pas excusé/excusée. / Il/Elle n'a pas présenté ses excuses.**

On the contrary, he/she appeared on television to say defiantly: "I make no apology either for my policies or the way I ran the election campaign."

> **Au contraire, il/elle est apparu/apparue à la télévision pour dire d'un ton/air de défi : « Je ne m'excuse ni pour mes politiques ni pour la manière/façon dont j'ai fait campagne. »**

Many would disagree with his/her stance. Many would disagree with the stance he/she has adopted.

> **Beaucoup de gens ne seraient pas d'accord avec sa position. / Beaucoup de gens ne seraient pas d'accord avec la position qu'il/qu'elle a prise.**

Many voters are unhappy with his/her stance on… / Many voters are unhappy with the position he/she has taken on…

> **Beaucoup d'électeurs sont mécontents de sa prise de position sur…**

Many voters were unhappy with the position/stance he/she took on…

> **Beaucoup d'électeurs étaient mécontents de sa prise de position sur…**

According to reports, he/she is due to make a speech this afternoon to both Houses of Parliament, namely, the House of Commons and the House of Lords. (in the UK) / the National Assembly and the Senate. (in France)

> **D'après/Selon les rapports, il/elle doit faire/est censé/censée faire un discours cet/cette après-midi dans les deux chambres du Parlement, à savoir, la Chambre des communes et la Chambre des lords. (au Royaume-Uni) / à l'Assemblée Nationale et au Sénat. (en France)**

It should last about half an hour, so it should be finished by 3.30 p.m. (three-thirty p.m.) .

> **Il devrait durer à peu près/environ une demi-heure, il devrait donc être terminé avant quinze heures trente (15:30)/trois heures trente (de l'après midi).**

(Note: Not 'Ce devrait' here because 'il' refers to the aforementioned speech. [See Theme 17, pp 62–65, When to use 'Il/Elle est...' and when to use 'C'est...'])

The outgoing Prime Minister's parting comments were:
"I thank the 15 million people who gave me their vote and their trust. I'm ready to work with the new government for the good of the country/for the common good."

> **Les derniers commentaires/dernières remarques du Premier ministre sortant étaient :**
> **« Je remercie les quinze millions de personnes qui m'ont donné leur vote et leur confiance. Je suis prêt/prête à travailler avec le nouveau gouvernement pour le bien du pays/pour le bien commun. »**

That's exactly the kind of speech I like.

> **C'est exactement le genre de discours que j'aime.**

It's a speech/a statement typical of him/her.

> **C'est typique de lui/d'elle comme discours/déclaration.**

The subtext of his/her statement is…

> **Le sujet implicite de sa déclaration, c'est…**

Having lost their seats in the National Assembly and the Senate, the MPs/deputies and senators are now unemployed/jobless!

> **Ayant perdu leurs sièges à l'Assemblée Nationale et au Sénat, les députés et les sénateurs sont désormais sans-emploi/au chômage !**

The real winner/loser in this scenario will be…

> **Le/La vrai(e) gagnant(e)/perdant(e) dans ce scénario, ce sera…**

The political landscape appears/seems to be changing/shifting.

> **Le paysage politique semble (être en train de) changer. / Il semble que le paysage politique soit en train de changer.**

How would you describe things?
> Comment décrirais-tu/décririez-vous les choses ?

How have you viewed the/these last few days?
> Quelle opinion as-tu/avez-vous des derniers jours ? / Comment as-tu/avez-vous vu ces derniers jours ?

This event is something that turns everything (we thought) on its head/turns everything upside down/throws everything up in the air/throws a spanner in the works/messes everything up/jumbles everything up/complicates things.
> Cet évènement/événement est quelque chose qui change tout (ce que nous pensions)/qui complique tout/qui bouscule tout/qui crée des problèmes partout.

The predictions from the opinion polls were wrong. Half the responses were either inaccurate/imprecise or false.
> Les prévisions des sondages d'opinion étaient fausses/erronées/inexactes. La moitié des réponses étaient soit imprécises, soit fausses/inexactes.

The pollsters would argue that there is a value to (opinion) polls, whether they are wrong/get it wrong or not.
> Les sondeurs/enquêteurs affirmeraient/soutiendraient que les sondages (d'opinion) ont de l'importance, qu'ils soient faux/erronés ou non.

the former Prime Minister/President – l'ancien Premier ministre/président

the then Prime Minister/President – le Premier ministre/président d'alors

a statesman/stateswoman – un homme d'État/homme politique/une femme d'État/une femme politique

---

Democracy
Démocratie

The House of Commons has primacy over the House of Lords.
> La Chambre des communes a la primauté sur la Chambre des lords.

The French demonstrated at the election a little while ago/not so long ago what they expect of their presidents.
> Les Français ont montré lors des législatives, il y a/voilà peu de temps, ce qu'ils attendent de leurs présidents.

They have shown who they are as a people.
> Ils ont montré qui ils sont en tant que peuple.

Switzerland is an exemplary democracy.
> **La Suisse est une démocratie exemplaire.**

Switzerland has found itself a new Prime Minister. / Japan has found itself a new Prime Minister.
> **La Suisse s'est trouvé un nouveau Premier ministre. / Le Japon s'est trouvé un nouveau Premier ministre.**

This sector of society is over-represented/under-represented in both Houses of Parliament.
> **Ce secteur de la société est sur-représenté/sous-représenté dans les deux chambres du Parlement.**

the Brussels parliament – **le parlement de Bruxelles**

The political Left and Right
La gauche et la droite politiques

According to/Going by the latest (opinion polls), the French have become more right wing/have moved to the right, because of the recent Islamic attacks.
> **D'après/Selon les derniers sondages (d'opinion), le peuple français s'est droitisé/est passé plus à droite à cause des récents attentats islamiques.**

The same thing is true in the UK: people are gravitating more to the right for the same reason, if the latest polls are anything to go by.
> **De même au Royaume-Uni : les gens gravitent plus autour de la droite, selon les derniers sondages.**

Over the last three to four years, Bernard's views have slid gradually to the left.
> **Au cours des trois, voire quatre, dernières années, l'opinion de Bernard est progressivement/petit à petit passée à gauche.**

These last five years, his/her views have become more and more left wing/ have become increasingly left wing.
> **Ces cinq dernières années, son opinion est passée de plus en plus à gauche.**

The change in his/her views is explicable by…
> **Le changement dans son opinion peut être expliqué par…**

Why do you describe them (his/her views) like that/in this way?
> **Pourquoi la décris-tu/la décrivez-vous comme cela/ça ? / Pourquoi la décris-tu/la décrivez-vous ainsi ?**

Why have you described them like that/in this way?

> **Pourquoi l'as-tu/l'avez-vous décrite comme cela/ça ? / Pourquoi l'as-tu/l'avez-vous décrite ainsi ?**

This party/movement doesn't recognise itself as being left or right.

> **Ce parti/mouvement ne se reconnaît pas dans la gauche ou la droite.**

As soon as you start/As soon as one starts placing people in left and right camps, or classifying people as on the Left and on the Right, you find yourself/one finds oneself obliged to keep people wide apart.

> **À partir du moment où l'on commence à mettre ou à classer les gens à gauche et à droite, on se retrouve obligé de les séparer.**

This political party has an armed wing.

> **Ce parti politique a une branche militaire.**

Political battles
Batailles politiques

The absolute priority for the government is to go back into battle and at the same time re-establish the rule of law and human rights. / The absolute priority for the government is to go back into battle while at the same time re-establishing the rule of law and human rights.

> **La priorité absolue du gouvernement est de repartir au front et en même temps de rétablir l'État de droit et les droits de l'homme.**

The political climate is stormy.

> **Le climat politique est orageux.**

The main actors in this political drama are…

> **Les principaux acteurs/acteurs principaux dans ce drame politique sont…**

By and large, their opinions/views carry equal weight.

> **Globalement/Dans l'ensemble, leurs opinions sont de poids égal.**

I'm a wholehearted supporter of… (e.g. a person, a cause)

> **Je suis dévoué(e) (corps et âme) à…**
> *(une personne, une cause)*   *body and soul (the same term used in English too)*

I'm a wholehearted supporter of him/her/it.

> **Je lui suis dévoué(e) (corps et âme) . / J'y suis dévoué(e) (corps et âme).**

On the other hand, I'm not for blindly supporting/giving blind support to...
> **Par contre/En revanche, je ne suis pas d'accord avec le fait que l'on soutienne aveuglément... / Par contre/En revanche, je ne suis pas d'accord avec le fait de soutenir aveuglément...**

That political position loses its value, its validity and its credibility when you analyse it closely and dispassionately.
> **Cette position politique perd sa valeur, sa validité et sa crédibilité lorsqu'on/quand on l'analyse de près/attentivement et objectivement/de façon objective/impartialement/de façon impartiale.**

I'm not in favour of... (a particular policy) / I'm not a supporter of... (a particular person or policy); I'm rather in favour of... /not a supporter of...
> **Je ne suis pas en faveur de... (une politique particulière) ; je suis plutôt en faveur de... /Je ne suis pas partisan de... (une personne en particulier) ; je suis plutôt partisan de...**

to jump on the bandwagon/join the craze/trend – **prendre le train en marche / suivre le mouvement**

Holding politicians to account; political debates
Demander des comptes aux politiciens ; débats politiques

Are you aware as a politician that people are really fed up?
> **Êtes-vous conscient(e), en tant que politicien(ne), que les gens en ont vraiment marre ?**

It would seem that some politicians are not necessarily aware of that fact.
> **Il semblerait que certains politiciens ne se rendent pas forcément compte de ce fait/de cela/ça. / Il semblerait que certains politiciens ignorent ce fait/l'ignorent.**

(Note: être conscient de quelque chose/être conscient que... + indic./être conscient du fait que...+ indic. = se rendre compte de quelque chose/se rendre compte que... + indic./se rendre compte du fait que... + indic. Note also that "se rendre compte" also means "to realise", whose meaning is not dissimilar.)

I don't agree with that statement. I'd (I would) rather say (that)...
> **Je ne suis pas d'accord avec cette déclaration. Je dirais plutôt que...**

At no time did I say otherwise.
> **Je n'ai jamais dit le contraire.**

Their anger is justified, would you agree?
> **Leur colère est justifiée, qu'en pensez-vous/qu'en penses-tu ?**

(Note: French-speakers tend merely to phrase it "What do you think?" rather than "Would you agree"?)

Whom are you addressing/Who are you directing that question to?/To whom are you addressing that question?
> **À qui adresses-tu/adressez-vous/poses-tu/posez-vous cette question ?**

When you talk of a/the lack of sincerity, who or what are you referring to?/When you talk of a/the lack of sincerity to whom or to what are you referring?
> **Quand tu parles/vous parlez de manque de sincérité, à qui/à quoi fais-tu/faites-vous référence ?**

That question was put/posed by the shadow Foreign Secretary and remains unanswered to date. It deserves a response.
> **Cette question a été posée par le porte-parole de l'opposition pour les affaires étrangères et reste encore sans réponse. Elle mérite une réponse.**

The Foreign Secretary answered the question/s without ambiguity.
> **Le ministre des Affaires étrangères a répondu à la question/aux questions sans ambiguïté.**

He/She accepts that errors have been made.
> **Il/Elle reconnaît que des erreurs ont été faites/commises.**

The Government had made a massive political commitment at their last party conference. What we see here is totally the opposite/contrary.
> **Le gouvernement s'était grandement engagé politiquement durant leur dernière conférence. Ce que l'on voit ici est tout le contraire/est aux antipodes de cet engagement.**

Another political commentator has pointed out that the main parties have broken their promises too often, and that too many voters don't believe them or believe in them any more, for now at least.
> **Un autre commentateur/Une autre commentatrice politique a souligné/fait remarquer que les principaux partis se sont parjurés trop souvent et que trop d'électeurs ne les croient pas ou ne croient plus en eux, pour le moment au/du moins.**

How else do you explain that half or three quarters of (the) people asked/questioned were not at all satisfied?
> **Comment pourrait-on expliquer autrement que la moitié, voire les trois quarts, des personnes interrogées ne sont pas satisfaites ?**

The minister is under enormous pressure to resign/tender his resignation.
> **Le ministre subit une énorme pression pour démissionner.**

He/She has the support of his/her party, but not of the other parties and much of the general public: they are opposed to him/her.
> **Il a le soutien de son parti, mais pas celui des autres et de la majeure partie du grand public ; ils lui sont opposés.**

His/Her colleagues think he/she has cleaned up his/her image.
> **Ses collègues pensent qu'il a arrangé son image.**

According to (the) opinion polls, most people would expect him to do the right thing and resign.
> **Selon les sondages d'opinion, la plupart des gens s'attendraient à ce qu'il fasse ce qu'il faut et démissionne.**

I'm one of those who says/thinks/believes the president should/must resign.
> **Je fais partie de ceux qui disent/pensent/croient que le président devrait/doit démissionner.**

I've never/never ever seen such a bad politician.
> **Je n'ai jamais vu un si mauvais politicien/une si mauvaise politicienne.**

It was foolhardy/foolish of him/her to have made that statement. It's all hot air.
> **C'était imprudent/bête/stupide de sa part d'avoir fait cette déclaration. Ce n'est que du vent/Ce ne sont que des paroles en l'air.**

Your comments/remarks on it/on what he/she said are unfortunate. Surely it's possible to express your opposition to what he/she proposes without bringing up such things./?
> **Vos commentaires/remarques à ce sujet/sur ce qu'il a dit sont malheureux/malheureuses/malencontreux/malencontreuses. Vous devez bien pouvoir exprimer votre opposition à ce qu'il propose sans évoquer des choses pareilles./?**

I look forward to the Health Secretary's/Minister for Health's explanation.
> **J'attends avec impatience l'explication du ministre des Solidarités et de la Santé.**

Failed policies can lead to protests/demonstrations
Des politiques qui ont échoué peuvent mener à des protestations/ manifestations

Look at what is happening in... (a given country).
> **Regarde/Regardez ce qui se passe en/au/aux... (un pays donné).**

Look what happened with… (e.g. a particular person, case or event).
   Regarde/Regardez ce qui s'est passé avec… (par ex. une personne, un cas ou évènement/événement précis).

Look what happened to… (a particular person).
   Regarde/Regardez ce qui est arrivé à… (une personne précise).

These measures were put in place with the intention of… / These measures were intended to…
   Ces mesures ont été mises en place dans l'intention de/en vue de/ afin de…/Ces mesures visaient/étaient destinées à…

Instead, the measures have provoked an angry reaction from the public.
   Au lieu de cela, les mesures ont provoqué une réaction de colère chez le public.

They have provoked a reaction of anger and condemnation from people.
   Elles ont provoqué une réaction de colère et sont condamnées par le peuple.

(In) one way or another, the policy has failed.
   D'une manière/façon ou d'une autre, la politique a échoué.

At the very least, the reputation of the Interior Minister/Minister of the Interior is thought to be the worst ever in this regard.
   Au moins, la réputation du ministère de l'Intérieur est considérée comme étant à son plus bas à cet égard.

In relation to security, his/her reputation is badly regarded.
   En ce qui concerne la sécurité, sa réputation est mal vue.

There are several reasons.
   Il y a de nombreuses raisons.

The spokesperson for the President didn't wish/want to confirm whether a change of policy was in the offing.
   Le/La porte-parole du président n'a pas souhaité/voulu confirmer si un changement de politique était en perspective.

The spokesperson says the president's statement has been/was taken out of context.
   Le/La porte-parole dit que la déclaration du président a été sortie de son contexte.

He/She says his/her remarks were misunderstood; that they were taken out of context.
   Il/Elle dit que ses propos/ses remarques ont été mal compris/ comprises ; qu'ils/elles ont été sortis/sorties de leur contexte.

He/She claims all the facts are in the public domain.
> **Il/Elle prétend que tous les renseignements/faits sont dans le domaine public.**

It's a complete whitewash.
> **Ce n'est que de la poudre aux yeux.**

The enquiry report was a complete whitewash.
> **Le rapport de l'enquête visait seulement à étouffer l'affaire.**

These people have completely whitewashed the story.
> **Ces gens ont complètement étouffé l'affaire.**

They're talking nonsense/**hogwash**. / It's complete nonsense/**hogwash**.   *slang (argot)*
> **Ils racontent n'importe quoi . / Ce sont des inepties.**

We need to explain to people what is really happening. We need to tell them the truth as to what is really at stake.
> **Il faut expliquer aux gens ce qui se passe vraiment/réellement. Il faut leur dire la vérité sur ce qui est vraiment/réellement en jeu.**

This morning, citizens commenced a demonstration/a protest march in the capital.
> **Ce matin, des citoyens ont commencé une manifestation/une marche dans la capitale.**

Anti-capitalist protests/demonstrations started in London, Paris and New York and spread rapidly to several other cities around the world.
> **Des protestations/manifestations anticapitalistes ont commencé à Londres, à Paris et à New York, et se sont propagées rapidement dans plusieurs autres villes à travers le monde.**

It's a class war.
> **C'est une guerre des classes.**

There is a clear social divide.
> **Il y a une fracture sociale évidente. / Il y a une nette fracture sociale.**

There's a growing movement against/behind…
> **Il y a un mouvement croissant contre/derrière…**

What's the solution (then)?
> **Quelle est donc la solution ? / C'est quoi la solution (alors) ?**

The key is… / The key is to… / The key is not to…
> **La clé, c'est…/La clé, c'est de…/La clé, c'est de ne pas…**

I am making sure/I'm going to make sure as Interior Minister/Home Secretary that the truth prevails over the rumours as soon as possible.

> **Je fais en sorte/Je ferai en sorte/Je vais faire en sorte, en tant que ministre de l'Intérieur, que la vérité l'emporte sur les rumeurs aussi vite que possible. / Je veille/Je veillerai/Je vais veiller, en tant que ministre de l'Intérieur, à ce que la vérité l'emporte sur les rumeurs aussi vite que possible.**

Since we're talking about this crisis, we may as well talk politics in general, but first let's focus in particular on the state of politics across Europe. / While we talk about this crisis, we may as well talk politics in general, but first let's focus in particular on the state of politics across Europe.

> **Puisque/Vu que nous parlons de cette crise, nous ferions aussi bien de parler politique en général, mais concentrons-nous d'abord sur l'état de la politique à travers l'Europe. / Pendant que nous parlons de cette crise, nous ferions aussi bien de parler politique en général, mais concentrons-nous d'abord sur l'état de la politique à travers l'Europe.**

We need to change the cultural and political landscape. That's what we need to do. That's the objective.

> **Nous devons changer le paysage culturel et politique. C'est cela/ça que nous devons faire. C'est cela/ça l'objectif.**

an uprising – **un soulèvement**

e.g.
the Palestinian uprising – **le soulèvement palestinien**

to go into exile – **s'exiler**

Autocracy or dictatorship
L'autocratie ou la dictature

It is my role as president to…
> **C'est mon rôle, en tant que président, de…**

These two statements/ideas contradict each other.
> **Ces deux déclarations/idées se contredisent.**

His pronouncements don't tally/correspond with reality. He tells half-truths. It's among the reasons the public don't trust him.
> **Ses déclarations ne cadrent pas avec/ne correspondent pas à la réalité. Il raconte des demi-vérités. Cela/Ça fait partie des raisons pour lesquelles le public ne lui fait pas confiance.**

He is also out of step with the general public mood.
> **Il est en décalage avec l'état d'esprit général du public.**

Some denounce him as a tyrant.
> **Certains l'accusent d'être un tyran.**

Is it not bizarre that the president/head of state is/could be/should be so naive?
> **N'est-il pas étrange/bizarre que le président/le chef d'État soit/ puisse se montrer si naïf ?**

(Pour les lecteurs francophones : Le tréma du « i » de « naïve » est presque toujours omis à l'écrit en anglais. Il va de même pour l'accent circonflexe du « o » de « rôle ».)

Is it not strange/bizarre that someone who says he is a presidential adviser doesn't/didn't/shouldn't/wouldn't know about it? / Is it not strange/bizarre that someone who says he is a presidential adviser doesn't/didn't/shouldn't/ wouldn't be aware of it? / Is it not strange/bizarre that someone who says he is a presidential adviser doesn't/didn't/shouldn't/wouldn't be in the loop?
> **N'est-il pas étrange/bizarre que quelqu'un qui dit être un des conseillers du président ne le sache pas/l'ignore/ne soit pas au courant (de cela/ça) ?**

Why should we be surprised?
> **Pourquoi devrait-on être surpris(es) ? / Pourquoi devrions-nous être surpris(es) ?**

Normal international conventions count for little to politicians like him.
> **Les conventions internationales normales comptent peu pour les politiciens comme lui. / Les conventions internationales normales n'ont pas beaucoup d'importance pour les politiciens comme lui.**

He has too much power in his hands. / He has concentrated too much power in his hands.
> **Il a trop de pouvoir. / Il a amassé trop de pouvoir.**

He has a lot of power in his hands, and now he wants even more.
> **Il a beaucoup de pouvoir, et maintenant il en veut encore plus.**

With increasingly draconian laws introduced day after day, week after week, the president is increasing his/her grip on power.
> **Avec des lois de plus en plus draconiennes introduites jour après jour, semaine après semaine, le président resserre son étreinte sur le pouvoir.**

There is a risk of abuse of power.
> **Il y a un risque d'abus d'autorité/de pouvoir.**

There is a/the risk that he'll abuse his powers.
> **Il y a un/le risque qu'il abuse de son autorité/de son pouvoir/ses pouvoirs.**

subj.

It's possible, even probable, that he is taking/he takes these political risks so that… But these risks could be costly. In your eyes, is he right to take them?

Il est possible, voire probable, qu'il prenne ces risques politiques pour que/afin de… Mais ces risques pourraient être lourds/gros de conséquences/pourraient coûter cher. Selon toi/vous, a-t-il raison de les prendre ?

In/To my eyes, he is wrong. There's no reason to act like this, to take these risks. Besides, it undermines peace, it undermines the interior of any country and it undermines democratic values.

À mes yeux/mon avis, il a tort. Il n'y a aucune raison de se comporter ainsi, de prendre ces risques. De plus/En outre, cela/ça ébranle la paix, l'intérieur de n'importe quel pays et les valeurs de la démocratie.

There's no need to act like this, to take these risks. It's important to find a legal rather than a political solution. He would be better off finding a solution within a legal rather than political framework.

Il n'y a aucune raison d'agir ainsi, de prendre ces risques. Il faut trouver une solution juridique plutôt que politique. Il vaudrait mieux qu'il trouve une solution dans un cadre/le système juridique plutôt que dans le système politique.

He no longer seeks the support of…

Il ne cherche plus le soutien de…

It's a clumsy attempt at a power grab.

C'est une tentative maladroite d'obtenir plus de pouvoir.

This kind of behaviour would be unconventional and completely unacceptable in a democracy.

Ce genre de comportement/Un tel comportement serait non conventionnel et tout à fait/complètement inacceptable dans une démocratie.

These are the unmistakeable signs of the dictator.

Ce sont les signes caractéristiques d'un dictateur.

Are we a democracy or not?!

Sommes-nous une démocratie ou non ?!

For Joe Public, the president, whoever he/she is, must obey the rule of law.

Pour monsieur Tout-le-monde, le président, qui qu'il soit, doit obéir aux lois.

We would expect our prime minister/first minister, whoever he/she is/may be, to do things properly.

> **On s'attendrait à ce que notre Premier ministre, qui qu'il soit, fasse les choses correctement.**

Most people approve of the idea that a head of state should be appointed but that he/she should be constrained by Parliament.

> **La plupart des gens approuvent l'idée qu'un chef d'état soit nommé/désigné mais que le Parlement ait la primauté.**

It's important that the pillars of state function properly/correctly.

> **Il faut que les piliers de l'État fonctionnent correctement. / Il est important que les piliers de l'État fonctionnent correctement.**

So it's not a question of it being him rather than someone else.

> **Donc, le problème n'est pas dans l'identité du chef d'État.**

Do you share the view then that we all need to/should get behind the new head of state? Do you share the view then that we all need to/should rally behind the new head of state?

> **Est-ce que tu partages/vous partagez l'idée que nous devons tous nous rallier derrière le nouveau chef d'État ?**

Yes, I share that view; I think we need to get behind him/her.

> **Oui, je partage cette idée ; je pense que nous devons tous nous rallier derrière lui/elle.**

Rise and fall – rise to power, fall from power/grace, political scandals

L'ascension et la chute – la montée au pouvoir, la chute du pouvoir/ tomber en disgrâce, scandales politiques

Who is responsible for the rise of the National Front in France?

> **Qui est responsable de la montée du Front National en France ?**

What's the reason for the rise of neonazism in Austria?

> **Quelle est la raison de la montée du néonazisme en Autriche ?**

What caused the rise of Hitler in Germany in the thirties/nineteen-thirties?

> **Quelle est la cause de la montée de Hitler en Allemagne dans/ pendant/durant les années trente/mille neuf cent trente ?**

The rise and fall of Hitler and Stalin.

> **L'ascension et la chute de Hitler et de Staline.**

At the time, the mayor was at the height of his powers.
À l'époque, le maire était au summum de ses pouvoirs.

He had been embezzling public funds. Only when financial irregularities were discovered by three astute members of staff at the town/city hall did he own up/admit it.
Il détournait des fonds publics. Il ne l'a admis que lorsque des irrégularités financières ont été découvertes par trois membres perspicaces du personnel de l'Hôtel de Ville.

It was a glaring omission on the part of the departing mayor not to have mentioned this in his resignation speech/farewell speech.
C'était une flagrante omission/un oubli flagrant de la part du maire sortant de ne pas l'avoir mentionné dans son discours de démission/son discours de départ.

How arrogant of him to think/that he could think he could continue to do this with complete impunity and in secret, while/all the while remaining in his post/and yet remain in his post.
Comme c'était arrogant/C'était très arrogant de sa part de penser qu'il pouvait continuer à faire cela/ça en toute impunité et en secret tout en restant en poste.

His arrogance is staggering./!
Son arrogance est sidérante./!

The crowd repeatedly shouted the words "Resign now!" at him and the police commissioner.
La foule a crié plusieurs fois/à maintes reprises « Démissionnez immédiatement ! » au maire et au commissaire de police.

Even now, the mayor believes he was right.
Encore aujourd'hui/maintenant, le maire croit qu'il avait raison.

He has finally grasped the fact that…
Il a enfin compris (le fait) que…

He seems finally to have grasped the fact that this is unacceptable. It's implicit in his statement.
Il semble avoir enfin compris que c'est inacceptable. C'est en filigrane dans sa déclaration.

He has finally apologised, but that doesn't mean (for all that) (that) he should remain mayor.
Il a fini par s'excuser/par présenter/faire ses excuses, mais cela ne signifie pas pour autant qu'il devrait rester maire.

Such misdemeanours or crimes in office cannot go unpunished.
> **De telles infractions/De tels crimes en fonction/au pouvoir/dans l'exercice de ses fonctions ne peuvent pas rester impunies/impunis.**

The message couldn't be clearer.
> **Le message est on ne peut plus clair. / Le message ne saurait être plus clair.**
> *(Literal translation: "The message wouldn't know how to be clearer.")*

It's interesting to see/hear how this story evolved.
> **C'est intéressant de voir/d'entendre comment cette histoire a évolué.**

Even before the newspaper revelations, some forty-five complaints had been lodged with the town/city hall since last Monday by various local district councils.
> **Même avant les révélations dans les journaux, environ quarante-cinq plaintes avaient été déposées à l'Hôtel de Ville par divers conseils municipaux depuis lundi dernier.**

An enquiry has revealed/exposed corruption on a large/broad/wide scale. / An enquiry has revealed/exposed large-scale/wide-scale corruption.
> **Une enquête a dévoilé/exposé/révélé une corruption à grande échelle/de grande envergure.**

His spokesperson claims this is an over-representation of the facts/an overstatement of the facts.
> **Son porte-parole prétend que les faits ont été exagérés.**

It's a fundamental admission by him/on his part. / It's quite a fundamental admission by him/on his part.
> **C'est un aveu fondamental de sa part. / C'est un aveu assez fondamental de sa part.**

That sight/spectacle/perspective caused discomfort/embarrassment.
> **C'était un spectacle gênant/embarrassant.**

The mayor has fallen from grace. He fell from grace.
> **Le maire est tombé en disgrâce. Il est tombé en disgrâce.**

His deputy is now standing in as interim/acting mayor, pending new elections. / His deputy is now acting as mayor pending new elections.
> **Son adjoint(e) est à présent maire par intérim en attendant de nouvelles élections.**

Because of the scandal/As a result of the scandal, the deputy mayor, who, it should be stressed, was not involved, feels tainted by it and thereby doubly punished.

À cause du scandale, l'adjoint(e) au maire, qui, il faut le souligner, n'était pas impliqué(e), a l'impression que sa réputation est ternie et de ce fait qu'il/qu'elle est doublement puni/punie.

He/She has been unfairly accused by some of lying to defend the mayor.

Il/Elle a injustement été accusé/accusée par certains d'avoir menti afin de/pour défendre le maire. / Certains l'ont injustement accusé/accusée d'avoir menti afin de/pour défendre le maire.

Others have given him/her the benefit of the doubt.

D'autres lui ont laissé le bénéfice du doute.

He/She could not have been more impeccable.

Il/Elle était on ne peut plus irréprochable.

He/She is in the process of changing everything.

Il/Elle est en train de tout changer.

He/She has promised measures to fight corruption and he/she has publicly vowed to fight to the end.

Il/Elle a promis des mesures pour lutter contre la corruption et il/elle a fait le serment de se battre jusqu'au bout.

The former mayor is discredited.

L'ancien maire est discrédité.

This scandal has brought the mayoral office into disrepute and has plunged the political class into ridicule.

Cette affaire/Ce scandale a fait tomber la fonction de maire dans le discrédit et a décrédibilisé la classe politique.

It is rare, if not unknown, for a dictator to step down of his/her own accord.

C'est rare, voire du jamais-vu, pour un dictateur de démissionner de lui-même.

Many are guilty of human rights abuses.

Beaucoup sont coupables de violations des droits de l'Homme.

The dictator was overthrown/toppled by the people. / The dictator was brought down by his/her own people.

Le dictateur a été renversé par le peuple. / Le peuple a fait tomber le dictateur.

The dictator was overthrown/toppled by his own army.

Le dictateur a été renversé par sa propre armée.

The regime was overthrown/topped by western forces./The regime was brought down by western forces.

> **Le régime a été renversé par des forces occidentales./Des forces occidentales ont fait tomber le régime.**

The regime collapsed.

> **Le régime s'est effondré.**

At the War Crimes Tribunal at The Hague, one member of the former regime answered a question thus: "I can't get into the skin of anyone who has wrongly been detained against their will, be it at home or in prison. I can only say that I am sorry and that I was only following orders."

> **À la Cour pénale internationale (CPI) à la Haye, un membre de l'ancien régime a répondu à une question ainsi : « Je ne peux pas me mettre à la place de qui ce soit ayant été détenu à tort et contre sa volonté, que ce soit à résidence ou en prison. Je ne peux que présenter mes excuses et dire que je ne faisais que suivre les ordres/je ne faisais qu'obéir aux ordres. »**

(political) leaks – **des fuites**

Enquiries – fact-finding and conclusions
Des enquêtes — trouver des informations et des conclusions

Fact-finding
Trouver des informations

to shed new light on something/to shed new light on something – **éclaircir quelque chose/apporter un nouvel éclairage sur quelque chose**

e.g.
This public enquiry should shed some new light on what went wrong at this biomedical research facility.

> **Cette enquête publique devrait apporter un nouvel éclairage sur ce qui s'est mal passé dans ce complexe de recherche biomédicale.**

to show/demonstrate something – **montrer/démontrer quelque chose**

e.g.
This shows/demonstrates why extra care is needed.

> **Cela/Ça montre/démontre pourquoi les soins additionnels/supplémentaires sont nécessaires.**

a fact-finding mission – **une mission d'information**

What conclusion do you draw? / What conclusion have you drawn/did you draw?

> **Quelle conclusion (en) tires-tu/tirez-vous ? / Quelle conclusion (en) as-tu/avez-vous tirée ?**

I have drawn the conclusion that... / I concluded that he knew all about it.

> **J'ai (J'en ai) tiré la conclusion qu'il était au courant de tout/qu'il savait tout. / J'ai (J'en ai) conclu qu'il était au courant de tout/qu'il savait tout.**

Whose fault are you saying it is? Is it not yours?

> **Tu dis/Vous dites que c'est la faute de qui ? Ce n'est pas la tienne/la vôtre ?**

No, they alone are responsible.

> **Non, ce sont les seul(e)s responsables. / Non, eux seuls/elles seules sont responsables.**

They'd do well to take responsibility for that. / They'd be better off taking responsibility for that.

> **Ils feraient bien d'en assumer la responsabilité. / Ils feraient mieux d'en assumer la responsabilité.**

I'm amazed/surprised at the speed with/at which you jump to conclusions/ jump to your conclusion.

> **Je m'étonne de la vitesse à laquelle tu (en) tires/vous (en) tirez des conclusions hâtives. / La vitesse à laquelle tu (en) tires/vous (en) tirez des conclusions hâtives m'étonne/me surprend.**

I'm amazed/surprised at the speed with/at which you jump to the conclusion that that is the case.

> **Je m'étonne de la vitesse à laquelle tu (en) tires/vous (en) tirez la conclusion hâtive que c'est le cas. / La vitesse à laquelle tu (en) tires/vous (en) tirez la conclusion hâtive que c'est le cas m'étonne/ me surprend.**

The goal/purpose of this enquiry was to establish (the) cause/find out the cause and find out whether any lessons could be drawn/learnt, but it was not conducted rigorously.

> **Le but/L'objectif de cette enquête était d'établir la cause/de découvrir la cause et de savoir s'il était possible d'en tirer des leçons, mais elle n'a pas été menée/conduite rigoureusement/de façon rigoureuse.**

All I know is that the facts speak for themselves.

> **Tout ce que je sais c'est que les faits sont là. / Tout ce que je sais c'est que les faits parlent d'eux-mêmes.**

I've already spoken to so many people: the figures are right/accurate.
> **J'ai déjà parlé avec tellement/tant de gens : les chiffres sont justes/ exacts.**

That leads me to conclude that…
> **Cela/Ça me mène à conclure que…** + *indic. or conditional*

I can't help but come to the conclusion that… / I can't help but draw the conclusion that…
> **Je n'arrive pas à/Je ne peux pas m'empêcher de/d'en venir à la conclusion que…** + *indic. or conditional* / **Je n'arrive pas à/Je ne peux pas m'empêcher de/d'en tirer la conclusion que…** + *indic. or conditional*

I can't help thinking that…
> **Je n'arrive pas à/Je ne peux pas m'empêcher de penser que…**

It looks very much as though…
> **Il semblerait vraiment que… / On dirait vraiment que…**

A different approach is needed. / We need a different approach.
> **Il faut une approche différente.**

We decided that a different approach was needed/necessary.
> **Nous avons/On a décidé qu'il fallait une approche différente. / Nous avons/On a décidé qu'une approche différente était nécessaire.**

They published a report designed to…
> **Ils/Elles ont publié un rapport visant à…**

Nations commemorating events/National commemorations
Des nations commémorant des évènements/Des commémorations nationales

This (date) will be a day of national celebration each year from now on. That's what the president of the republic has just announced.
> **Cette date sera désormais un jour de célébration nationale chaque année. C'est ce que vient d'annoncer le président de la République.**

The (date) will be a day of national celebration each year from next year. That's what the president of the republic has just announced.
> **Cette date sera un jour de célébration nationale chaque année à partir de l'an prochain. C'est ce que vient d'annoncer le président de la République.**

Tomorrow is/will be the first anniversary of…
Demain, ce sera le premier anniversaire de…

Today, it's a year to the day since…
Aujourd'hui, cela/ça fait un an, jour pour jour, depuis… / Il y a un an, jour pour jour, …

At the centenary/hundredth anniversary of these war crimes the president said: "Never again can something like this happen without the perpetrators being tracked down, caught and punished. Never again must civilised nations allow this to happen. Never again will we stand by and allow this to happen."
Au centenaire de ces crimes de guerre, le président a dit : « Une telle chose ne doit jamais se reproduire sans que les auteurs/responsables soient poursuivis, arrêtés et punis. Des nations civilisées ne doivent jamais permettre qu'une telle chose se produise. Nous ne resterons plus jamais sans rien dire/faire pendant qu'une chose pareille se produit. »

In the collective German memory, the French–German battles of the First World War/World War One/the Great War have been largely forgotten, except (for) the battle of Verdun. One tends to find, across the Rhine, that the other battles, such as that of the Chemin des Dames (the Path of the Ladies), have been overshadowed/eclipsed/concealed/overlooked by the great battles of the Second World War/World War Two.
Dans la mémoire collective allemande, les batailles franco-allemandes de la Première Guerre Mondiale/la guerre de quatorze/la guerre de quatorze-dix-huit/la Grande Guerre ont en grande partie été oubliées, sauf/excepté la bataille de Verdun. On peut fréquemment remarquer qu'outre-Rhin[28], les autres batailles, comme celle du Chemin des Dames, ont été occultées par les grandes batailles de la Deuxième/Seconde[29] Guerre Mondiale.

There are still quite a lot of people alive today who lived through the dark days of the Second World War.
Il reste toujours beaucoup/pas mal de gens qui ont vécu la période sombre qu'était la Seconde/Deuxième Guerre Mondiale.

The soldiers are lining the route to the tomb of the unknown soldier.
Les soldats sont alignés le long de la route menant à la tombe du Soldat inconnu.

---

28 The term 'outre-Rhin' is an adverbial locution used in mainland France to refer to across the border in Germany from the French perspective, i.e. "on the other side of the (river) Rhine". See mini-glossary at end of this chapter for similar locutions the French use containing 'outre-' in relation to mainland France.

29 L'Académie française holds that 'deuxième' is intended for use as 'second' when the number order extends beyond two, so that there is 'third', 'fourth', etc. while 'second(e)' is for instances where there are only two of any given object or event. However, it adds that this is not obligatory.

Mourning a deceased head of state
Pleurer un chef d'État défunt

The president is dead. He was one of the truly great thinkers of his generation… and perhaps of the world.
> **Le président est mort. Il était l'un des vrais/véritables grands penseurs de sa génération… et peut-être du monde. / La présidente est morte. Elle était l'une des vraies/véritables grandes penseuses de sa génération… et peut-être du monde.**

(Note: This second sentence illustrates the current debate over feminisation of text in France. Some would argue 'grandes penseuses' is correct; others might argue that it narrows her to female thinkers only.)

Flags are flying at half-mast.
> **Les drapeaux sont en berne.**

The world of politics is just beginning to realise just how good he/she was. / It is just beginning to dawn on the world of politics just how good he/she was.
> **Le monde politique commence tout juste à se rendre compte de ses qualités. / Le monde politique commence tout juste à réaliser combien c'était un homme bien/une femme bien.**

World crises and the role of the UN (United Nations) in trying to resolve them
Crises mondiales, le rôle de l'ONU (l'Organisation des Nations unies) et ses tentatives de résolution

A crisis situation is approaching/nearing.
> **Une situation de crise approche.**

The two countries are on the verge of war. / The two countries are on the verge of going to war (with each other).
> **Les deux pays sont au bord de la guerre./Les deux pays sont sur le point d'entrer en guerre (l'un contre l'autre).**

The country is on the verge of civil war.
> **Le pays est au bord d'une/de la guerre civile.**

Everyone is holding their breath.
> **Tout le monde retient son souffle.**

The world is holding its breath.
> **Le monde retient son souffle.**

There is nothing black and white about this crisis.
> **Tout n'est pas noir ou blanc dans cette crise/à propos de cette crise/concernant cette crise.**

This crisis has deflected attention from/deflects attention from other pressing issues.
> Cette crise a détourné l'attention d'autres questions urgentes. / Cette crise détourne l'attention d'autres questions urgentes.

This crisis deflects attention from the Prime Minister's weakness and unpopularity at home/back home.
> Cette crise détourne l'attention de la faiblesse et de l'impopularité du Premier ministre dans son pays.

World leaders are trying to find a way out of this crisis. / World leaders are trying to defuse this crisis.
> Des leaders mondiaux essayent/sont en train d'essayer de trouver un moyen de sortir de cette crise./Des leaders mondiaux essayent/ sont en train d'essayer de désamorcer cette crise.

The plan put forth by... could serve as an escape route. / The plan put forth by... could be an escape route.
> Le plan mis en avant par... pourrait servir de porte de sortie. / Le plan mis en avant par... pourrait être une porte de sortie.

The West is threatening Iran with sanctions.
> Les pays occidentaux menacent l'Iran de sanctions.

Iran in turn accuses the West of spying on them.
> L'Iran accuse les pays occidentaux de l'espionner.

In French/British opinion, ... / In the opinion of the French/British, ...
> Dans l'opinion française/britannique, ... / Selon les Français/ Britanniques, ...

An emergency meeting of world leaders has been called for.
> Une réunion d'urgence des leaders mondiaux a été demandée/ exigée.

Countries directly affected by the crisis are calling on the UN to take decisive action. / Countries directly affected by the crisis are putting pressure on the UN to take decisive action.
> Les pays affectés directement par la crise demandent à l'ONU d'agir de façon/manière décisive. / Les pays directement affectés par la crise font pression sur l'ONU pour qu'elle agisse de façon/ manière décisive.

The UN Security Council is in emergency session with a view to working out a new resolution.
> Le Conseil de Sécurité des Nations unies est en session d'urgence en vue d'élaborer une nouvelle résolution.

Other countries on the Security Council are urging the permanent members not to veto any agreement reached.

> **D'autres pays du Conseil de Sécurité déconseillent vivement aux membres permanents de mettre leur veto à tout accord trouvé.**

Difficulties remain. They are no closer to (reaching) agreement.

> **Il reste des difficultés. Ils ne sont pas plus avancés pour ce qui est de parvenir à un accord.**

The lack of a resolution coming from the UN clearly shows/demonstrates the difficulty.

> **L'absence d'une résolution de l'ONU montre/démontre bien la difficulté.**

The indecision of the UN and its failure to act conveys anxiety. That's what makes the situation complex. / It's that that makes the situation all the more complex.

> **L'indécision de l'ONU et son manque d'action inquiètent. C'est cela/ça qui rend la situation complexe. / C'est cela/ça qui rend la situation d'autant plus complexe.**

Be that as it may, the Secretary-General has said the following:
"I don't have a magic solution/miraculous solution. I've done what I could.
I have nothing more/further to say."

> **Quoi qu'il en soit, le secrétaire général a dit ceci :**
> **« Je n'ai pas de solution miracle. J'ai fait ce que j'ai pu. Je n'ai rien à dire de plus. »**

The two parties are in talks/are said to be having talks behind the scenes.

> **Les deux côtés sont en pourparlers en coulisse. / On dit que les deux côtés sont en pourparlers en coulisses.[30]**

---

30 Note that French-speakers also use "dans les coulisses" to mean "behind the scenes". However they use this in a different way, namely, "behind the scenes of something",

e.g.

We'll be going behind the scenes of the negotiations to find out what is really going on.
On ira/Nous irons dans les coulisses des négociations/pourparlers pour savoir ce qui se passe réellement.

We'll take you behind the scenes at the Musée d'Orsay.
On vous emmènera/Nous vous emmènerons dans les coulisses du musée d'Orsay.

This is what it's like behind the scenes in a typical district general hospital.
Voici comment les choses se passent dans les coulisses d'un hôpital général régional.

Our reporter went behind the scenes at Lyon (Olympique Lyonnais) to watch their preparations for their Champions' League match.
Notre reporter est allé dans les coulisses de l'Olympique Lyonnais (OL) pour regarder leurs préparations pour le match de la Ligue des champions.

The question (on everyone's lips) is: "Where does the balance of power really lie?"

La question (sur toutes les lèvres), c'est : « Où se trouve réellement l'équilibre des puissances ? »

It's frustrating to see the lack of progress in this meeting so far/thus far.

C'est frustrant de voir le manque de progrès dans cette réunion jusqu'ici/jusqu'à présent.

At some point or other, an agreement will have to be found/is going to have to be found.

Il va falloir trouver un accord à un moment ou un autre.

After five days of stagnation/stalemate, the delegates reached agreement.

Après cinq jours dans l'impasse, les délégué(e)s sont parvenu(e)s à un accord.

They reached (an) agreement. / They came to an agreement.

Ils/Elles se sont mis/mises d'accord. / Ils/Elles sont parvenus/ parvenues à un accord.

They reached agreement based on a proposal put forth by the Swedish delegation. / They reached a deal based on an idea expounded by the Swedes.

Ils sont parvenus à un accord basé sur une proposition mise en avant par la délégation suédoise./Ils sont parvenus à un accord basé sur une idée exposée par les Suédois.

They (have) reached an agreement intended to...

Ils/Elles sont parvenus/parvenues à un accord visant à...

They came to (an) agreement on the following statement. / They agreed on the following statement: ...

Ils sont parvenus à un accord sur la déclaration suivante : ...

Thanks to the support of the international community/Thanks to the brokering of the UN, they have come to a truce/reached a ceasefire.

Grâce au soutien de la communauté internationale/Grâce aux négociations de l'ONU, ils sont parvenus à une trêve/à un cessez-le-feu/à faire cesser les hostilités.

They have agreed to say that...

Ils/Elles se sont mis/mises d'accord pour dire que... + *indic.*

That changes the narrative. But does it change the situation on the ground?

Cela/Ça change tout. Mais est-ce que cela/ça change la situation sur le terrain ?

They agree on the wording for a new UN resolution.
Ils sont d'accord sur l'élaboration d'une nouvelle résolution de l'ONU.

This agreement is a good starting point. Force should only be used as a last resort.
Cet accord est un bon début. La force/violence ne devrait être utilisée qu'en dernier recours.

As a starting point, it's very good.
C'est un très bon début.

That raises the possibility of…
Cela/Ça soulève la possibilité de…

That removes the possibility of conflict.
Cela/Ça retire la possibilité d'un conflit.

There remain a few problems to overcome/sort out/resolve.
Il reste (toujours/encore) quelques problèmes à surmonter/régler/résoudre.

It just remains for the finer details to be ironed out.
Il ne reste plus qu'à mettre à plat les derniers détails.

Certain obstacles still need to be lifted. / There are certain remaining obstacles (still) to be lifted. / There remain certain obstacles to be lifted.
Certains obstacles doivent toujours/encore être levés/aplanis. / Il reste encore certains obstacles à lever/aplanir

There is still a degree of disagreement.
Il reste toujours un certain degré de désaccord. / Il y a toujours un certain degré de désaccord.

There is still disagreement on…
Il reste toujours un désaccord à propos de/un désaccord sur… / Il y a toujours un désaccord à propos de/un désaccord sur…

So/Thus far, they have stuck/kept/adhered to the agreement.
Jusqu'ici/Jusqu'à présent, ils/elles ont respecté l'accord.

to fail/to come to nothing/ to fail to materialise/to fizzle out/to hit the buffers/to be a damp squib – **tomber à l'eau**

e.g.
The draft resolution at the UN Security Council proposed yesterday by the New Zealand delegation came to nothing/hit the buffers, having been blocked/rejected by the Russians.

Le projet de résolution proposé hier par la délégation néo-zélandaise au Conseil de Sécurité des Nations unies est tombé à l'eau après avoir été bloqué/rejeté par les Russes.

The plan went up in smoke.
Le plan est parti en fumée.

It would have been better to…
Il aurait été mieux de…

That would have been better/preferable.
Cela/Ça aurait été mieux/préférable.

The Russians showed no interest. The United States and the UK say that Russia always works against the West/always pulls in the opposite direction to the West in matters like/such as this.
Les Russes n'ont montré aucun intérêt. Les États-Unis et le Royaume-Uni disent que la Russie s'oppose toujours à l'Occident dans ce genre de situations.

This has upset the balance. / This has upset the balance of power.
Cela/Ça a bouleversé l'équilibre. / Cela/Ça a bouleversé l'équilibre des puissances.

They say Russia does this without fail.
Ils disent que la Russie le fait tout le temps/systématiquement.

Even so, the ball is squarely/firmly in their court.
Malgré tout, la balle est complètement[31] dans leur camp.

This is not necessarily true.
C'est (Ce n'est) pas forcément vrai.

Whether Russia is capable of doing it or not, that doesn't interest me.
Que la Russie en soit capable ou non ne m'intéresse pas.

That's a bold statement.
C'est une déclaration audacieuse/osée.

---

31 Note that French-speakers tend to use 'complètement' rather than 'carrément' or 'fermement' in this expression. 'Carrément' is informal and 'fermement' can mean 'firmly' but in other contexts, eg. "I firmly believe that…" – 'Je crois fermement que…". It also means 'forcefully/with force', 'resolutely', 'steadfastly' or 'earnestly'.

France and Britain/The French and British delegations are working flat out to come up with an alternative solution.

La France et la Grande-Bretagne/Les délégations française et britannique travaillent d'arrache-pied afin de trouver une alternative.

They're holding out for a resolution acceptable to all members of the Security Council.

Elles attendent patiemment une résolution acceptable pour tous les membres du Conseil de Sécurité.

It looks like an agreement might be out of reach. / It would seem (that) an agreement is out of reach.

Il semble qu'un accord soit hors de portée/hors d'atteinte. / Il semblerait qu'un accord soit hors de portée/hors d'atteinte.

They (have) hammered out an agreement.

Elles ont négocié un accord.

There is common ground between France on the one side/on the one hand, and Germany on the other, in relation to the future direction of the EU. It consists of…

Il y a des points communs entre la France d'un côté, et l'Allemagne de l'autre, en ce qui concerne la direction que doit prendre l'UE. Ils consistent en…

There is a growing/mounting fear deep within the Jewish and Muslim communities in Jerusalem.

Il y a une peur croissante au sein des communautés juives et musulmanes à Jérusalem.

A great fear is growing and gripping both communities.

Une grande peur croît et accable les deux communautés.

The UN has lifted the sanctions against…

L'ONU a levé les sanctions contre…

a crisis meeting – **une réunion de crise**

Chronic, regional and seemingly insoluble partition, political impasse and tension, and the deployment of the UN demilitarized zone (DMZ)

Partition, impasse politique et tension régionales chroniques apparement insolubles, et le déploiement de la zone démilitarisée par l'ONU

(Note the American English spelling of 'demilitarised' is used, with a 'z' rather than an 's'. There are many other words where this occurs – 'analyzed' instead of 'analysed', 'organized' for 'organised', and 'organization' instead of 'organisation' in 'NATO' [See Theme 49, p.253], for example.)

(Note : En anglais américain, « demilitarised » s'écrit avec un « z » plutôt qu'un « s » [qui est utilisé dans l'orthographe britannique]. Cette différence peut être trouvée dans de nombreux autres mots, par ex. « analyzed » plutôt qu'« analysed », « organized » au lieu d'« organised », et « organization » au lieu d'« organisation » en « NATO» [voir Thème 49, p.253].)

The demilitarized zone (DMZ) of the Korean peninsula, in place since the end of the Korean War in 1953 (nineteen fifty-three), is some four kilometres wide and 250 (two hundred and fifty) kilometres long.

> La zone démilitarisée de la péninsule coréenne, en place depuis la fin de la guerre de Corée en 1953 (dix-neuf cent cinquante-trois/mille neuf cent cinquante-trois), fait à peu près 4 (quatre) kilomètres de large et 250 (deux cent cinquante) kilomètres de long.

There has been a similar one in place in Cyprus since Turkey invaded and occupied the northern part of the island in 1974 (nineteen seventy-four) and a brief conflict with the Greeks ensued. This DMZ is at its widest (point) 7.4 (seven point four) kilometres and is 180 (one hundred and eighty) kilometres long.

> Il y en a une similaire à Chypre depuis que la Turquie a envahi et occupé la partie nord de l'île en 1974 (mille neuf cent soixante-quatorze/dix-neuf cent soixante quatorze) et un conflit bref avec les Grecs s'en est suivi. Cette zone démilitarisée fait 7,4 (sept virgule quatre) kilomètres en son point le plus large et 180 (cent quatre-vingt) kilomètres de long.

The DMZ, maintained by the UN with its peacekeeping forces, has been a vital buffer zone preventing armed conflict restarting between the North and South in both the Korean peninsula and Cyprus, since the North Koreans and South Koreans and the Turkish and Greek Cypriots have technically been at war (no peace treaty) all this time.

> La zone démilitarisée, maintenue par l'ONU avec sa force de maintien de la paix, a été une zone tampon essentielle/indispensable pour empêcher le conflit armé entre le Nord et le Sud de recommencer à la fois sur la péninsule coréenne et à Chypre, étant donné que les Nord et Sud-Coréens, et les Chypriotes turcs et grecs sont en guerre (aucun traité de paix) depuis tout ce temps.

It's a deterrent.

C'est dissuasif. / Cela/Ça un effet dissuasif.

That said, DMZs do not always succeed in their purpose: the one in place between the North and South of Vietnam from 1954 to1975 (nineteen fifty-four to nineteen seventy-five) failed to prevent sporadic bombing and shelling of villages within this zone and the death of civilians.

Cela dit, les zones démilitarisées ne sont pas toujours un succès : celle en place entre le Nord et le Sud du Viêt Nam de 1954 (mille neuf cent cinquante-quatre/dix-neuf cent cinquante-quatre) à 1975 (mille neuf cent soixante-quinze/dix-neuf cent soixante-quinze) n'a pas réussi à empêcher les bombardements, avec et sans obus, sporadiques des villages situés dans la zone et la mort des civils.

Whilst Cyprus is relatively calm, so much so that it was able to join the European Union in 2004 (two thousand and four), there are growing/mounting/rising tensions between North Korea and South.

Tandis que Chypre est relativement calme, à tel point qu'elle a pu rejoindre l'Union Européenne en 2004 (deux mille quatre), il y a des tensions croissantes entre la Corée du Nord et du Sud.

Tensions have been receding again in recent weeks.

Les tensions se calment de nouveau ces dernières semaines.

The historic first meeting of the North and South Korean leaders in the DMZ in 2019 (twenty nineteen) was very positive and raised hopes that it will pave the way for not only lasting peace on the Korean peninsula, but reunification of the people and families of Korea. Decades of differing political ideologies have kept them separate and, moreover, latterly brought the threat of nuclear war to the region. So, there is a glimmer of hope.

La première rencontre historique entre les dirigeants/leaders nord et sud-coréens dans la zone démilitarisée en 2019 (deux mille dix-neuf) était très positive et a donné l'espoir qu'elle ouvrira la voie non seulement à une paix durable dans la péninsule coréenne, mais aussi à la réunification des peuples et des familles de Corée. Des décennies d'idéologies politiques divergentes ont empêché leur réunion et ont, de plus, dernièrement/récemment apporté la menace d'une guerre nucléaire dans la région. Alors, il y a une lueur d'espoir.

Peace and stability on the Korean peninsula, and even reunification of the two Koreas, is an ideal to reach, as is complete denuclearisation.

La paix et la stabilité de la péninsule coréenne et même la réunification des deux Corées sont un idéal à atteindre.

The situation remains unstable/calm/tense/positive.

La situation reste instable/calme/tendue/positive.

There has been a fundamental shift in American policy toward North Korea. The Americans would argue that this has worked and that without it we would not have got to this point. They say there now needs to be a fundamental shift in policy toward North Korea by the Chinese.

> **Il y a eu un changement fondamental de la politique américaine envers la Corée du Nord. Les Américains soutiendraient que cela a eu l'effet désiré/escompté et que sans (cela) nous n'en serions pas là. Ils disent que la Chine doit à présent changer fondamentalement ses politiques à l'égard de la Corée du Nord.**

highly enriched uranium – **uranium hautement enrichi**

an atomic bomb – **une bombe atomique**

uranium oxide – **l'oxide d'uranium**

plutonium oxide – **le dioxyde de plutonium**

a nuclear deterrent – **une force de dissuasion nucléaire**

The outbreak of war; going to war; war and peace
Le début de la guerre ; entrer en guerre ; guerre et paix

At the moment/point the Second World War broke out, …
> **Au moment où la Seconde/Deuxième Guerre Mondiale a éclaté, …**

The village was surrounded/encircled and targeted by the army.
> **Le village a été encerclé et ciblé/visé par l'armée.**

Having surrounded the city a few days ago, the army has captured it and is now consolidating/tightening its grip on it.
> **Après avoir/Ayant encerclé la ville il y a quelque jours, l'armée l'a capturée et est maintenant en train de consolider/resserrer son emprise dessus.**

The raid was meticulously planned.
> **Le raid a été minutieusement planifié.**

It was a catastrophic attack.
> **C'était une attaque catastrophique.**

The villagers (have) paid a (very) heavy price: there has been/was a lot of bloodshed.

> **Les villageois ont payé (très) cher : beaucoup de sang a été versé.**
> *(Literally, "a lot of blood was shed/spilt.")*

The death toll/The number of dead has passed/exceeded the five hundred mark as a result of/because of the fighting.

> **Le bilan des morts/Le nombre de morts a dépassé le cap des cinq cents à cause de la bataille.**

The death toll has passed the three thousand mark. / The death toll has exceeded three thousand.

> **Le bilan des morts/Le nombre de morts a dépassé les trois mille.**

We need to avoid more bloodshed.

> **Il nous faut éviter plus d'effusions de sang. / Nous devons éviter plus d'effusions de sang.**

The leaders of the warring parties/countries say they're going to do whatever is necessary to maintain the peace.

> **Les dirigeants des partis/pays en guerre disent qu'ils vont faire tout le nécessaire pour maintenir la paix.**

They have signed a treaty.

> **Ils ont signé un traité.**

The devil is in the detail(s).

> **Le diable est dans les détails. / Le diable se cache[32] dans les détails.**

The real winner/loser in this scenario is/was/will be…

> **Le vrai gagnant/perdant / La vraie gagnante/perdante dans ce scénario est/était/sera… / Le vrai gagnant/perdant / La vraie gagnante/perdante dans ce scénario, c'est/c'était/ce sera…**

The UN bears (the) responsibility/carries the responsibility for checking whether the two parties observe the terms of the treaty and keep their promise not to fight again.

> **L'ONU porte/a la responsabilité/est responsable de vérifier si les deux partis respectent les termes du traité et tiennent leur promesse de ne pas s'affronter à nouveau.**

The situation remains unstable/calm/tense.

> **La situation reste instable/calme/tendue.**

---

32 It is not uncommon also to hear or read "Le diable se niche dans les détails" in French news broadcasts or on French journalistic and news publications and websites, although, at the time of writing at least, it generally doesn't appear in French dictionaries.

The situation is now far more calm/positive.
> **La situation est maintenant beaucoup plus calme/positive.**

Nevertheless, the UN remains concerned by the question of sovereignty and of refugees.
> **Néanmoins, la question de la souveraineté et des réfugiés inquiète toujours l'ONU.**

"It was an annexation, pure and simple, the taking/taking back of Crimea from Ukraine by Russia," said the US Ambassador to the UN.
> **« La prise/La reprise de la Crimée à l'Ukraine par la Russie était une annexion pure et simple », a dit l'ambassadeur américain aux Nations unies.**

Is the UN right not to… ?
> **L'ONU a-t-elle raison de ne pas… ?**

Those who say it isn't are wrong in my opinion/from my point of view/from where I'm standing.
> **Ceux qui disent que l'ONU ne devrait pas…/a tort de… se trompent selon moi/à mon avis.**

The scale of what happened is still sinking in. / The scale of what has just happened here is still sinking in.
> **Les gens essayent toujours de comprendre/réaliser l'ampleur de ce qu'il s'est passé.**

We need to harden our stance/position/resolve.
> **Il nous faut/Nous devons durcir notre attitude/position. / Il nous faut/Nous devons renforcer notre détermination.**

The decision we have been led to take is a serious/grave and reluctant one. We have no other choice.
> **La décision que nous avons été amenés à prendre est très sérieuse/importante et c'est à contrecœur que nous la prenons. Nous n'avons pas d'autre choix.**

We're going to launch airstrikes. We'll need/have to/It'll be necessary to strike behind enemy lines while advancing (in order) to cut off the army from its command and control centres. The enemy positions are easy to see.
> **Nous allons faire des frappes/attaques aériennes. Il faudra/Nous devrons frapper derrière les lignes ennemies tout en avançant afin de séparer l'armée de ses postes de commandement et de contrôle. Les positions tenues par l'ennemi sont faciles à voir.**

There'll be airstrikes against the attackers/rebels, the Prime Minister has just announced.

> Il y aura des frappes/attaques aériennes contre les assaillants/les rebelles, vient d'annoncer le Premier ministre.

It's an operation aimed at destroying/intended to destroy this terrorist group.

> C'est une opération visant à détruire ce groupe terroriste.

We are on a war footing.

> On est/Nous sommes sur le pied de guerre.

I'm not sure there's a great public appetite for this.

> Je ne suis pas sûr(e)/certain(e) que le public ait goût à cela/ça.

Yes, there is: the general public are behind us on this one.

> C'est faux : le grand public est derrière nous là-dessus./le grand public nous soutient là-dessus/sur ce point.

We are/We have been observing the comings and goings of the militants.

> Nous surveillons les allées et venues des militants.

The attacks/bombardments have continued through/throughout the day.

> Les attaques/bombardements ont continué/se sont poursuivies/ poursuivis pendant la journée. / Les attaques/bombardements ont continué/se sont poursuivies/poursuivis tout au long de la journée.

Aid agencies can/will be able to pay a visit to the area only after the fighting/ conflict has stopped.

> Des organisations humanitaires peuvent/pourront se rendre dans la région après que[33] le combat/le conflit s'est arrêté/a pris fin.

The brief pause in fighting allowed for the creation of a humanitarian corridor for the safe passage of more refugees.

> Le bref cessez-le-feu a permis la création d'un couloir humanitaire pour le passage sûr de plus de réfugiés.

There is little news from Cairo because the people there are cut off from telephone and internet.

> Il y a très peu de nouvelles du Caire car les gens qui s'y trouvent n'ont pas accès au téléphone ni à internet.

---

33 Note that unlike 'avant que', with which the verb that follows always takes the subjunctive, the verb following 'après que' always takes the indicative because the event referred to in the first clause of the sentence is already confirmed to have taken place.

To guard against enemy forces, we/we'll need to gather/garner all our strength. / To guard against enemy forces, we/we'll need to assemble all our forces/to join forces.

Pour/Afin de faire barrage aux forces ennemies, nous devons/ devrons rassembler toutes nos forces/unir nos forces.

We have joined forces with our NATO allies to counter the threat.

Nous nous sommes unis à nos alliés de l'OTAN pour contrer la menace.

Regional conflicts and their knock-on effects
Des conflits régionaux et leurs conséquences/répercussions/effets

The countries bordering Syria and Libya are being destabilised by the ongoing conflicts in the two countries/in both countries.

Les pays limitrophes/frontaliers de la Syrie et la Libye sont déstabilisés par les conflits (en cours) dans les deux pays. / Les pays qui avoisinent la Syrie et la Libye sont déstabilisés par les conflits (en cours) dans les deux pays.

It's difficult because the two countries are pushing the boundaries of international norms.

C'est difficile car les deux pays dépassent les limites établies par les règles internationales.

Turkey says it is ready to intervene.

La Turquie se dit prête à intervenir.

Turkey says it stands ready to help.

La Turquie se dit prête à aider.

Other countries are standing at the ready.

D'autres pays sont prêts à aider.

Some in Europe say the position adopted by Turkey is ambiguous, to say the least.

Certains en Europe disent que la position adoptée par la Turquie est pour le moins ambiguë. / D'aucuns en Europe disent que la position adoptée par la Turquie est pour le moins ambiguë. / Certains en Europe disent que la position adoptée par la Turquie est ambiguë, c'est le moins que l'on puisse dire.

These are/They are the only foreigners living and working in Libya. They have failed to heed Foreign Office advice. Our advice has gone unheeded.

> **Ce/Ils sont les seuls étrangers habitant et travaillant en Libye.**
> **Ils n'ont pas tenu compte des conseils du ministère des Affaires étrangères. Nos conseils ont été ignorés.**

Neighbouring

> **Limitrophe/voisin(e)**

e.g.
Neighbouring Tunisia, …

> **La Tunisie limitrophe/voisine, …**

Neighbouring Portugal, …

> **Le Portugal limitrophe/voisin, …**

There has been an armed struggle in neighbouring… (country) for a long time.

> **Il y a eu, depuis longtemps, une lutte armée en/au… (pays) limitrophe.**

It was a hard-fought battle.

> **C'était une bataille acharnée.**

in the rebel stronghold of…

> **dans le bastion rebelle de…**

in their stronghold of…

> **dans leur bastion de…**

The two people Paul is talking about/about whom Paul is talking are implicated in the genocide.

> **Les deux personnes dont parle Paul sont impliquées dans le génocide.**

The two parties that the interlocutor was talking about earlier were implicated in the genocide.

> **Les deux partis dont parlait l'interlocuteur tout à l'heure étaient impliqués dans le génocide.**

Violence/The violence is not a means to an end but an end in itself in this case.

> **La violence n'est pas un moyen de parvenir à une fin, mais une fin en soi ici/dans ce cas.**

Yugoslavia began to disintegrate in 1991 (nineteen ninety-one). / Yugoslavia began to fall apart/break up in 1991.

> **La Yougoslavie a commencé à se morceler en républiques**

indépendantes en 1991 (mille neuf cent quatre-vingt-onze/dix-neuf cent quatre-vingt-onze). / La Yougoslavie a commencé à éclater en 1991.

(Note: Unlike 'disintegrate', which can stand alone, 'morceler'/'se morceler' has to be followed by 'into something', i.e. 'en quelque chose'.
À noter qu'à la différence de « morceler » et sa forme pronominale, le mot « disintegrate » peut être utilisé tout seul : il ne doit pas être suivi par la préposition « into » (« en »).)

an armed struggle – **une lutte armée**

Dealing with international terrorism: facing terrorist attacks and threats, coordinating action to confront them
Affronter le terrorisme international : faire face aux attaques et menaces terroristes, organiser des actions pour les affronter

It's a shock we can (well) withstand/take.
C'est un choc (tout à fait) supportable. / C'est un choc auquel on peut résister.

We need to guard against/prevent this/this kind of thing happening again.
Nous devons empêcher que cela/ça/ce genre de chose se produise à nouveau.

We need to/We must harden/strengthen our resolve.
Nous devons renforcer notre détermination.

We cannot/can't afford to/allow ourselves to fail.
On (ne) peut pas se permettre d'échouer. / Nous ne pouvons pas nous permettre d'échouer.

We/You need to do more. / More needs to be done.
Nous devons (en) faire plus. / Vous devez (en) faire plus. / Tu dois (en) faire plus. / Il faut (en) faire plus.

We must/will act/respond firmly.
On doit/va/Nous devons/allons agir/réagir avec fermeté.

We will not allow ourselves to be intimidated.
Nous n'allons pas nous laisser intimider. / On ne va pas se laisser intimider.

On no account must they be allowed to get away with it.
Sous aucun prétexte doit-on leur permettre de s'en sortir impunément/en toute impunité.

The response will be swift and coordinated.
La réponse sera rapide et coordonnée.

We'll take whatever measures the circumstances necessitate/demand/call for.
> **Nous prendrons toute mesure exigée/rendue nécessaire par les circonstances.**

The government has implemented certain measures.
> **Le gouvernement a mis en œuvre certaines mesures.**

The measures are broad and diverse.
> **Les mesures sont diverses et variées.**

These measures will remain in place/will continue for as long as the threat lasts/remains.
> **Ces mesures resteront en place tant/aussi longtemps que la menace durera.**

Are these same measures being taken/adopted elsewhere/anywhere else?
> **Ces mêmes mesures sont-elles adoptées/mises en place ailleurs ?**

Are these same measures being taken/adopted everywhere else?
> **Ces mêmes mesures sont-elles adoptées/mises en place partout ailleurs ?**

We thwarted/frustrated the would-be attackers.
> **Nous avons contrecarré les éventuels agresseurs/assaillants.**

We thwarted/frustrated them.
> **Nous les avons contrecarrés.**

And what about the threat posed to…/the threat facing…?
> **Et qu'en est-il de la menace à l'encontre de… ? / Et quid de la menace à l'encontre de… ?**
> *('Quid' derives from Latin and means 'que' or 'quoi'.)*

What kind of threat is it?
> **De quel genre de menace s'agit-il ?**

With/Along with this nuclear reactor comes the threat of pollution of the surrounding area.
> **Avec cette centrale nucléaire vient la menace de la pollution de la zone environnante.**

That's the only thing that will allow us to unite.
> **C'est la seule chose qui nous permettra de nous unir.**

Much of western Europe lives under/faces the threat of terrorism.
La menace du terrorisme pèse sur une grande partie de l'Europe occidentale. / Une grande partie de l'Europe occidentale est confrontée[34] à la menace du terrorisme.

The situation is rapidly evolving./The situation is a rapidly evolving one.
La situation évolue vite/rapidement.

Rather than face up to/confront the problem, some seem to prefer to bury their heads in the sand.
Plutôt que de faire face à la menace/que d'affronter la menace, il semble que certains préfèrent appliquer la politique de l'autruche.

There's nothing new in/about that. / This is/That's nothing new.
Ce n'est pas nouveau.

Do you have a concrete solution?
Avez-vous/As-tu une solution concrète ?

Here's/There's one.
En voici/voilà une.

Here's a case in point. / This is a case in point.
Voici un parfait exemple. / C'est un exemple parfait.

The security forces (have) acted quickly and decisively to seal the borders. / The security forces (have) acted quickly this time and sealed the borders.
Les forces de sécurité ont agi rapidement et de façon décisive pour fermer les frontières. / Les forces de sécurité ont agi rapidement et de façon décisive cette fois et ont fermé les frontières.

That's what I believe is necessary. / That's what I believe to be necessary.
Je crois/pense que c'est cela/ça qui est nécessaire. / C'est ce que je crois/pense nécessaire.

---

34 Note the use of the verb 'confronter' rather than 'affronter'. 'Affronter' is an active verb – to confront someone/something; the use of 'confronter' in passive voice in the example here conveys the meaning of involuntarily facing a threat rather than actively confronting one. It can be used in active voice in the context of facing a threat or problem, but that is typically in the context of a third party, e.g. "Cette nouvelle nous a confronté(e) à la mesure/grandeur du problème." ("This news/revelation revealed to us the extent/size of the problem.") More often, 'confronter' used in active voice conveys a different meaning – typically, to compare. For example, "confronter de différents témoignages" means "to compare different accounts (witness statements) or versions of an event"; "confronter des écritures" means comparing handwriting or print as part of an investigation; or "confronter les opinions de différentes personnes" means to compare opinions or points of view on something; "confronter une méthode ou solution à une autre" – to compare one method or solution with another.

Some blame them all the time, having no regard/consideration for the difficulty of the task at hand. / Some blame them all the time, having no regard/consideration for the difficulty of the job/work.

> **Certains les critiquent tout le temps sans prendre en considération la difficulté de la tâche à accomplir. / Certains les critiquent tout le temps sans prendre en considération la difficulté de leur travail.**

Defence, international military alliances and the support for or opposition to contributing to them; expenditure and waste
Défense, alliances militaires internationales et soutien ou opposition au fait d'y contribuer ; dépense et gâchis

When you manage to do a cold analysis of the situation/to look at the situation in the cold light of day, you see that….

> **Quand on arrive/parvient à examiner la situation de façon impartiale, on voit que….**

Other than a single aircraft carrier, we have no naval protection. Defence budget cuts have affected the navy mostly and have rendered us more vulnerable than ever in my view.

> **Mis à part/Excepté/Hormis un seul porte-avions, nous n'avons pas de protection navale. Des réductions du budget de la défense ont principalement affecté la marine et nous ont rendus plus vulnérables que jamais, à mon avis.**

Two-thirds of our defence budget for this parliament have already been spent, wasted if you ask me, on defective equipment, including tanks, helicopters and armoured personnel carriers, a quarter of which I learn don't work properly, or even at all.

> **Deux tiers de notre budget de la défense pour ce parlement ont été déjà dépensés, gâchés si tu veux/vous voulez mon avis, en matériel/ équipement défectueux, dont des chars de combat/d'assaut/des tanks, des hélicoptères et des véhicules de transport de troupes, un quart desquels, je viens de l'apprendre, ne fonctionnent pas correctement, voire pas du tout.**

Military top brass say that some of our kit, bought at great expense in the last decade, is frankly obsolete and needs to be replaced urgently/as a matter of urgency; our armed forces are demanding it for fear our military soon becomes unrecognisable as a fighting force.

> **Les gros bonnets de nos forces armées disent qu'une partie de notre matériel/équipement, acheté à grand frais durant la dernière décennie, est obsolète et doit être remplacée d'urgence ; nos forces armées l'exigent par peur que notre armée devienne méconnaissable en tant que force de combat.**

That money was wasted.
> **Cet argent a été gâché/gaspillé.**

It was a waste of money.
> **C'était un gâchis d'argent.**

It was a complete waste of money.
> **C'était un véritable gâchis d'argent.**

That money could have been better spent on…
> **Cet argent aurait pu être mieux dépensé en…**

That is being spent/wasted as we speak.
> **Cet argent est en train d'être dépensé/gâché à l'heure où nous parlons.**

Instead, we could make significant savings and invest that money.
> **Au lieu de cela/ça / À la place, on pourrait/nous pourrions faire des économies considérables et investir cet argent. / On pourrait/Nous pourrions plutôt faire des économies considérables et investir cet argent.**

That could be better spent on…
> **Cela/Ça pourrait être mieux dépensé en…**

It could be even better spent on…
> **Cela/Ça pourrait être encore mieux dépensé en…**

We're in the same boat as…
> **Nous sommes dans le même bateau que…**

e.g.
We're in the same boat as countries of comparable size.
> **Nous sommes dans le même bateau que des pays de taille comparable.**

We're in the same boat, militarily speaking/economically speaking.
> **Nous sommes dans le même bateau, militairement parlant/ économiquement parlant.**

We have exceeded our budget.
> **Nous avons dépassé notre budget.**

But we need to go further than them.
> **Mais nous devons aller plus loin qu'eux.**

I'm all for there being a boost to the defence budget/an increase in defence spending/expenditure.
> **Je suis complètement pour une augmentation du budget de la défense.**

I'm totally against it./*I'm* dead against it. / Me, I'm totally against it./Me, I'm dead against it.
> **Je suis complètement contre, moi. / Moi, je suis complètement contre.**

I'm rather in favour of it.
> **J'y suis plutôt favorable.**

I'm rather in favour of…
> **Je suis plutôt favorable à…**

Some members of NATO are accused of being unwilling/reluctant to spend the two per cent of their GDP (Gross Domestic Product) on defence that NATO considers sufficient to make an effective contribution in personnel and material to the alliance.
> **Certains membres de l'OTAN sont accusés de ne pas être disposés à/sont accusés d'être réticents à dépenser les deux pourcents de leur PIB (produit intérieur brut) sur la défense que l'OTAN considère suffisants pour effectuer une contribution effective à l'alliance en matière de personnel et de matériel.**

The United States has been the leading global power, economically and militarily, for a number of decades.
> **Les États-Unis sont la première puissance mondiale, à la fois économiquement et militairement, depuis de nombreuses décennies.**

Even so, the Europeans within the alliance have a common/shared duty/responsibility to pay into the alliance and hence/thereby contribute toward their own defence.
> **Néanmoins/Toutefois, les Européens dans l'alliance ont un devoir commun/une responsabilité commune de contribuer financièrement à l'alliance et donc/par conséquent de contribuer à leur propre défense.**

Pretexts for war
Des prétextes pour la guerre

They are trying to create a pretext for invading the country. / They are looking for a pretext to invade the country.
> **Ils essayent de créer un prétexte pour envahir le pays. / Ils cherchent un prétexte pour envahir le pays.**

This is widely seen as warmongering.
> **C'est largement vu comme étant une attitude belliciste.**

There is talk of regime change, the President having already raised this possibility. However, regime change is illegal in international law.

Il y a des rumeurs concernant un changement de régime, le président ayant déjà évoqué cette possibilité. Cependant/Toutefois, changer de régime est illégal selon la loi internationale.

Under control/command/orders; in order; in hand; back to normal; to return to normal/to settle down

Sous le contrôle de… /Sous contrôle…/aux ordres de… ; en ordre ; en main ; de retour à la normale ; revenir à la normale/s'arranger

under the control of – **sous le contrôle de**

under government control – **sous contrôle gouvernemental**

under the command/orders of – **aux ordres de**

e.g.
He is not under the command of the army. / He is not under the command of General…

Il n'est pas aux ordres de l'armée. / Il n'est pas aux ordres du général…

[Cf. command of English, command of a game of sport – *la maîtrise de l'anglais, la maîtrise d'un jeu de sport*]

Everything is under control/in order.

Tout est sous contrôle. / Tout est en ordre.

The situation is under control/in hand.

La situation est sous contrôle. / La situation est bien en main.

Everything has returned to normal.

Tout est revenu à la normale.

Everything will settle down again. / Everything will be fine. / Everything will be all right. / Everything will work out (fine).

Tout va s'arranger. / Tout ira bien.

The European Union, Greece and the euro
L'Union européenne, la Grèce et l'euro

The European Union, as it was initially created, as the European Economic Community (EEC) or Common Market in 1957 (nineteen fifty-seven), totalling just six nations at the time, was formed on certain principles, perhaps chief of which was that France and Germany in particular should not go to war with each other again. The idea was that the creation of this trading bloc, as it was then, should foster harmony between these two nations and the other four. This was the most important idea.

> L'Union européenne, telle qu'elle a été créée à l'origine, sous le nom de Communauté économique européenne (CEE) en 1957 (mille neuf cent cinquante-sept), composée d'un total de six nations à l'époque, a été fondée selon certains principes, dont un des principaux était peut-être que la France et l'Allemagne en particulier ne devaient plus entrer en guerre l'une contre l'autre. L'idée était que la création de cette communauté économique, telle qu'elle était à l'époque, devrait encourager ces deux nations et les quatre autres à travailler en harmonie. C'était l'idée principale/la plus importante.

It's six decades since the inception of the EEC.

> La CEE a été créée il y a six décennies.

With the Greek financial crisis and refugees and economic migrants entering the EU in large numbers, the EU is in a parlous state.

> Avec la crise financière grecque et un grand nombre de réfugiés et de migrants économiques pénétrant dans l'UE, celle-ci est dans état précaire.

The member states can continue to blame each other/continue blaming each other, but that won't resolve the crisis. There's going to need to be at some point, and preferably soon, both a political and economic solution, otherwise it can only get worse.

> Les états membres peuvent continuer à se rejeter la responsabilités les uns sur les autres/à s'accuser les uns les autres, mais cela ne va pas résoudre la crise. Il va falloir à un moment, de préférence bientôt, trouver une solution à la fois politique et économique, sinon/sans quoi cela ne peut qu'empirer.

The Greeks want/would like Greece to be retained/kept within the European Union.

> Les Grecs veulent/souhaitent/aimeraient que la Grèce reste dans l'Union européenne.

The people of Greece/The Greek people are free to choose their own destiny/
future in relation to the euro and their place in the European Union. They
have plunged into a serious/grave situation/crisis and we want them to sort
themselves out and emerge from it stronger than before/stronger than ever.

**Le peuple grec est libre de choisir son propre destin/avenir en ce
qui concerne l'euro et sa place dans l'Union Européenne. Ils ont
fait face à une situation/crise très grave et nous voulons qu'ils
règlent leurs problèmes et qu'ils s'en sortent plus forts qu'avant/
que jamais.**

It's important that the Greek government puts in place the reforms promised. /
The Greek government must put in place the reforms promised.

**Il faut que le gouvernement grec mette en œuvre/place les réformes
promises. / Le gouvernement grec doit mettre en œuvre/place les
réformes promises.**

The dominant and powerful countries in the EU, or Germany and France, say
to the Greek government that Greece can remain in the European Union in
exchange for serious and rigorous/stringent economic reforms.

**Les pays dominants et puissants de l'UE, à savoir l'Allemagne et la
France, disent au gouvernement grec que la Grèce peut rester dans
l'Union européenne en échange de réformes économiques sérieuses
et rigoureuses.**

In France, the parties on the (political) Left are not hostile to that.

En France, les partis de gauche ne sont pas hostiles à cela/ça.

Their economic policies lack consistency. / Their foreign policy lacks
consistency.

**Leurs politiques économiques manquent de cohérence. / Leur
politique étrangère manque de cohérence.**

We have fully assessed their strengths and weaknesses.

Nous avons entièrement évalué leurs forces et leurs faiblesses.

In your eyes, what are the main problems with the single currency?

**Selon toi/vous / À tes/vos yeux, quels sont les problèmes
principaux/principaux problèmes de la monnaie unique ?**

The euro is increasingly becoming a straitjacket. In Greece, in Spain, in Italy,
in Portugal, people are amassing everywhere to protest – in squares, on
pavements, in the middle of roads… even along the motorways.

**L'euro devient de plus en plus comme une camisole de force. En
Grèce, en Espagne, en Italie, au Portugal, les gens s'amassent
partout – sur les places, les trottoirs, en pleine rue… même le long
des routes.**

A slightly provocative question:
Is the rest of the EU, and Germany in particular, being/as the richest member, obliged to come to the aid of Greece? / Does the rest of the EU, and Germany, being/as the richest member, have to come to the aid of Greece?

> **Une question un peu provocatrice :**
> **Le reste de l'UE, et l'Allemagne en particulier, étant le/en tant que membre le plus riche, sont-ils obligés de venir en aide à la Grèce ?**

Leaving aside/Leaving to one side/Putting to one side Belgium, the responsibility must be/has to be shared by the countries of the European Union, at the very least, by those of western Europe. / Belgium aside, the responsibility must be/has to be shared by the countries of the European Union, at the very least by those of western Europe.

> **La responsabilité doit être partagée parmi les pays de l'Union Européenne, au moins par ceux de l'Europe de l'Ouest, mise à part la Belgique.**

There is a modicum of agreement between the different member states on that.

> **Il y a un minimum d'accord entre les différents États membres là-dessus/à ce sujet.**

They have yet again missed the target set by the European Central Bank (ECB). We are largely/in large part responsible, in repeatedly bailing them out. We are facing a major problem, a complex and difficult problem that will take immense effort and commitment to resolve.

> **Ils n'ont une fois de plus/encore une fois/une fois encore pas réussi à atteindre l'objectif fixé par la Banque Centrale Européenne (BCE). Nous sommes en grande partie responsables, car nous les avons renfloués à maintes[35] reprises. Nous sommes face à un problème majeur, un problème complexe et difficile et il nous faudra faire d'immenses efforts et nous investir sérieusement pour le résoudre.**

---

35 Of the two indefinite adjectives 'maint(e)(s)' and 'plusieurs' (always plural) to mean many or several, both are formal terms but the former is considered the slightly more elevated by French-speakers.

Political footballs and 'hot potatoes' (burning/sensitive issues)
Des sujets politiques brûlants/sensibles

British politics/The politics of Great Britain from 2015 (twenty-fifteen) to 2020 (twenty-twenty) revolved around 'Brexit'. The intensity of the debate showed/demonstrated that this subject was very sensitive and that public opinion was very divided.

> **La politique de la Grande-Bretagne/La politique britannique de 2015 (deux mille quinze) à 2020 (deux mille vingt) tournait autour du « Brexit ». L'intensité de ce débat a montré/démontré que ce sujet était très sensible et que l'opinion publique était très divisée.**

Generally speaking, the right-wing British newspapers such as the *Daily Telegraph* and the *Daily Mail* were pro-Brexit, while the left-wing papers such as *The Guardian* and the *Daily Mirror* were against, or at least had a critical stance towards Brexit. It's fair to say it was a contentious and hotly debated issue.

> **D'une manière générale, les journaux britanniques de droite tels que le *Daily Telegraph* et le *Daily Mail* étaient pro-Brexit, alors/tandis que les journaux britanniques de gauche tels que le *Guardian* et le *Daily Mirror* étaient contre, ou du moins avaient une position critique envers le Brexit/à l'égard du Brexit. Force est de constater[36] que c'était un problème/sujet controversé et que des débats enflammés/animés en ont résulté.**

French politics a few years ago revolved around the closure of "the jungle", the biggest shanty town in France, situated just outside Calais.

> **Il y a quelque années, la politique française tournait autour de la fermeture de « la jungle », le plus grand bidonville de France, située juste à l'extérieur de Calais.**

American politics at the moment revolves around the issue of President Donald Trump's alleged connections with Russia and the scandal of the alleged interference of the Russian government in the 2016 (twenty-sixteen) US presidential election that got Trump elected.

> **La politique américaine tourne en ce moment autour des liens présumés du président Donald Trump avec la Russie et du scandale de l'ingérence présumée du gouvernement russe dans l'élection présidentielle américaine de 2016 (deux mille seize), durant laquelle Trump a été élu.**

---

36 "Force est de constater..." most literally translated means: "It has to be said that..." / "It cannot be stated otherwise than that..." / "It is undeniably true that..." / "It is indisputably the case that..."

The Romani people, known colloquially as Romas or Roma, live in many European countries, especially central and eastern Europe such as the Czech Republic, Slovakia and Hungary. Since the expansion of the European Union in 2004, many have moved from these countries to others in the EU. They are traditionally itinerant. They have complained of both casual and official prejudice against them in many countries because of their lifestyle/way of life. They tend to live on the fringes of society. Quite a few governments would and do say: "We have nothing against Romas." or "We are not prejudiced against Romas."

Le peuple romani, familièrement/communément appelés les Roms, habitent dans plusieurs pays européens, en particulier dans les pays d'Europe centrale et de l'est tels que la République tchèque, la Slovaquie et la Hongrie. Depuis l'expansion de l'Union européenne, de nombreux Roms ont déménagé dans d'autres pays de l'UE. Les Roms sont traditionnellement itinérants. Ils se plaignent de préjugés à la fois décomplexés et officiels à leur encontre dans de nombreux pays en raison de leur mode de vie. Un bon nombre de gouvernements diraient et disent : « Nous n'avons rien contre les Roms. » ou « Nous n'avons pas de préjugés contre les Roms. »

The politics of human migration coupled with religion
La politique de la migration humaine associée à la religion

According to some observers, there is a fear in some quarters that the crisis of illegal immigration risks changing the face of the continent of Europe forever.

Selon certains experts, certains craignent que la crise d'immigration clandestine risque de transformer pour toujours le visage du continent européen.

"It is hard to see how so many immigrants can be accommodated," has been the view expressed by some local authorities.

« Il est difficile de voir comment tant d'immigrants peuvent être logés », a été le point de vue exprimé par des membres des autorités locales.

As some polls seem to suggest/show, some worry about foreigners with other religions living in their country, in their midst. Some politicians have seized on this to bolster their support for tighter controls on immigration from outside Europe.

Comme certains sondages semblent le suggérer/montrer, certains s'inquiètent que des étrangers d'autres religions vivent dans leur pays, parmi eux. Certains politiciens ont vu cela comme une occasion de renforcer leur soutien pour des contrôles plus stricts de l'immigration venant de pays non européens.

Others believe that right-wing politicians are simply playing on people's fears and stirring up xenophobia to bolster their position.

D'autres croient que les politiciens de droite jouent simplement sur les peurs des gens et attisent la xénophobie pour renforcer leur position.

The far-right party leader insists that there is no similarity between his/her party and the Nazis of Germany in the nineteen-thirties or forties, and that there is no link between his/her party and other far-right groups across Europe and in the United States.

Le chef/leader du parti d'extrême droite insiste sur le fait qu'il n'y a aucune ressemblance/similitude/similarité entre son parti et les nazis de l'Allemagne des années trente et quarante/mille neuf cent trente et mille neuf cent quarante, et qu'il n'y a aucun lien entre son parti et d'autres groupes d'extrême droite en Europe et aux États-Unis.

"To guard against the rise of the Far Right in Europe, we/we'll need to gather all our strength," said a Member of the European Parliament.

« Pour faire barrage à la montée des partis d'extrême droite en Europe, nous devons/devrons rassembler toutes nos forces. » a dit un des députés au Parlement européen.

They have an enormous amount of money to spend, that's for sure!

Ils/Elles ont énormément d'argent à dépenser, ça c'est sûr/aucun doute là-dessus !

On the face of it, the minister is trying to justify the lack of financial support offered so/thus far.

À première vue, le ministre essaye de justifier le manque de soutien financier offert jusqu'ici/jusqu'à présent.

Humanitarian aid organisations are trying their best to deliver much-needed food, water and medicine to the region, but there remains, however, a terrible need for political will and agreement, as well as money.

Des organisations humanitaires font de leur mieux pour apporter la nourriture, l'eau et les médicaments dont la région a cruellement besoin, mais il reste cependant un grand besoin de volonté et d'accord politiques, ainsi que d'argent.

Regional legislature
Le corps législatif régional

The island of Tasmania, off the south coast of Australia, is an Australian state in itself.
> **L'île de Tasmanie, au large de la côte sud de l'Australie, est un état australien en soi.**

Local politics: Town and country/Urban and rural
La politique locale : La ville et la campagne/Urbain et rural

More generous government funding could have allowed for/permitted a more ambitious town regeneration project.
> **Un plus généreux financement du gouvernement aurait pu permettre un projet de régénération des villes plus ambitieux.**

Not only will the newly built tunnel allow better access to this remote lagoon, but it will allow the building of a new dam that will provide green hydroelectric power for this community.
> **Non seulement le tunnel nouvellement construit permettra(-t-il) un meilleur accès à ce lagon isolé, mais il permettra aussi la construction d'un nouveau barrage, qui fournira de l'énergie hydroélectrique verte pour cette communauté.**

urban areas – **zones urbaines / agglomérations**

rural areas – **zones rurales**

Geopolitical regional terminology; other terminology
Terminologie géopolitique régionale ; autres terminologies

in/within a political/legal framework – **dans un cadre juridique/politique**

France proper (as opposed to any overseas territories) – **la Métropole/ la France métropolitaine/l'Hexagone (par opposition aux territoires d'outre-mer)**
> *(L'Hexagone because France is more or less hexagon-shaped. L'Hexagone car la France ressemble à plus ou moins un hexagone.)*

the French mainland – **la France continentale**

the British mainland – **la Grande-Bretagne continentale**

at home *(France)* and abroad – **en métropole/en France et à l'étranger**

the Dover Strait – **Le pas de Calais**

the Strait of Gibraltar – **le détroit de Gibraltar**

the (English) Channel – **la Manche** *("the Sleeve") (The resemblance of the shape of the English Channel to that of a shirt or blouse sleeve accounts for the name it is given in French)*

Britain/Great Britain *(expressed from the French geographical perspective as an adverbi to mean "the other side of the (English) Channel")* – **outre-Manche** *(i.e. "the other side of la Manche")*

the Americas *(i.e. the other side of the Atlantic Ocean)* – **outre-Atlantique**

Germany – **outre-Rhin**

Greece proper *(as opposed to the Greek islands)* – **la Grèce continentale** *(par opposition aux îles grecques)*

sub-Saharan Africa – **l'Afrique subsaharienne**

the Middle East – **le Moyen-Orient**

the West Bank *(as opposed to East Bank/Transjordan, some of which now equates to parts of modern-day Syria and Jordan)* – **la Cisjordanie** *(par opposition à la Transjordanie dont certaines parties se trouvent maintenant dans la Syrie et la Jordanie actuelles)*

the Gaza Strip – **la bande de Gaza**

the occupied territories *(the West Bank and Gaza Strip)* – **les territoires occupés** *(la Cisjordanie et la bande de Gaza)*

the South China Sea – **la mer de Chine méridionale / la mer de Chine du Sud**

the East China Sea – **la mer de Chine orientale**

Flanders – **la Flandre**

Flemish – **flamand(e)**

an opinion poll – **un sondage d'opinion**

a pollster – **un sondeur/un enquêteur/une enquêtrice**

a polling station – **un bureau de vote**

undecided voters – **des électeurs indécis**

the unofficial results – **les résultats officieux**

the official results – **les résultats officiels**

human rights – **les droits de l'Homme**

the right to life – **le droit à la vie**

the right to privacy – **le droit à la vie privée**

the right to peace – **le droit à la paix**

the racial question – **la question raciale**

the immigration question – **la question de l'immigration**

stateless – **apatride**

a stateless person – **un/une apatride/une personne sans nationalité**

a citizen of dual nationality – **un citoyen binational/une citoyenne binationale/un citoyen/une citoyenne ayant la double nationalité**

to make war – **faire la guerre**

Chapter 2: Art, entertainment and literature
Chapitre 2 : Art, divertissement et littérature

Painting and fine art
La peinture et les beaux-arts

It's a genuine painting.
> C'est un tableau authentique.

It's a genuine Monet/Manet/Picasso.
> C'est un vrai Monet/Manet/Picasso.

Whether it's genuine or not, I'm not sure.
> Je ne sais pas vraiment s'il est authentique ou non/si c'est un vrai ou non.

That he painted it, I'm sure.
> Je sais pertinemment qu'il l'a peint.

This is the one and only example of this. / This is the sole example of this.
> C'est le seul et unique exemple de cela/ça. / C'est le seul exemple de cela/ça.

It is considered a national treasure.
> Il/Elle est considéré/considérée comme un trésor national.

It's on display at the Bordeaux Museum of Fine Art.
> Il est exposé au musée des Beaux-Arts de Bordeaux.

The remaining paintings are kept under lock and key.
> Les tableaux restants sont gardés en lieu sûr.
> *(in a safe place)*

It has been on loan from the National Gallery of London for ten years.
> La Galerie Nationale de Londres prête ce tableau depuis dix ans.

It's a gift from Britain to France.
> C'est un cadeau de la Grande Bretagne à la France.

What does Picasso's depiction of Guernica say about humanity as a whole?
> **Que dit la représentation de Guernica par Picasso à propos de l'humanité dans son ensemble ?**

Within/In amongst (all/all of) these images, you/one can discern/make out/pick out/spot…
> **Au milieu de (toutes) ces images, on peut apercevoir/remarquer…**

This is the oldest example in history of…
> **C'est le plus vieil exemple dans l'histoire de…**

It's an authentic/genuine gold coin.
> **C'est une pièce d'or authentique. / C'est une vraie pièce d'or.**

Museum and gallery aesthetics
L'esthétique des musées et galeries

I believe/think that the entrance to a museum should look inviting/appealing.
> **Je pense que l'entrée d'un musée devrait être attrayante.**

It should look inviting/appealing at first glance.
> **Elle devrait attirer au premier regard/coup d'œil.**

Music and opera
Musique et opéra

The Marriage of Figaro is one of Mozart's great masterpieces.
> **Les Noces de Figaro est l'un des grands chefs-d'œuvre de Mozart.**

It's one of the greatest masterpieces of its genre.
> **C'est l'un des plus grands chefs-d'œuvre de son genre.**

What does an opera such as The Marriage of Figaro say about us, both in terms of as individuals and as a society?
> **Que dit un opéra tel que Les Noces de Figaro à propos de nous à la fois en tant qu'individus et en tant que société ?**

How do you (personal) judge the quality of… ? / How do you (impersonal) judge the quality of… ?
> **Comment juges-tu/jugez-vous de la qualité de… ? / Comment juge-t-on de la qualité de… ?**

The voice/technique is very similar to... / to that of...
> **La voix/technique est très semblable/similaire... /à celle de...**

Not content just to play alone, he/she has brought alongside him/her another pianist called... They can now play Mozart's Concerto for Two Pianos.
> **Non content/contente de jouer seul/seule, il/elle a fait venir un/une autre pianiste du nom de... Ils/Elles peuvent maintenant jouer le Concerto pour Deux Pianos de Mozart.**

Notes, genres, lyrics and choirs
Des notes, des genres, des paroles et des chorales/chœurs

do re mi fa sol la ti – **do ré mi fa sol la si**
(English)   *(French)*

Schubert's Unfinished Symphony – **la Symphonie Inachevée de Schubert**

Many complain that the lyrics of a lot of rap music/hip-hop are misogynistic.
> **Beaucoup se plaignent de la misogynie des paroles de rap et de hip-hop.**

Without Noémie or Maurice available/to hand/at hand, the choir lacked the main voices. / With neither Noémie nor Maurice available/to hand/at hand, the choir lacked the main voices.
> **Noémie et Maurice n'étant pas disponibles, le chœur/la chorale n'avait pas ses voix principales. / Sans Noémie ni Maurice, le chœur/la chorale n'avait pas ses voix principales.**

Musical instruments
Des instruments de musique

There's the violin case. Inside it is a beautiful old violin.
> **Voilà l'étui du violon. Il y a un beau vieux violon dedans.**

Both my father and mother used to play the piano.
> **Mon père et ma mère jouaient (tous les deux) du piano.**

Film, television and radio
Film, télévision et radio

This was the golden age of cinema.
> **C'était l'âge d'or du cinéma.**

In my opinion, people can't see a good film other than at the cinema.
> **À mon avis, on ne peut pas voir un bon film ailleurs qu'au cinéma.**

In the film, he is seized by panic after a stranger slipped a piece of paper into his pocket which he mistook to be a wad of cash. / In the film, he is seized by panic after a stranger slipped a piece of paper into his pocket which he wrongly took to be a wad of cash.
> **Dans le film, il a été pris de panique après qu'un inconnu a glissé dans sa poche un bout/morceau de papier qu'il a pris pour une liasse de billets. / Dans le film, il a été pris de panique après qu'un inconnu a glissé dans sa poche un bout/morceau qu'il a pris par erreur pour une liasse de billets.**

The film *A Fistful of Dollars*.
> **Le film *Pour une poignée de dollars*.**

This series/serial/soap (opera) has done brilliantly!
> **Cette série/Ce feuilleton/Ce feuilleton télévisé a fait un véritable carton/a très bien marché !**

That series is now available on the web on demand.
> **Cette série est maintenant disponible à la demande sur le web/sur internet.**

It's a black and white film.
> **C'est un film en noir et blanc.**

The film ends in Paris.
> **Le film se termine à Paris.**

The career of this film-maker has followed a certain path.
> **La carrière de ce/cette cinéaste a pris une certaine voie.**

There's a good film on telly at the moment.
> **Il y a un bon film à la télé en ce moment.**

We saw a film star in real life.

On a vu une star/vedette[37] **de cinéma en vrai.**

As a director/film-maker, I fought right from the beginning/outset to ensure that the film remained faithful to the book/story as much as possible.

En tant que réalisateur/réalisatrice/cinéaste, je me suis battu(e) dès le début pour faire en sorte que le film reste aussi fidèle au livre/à l'histoire que possible.   *subj.*

My favourite DJ (disc-jockey) is on the radio this afternoon.

Mon DJ (disc-jockey) préféré passe à la radio cet/cette après-midi.

I don't listen to (too) much radio any more.

Je n'écoute plus beaucoup la radio.

This channel/station broadcasts twenty-four hours a day, seven days a week.

Cette chaîne de télévision/station de radio diffuse vingt-quatre heures sur vingt-quatre, sept jours sur sept.

Stay tuned to... (this radio station).

Restez à l'écoute de... (cette station de radio).

Stay tuned to... (this television channel) / Stay with us.

Restez avec nous. / Ne zappez pas.   *colloquial (familier)*

Stay tuned! / Don't go away!

Restez à l'écoute ! / Restez avec nous ! / Ne bougez pas !

We'll be back after a (very) short break. Don't go away!

On se retrouve/se rejoint après une (très) courte pause. Ne bougez pas !

We're going to take a short/little break.

On va marquer une courte/petite pause.

Rejoin us after the break/after the adverts.

Retrouvez-nous après la pause publicitaire/après la pub (la publicité).

---

37 Whilst 'vedette' is the correct word in French, the anglicism 'star' is now far more widely used. 'Vedette' is always a feminine noun, regardless of the gender of the person. Conversely, 'écrivain' is always masculine, regardless of the gender of the person. Certainly this is what both *l'Académie française* and *le Centre National de Ressources Textuelles et Lexicales (CNRTL)* stipulate at the time of writing. *Larousse*, on the other hand, accommodates the move to gender diversification in relation to the nomenclature of jobs, and allows 'écrivaine' for female writers, for example.

Stay with us/Stay tuned and rejoin us after the break/adverts if you like/if you would like to/if you feel like it.
> **Restez avec nous/Restez à l'écoute et retrouvez-nous après la pause (publicitaire)/la pub si vous en avez envie !**

Rejoin us next week if you like/if you would like to/if you feel like it/if you wouldn't mind!
> **Retrouvez-nous la semaine prochaine si vous en avez envie/si cela ne vous dérange pas !**

We're going to hear/see what happens/happened in a moment/after the break/after a short break (for adverts/commercials).
> **On va entendre/voir la suite de cette histoire dans un moment/après la pause/après une courte pause (publicitaire)/tout à l'heure.**

Theatre
Le théâtre

It's the greatest show on earth/Earth!
> **C'est le meilleur spectacle du monde ! / C'est le spectacle le plus génial du monde !**

It's by far the greatest show on earth/Earth!
> **C'est de loin le meilleur spectacle du monde ! / C'est de loin le spectacle le plus génial du monde !**

The latest production of the musical *Beauty and the Beast* is being staged at the Old Vic theatre from tomorrow.
> **La dernière mise en scène (de) *La Belle et la Bête* sera jouée au théâtre Old Vic à Londres à partir de demain.**

a production/a stage production – **une mise en scène**

Books
Des livres

In the introduction to the book, ...
> **Dans l'introduction du livre, ...**

On the first/second page, ...
> **À la première/deuxième page, ...**

In the first/second chapter, ...
> **Au premier/deuxième chapitre, ... / Dans le premier/deuxième chapitre, ...**

---

to be entitled (e.g. a book, film, song, play, story)

avoir pour titre (par ex. un livre, un film, une chanson, une pièce, une histoire)

The book/film/song/play/story is entitled...
> **Le livre/film/La chanson/pièce/histoire s'intitule... / Le livre/film/ La chanson/pièce/histoire est intitulé/intitulée... / Le livre/film/La chanson/pièce/histoire a pour titre...**

This play by the Senegalese playwright ... is entitled "..." in one of the Senegalese languages. In English, it means... In French, it means...
> **Cette pièce (de théâtre) par l'auteur dramatique sénégalais(e)... s'intitule/a pour titre « ... » dans une des langues du Sénégal. En anglais, cela/ça signifie... En français, cela/ça veut dire...**

(Note: The expression "ça donne" may occasionally be encountered, e.g. "Le livre s'intitule « ... ». En anglais, ça veut dire... ; en français ça donne..." This is a very casual or colloquial way of saying "cela/ça veut dire" or "cela/ça signifie".)

Other references to place in books, films, plays, operas, shows

D'autres références à des parties de livres, films, pièces, opéras, spectacles

Halfway through the book/film/play/opera/show, ... / In the middle of the book/film/play/opera/show, ...
> **Au milieu du livre/du film/de la pièce/de l'opéra/du spectacle, ...**

At one point, ...
> **À un moment (donné), ...**

There's a part of the book/play/film/opera/show when/where the main character says to his/her friend: "..."
> **Il y a un moment dans le livre/la pièce/le film/l'opéra/le spectacle où le personnage principal dit à son ami/amie : « ... »**

At the end of the book/film/play/opera/show, ...
> **À la fin du livre/du film/de la pièce/de l'opéra/du spectacle, ...**

The critics
Les critiques

How did the critics react?
Comment ont réagi les critiques ?

Whilst/Whereas certain critics said nothing/kept quiet/remained silent/
reserved judgement/remained tight-lipped, others offered constructive
criticism/there were others who offered constructive criticism.
**Tandis que certains critiques n'ont rien dit, d'autres ont offert des
critiques constructives.**

Did the critics give their opinions?
Les critiques ont-ils donné leurs avis ?

One or two, yes. Otherwise, no. / But otherwise, no.
**Un ou deux, oui. Autrement/À part cela/ça, non. / Mais autrement/à
part cela/ça, non.**

What does that tell you?
Qu'est-ce que cela/ça te/vous dit ?

What does that tell us?
Qu'est-ce que cela/ça nous dit ?

What do you like most about this opera?
Qu'est-ce qui te/vous plaît le plus dans cet opéra ?

The critics have been lenient on her. / The critics have given her an easy time/
easy ride.
**Les critiques ont été/se sont montrés indulgents/cléments avec/
envers elle.**

The/His critics have given him a rough ride/hard time.
**Il a été malmené par les/ses critiques. / Les critiques lui en ont fait
voir de toutes les couleurs.**

He (has) silenced his critics.
Il a fait taire ses critiques.

The play was well/badly received.
La pièce a été bien/mal accueillie/reçue.

His/Her opera was well-received.
Son opéra a été bien accueilli/reçu.

I'm unhappy with the performance.
   Je suis mécontent(e) de la performance.

I'm happy with his/her/their performance.
   Je suis content(e) de sa/leur performance.

It was a beautiful performance.
   C'était une belle performance.

It was an inspired performance.
   C'était une performance inspirée.

As far as some people are concerned/For some people, however, there was nothing special about his performance: it was seemingly a run-of-the mill performance.
   Selon certain(e)s, toutefois, sa performance n'avait rien de spécial ; elle était apparemment banale/quelconque.

For me, the film lacks narrative/a narrative.
   Pour moi, le film manque d'histoire.

This film director brings his/her characters to life very well.
   Ce réalisateur/Cette réalisatrice donne très bien vie à ses personnages.

The book/film really held my attention.
   Le livre/film a vraiment retenu mon attention.

The film/story is gripping.
   Le film est captivant/fascinant./L'histoire est captivante/fascinante.

It was a moving book/film – upsetting, in fact.
   C'était un livre/film émouvant, bouleversant à vrai dire.

What a moving film!
   Quel film émouvant !

What a dreadful film! And yet it started so brightly!
   Quel film épouvantable ! Il avait pourtant si bien commencé !

I've never (before) seen such a bad film!
   Je n'ai jamais vu un si mauvais film auparavant !

What is/was the bit in particular you disliked/detested (the) most, if there is/was one?
   Quel moment en particulier as-tu/avez-vous détesté le plus, s'il y en a un ?

What was the song you disliked most in this musical, if there is one?
> **Quelle est la chanson que tu as/vous avez détestée le plus dans cette comédie musicale, s'il y en a une ?**

(Note from these examples that in French the object remains in the present tense, e.g. "Quelle est la chanson…si il y en a une?" whereas in English it can be phrased in either the present or the past tense.

À noter qu'alors que le temps de l'objet direct reste au présent en français, il est variable en anglais : on peut utiliser soit le temps présent soit le temps passé.)

So far/Thus far, the film/play has done brilliantly!
> **Jusqu'ici, le film/la pièce a fait un carton !**

It has had rave reviews!
> **Il/Elle a reçu des critiques dithyrambiques !**

What a funny play!
> **Quelle pièce amusante !**

It's worth seeing! / It's well worth seeing!
> **Cela/Ça vaut le coup d'œil ! / Cela/Ça vaut le coup d'être vu !**

Plaudits
Acclamations

They received thunderous applause.
> **Ils/Elles ont reçu un tonnerre d'applaudissements.**

The crowd burst into applause.
> **La foule s'est soudainement mise à applaudir.**

They received a standing ovation.
> **Ils/Elles ont été ovationnés/ovationnées.**

The sheer spectacle alone, never mind/forget about the acting, was something to behold!
> **Le spectacle en lui-même, sans parler du jeu, valait le coup d'être vu !**

It was such a funny comedy, we almost died laughing!
> **Cette comédie était si drôle qu'on a failli mourir de rire !**

Once I read the reviews about this film, I immediately wanted to see it. / As soon as I read the reviews about this film, I immediately wanted to see it. / From the moment I read the reviews about this film, I immediately wanted to see it.

> **Dès que j'ai lu les critiques de ce film, j'ai tout de suite eu envie de le voir.**

In places, the book/play is brilliant.

> **Le livre/La pièce est génial/géniale par endroits.**

The public likes it.

> **Cela/Ça plaît au public.**

The lead actress, she has a kind of dynamism.

> **L'actrice principale a un certain dynamisme.**

That's what the public likes.

> **C'est cela/ça qui plaît au public.**

I really liked that film. It has made me want to go to/visit Japan!

> **J'ai bien aimé ce film./Ce film m'a beaucoup plu. Il/Cela/Ça m'a donné envie d'aller au Japon.**

He/She was a great writer/novelist.

> **C'était un grand écrivain/auteur/romancier. / C'était une grande écrivain/auteur/romancière.**

[See footnote 37, p.424, or endnote 37]

It was a delight to see this opera.

> **C'était un bonheur de voir cet opéra.**

The choreography impressed me like I've rarely been impressed before.

> **La chorégraphie m'a impressionné/impressionnée comme peu de choses m'ont impressionné/impressionnée auparavant. / La chorégraphie m'a impressionné/impressionnée comme peu de choses m'ont impressionnée par le passé.**

I don't share the disappointment of my colleagues!

> **Je ne partage pas la déception de mes collègues !**

This soap opera series is just as funny as the previous one!

> **Cette série est tout aussi drôle que la précédente !**

This museum is well worth a visit.

> **Ce musée vaut le coup d'être visité.**

Earning one's living through art
Gagner sa vie grâce à l'art

He/She earns his/her living as a novelist.
> **Il/Elle gagne sa vie en tant que romancier/romancière.**

It only remains for him/her to complete his/her latest novel.
> **Il ne lui reste plus qu'à finir son dernier roman.**

It only remains for him to complete and sell the painting.
> **Il ne lui reste qu'à terminer et à vendre le tableau.**

Do you think the fact that he/she grew up by the sea is important to his/her art?
> **Penses-tu/Pensez-vous que le fait qu'il/elle ait grandi au bord de la mer ait de l'importance dans son art ? / Est-ce que le fait qu'il/elle ait grandi au bord de la mer a de l'importance dans son art, selon toi/vous ?**

Chapter 3:Law and order
Chapitre 3 : La loi et l'ordre

Law and reform
Loi et réforme

The new law as conceived/envisaged by the Home Secretary is intended to target/tackle drug trafficking and punish those caught with tougher sentences.

La nouvelle loi, telle qu'elle est conçue/prévue par le ministre de l'Intérieur, concerne le trafic de drogue et vise à infliger des peines plus sévères aux personnes arrêtées. / La nouvelle loi, telle qu'elle a été conçue/prévue par le ministre de l'Intérieur, concerne le trafic de drogue et vise à infliger des peines plus sévères aux personnes arrêtées.

There is a loophole in the existing law at present. This legal loophole needs to be closed as a matter of urgency.

Il y a une faille/lacune dans la loi existante. Il faut régler ce vide/ s'occuper de ce vide juridique de toute urgence.

The recent case exposed/highlighted/brought to light this loophole in the law in matters of… /with regard to…

L'affaire récente a révélé ce vide juridique concernant…

The law was changed/strengthened for this purpose.

La loi a été changée/renforcée à cet effet.

The law is expected to come into force next January.

La loi devrait entrer en vigueur en janvier prochain. / On s'attend à ce que la loi entre en *subj.* **vigueur en janvier prochain.**

A similar law comes into effect/will come into effect in Scotland later in the year.

Une loi similaire prendra effet en Écosse plus tard dans l'année.

In my view, these reforms don't go far enough.

À mon avis, ces réformes ne vont pas assez loin. / Ces réformes ne vont pas assez loin à mon avis.

The police and courts still don't have enough powers. / The police and courts still lack the powers they need.

La police et les tribunaux manquent toujours de pouvoirs.

By virtue of what has the law changed? In other words, what's the point (of it)?

En vertu de quoi la loi est-elle changée ? Autrement dit/En d'autres termes, dans quel but ? / Pourquoi ?

What is the sense of this reform?

Quel est le sens de cette réforme ?

The law granting people permission/the right to use this footpath is very old – ancient, in fact. / The law authorising/permitting people to use this footpath is very old – ancient, in fact.

La loi permettant aux gens d'emprunter ce chemin est très vieille, ancienne à vrai dire.

The law as it is allows people above a certain age to…

La loi, telle qu'elle est, permet aux gens au-dessus d'un certain âge de…

We are demanding a change in the law (on…).

Nous demandons qu'il y ait un changement de la loi (sur…).

In the eyes of the law, you are/were wrong.

Aux yeux de la loi, tu as tort/vous avez tort. / Aux yeux de la loi, tu as eu tort/vous avez eu tort.

They were deemed to have flouted the rules/broken the law.

Ils/Elles ont été reconnus/reconnues coupables d'avoir bafoué les règles/enfreint la loi.

It's a system that has been in place and worked well for many, many years.

C'est un système qui est en place et fonctionne bien depuis de très longues/nombreuses années.

It's/That's within the scope of this bill.

C'est dans le cadre de ce projet de loi.

The minister wishes to extend the scope of this bill, however.

Toutefois, le ministre souhaite élargir le cadre de ce projet de loi.

She brought in these reforms when/while she was Minister of the Interior/ Minister of Health.

Elle a introduit ces réformes lorsqu'elle était ministre de l'Intérieur/ministre de la Santé.

The judge has in his/her hands the power to…

Le/La juge a le pouvoir de…

No-one is above the law.
Personne n'est au-dessus de la loi/des lois.

to take matters into one's own hands / to take the law into one's own hands –
prendre les choses en main / faire justice soi-même

freedom of speech – **la liberté d'expression**

Terrorism
Le terrorisme

The terrorists planted a bomb in the city centre, targeting the police. Six
people were killed and another/a further nine were injured, two seriously.
**Les terroristes ont posé une bombe dans le centre-ville et visaient
la police. Six personnes ont été tuées et neuf autres blessées, dont
deux grièvement.**

Three Australian tourists are among the victims.
Trois touristes australiens comptent parmi les victimes.

How were they able/allowed to plan and commit this atrocity without being
detected?
**Comment ont-ils été capables/ont-ils pu prévoir et commettre cette
atrocité sans avoir été détectés/découverts ?**

How come the police/How can it be that the police didn't even notice that the
security barrier had been breached?
**Comment se fait-il que la police ne se soit même pas aperçue que
la barrière de sécurité avait été percée/qu'une brèche avait été
ouverte dans la barrière de sécurité ?**

Another man has been charged with glorifying a terrorist group/glorifying
terrorism.
**Un autre homme a été mis en examen pour avoir fait l'apologie
d'un groupe terroriste/fait l'apologie du terrorisme.**

Two men planned to detonate a car-bomb in the city centre but were
intercepted and arrested by three policemen, one off-duty.
**Deux hommes projetaient/prévoyaient de faire exploser/détoner
une voiture piégée dans le centre-ville, mais ils ont été interceptés
et arrêtés par trois policiers, dont un qui n'était pas en service.**

Had they not stopped them, who knows what might have happened in terms
of casualties?
**S'ils ne les avaient pas arrêtés, qui sait combien de victimes
l'explosion aurait pu faire ?**

Another two individuals would have followed suit had we not stopped/
prevented them.
> **Deux autres individus en auraient fait autant/auraient fait de même
> si nous ne les en avions pas empêchés.**

Had we not stopped them, who knows what would have happened?
> **Qui sait ce qui se serait passé/produit si on ne les avait/si nous ne
> les avions pas arrêtés ?**

An enquiry has shed new light on the individuals behind the attack and the
security failings/failures that led to the attack succeeding.
> **Une enquête a apporté un nouvel éclairage sur les individus
> responsables de l'attentat et les problèmes de sécurité qui ont
> permis que l'attentat ait lieu.**

Do they belong to any known terrorist group? If so, which?
> **Appartiennent-ils à un groupe terroriste connu ? Si oui, lequel ?**

According to a police spokesperson, the suspects arrested at the scene and
detained claimed they had played no part/had no involvement in that act.
> **Selon un porte-parole de la police, les suspects arrêtés sur la scène
> de crime et détenus ont prétendu ne pas être impliqués dans/
> n'avoir rien à voir avec cet acte.**

The men had added that it was unproven that they belonged to any terrorist
group. But they gave themselves up/surrendered when the police proved (to
them) that they did belong to that group. They had pledged allegiance online
to…
> **Les hommes avaient ajouté qu'il n'y avait aucune preuve qu'ils
> appartenaient à un groupe terroriste. Mais ils se sont rendus
> lorsque la police (leur) a prouvé qu'ils appartenaient bel et bien à
> ce groupe. Ils avaient prêté allégeance en ligne à…**

The enquiry (has) established that the attack is directly linked to/with the
group that had claimed responsibility for attacks last year, though/although
as yet no individual or group has claimed responsibility for this attack.
> **L'enquête a établi que l'attentat est lié directement au groupe
> qui a revendiqué les attaques/attentats de l'année dernière, bien
> qu'aucun individu ou groupe n'ait encore revendiqué cette attaque.**

That a handful of accomplices/co-conspirators had tried to hatch this plot,
these are the stories circulating on the net.
> **Le fait qu'une poignée de complices/conjurés aient tenté de tramer
> ce complot ne sont que des rumeurs qui circulent sur internet/sur
> le net.**

They were divided/separated into two groups.
> **Ils étaient divisés/séparés en deux groupes.**

Certain iconic buildings and monuments were the target/targets of the attack.
> **Certains bâtiments et monuments étaient la cible/les cibles[38] de l'attentat.**

The plot has been/was thwarted.
> **Le complot a été déjoué/contrecarré.**

The two attacks are unrelated/unconnected.
> **Les deux attentats ne sont pas liés.**

This attack is unrelated to/unconnected with the attack of last month.
> **Cet attentat n'est pas lié à l'attentat/celui du mois dernier.**

It has nothing to do with last month's attack. / It is not linked to the attack of last month.
> **Cela/Ça n'a rien à voir avec l'attentat du mois dernier. / Cela/Ça n'a aucun lien avec l'attentat du mois dernier.**

Now that it has been declared safe, people have returned to work today.
> **Maintenant que l'endroit a été déclaré sûr, les gens sont retournés travailler/au travail aujourd'hui.**

the terrorist threat – **la menace terroriste**

---

38 I have termed 'target' as either a collective single noun ('la cible') or as plural nouns ('les cibles'), as either alternative is acceptable and in common usage in English and indeed French.

J'ai utilisé le mot « cible » comme un nom collectif et comme un nom pluriel, les deux étant acceptables et utilisées communément en anglais et aussi en français.

Cyber attacks; cyber warfare; cyberterrorism
Cyberattaques ; cyberguerre/guerre cybernétique ; cyberterrorisme

The bank was the target of a cyber attack.
> La banque a été la cible d'une cyberattaque.

The intellectual channels, France-Inter (Radio France) included, were the targets of the cyber attack.
> Les chaînes intellectuelles, dont France-Inter (Radio France), ont été les cibles de la cyberattaque.

Russia, China and North Korea have each been accused by the West of cyberterrorism at one time or another. / Russia, China and North Korea have all, at one time or another, been accused by the West of cyberterrorism.
> La Russie, la Chine et la Corée du Nord ont toutes été accusées de cyberterrorisme à un moment où un autre par l'Occident.

Counterterrorism
Antiterrorisme/Lutte contre le terrorisme

The whole/entire country is on the alert/is on orange alert/on red alert because of the threat of terrorism.
> Le pays entier est en état d'alerte/est sur le qui-vive/est en alerte orange/en alerte rouge à cause de la menace terroriste.

The operation in progress/The ongoing operation is a joint operation between the French, Belgian and German police.
> L'opération en cours est menée conjointement par la police française, la police belge et la police allemande.

The police are working in tandem with the security services/intelligence services.
> Les forces de l'ordre travaillent en tandem/conjointement avec les forces de sécurité/les services de renseignement. / La police travaille en tandem/conjointement avec les forces de sécurité/les services de renseignement.

undercover police – des policiers en civil

an undercover operation – une opération sous couverture ; une operation d'infiltration

Failed attempts

Des tentatives qui ont échoué

It was a failed attempt to break into a bank.
> **C'était une tentative de braquage de banque qui a échoué.**

There was a failed attempt to capture the city/the fort.
> **Il y a eu une tentative sans succès pour prendre/capturer la ville/le fort.**

The attempt failed.
> **La tentative a échoué.**

The attempt ended in failure.
> **La tentative s'est conclue/soldée par un échec.**

It was a failed murder attempt.
> **C'était une tentative de meurtre/d'assassinat ratée/qui a échoué.**

It was a failed suicide attempt.
> **C'était une tentative de suicide ratée/qui a échoué.**

It was a failed attempt on the life of Pope John Paul the second (Pope John Paul II) in 1981 (nineteen eighty-one) in Rome.
> **C'était une tentative d'assassinat ratée contre le Pape Jean-Paul II (deux) à Rome en mille neuf cent quatre-vingt-un (1981).**

He was planning/had been planning to commit more crimes.
> **Il projetait/prévoyait de commettre d'autres crimes.**

A hold-up / A hostage situation

Un braquage/Une attaque à main armée/Une prise d'otages

There has been an armed robbery.
> **Il y a eu un braquage./Un braquage a été commis.**

Witnesses say that an armed man entered the building threatening customers and shouting "Nobody move!", then took two people hostage before giving himself up to the police without a struggle/fight.
> **Des témoins disent qu'un homme armé est entré dans un bâtiment en menaçant les clients et en criant « Que personne ne bouge ! » / « Personne ne bouge ! », et qu'il a ensuite pris deux personnes en otages avant de se rendre à la police sans résister.**

The police demanded he release/set free the hostages.
> **La police lui a demandé de relâcher/libérer les otages. / La police a exigé qu'il relâche/libère les otages.**

A few passers-by were injured.
> **Quelques passants ont été blessés.**

According to police reports he was a former employee and had planned to demand a ransom from the company owner. / The police state that he was a former employee and had planned to demand a ransom from the company owner.
> **Selon les rapports de police, c'était un ancien salarié et il avait projeté/prévu de demander une rançon au patron. / La police fait[39] état[40] que c'était un ancien salarié, qui avait projeté/prévu de demander une rançon au patron.**

The police have ruled out terrorism.
> **Les forces de l'ordre ont écarté l'hypothèse du terrorisme.**

The suspect is known to the police for petty crime.
> **Il est connu des services de police pour des infractions mineures/ délits mineurs.**

Labelled (as) a madman/madwoman by witnesses, the suspect was taken to a psychiatric hospital.
> **Étiqueté/Catalogué comme étant fou par les témoins/Étiquetée/ Cataloguée comme étant folle par les témoins, le suspect/la suspecte a été emmené/emmenée à un hôpital psychiatrique.**

The criminals who staged the armed robbery in the bank yesterday have been caught. They were apprehended/arrested and are now in custody.
> **Les criminels qui ont commis le vol à main armée hier se sont fait attraper. Ils ont été appréhendés/arrêtés et sont maintenant en garde à vue. /**
> **Les criminels qui ont braqué la banque hier se sont fait attraper. Ils ont été appréhendés/arrêtés et sont maintenant en garde à vue.**

informal (familier)

---

39 Note that whereas in English we refer to the actions of the police in the plural, the French use the singular.

À noter qu'alors qu'en français la police est considérée comme une entité au singulier (et s'accorde donc au singulier), en anglais, elle s'accorde comme un nom pluriel.

40 'Faire état' is a term the French use in journalistic or other reports to mean that a person or organisation 'states', 'reports' or 'mentions' something.

Sexual harassment and sexual violence
Le harcèlement sexuel et la violence sexuelle

The key aspect of the legal definition of rape in most western countries, such as the UK, France, Germany and the US, is the absence of consent by the victim, be they female or male. It includes the key phrase: "is vaginal, anal or oral penetration attained with coercion, the threat of violence or the use of violence or without the consent of the other person."

L'aspect clé de la définition juridique du viol, dans la plupart des pays occidentaux, tels que le Royaume-Uni, la France, l'Allemagne et les États-Unis est l'absence de consentement de la victime, qu'elle soit de sexe féminin ou masculin. Elle inclut la phrase clé : « est la pénétration vaginale, anale ou orale obtenue sous la coercition, sous la menace de violence, avec l'utilisation de violence ou sans le consentement de l'autre personne. »

The law in a number of western countries has expanded so as not to make the distinction as to where this has occurred *(home, work, street, for example)* or who it was committed by *(stranger, boyfriend, husband, for example)*.

Dans de nombreux pays occidentaux, la loi a été modifiée afin de ne pas faire de distinction concernant le lieu où s'est déroulé le viol *(au domicile, au travail, dans la rue par exemple)* **ou la personne qui l'a commis** *(un inconnu, un petit ami, un mari par exemple)*.

The law in some countries has not caught up with/arrived at the concept of male rape, i.e. the victim being male. In France, the gender aspect of the victim is not a focus of emphasis: no distinction in law is made as to whether male or female.

Les lois de certains pays n'ont pas encore intégré le concept du « viol des hommes », c'est à dire un viol où la victime est un homme. En France, la loi ne met pas l'accent sur le sexe de la victime : aucune distinction n'est faite entre une victime de sexe masculin ou de sexe féminin.

sexual harassment at (one's place of) work
le harcèlement sexuel sur le lieu de travail

victims of rape (rape victims) – **les victimes de viol**

Theft, mugging (personal assault and robbery in public spaces), personal assault

Vol, aggression

My friend has been robbed.
> **Mon ami/amie a été victime d'un vol.**

Which of the two stole your coat?
> **Lequel/Laquelle des deux a volé ton/votre manteau ?**

Shall I call the police? / Should I call the police?
> **Tu veux/Vous voulez que j'appelle la police ? / Est-ce que je devrais appeler la police ?**

That's unnecessary. / That won't be necessary.
> **C'est (Ce n'est) pas nécessaire/la peine. / Ce ne sera pas nécessaire/ la peine.**

Numerous/Several bruises on his face show/demonstrate that he was hit/ struck several times.
> **De nombreuses ecchymoses/contusions/De nombreux bleus sur son visage démontrent qu'il a été frappé à plusieurs reprises.**

The attacker then fled/ran away.
> **L'agresseur a ensuite pris la fuite.**

The assailant/attacker also beat two dogs belonging to the victim, one (of them) to death.
> **L'agresseur a aussi battu deux chiens appartenant à la victime, dont l'un/un[41] à mort.**

As it happens, two policemen were nearby (in the vicinity).
> **Il se trouve que deux policiers étaient dans les environs/à proximité.**

The police arrived. That's when the attacker took flight. The police gave chase.
> **La police est arrivée. C'est là/alors que l'agresseur a pris la fuite. La police s'est lancée à sa poursuite. / La police a poursuivi l'agresseur.**

---

41 Whether to use "un(e) de…" or "l'un(e) de…" is optional. However, "l'un(e) de…" is more formal and "un(e) de…" should be used in spoken language only.

The police went in hot pursuit/gave chase/went after him/her.
>   **La police s'est lancée à sa poursuite.**

burglary – **cambriolage**

A robbery in broad daylight!
Un vol en plein jour !

The thieves stole a priceless painting from the museum in broad daylight.
>   **Les voleurs ont volé un tableau d'une valeur inestimable dans le musée en plein jour.**

Whose fault is it?
>   **À qui la faute ?**

It's *(someone's/an organisation's)*… fault.
>   **C'est de la faute de… (quelqu'un/une organisation)**

On the face of it, it was (caused by) a security lapse. It's the management's fault as they have been cost-cutting on security recently. It's their fault.
>   **À première vue/A priori[42] , c'était (dû à) une défaillance du système de sécurité. C'est de la faute de la direction qui a réduit le budget dédié à la sécurité récemment. C'est de leur faute.**

Is it not/Isn't it strange/bizarre that no staff in the museum saw or heard anything?
>   **N'est-il pas étrange/bizarre qu'aucun membre du personnel du musée n'ait vu ou entendu quoi que ce soit ?**

Someone working inside the museum must have known something about this for the thieves to have escaped so easily.
>   **Quelqu'un/Une personne qui travaille au musée doit avoir été au courant de quelque chose pour que les voleurs s'échappent si facilement.**

---

42 The Latin term 'a priori' is used in both French and English, to mean "On the face of it, …" or "At first glance, …", or "Presumably, …". In French, it can also be spelt 'apriori' or 'aprioris'. In both languages, it is also used in its more technical or literal sense from the Latin, often in legal or scientific correspondence, to mean: "based on theoretical reasoning, deduction or based on certain principles but in the absence of evidence or experience".

On utilise « a priori » en anglais dans le même sens qu'en français. En français, le terme peut aussi s'écrire « apriori » ou « aprioris ». Dans les deux langues, l'expression est aussi utilisée au sens plus technique ou littéral, souvent dans la correspondance ou la littérature juridique ou scientifique, pour vouloir dire : en s'appuyant sur un raisonnement, une déduction ou d'après certains principes en l'absence d'évidence ou d'expérience.

Is it not strange/bizarre that no-one noticed the theft until the next day?
> **N'est-il pas étrange/bizarre que personne n'ait remarqué le vol avant le lendemain ?**

It's impossible that no staff in the museum knew what was happening.
> **Il est impossible qu'aucun membre du personnel du musée ne se soit rendu compte de ce qu'il se passait.**

One of the two suspected burglars has been taken in (by the police) for questioning/taken into (police) custody. The other is still on the run/still at large.
> **Un des deux suspects a été interpellé/arrêté (par la police) et est en garde à vue. L'autre cours toujours/est toujours dans la nature/en fuite.**

The suspect denies any involvement in this crime/theft.
> **Le suspect nie être impliqué de quelque façon que ce soit dans ce crime/ce vol. / Le suspect nie toute implication dans ce crime/ce vol.**

In order to shed light on what happened, there will be an internal enquiry.
> **Afin d'éclaircir ce qu'il s'est passé, une enquête interne aura lieu.**

Manhunt
La chasse à l'homme

(At the time of writing, 'manhunt' is still in widespread use in the UK for the specific purpose of the pursuit of a male suspect, and that makes up the examples below. For the sake of gender neutrality, however, this section could alternatively be entitled: Pursuit – La poursuite, or The search for a fugitive – La recherche d'un fugitif/d'une fugitive.

Au moment de la rédaction du présent document, 'manhunt' est toujours un terme courant au Royaume-Uni pour la poursuite d'un suspect mâle, et cela comprend les exemples qui suivent. Toutefois, pour les besoins de l'écriture inclusive, ce secteur du livre pourrait s'intituler : Pursuit – La poursuite, ou The search for a fugitive – La recherche d'un fugitif/d'une fugitive.)

The attacker is wanted in Rome.
> **L'assaillant/agresseur est recherché à Rome.**

He's wanted in Paris.
> **Il est recherché à Paris.**

He's a wanted man.
> **C'est un homme recherché.**

The man suspected of the crime (the suspect) is still on the run/is still at large.

L'homme soupçonné d'avoir commis le crime (le suspect) court toujours/est toujours dans la nature/est toujours en fuite/ en cavale.   *slang (argot)*

It is likely he will head north. / He will likely head north. / He's likely to head north.

Il est susceptible de se rendre au nord. / Il est probable/Il y a de fortes chances qu'il parte/partira vers le nord.

He is likely to head down to the south of France.

Il est susceptible de se rendre dans le sud de la France. / Il est probable/Il y a de fortes chances qu'il se rende dans le sud de la France.

It's likely he will attempt to/try to cross the border.

Il est susceptible d'essayer/de tenter de passer la frontière. / Il est probable/Il y a de fortes chances qu'il essaye/tente de passer la frontière.

It is highly likely he'll try to cross the border with Spain/cross (the border) into Spain.

Il est susceptible d'essayer/de tenter de passer la frontière espagnole. / Il est probable/Il y a de fortes chances qu'il essaye/tente de passer la frontière espagnole/la frontière avec l'Espagne.

The suspect has the psychological profile of a loner.

Le suspect a le profil psychologique d'un solitaire.

The chief of police has issued a short statement/communiqué in which he warned the public to be vigilant but not to attempt to confront the suspect. Instead if he is spotted, they should immediately call the police.

Le préfet de police a rédigé un petit communiqué dans lequel il conseille au public d'être/de se montrer vigilant, mais de ne pas essayer d'affronter le suspect. Si le suspect est vu/aperçu, il faut plutôt appeler la police immédiatement.

A man, armed with a pistol, was finally apprehended/arrested by police as he was about to cross the border near Perpignan. The police are fairly sure that he is the suspect and he is being brought back to Paris for questioning and for identification by eye-witnesses.

Un homme, armé d'un pistolet, a finalement été arrêté par les forces de l'ordre/par la police lorsqu'il était sur le point de passer la frontière non loin de Perpignan. Les policiers sont presque sûrs/certains qu'il s'agit du suspect et l'homme est en ce moment ramené à Paris pour subir un interrogatoire et être identifié par des témoins oculaires.

He was arrested on his return from Uruguay, where he had fled to.
Il a été arrêté à son retour d'Uruguay, où il s'était enfui.

He was found hiding/cowering in bushes near the airport.
Il a été trouvé caché dans des buissons près de l'aéroport. / On l'a trouvé caché dans des buissons près de l'aéroport.

He is under arrest for…
Il est en état d'arrestation pour…

The man has been taken into custody/taken in for questioning.
L'homme a été mis en garde à vue. / L'homme a été interpellé.

The charges he faces are serious.
Les accusations qui pèsent sur lui sont sérieuses/graves.

Interrogation is under way this morning. / The interrogation is underway this morning.
L'interrogatoire est en cours ce matin.

The murderer killed a man/woman in a northern suburb of the city/town.
Le meurtrier a tué un homme/une femme dans une banlieue nord de la ville.

There's nothing to suggest that the murderer knew the victim.
Rien ne laisse présager que le meurtrier connaissait la victime.

Police are still looking for two other men following the attack. / Two other men are still at large following the attack.
La police est toujours à la recherche de deux autres hommes après l'attentat/l'attaque. / Deux autres hommes sont toujours dans la nature après l'attentat/l'attaque.

acting chief of – le chef de… par intérim
(e.g. acting chief of police – le chef de police par intérim)

Petty crime
Délits mineurs[43]/Infractions mineures[43]

Some say the authorities turn a blind eye to petty crime.
> **Certains disent que les autorités ferment les yeux sur les délits mineurs/infractions mineures.**

People have complained about it to the local town hall/the local mayor's office.
> **Des gens s'en sont plaints à la mairie locale.**

Most say they have (they've) had no response.
> **La plupart disent qu'ils n'ont reçu aucune réponse.**

We tried to get a statement from the mayor. He/She won't talk about it. His/Her spokesperson said he/she doesn't usually talk to the press.
> **Nous avons essayé d'obtenir une déclaration du maire. Il/Elle ne veut en pas parler. Son porte-parole a dit qu'il/elle ne parle généralement pas à la presse/aux médias.**

Some say the mayor is corrupt and are calling for him to resign.
> **Certains disent que le maire est corrompu et appellent à sa démission.**

Bad influence
Mauvaise influence

to fall into the wrong hands – **tomber entre de mauvaises mains**

to fall into the hands of criminals – **tomber entre les mains de criminels**

to sink into the clutches of… – **tomber sous l'emprise de quelqu'un / tomber sous la griffe/entre les griffes/dans les griffes de quelqu'un**

---

43 The term 'les petits délits' is also commonly used (often in news reports on television, radio, online or newspapers). This is considered to be a colloquial term.

Crime-solving and forensics

L'élucidation d'une enquête et l'analyse scientifique

(The anglicism 'la science forensique' is also used)

Traces of DNA prove that the crime must have been committed by the same person.

Des traces d'ADN prouvent que le crime doit avoir été commis par la même personne.

The temperature of the body proves that the murder must have taken place at least twenty-four hours ago.

La température du corps prouve que le meurtre doit avoir eu lieu il y a au moins vingt-quatre heures.

We are pursuing all lines of enquiry. / We are keeping an open mind.

Aucune piste n'est privilégiée. / On garde l'esprit ouvert.

We are trying to establish a motive.

On essaie/essaye d'établir un mobile.

We don't as yet have a motive. / We don't as yet know his motives.

On n'a pas encore de mobile. / Nous ne savons pas encore quelles sont ses motivations.

The mastermind behind the crime/operation was…

Le cerveau de l'affaire/l'opération était… / Le cerveau de l'affaire/ l'opération, c'était…

Witnesses and suspects; describing suspects

Témoins et suspect(e)s ; décrire des suspect(e)s

The suspect spoke with a strong Welsh accent, according to witnesses.
Le suspect avait un accent gallois très prononcé, d'après les témoins.

The suspect is said to have a scar on his left cheek.
On dit que le suspect a une cicatrice sur la joue gauche.

It was[44] a Swedish couple who raised the alarm. They immediately alerted the police.
C'est un couple suédois qui a donné l'alerte. Ils/Elles ont immédiatement/tout de suite alerté la police.

The suspect is a man of slim build and fair complexion.
Le suspect est un homme mince à la peau claire.

A man fitting the description has been arrested.
Un homme répondant à ce signalement a été arrêté.

Ten suspects were lined up side by side at an identity parade.
Dix suspects ont été alignés côte à côte lors d'une séance d'identification.

an eye-witness – **un témoin oculaire**

a key witness – **un témoin-clé**

of slim build – **mince**

to hold someone responsible for something

tenir quelqu'un pour responsable de quelque chose

I hold Thierry responsible for this/it.
Je tiens Thierry pour responsable de cela.

We hold their parents responsible for their unruly behaviour.
Nous tenons leurs parents pour responsables de leur comportement indiscipliné.

---

44 Note that in this context though in terms of reportage the English "It was" is in the imperfect tense, in French it remains in the present tense, i.e. "C'est" rather than the imperfect, "C'était".

The magistrate found the three youths responsible for the vandalism.

> **Le magistrat a tenu les trois jeunes pour responsables de l'acte de vandalisme.**

Guilty/Not guilty
Coupable / Non-coupable

The suspect was eventually caught. He had tried to give the illusion of having been elsewhere at the time of the assault.

> **Le suspect a fini par être arrêté/Le suspect a finalement/enfin été arrêté. Il avait essayé de prétendre qu'il était ailleurs au moment de l'agression.**

He's/She's not the type to be arrested by the police. / He's/She's not the type of person/the type who would get into/in trouble with the police.

> **Il/Elle n'est pas du genre à être arrêté/arrêtée par la police. / Il/Elle n'est pas du genre à avoir des ennuis avec la police.**

How do you/we convince the police that this is/was the case?

> **Comment convaincre la police que c'est/c'était le cas ?**

His lawyer said he could not possibly have committed the assault, but that if he had it would be out of character.

> **Son avocat/avocate a dit qu'il était impossible qu'il ait commis l'agression, mais s'il l'avait fait, cela/ce serait quelque chose qui ne lui ressemble pas.**

Later, the suspect admitted the assault but claimed it was an act of self-defence.

> **Le suspect a ensuite/plus tard avoué avoir commis l'agression, mais (il) a prétendu que c'était un acte de légitime défense.**

"He misled me/us," admitted the lawyer later.

> **« Il m'a induit/induite en erreur/Il nous a induits/induites en erreur », confessa/admit/reconnut plus tard l'avocat/l'avocate.** *(passé simple)*

In court the perpetrator was found guilty.

> **L'auteur/Le responsable a été reconnu coupable au tribunal.**

She was finally cleared by the jury/by the judge. In other words, she was deemed by the jury/judge not to have been involved.

> **Elle a fini par être innocentée/reconnue non coupable par le jury/le juge. Autrement dit, elle a été mise hors de cause. / Elle a fini par**

être blanchie[45] par le jury/le juge. Autrement dit, elle a été mise hors de cause.

He/She was exonerated.
Il/Elle a été disculpé/disculpée/innocenté/innocentée.

The verdict/decision was reached late this afternoon.
Le verdict a été rendu tard cet après-midi. / La décision a été rendue tard cet après-midi.

Sentencing/The sentence
Condamner/La peine

He was sentenced to twenty years in prison. / He was sentenced to twenty years behind bars.
Il a été condamné à vingt ans de prison ferme.

That's a long sentence. / That's a heavy penalty.
C'est une longue peine. / C'est une lourde peine. / C'est une sanction/peine sévère.

The sentence was handed down by the judge yesterday.
La sentence a été rendue hier par le juge.

It was a heinous crime and that is reflected in the long custodial sentence.
C'était un crime odieux/abominable et la longue peine de prison le reflète bien.

He/She is now behind bars.
Il/Elle est maintenant derrière les barreaux.

He's/She's a repeat offender. His/Her sentence was extended because of this.
C'est un/une récidiviste. Sa peine/condamnation a été prolongée à cause de cela/ça.

Even lesser crimes are punishable by a spell in prison, and people who commit them can expect up to fifteen years behind bars.
Même des crimes moins graves sont passibles d'une peine de prison et ceux qui les commettent peuvent écoper jusqu'à quinze ans de prison.

---

45 'Blanchir' means 'to whiten something' or 'to bleach something'. 'Être blanchi(e)' is an informal term based on this.

After his/her spell in prison, …/After his/her prison
spell, …/After he/she had served his/her sentence, … /
After he/she had **done his/her time** (in prison), …

slang (familier)

Après avoir été en prison, … / Après avoir purgé sa peine, …

He was sentenced to life (in prison). / He was given a life sentence.
Il a été condamné à perpétuité/à la prison à vie.

a serial killer – **un tueur en série**
(The anglicism "un serial killer" is also commonly used)

the death sentence – **la peine de mort/la peine capitale**

sentenced/condemned to death – **condamné(e)(s) à mort**

Mistaken identity
Erreur d'identité

It/This was a genuine case of mistaken identity.
**C'était réellement une erreur d'identité./C'était une véritable
erreur d'identité.**

Peaceful demonstrations
Des manifestations pacifiques

Who benefits from the right to protest/demonstrate these days?
À qui profite le droit de protester/manifester de nos jours ?

They took part in peaceful demonstrations.
Ils/Elles ont pris part à des manifestations pacifiques.

Civil unrest – riots; uprisings
Des troubles – des émeutes ; des soulèvements/révoltes

Riots erupted in the city during the night.
Des émeutes ont éclaté/ont eu lieu pendant/durant la nuit.

It was a particular event that sparked off/started the trouble; that's the basic
point.
**C'est un évènement particulier qui a déclenché les troubles ; c'est
le point de départ.**

A number of people were arrested for disturbing the peace/for a breach of the peace.

Un certain nombre[46] de personnes ont été arrêtées pour trouble à l'ordre public.

---

46 In both English and French the plural is usually accorded, even though, strictly speaking, "a number of" is singular. In some locutions in French, typically where the word 'nombre' is accompanied by a determiner (déterminant in French) such as articles 'un' or 'le' or the demonstratives 'this' or 'that' or by a determiner and an adjective, e.g. 'bon', 'certain', 'tel', thus 'le nombre de', 'un bon nombre de' and 'un certain nombre de' as in the above example, the *Office québécois de la langue française* advises that actually either singular or plural is acceptable for the verb that follows. So we could have:

The number of people infected by this new/novel strain of coronavirus in Italy and Spain in 2020 (twenty-twenty) has increased/risen rapidly and continues to increase/climb/mount at an alarming rate.
Le nombre de personnes infectées par cette nouvelle souche du coronavirus en Italie et en Espagne en 2020 (deux mille vingt) a augmenté rapidement et continue d'augmenter à un rythme alarmant.

The number of cases has confounded/surprised a lot of experts.
Le nombre de cas a déconcerté/surpris beaucoup d'experts.

A good many people have already been hospitalised, of whom more than 23,000 (twenty-three thousand) have died/lost their lives as a result of this virus.
Un bon nombre de personnes sont déjà hospitalisées, dont plus de 23 000 (vingt-trois mille) sont mortes à cause de ce virus.

Such a (high) number of deaths/so many deaths in such a short space of time anywhere in the world from an infectious disease is unacceptable.
Un tel nombre de morts/Un nombre de morts si élevé en si peu de temps en raison d'une maladie infectieuse est inacceptable dans n'importe quel pays.

A certain number of knots is acceptable and to be expected in natural wood flooring. / A certain number of knots is acceptable in natural wood flooring and is to be expected.
On peut s'attendre à trouver un certain nombre de nœuds dans un sol en parquet, et c'est acceptable.

So the context carries considerably more weight in French than in English in determining whether the verb takes the singular or plural.

There are two other noteworthy locutions: -
'nombre' with neither determiner nor adjective, intended to convey the meaning 'a number of' (as opposed to 'de nombreux/nombreuse', which translates as 'numerous'),

and

'nombre' with adjective but no determiner, typically 'bon nombre'.

These two locutions invariably take the plural. Thus, for example:
A number of countries rely on tourism for their revenue.
Nombre de pays dépendent du tourisme pour leurs revenus.

A lot of people came to my party last night.
Bon nombre de personnes sont venues à ma fête hier soir. / Bon nombre de gens sont venus à ma fête hier soir.

Drug trafficking
Le trafic de drogue

This is the turning point in the battle/fight against drug trafficking.
C'est le tournant dans la lutte contre le trafic de drogue.

Driving offences
Des infractions de conduite

He was drinking and driving but was not over the limit (the legal blood limit of alcohol) when tested, so had not broken the law.
Il conduisait après avoir bu, mais il ne dépassait pas la limite (le taux légal d'alcool par litre de sang) quand il a été testé, alors il n'était pas en infraction.

He was caught drunk while driving.
Il a été appréhendé alors qu'il conduisait en état d'ébriété/ivresse.

When he crashed, he was driving at above the speed limit and drinking alcohol at the wheel.
Il était en excès de vitesse et buvait de l'alcool au volant lors de l'accident. / Il conduisait au-dessus de la limitation de vitesse et buvait de l'alcool au volant lors de l'accident.

Other motorists had to swerve and pedestrians jump out of the way.
Les autres automobilistes ont dû faire une embardée et les piétons ont dû s'écarter rapidement.

He thought/believed he was in complete control of the vehicle.
Il croyait maîtriser parfaitement le véhicule.

He was convicted of drink-driving.
Il a été reconnu coupable de conduite en état d'ébriété/d'ivresse.

He had put himself and his passengers in danger. For that he was rightly punished.
Il s'était/s'est mis, ainsi que ses passagers, en danger. Il a été puni/sanctionné à juste titre.

That taught him a lesson.
Cela/Ça lui a servi de leçon.

Let that be a lesson to him.
Que cela/ça lui **serve** de leçon.   *subj.*

There's a lesson to learn/draw. / There's a lesson in that.
> **Il y a une leçon à tirer de cela/ça. / Il y a une leçon à en tirer.**

Up until that moment, he had not taken his responsibility seriously. He had not taken it seriously.
> **Jusqu'alors, il n'avait pas pris ses responsabilités au sérieux. Il ne les avait pas prises au sérieux.**

What was your part/role in all this?
> **Quel était ton/votre rôle dans tout cela/ça ?**

What is your share of the responsibility?
> **Quelle est ta/votre part de responsabilité ?**

He drove his car straight at them! He was trying to kill them!
> **Il se dirigeait droit sur eux/elles ! Il essayait de les tuer !**
> *("He drove his car right at them!" – this phraseology is more common in the USA (cette tournure est plus commune aux États-Unis.))*

The driver of the car involved was a woman.
> **Le conducteur de la voiture en cause était une femme.**

Legal constraints/obligations
Des contraintes/obligations juridiques

It's legally binding. / It's a binding agreement.
> **C'est un accord qui constitue une obligation.**

There's a conflict of interest.
> **Il y a conflit d'intérêts.**

Chapter 4: Employment and industrial relations
Chapitre 4 : L'emploi et les relations au travail

Earning/Making one's living
Gagner sa vie

What do you do for a living?
> **Qu'est-ce que tu fais/vous faites comme métier ?**

I'm a lawyer.
> **Je suis avocat/avocate.**

He's/She's a doctor by profession.
> **Il/Elle est médecin. / Il/Elle exerce le métier de médecin.**

The medical profession and the teaching profession are undoubtedly/indisputably brilliant, rewarding but exhausting!
> **Le métier de médecin et celui de professeur[47] sont indubitablement/indiscutablement géniaux et gratifiants, mais aussi épuisants/exténuants !**

The GP (general [medical] practitioner)/primary care physician is a disappearing entity/dying breed in France.
> **Le métier de médecin généraliste/traitant est en voie de disparition en France.**

---

47 'Ingénieur' and 'professeur' have traditionally been words that remain masculine, even though one can be female, thus: un/une ingénieur, un/une professeur. That said, there has been in recent decades a move to feminise a range of professional titles, including these. *L'Office de langue française* in Quebec, Canada, for example, actively advocates 'une ingénieure' and 'une professeure'. Until October 2014, *l'Académie française* was implacably opposed to such feminisation, stating that it risked undermining centuries-old founding principles of the French language that *l'Académie* had vowed to uphold since its inception in 1635. However, in October 2014, in the face of increasing political pressure and legal test cases, *l'Académie* relaxed its rules, reluctantly making a declaration allowing feminisation or retention of the masculine in professional and other titles to be optional. Also see footnote or endnote 37.

In other countries, the GP has made enormous progress and has gained in popularity.

> **Dans d'autres pays, le métier de médecin généraliste progresse énormément et a gagné en popularité.**

I'm trained in…

> **Je suis diplômé(e)/qualifié(e) en… / Je suis… qualifié(e).**

e.g.
I'm trained in medicine.

> **Je suis diplômé(e) en médecine. / Je suis qualifié(e) en médecine. / Je suis un/une médecin qualifié(e).**

I'm a trained… / I'm a fully qualified/fully trained…

> **Je suis diplômé(e)/qualifié(e) en… / Je suis… qualifié(e).**

e.g.
I'm a trained engineer. / I'm a fully qualified/fully trained engineer.

> **Je suis diplômé(e) en ingénierie. / Je suis un/une ingénieur**[47] **qualifié(e).**

It was an avant-garde profession at the time.

> **C'était un métier d'avant-garde à l'époque.**

He/She earns his/her keep/makes his/her living as a pilot.

> **Il/Elle vit de son métier de pilote. / Il/Elle gagne sa vie en tant que pilote.**

They earn their living playing tennis, and on top of that, they have other hidden talents.

> **Ils/Elles gagnent leurs vies en jouant au tennis, et en plus/en plus de cela/ça, ils/elles ont d'autres talents cachés.**

He/She works full-time.

> **Il/Elle travaille à plein temps/à temps complet.**

He/She works part-time.

> **Il/Elle travaille à temps partiel.**

Do you have a permanent job?

> **Est-ce que tu as/vous avez un travail permanent ?**

He/She works in the Avenue des Champs-Élysées area.

> **Il/Elle travaille non loin de l'Avenue des Champs-Élysées.**

He/She has a good job.

> **Il/Elle a un bon job.**

an anglicism (anglicisme)

What do you specialise in?

Dans quoi t'es-tu/es-tu spécialisé(e) ? / Dans quoi vous êtes-vous/
êtes-vous spécialisé(e)(s) ?

I specialise in renal medicine. / I'm a renal specialist. / I'm a nephrologist.
> Je me suis spécialisé(e) dans la médecine rénale. / Je suis
> spécialisé(e) dans la médecine rénale. / Je me suis spécialisé(e) dans
> la néphrologie. / Je suis spécialisé(e) dans la néphrologie. / Je suis
> spécialiste en médecine rénale/en néphrologie.

I specialise in molecular biology.
> Je me suis spécialisé(e) dans la biologie moléculaire. / Je suis
> spécialisé(e) dans la biologie moléculaire. / Je suis spécialiste en
> biologie moléculaire.

I specialise in computer-aided design.
> Je me suis spécialisé(e) dans la conception assistée par ordinateur.
> / Je suis spécialisé(e) dans la conception assistée par ordinateur. / Je
> suis spécialiste en conception assistée par ordinateur.

I specialise in the field of marine conservation.
> Je me suis spécialisé(e) dans le domaine de la conservation marine.
> / Je suis spécialisé(e) dans le domaine de la conservation marine. /
> Je suis spécialiste en conservation marine.

This art critic specialises in Spanish painting.
> Ce/Cette critique d'art s'est spécialisé(e) dans l'étude de la peinture
> espagnole. / Ce/Cette critique d'art est spécialisé(e) dans l'étude de
> la peinture espagnole. / Ce/Cette critique d'art est spécialiste de
> l'étude de la peinture espagnole.

This lawyer specialises in international law.
> Ce/Cette juriste s'est spécialisé(e) dans le droit international. /
> Ce/Cette juriste est spécialisé(e) dans le droit international. / Ce/
> Cette juriste est spécialiste en droit international.

Reward and sanction
Récompense et sanction

He/She works hard.
> **Il/Elle travaille dur.**

Me, I'm struck by the way (in which) they go about their work.
> **La façon dont ils/elles travaillent me frappe, moi.**

He/She did a good job.
> **Il/Elle a fait du bon travail/boulot.**   *informal (familier)*

His/Her hard work deserves/merits recognition. / His/Her hard work deserves to be acknowledged/recognised.
> **Son dur labeur mérite d'être reconnu.**

He/She deserves a chance to be promoted.
> **Il/Elle mérite une occasion/une chance d'être promu/promue.**

He/She was promoted to… manager.
> **Il/Elle a été promu/promue directeur/directrice…**

Our efforts have been rewarded.
> **Nos efforts ont été récompensés.**

He/She has been suspended while investigations take place.
> **Il/Elle est suspendu/suspendue pendant que des enquêtes sont en cours.**

He/She has been suspended pending an enquiry.
> **Il/Elle est suspendu/suspendue en attendant qu'une enquête ait lieu.**

He/She has been suspended pending completion of enquiries/until enquiries have been completed.
> **Il/Elle est suspendu/suspendue en attendant que les enquêtes soient terminées.**

The enquiry/investigation aims to find out why he/she didn't act sooner.
> **Le but de l'enquête est de découvrir pourquoi il/elle n'a pas agi plus tôt.**

Such mistakes are unacceptable at this level.
> **De telles erreurs sont inacceptables à ce niveau.**

In this job, there are moments that are absolutely amazing and some that are absolutely exhausting!

> **Dans ce travail, il y a des moments parfaitement incroyables/ extraordinaires et d'autres absolument épuisants/éreintants !**

At work, there is almost never time to eat, or do anything else, though I do always find (the) time to speak to my wife on the telephone!

> **Il n'y a presque jamais le temps de manger ou de faire autre chose au travail, bien que je trouve toujours le temps de parler à ma femme au téléphone !**

Careers and retirement
Carrières et retraite

At eighteen (years of age), I worked as a vendor in a small shop.

> **À l'âge de dix-huit ans, je travaillais en tant que vendeur/vendeuse dans un petit magasin.**

I worked as an analyst for thirty years and retired/took my retirement five years ago.

> **J'ai travaillé en tant qu'analyste pendant trente ans et j'ai pris ma retraite il y a cinq ans.**

My thirty-year career.

> **Ma carrière de trente ans.**

During the more than thirty years of my career, I have worked in many branches of medicine first in hospital then in general practice/primary care.

> **Durant mes plus de trente ans de carrière, j'ai travaillé dans maintes branches de la médecine, d'abord dans un hôpital, puis en tant que médecin généraliste.**

During the twenty-five years or so of Harriet's career, she has been based in an office in Geneva, overlooking the lake.

> **Durant ses environ vingt-cinq ans de carrière, Harriet a été basée dans un bureau à Genève donnant sur le lac.**

(Note: In French, 'depuis' describes an action that began in the past but is continuing, and so the present tense is used, e.g, 'I've been living here for ten years." is "J'habite ici depuis dix ans.". On the other hand, 'durant' and 'pendant' both describe an action that is now finished as we speak, and so with this the passé composé tense is used, e.g. "I lived there for ten years." is "J'ai habité là durant/ pendant dix ans.")

During the fifteen years of his career, Jules has taken on various responsibilities/he has taken on a variety of responsibilities.
> **Pendant ses quinze ans de carrière, Jules a accepté diverses responsabilités.**

I'm in favour of an earlier retirement age. / I'm for an earlier retirement age.
> **Je suis en faveur de baisser l'âge légal du départ à la retraite.**

I'm against putting back the state pension age. / I'm not for putting back the state pension age.
> **Je suis contre le fait de repousser/d'augmenter l'âge légal du départ à la retraite.**

The self-made businessman/businesswoman
L'homme qui s'est fait tout seul/lui-même /
La femme qui s'est faite toute seule/elle-même

How big is your company?
> **Quelle taille fait ton/votre entreprise/ta/votre société ?**

I have a hundred employees working in three factories.
> **J'ai cent salariés/employés (travaillant/qui travaillent) dans trois usines.**

He went from nothing to multi-millionaire in no time/next to no time!
> **Il est parti de rien et est devenu multimillionnaire en un rien de temps !**

That seems easy: it wasn't, though.
> **Cela/Ça semble simple/facile, mais cela/ça ne l'était pourtant pas.**

We value our clients as well as our employees.
> **Nous prenons soin de notre clientèle ainsi que de nos salariés.**

Attention, team!
> **Votre attention s'il vous plaît !**

He/She set up/started out as an interior designer twenty years ago. It was an avant-garde profession at the time.
> **Il/Elle a commencé sa carrière d'architecte d'intérieur il y a vingt ans. / Il/Elle a commencé sa carrière de décorateur/de décoratrice d'intérieur il y a vingt ans. C'était un métier d'avant-garde à l'époque.**

He/She has proved himself/herself.
> **Il/Elle a fait ses preuves.**

a businessman / a businesswoman – **un homme d'affaires / une femme d'affaires**

(Note: The anglicisms "un/le businessman" and "une/la businesswoman" are commonly used too.)

Pay grades/scales
Les échelons salariaux/Les échelons de rémunération

Wages in this sector are above/below the national average. The gap needs to be narrowed/closed.
> **Les salaires dans ce secteur sont supérieurs/inférieurs à la moyenne nationale. Il faut réduire l'écart.**

These employees/workers were paid another £100 (hundred pounds) over and above their weekly wages/salaries.
> **Ces salariés/ouvriers ont été payés cent livres (£100) de plus que leur salaire hebdomadaire.**

What, not even your professional network is aware/has been told?
> **Quoi, même ton/votre réseau social professionnel n'est pas au courant/n'a pas été prévenu ?**

Strikes and other industrial action and trying to avert them
Grèves et autres actions revendicatives et essayer de les prévenir/éviter

The employees openly complain about the way they are treated by their boss/their bosses.
> **Les salariés/employés se plaignent ouvertement de la manière/façon dont ils sont traités par leur patron/leurs patrons.**

They complain openly about poor working conditions in the factory.
> **Ils se plaignent ouvertement de conditions de travail médiocres dans l'usine.**

We, the union members, are going to cease all cooperation with this company.
> **Nous, les membres du syndicat, allons arrêter/cesser/stopper toute coopération avec cette entreprise.**

an anglicism (derived from the English verb 'to stop' (anglicisme dérivé du verbe « to stop »))

They have taken a very tough line. / The line taken by them is very tough.
> **Ils/Elles ont adopté / Ils/Elles se sont donné/fixé une ligne très dure. / La ligne qu'ils/elles ont adoptée est très dure. / La ligne qu'ils/elles se sont donnée/fixée est très dure.**

Preliminary talks/negotiations aimed at averting a strike are under way.
> **Des pourparlers/négociations préliminaires visant à éviter une grève sont en cours.**

We hope to/aim to reach agreement within six weeks, or even four.
> **On espère/Nous espérons parvenir à un accord d'ici six semaines, voire quatre.**

This will be difficult, if not impossible.
> **Ce sera difficile, voire impossible.**

There was a tense second round of negotiations between the employers and the (trade) union.
> **Il y a eu une deuxième série de négociations tendues entre le patronat et le syndicat.**

The employers used a carrot and stick approach.
> **Le patronat a utilisé la méthode de la carotte et du bâton.**

They are in a position of strength. / They are negotiating from a position of strength.
> **Ils sont dans une position de force/Ils sont dans une position de force pour négocier.**

Talks are at the halfway stage. / We're halfway through our talks.
> **Les pourparlers sont dans une phase intermédiaire. / Nous sommes à mi-chemin dans nos pourparlers.**

They're halfway to agreement.
> **Ils sont à mi-chemin d'un accord.**

This is the moment to... (do something)
> **C'est le moment de... (faire quelque chose)**

This is the moment to seize the initiative.
> **C'est le moment de sauter sur l'occasion.**
> *(Literally, "to jump on the chance")*

After another round of negotiations, they are close to agreement.
> **Après une autre série de négociations, ils sont proches de parvenir à un accord.**

The employers have agreed to a pay rise in return for/in exchange for the (trade/trades) unions calling off further planned strike action. / The employers have agreed to a pay rise in return for/in exchange for a commitment from the (trade/trades) unions that they will call off further planned strike action.

> **Le patronat a accepté/Les patrons ont accepté d'augmenter les salaires si les syndicats annulent les autres grèves projetées/ prévues. / Le patronat a accepté/Les patrons ont accepté d'augmenter les salaires en échange d'une promesse des syndicats qu'ils annuleront les autres grèves projetées/prévues.**

Against (all) the odds, they hammered out an agreement/reached agreement.

> **Contre toute attente, ils/elles ont négocié un accord / ils/elles sont parvenus/parvenues à un accord.**

After a series of difficult obstacles, they came to an agreement.

> **Au bout d'une longue série d'obstacles difficiles, ils/elles sont parvenus/parvenues à un accord.**

After a whole series of difficult obstacles, we finally reached (an) agreement.

> **Au bout de toute une série d'obstacles difficiles, nous sommes finalement parvenus à un accord.**

This agreement, concluded early yesterday afternoon, is important, even vital, for the workers/employees in particular, but for this industry/this industry sector/this sector of industry in general.

> **Cet accord, conclu tôt cet/cette après-midi, est important, voire vital, pour les ouvriers/salariés/employés en particulier, mais aussi pour cette industrie/ce secteur d'activité en général.**

The talks/negotiations ended/broke up without agreement. / The talks/ negotiations broke down. / The talks/negotiations were unsuccessful/fruitless.

> **Les pourparlers/négociations se sont terminés/terminées sans parvenir à un accord. / Les pourparlers/négociations ont été rompus/rompues sans parvenir à un accord. / Les pourparlers/ négociations n'ont mené à rien. / Les pourparlers/négociations ont échoué. / Les pourparlers/négociations ont été infructueux/ infructueuses.**

The workers have gone on strike, accusing the bosses of wanting to get rid of them.

> **Les ouvriers se sont mis en grève et accusent les patrons de vouloir se débarrasser d'eux.**

The company is keen to stress that the door remains open for further negotiations. / The company is at pains to stress that the door remains open for further negotiations.

> **L'entreprise tient à insister sur le fait que la porte reste ouverte pour de nouvelles négociations. / L'entreprise se donne beaucoup de mal pour insister sur le fait que la porte reste ouverte pour de nouvelles négociations.**

Something like ten per cent of (railway) lines will be affected by this strike action.

> **Environ dix pour cent des voies ferrées/voies de chemin de fer seront affectées par cette grève.**

The right of… to… (do something)

> **Le droit de/des… à… (faire quelque chose)**

e.g.
The right of farmers to claim government/state subsidies

> **Le droit des fermiers à demander des subventions de l'État**

We are aware of the rights of our employees to strike/go on strike.

> **Nous sommes au courant du droit de grève de nos salariés/ employés.**

These strikers are demanding the right to…

> **Ces grévistes revendiquent le droit de…**

The company is in a good/strong position to face down the strikers and their unions.

> **L'entreprise/La société est dans une bonne position pour affronter les grévistes et leurs syndicats. / L'entreprise/La société est dans une position de force pour affronter les grévistes et leurs syndicats.**

These industrial disputes are frequent, and strikes in particular repetitive. It's seemingly a fixed pattern – a repetitive pattern of events.

> **Ces conflits sociaux sont fréquents, et les grèves en particulier sont répétitives. C'est apparemment/de toute évidence une constante précise — une suite d'évènements qui se répète.**

It is rare now/nowadays/these days to see other forms of industrial action such as the "go-slow", "sit-in" and "work-to-rule" that were so rife in the UK up to and including the 1970s (nineteen-seventies).

> **Il est rare maintenant/de nos jours de voir d'autres formes d'actions sociales telles que la grève perlée, la grève sur le tas/ grève avec occupation et la grève du zèle, qui étaient si fréquentes au Royaume-Uni jusqu'aux années soixante-dix/années mille neuf cent soixante-dix.**

last-minute – **de dernière minute**

e.g.

last-minute negotiations – **des négociations de dernière minute**

a last-ditch/last gasp attempt to do something – **une ultime tentative de faire quelque chose**

to make a firm go bankrupt/bust – **faire faillite**

Unemployment; looking for work
Le chômage ; être à la recherche d'un emploi

There are grounds for dismissal. / There are good grounds for dismissal.
> **Il y a des motifs de licenciement/renvoi. / Il y a de bons motifs de licenciement/renvoi.**

His/Her contract was terminated. / His/Her contract came to an end.
> **Son contrat a été rompu. / Son contrat a pris fin.**

I find myself unemployed. / I found myself unemployed.
> **Je suis au chômage. / Je me suis retrouvé(e) au chômage.**

I want to live in a town/city where I'm sure I'll be able to find a job.
> **Je veux habiter/vivre dans une ville où je serai sûr(e)/certain(e) de pouvoir trouver du travail.**

I came to see you about your advertisement.
> **Je viens vous voir par rapport à/à propos de votre annonce.**

I'm looking for work – not just at my level of experience but more.
> **Je suis à la recherche d'un travail non seulement à mon niveau d'expérience, mais aussi à un niveau supérieur.**

I need a new challenge. / I need new challenges.
> **J'ai besoin d'un nouveau défi. / J'ai besoin de nouveaux défis.**

Unemployment is constantly on the increase/rise. The unemployment rate has risen by ten per cent.
> **Le chômage est en constante augmentation. Le taux de chômage est en hausse/a augmenté de dix pour cent.**

The rise in the unemployment rate is/has been staggering/absolutely breathtaking/almost astronomical.
> **L'augmentation du taux de chômage est sidérante/absolument vertigineuse/presque astronomique.**

There has been a dramatic/precipitous/sharp/sudden fall/drop in the number of unemployed.

Il y a eu une soudaine/brusque/dramatique diminution du nombre de chômeurs.

The change in the rate has been sudden.

Le changement du taux a été soudain.

The unemployment rate has fallen back to eighteen per cent.

Le taux de chômage est retombé à dix-huit pour cent.

Count yourself lucky: in certain countries about thirty per cent of people are out of work/thirty per cent of the population is out of work/there is about 30% unemployment/ the employment rate is 30%.

Estime-toi/Estimez-vous heureux : dans certains pays, environ trente pour cent des gens sont au chômage/environ trente pour cent de la population est au chômage/le taux de chômage est d'environ trente pour cent.

The figure is not far off thirty per cent.

Le taux approche <u>les</u> trente pour cent.

That's a disturbing statistic.

C'est une statistique inquiétante.

It's out of the ordinary.

Cela/Ça sort de l'ordinaire.

More and more young people are going abroad in search of work.

De plus en plus de jeunes vont à l'étranger pour trouver du travail/à la recherche d'un travail.

These measures are aimed at reducing further/intended to reduce further the unemployment rate.

Ces mesures visent à réduire encore davantage le taux de chômage.

These measures, intended for that purpose, will be put in place immediately.

Ces mesures, visant à atteindre cet objectif, seront mises en place immédiatement.

the unemployed/jobless – **les chômeurs/chômeuses**

to be unemployed/jobless/out of work – **être sans-emploi**

the longterm unemployed – **les chômeurs de longue durée**

the labour market – **le marché du travail**

Social Security benefits – **des prestations sociales**

Sickness and work
La maladie et le travail

Do you still go to work despite your flu? / Do you still go to work despite having the flu/even though you have the flu?
> **Est-ce que tu vas/vous allez quand même travailler bien que tu aies/vous ayez la grippe ? / Est-ce que tu vas/vous allez quand même au travail bien que tu aies/vous ayez la grippe ?**

Do you still go to work despite feeling like this?
> **Est-ce que tu vas/vous allez quand même travailler/au travail malgré ton/votre état ?**

Workload
La charge de travail

Their workload has greatly increased/increased greatly.
> **Leur charge de travail a beaucoup augmenté.**

Taking over a role
Prendre la relève/Remplacer quelqu'un (dans ses fonctions)

He/She succeeded him/her as… *(e.g. head of state, company director, company owner/boss, team manager).*
> **Il/Elle lui a succédé en tant que… (par ex., chef d'État, directeur général, patron de l'entreprise, chef d'équipe).**

Chapter 5: Business, commerce, economics, banking and finance
Chapitre 5 : Affaires, commerce, sciences économiques, banque et finance

Companies
Les entreprises

It's company policy.
> C'est la politique de l'entreprise/la société.

Sometimes/At times, it's necessary to take commercial risks.
> Parfois, il est nécessaire de prendre des risques commerciaux. / Parfois, il faut prendre des risques commerciaux. / Il est parfois nécessaire de prendre des risques commerciaux. / Il faut parfois prendre des risques commerciaux.

The company is run by…
> L'entreprise/la société est dirigée par…

This family-run business has been running for decades. / This family-run business has been in operation for decades.
> Cette entreprise/société familiale existe depuis des décennies. / Cette entreprise/société familiale est en activité depuis des décennies.

The founder went from zero/nought to multi-millionaire in the space of ten years.
> Le fondateur/La fondatrice est parti/partie de rien et est devenu/devenue multimillionnaire en l'espace de dix ans.

He/She earns three hundred thousand euros a/per year net.
> Il/Elle gagne trois cent mille euros net par an.

What's your (company's) selling point?
> **Quel est votre argument de vente ? / Quel est l'argument de vente de votre entreprise ? / Quelle est votre promesse ? / Quelle est la promesse de votre entreprise ?**

My speciality/My core business is… but I have several projects on the go.
> **Ma spécialité/Mon cœur de métier/Mon activité principale, c'est… mais j'ai plusieurs projets en cours.**

This company is losing market share in its core business.
> **Cette entreprise perd des parts de marché dans son cœur de métier.**

That has made a dent in the company's finances.
> **Cela/Ça a fait un trou dans les finances de l'entreprise.**

There is now a black hole in its finances.
> **Elle est maintenant/à présent au bord du gouffre.**

At this point in time that's unwelcome/that's an unwelcome development.
> **À ce stade, c'est inopportun/fâcheux/regrettable/c'est un développement inopportun/fâcheux/regrettable.**

The company's finances are in a dire/dreadful/pitiful state. This has been quite a setback for the chief executive.
> **Les finances de l'entreprise/de la société sont en piteux état. C'est un contretemps pour le directeur général/la directrice générale.**

His/Her position as chief executive is under threat.
> **Sa position en tant que directeur général/directrice générale est menacée.**

He/She had planned to buy another company. It would have been better to invest that money in his/her company earlier.
> **Il/Elle avait projeté/prévu d'acheter une autre entreprise. Il aurait été préférable d'investir cet argent dans son entreprise plus tôt.**

These funds could have been channelled into… instead.
> **Ces fonds auraient plutôt pu être utilisés pour/affectés à…**

The chief executive quit the board by mutual agreement.
> **Le directeur général/La directrice générale a quitté le conseil d'administration d'un commun accord.**

Both the chairman/woman and chief executive stepped down.
> **Le président/La présidente et le directeur général/la directrice générale ont tous/toutes les deux démissionné.**

Another company thinks it can make an acceptable offer in a bid to take over the company. The company is not in a position to refuse.

> **Une autre entreprise estime pouvoir faire une offre acceptable afin d'essayer de racheter/reprendre l'entreprise. Celle-ci n'est pas en position de refuser.**

Sales are (right) on target. / We're (right) on target for sales.

> **Les ventes correspondent aux objectifs./ Les ventes correspondent à nos objectifs.**

The company set a target of twenty items/units sold by the end of October. They narrowly missed the target.

> **L'entreprise a fixé un objectif de vingt articles/unités vendus/ vendues avant fin octobre. Elle a échoué de peu.**

Air France used to be state-owned.

> **Air France appartenait à l'État.**

Are the oil companies ready/willing/ready and willing to put their hands in their wallets/pockets (pay up)?

> **Les compagnies pétrolières sont-elles prêtes à mettre la main au portefeuille/à la poche ? / Est-ce que les compagnies pétrolières sont prêtes à mettre la main au portefeuille/à la poche ?**

The company thinks it can make an acceptable offer.

> **L'entreprise/La société estime pouvoir faire une offre acceptable.**

The other company is not in a position to choose.

> **L'autre entreprise n'est pas en position de choisir.**

The banking crisis and recession/economic downturn of 2007–8 (two thousand and seven to eight)
La crise bancaire et la récession de 2007–8 (deux mille sept à huit)

The folly was to (have) let the banks borrow so much money.

> **La folie était d'avoir laissé les banques emprunter autant d'argent.**

The folly was to (have) let the (financial) markets run themselves. That's the truth. As a result, we now face a huge crisis.

> **La folie était d'avoir laissé les marchés (financiers) se gérer eux- mêmes. C'est la vérité. Nous sommes par conséquent face à une énorme crise.**

The four banks that plunged the entire sector into the red were punished with a fine that totalled three billion euros.

Les quatre banques qui ont plongé le secteur entier dans le rouge ont reçu une pénalité de trois milliards d'euros au total.

Something like thirty per cent of the financial markets were affected.

Environ trente pour cent des marchés financiers ont été affectés.

The measures now put in place are centred on a single objective.

Les mesures mises en place à présent sont centrées sur un seul objectif.

These measures are intended to give/bring a little transparency to the financial/banking system.

Ces mesures visent à donner un peu de transparence au système bancaire/financier.

It's a rejection of the current financial system. / It is an undeniable rejection of the current financial system.

C'est un rejet du système financier actuel. / C'est un rejet indéniable du système financier actuel.

It is likely these measures will result in a rise in the rate of inflation. / It is likely these measures will have the effect of pushing up the rate of inflation.

Il est probable que ces mesures fassent augmenter/monter le taux d'inflation.

We need to put together a workable plan.

Nous devons trouver un plan faisable/réalisable.

There has been a tenfold increase in the price of bread because of inflation.

Le prix du pain a décuplé à cause/en raison de l'inflation.

The figures prove me slightly wrong.

Les chiffres me donnent un peu tort.

The Government narrowly missed its financial targets.

Le gouvernement a manqué ses objectifs financiers de peu.

The Finance Minister/Chancellor of the Exchequer admitted that tax revenues were not what he/she had expected/not what he/she was expecting.

Le/La ministre de l'Économie et des Finances/Le chancelier de l'Échiquier/La chancelière de l'Échiquier a avoué que les recettes fiscales étaient différentes de ce à quoi il s'attendait.

The minister announced a new package of austerity measures while declaring: "The financial crisis is not a joke or game. I feel the anxiety and uneasiness/malaise of the (general) public. I feel your pain, but for the moment there is no other choice. I would say this package/raft/range of measures is good and will bear fruit in the coming months."

Le/La ministre a annoncé un nouveau train/un nouvel ensemble de mesures d'austérité en déclarant : « La crise financière n'est pas une blague ni un jeu. Je ressens l'inquiétude et le malaise du (grand) public. Je ressens votre douleur, mais il n'y a pas d'autre choix pour le moment. Je dirais que c'est un bon ensemble de mesures et qu'il portera ses fruits dans les mois à venir. »

That has become unpopular, in some/certain circles at least.

C'est devenu impopulaire, du moins dans certains milieux.

Nevertheless, it is a batch of measures the Government intends to press on with/stick with/persevere with. / Nevertheless, it is a batch of measures the Government has every intention of pressing on with/sticking with/persevering with.

Néanmoins, c'est un ensemble de mesures pour lesquelles le gouvernement a l'intention de persévérer.

We the Government must balance the books, no more, no less, just as companies have to.

Nous, le gouvernement, devons dresser le bilan, ni plus, ni moins, tout comme les entreprises.

There's a growing deficit.

Il y a un déficit croissant.

There's a growing/increasing risk that…

Il y a un risque croissant de…

We obviously are in (a) recession, (and) yet house prices in London are constantly rising.

Il est évident que nous sommes en récession, (et) pourtant les prix de l'immobilier à Londres sont constamment en hausse. / Nous sommes de toute évidence en récession, (et) pourtant les prix de l'immobilier à Londres sont constamment en hausse.

It's none of the IMF (International Monetary Fund)'s business!

C'est (Ce ne sont) pas les affaires du FMI (Fonds monétaire international) ! / C'est (Ce n'est) pas l'affaire du FMI (Fonds monétaire international) !

Economic policies
Des politiques économiques

An economic stimulus is needed. The economic recovery is important.
> **Nous avons besoin d'un stimulus économique. La reprise économique est quelque chose d'important.**

The (economic) recovery is important, but the package of measures announced just now – how does the general public feel about them/how do they feel to the public?
> **La reprise économique est importante, mais que pense le grand public de l'ensemble de mesures annoncé à l'instant ?**

Going by the very earliest polls, these measures felt like a diktat.
> **Selon les tous premiers sondages, ces mesures ont été ressenties comme un dictat.**

The minister presented them as though they were vital. Everyone could see that they weren't. People can see through this.
> **Le/La ministre les a présentées comme étant vitales. Tout le monde voyait que ce n'était pas vrai. Les gens ne sont pas dupes.**

At the moment, prices are tending to rise/fall.
> **En ce moment, les prix ont tendance à augmenter/diminuer.**

The latest figures show/reveal a declining trend.
> **Les derniers chiffres font apparaître une tendance à la baisse.**

The latest figures show/reveal a rising trend.
> **Les derniers chiffres font apparaître une tendance à la hausse.**

The economy is in constant growth.
> **L'économie est en constante croissance.**

Evidently, the economic stimulus package is having the desired effect.
> **Il est évident que le plan de relance/la politique de relance a l'effet voulu.**

People's pensions could increase.
> **Les retraites pourraient augmenter.**

This package was designed for this purpose.
> **Cet ensemble de mesures a été créé à cet effet.**

If the Chancellor is going to cut VAT (Value Added Tax), he/she will do it as soon as economic conditions allow. / If the Chancellor is going to cut VAT, he/she will do it when the economic climate permits.

Si le chancelier de l'Échiquier (le/la ministre des finances et du trésor britannique) prévoit de baisser/diminuer la TVA (taxe sur la valeur ajoutée), il le fera dès que les conditions économiques le permettront.

As soon as the economic climate allows him/her to do so, the Finance Minister will cut VAT.

Dès que le climat économique le permettra, le ministre des Finances baissera/diminuera la TVA.

deregulation – **la déréglementation**

Taxation and revenue
Taxation et revenus/recettes

We need to make sure/ensure that people pay their fair share of tax. / We need to make sure/ensure that everyone pays their fair share of tax.

Nous devons nous assurer que chacun/tout le monde paye sa part d'impôts.

They are exempt from paying that tax.

Ils/Elles sont exonérés/exonérées de cet impôt.

taxable income – **le revenu imposable**

gross income/income before tax – **le salaire brut**

net income/income after tax – **le salaire net**

tax evasion – **la fraude fiscale**

to evade/dodge (paying) tax – **frauder le fisc**

Economic models tried and tested; economic successes and failures

Des modèles économiques éprouvés ; réussites/succès et échecs économiques

What really happened in Senegal in the 1970s (nineteen-seventies)?
> **Que s'est-il vraiment/réellement passé au Sénégal dans les années soixante-dix/mille neuf cent soixante-dix (1970) ?**

Some say it was an economic success story, not only/not just in West Africa but on the entire continent.
> **Certains disent que c'était une réussite économique, non seulement en Afrique de l'Ouest, mais aussi pour le continent entier.**

What had happened there by the end of this decade?
> **Que s'est-il passé là-bas avant la fin de cette décennie ?**

There are cases from which lessons can be learned/learnt. / There are cases to learn lessons from.
> **Il y a des cas qui peuvent servir de leçons.**

Share prices; the stock exchange

Cours boursier ; la bourse

The CAC 40 is down by 2.5 (two point five/two and a half) points.
> **Le CAC 40 est en baisse de deux virgule cinq points.**

There was a rise/fall/collapse in share prices at the close (of trading); at closing
> **Il y a eu une hausse/une baisse/une chute du cours des actions en clôture.**

Share prices fell sharply. / Share prices tumbled.
> **Il y a eu une chute/forte baisse du cours des actions.**

The rich and the poor

Les riches et les pauvres

There's a growing gap between the richest ten per cent of the population and the rest (of the population).
> **Il y a un écart/fossé croissant entre les dix pour cent les plus riches de la population et le reste.**

There's a growing gap between the richest few and the poorest.
> **Il y a un écart/fossé croissant entre les plus riches et les plus pauvres.**
> *(Note: 'the richest few' translates as simply 'the richest' in French.)*

There's a growing gap between the middle classes and the working classes.
> **Il y a un écart/fossé croissant entre les classes moyennes et les classes ouvrières.**

Emerging economies/markets

Des économies émergentes/Des marchés émergents

Africa has been an emerging market in recent years apart from, perhaps, the lusophone (Portuguese-speaking) countries.
> **L'Afrique a été un marché émergent ces dernières années, à part peut-être les pays lusophones (pays où l'on parle portugais). / L'Afrique a été un marché émergent ces dernières années, excepté peut-être les pays lusophones (pays où l'on parle portugais).**

Chapter 6: Geography, climate and the environment
Chapitre 6 : Géographie, climat et l'environnement

The debate over global warming
Le débat sur le réchauffement climatique

What is climate change/global warming?
> Qu'est-ce que le changement climatique ? / C'est quoi le réchauffement climatique ? / Qu'est-ce que le réchauffement climatique/le réchauffement de la planète ? / C'est quoi le réchauffement climatique/le réchauffement de la planète ?

How does one define it? / How do you define it?
> Comment le définir ? / Comment peut-on le définir ?

The phenomenon is global.
> Le phénomène est mondial.

The global phenomenon of…
> Le phénomène mondial de…

The temperature of the earth has become too high and some say this has been caused by human activity.
> La température de la planète/Terre est devenue trop haute/élevée et certains disent que cela/ça a été causé par l'activité humaine/par les activités humaines/par l'action de l'Homme/par l'Homme.

It's an intrusion on nature.
> Cela porte atteinte à la nature. / C'est une atteinte à la nature.

This is too simplistic, too pessimistic/optimistic a vision.
> C'est une vision trop simpliste, trop pessimiste/optimiste.

Conservation and the environment

La sauvegarde/préservation et l'environnement

The environment is an issue/is at stake.
> **L'environnement est en jeu.**

The Eiffel Tower is lit up/illuminated in green/draped in green light this evening, symbolising the importance of the environment.
> **La tour Eiffel est illuminée <u>de</u> vert ce soir pour symboliser l'importance de l'environnement.**

The future of the forests is at stake.
> **L'avenir des forêts est en jeu.**

The most effective way to protect them is to…
> **Le moyen le plus efficace de les protéger, c'est de…**

The future of the environment is at stake.
> **L'avenir de l'environnement est en jeu.**

The future of the planet is at stake.
> **L'avenir de la planète est en jeu.**

The planet is over-populated.
> **La planète est surpeuplée.**

In my opinion, humankind has a moral duty to protect the environment and wildlife/flora and fauna, and not to destroy the planet.
> **Selon moi, l'Homme a un devoir moral de protéger l'environnement, la faune et la flore, et de ne pas détruire la planète.**

The best way to prevent disaster/catastrophe is to…
> **Le meilleur moyen/La meilleure façon d'empêcher un désastre/une catastrophe, c'est de…**

The real challenge we face is to limit pollution by lowering the amount of diesel particles in the air.
> **Le vrai défi, c'est de limiter la pollution en réduisant la quantité de particules fines dans l'air.**

I'm optimistic about what will become of humanity. I have a positive outlook on our collective memory.
> **Je suis optimiste à propos de/en ce qui concerne l'avenir de l'humanité. J'ai une vision positive de notre mémoire collective.**

sustainable development – **le développement durable**

Distance and topography
Distance et topographie

Three hundred kilometres. That's the distance separating the two towns/cities.

Trois cents kilomètres. C'est la distance qui sépare les deux villes.

In a straight line, it is twenty kilometres away.

Il/Elle se trouve à seulement vingt kilomètres en ligne droite/à vol d'oiseau.

People stand at the top of the hill to see further. / People go to the top of the hill to see further. From up there, the view is beautiful.

On se tient/On monte au sommet de la colline afin de/pour voir plus loin. De là-haut, la vue est belle./La vue est belle de là-haut.

(If one were to wax lyrical and say:
"To stand at the top of the hill is to see farther/further."

the French translation would be unchanged; there is no French equivalent of this particular literary English sentence structure.

Si l'on voulait donner un côté lyrique à la phrase :

"To stand at the top of the hill is to see farther/further"
la traduction française resterait inchangée ; il n'y a pas d'équivalents à cette structure de phrase littéraire en français.)

The English adjectives and adverbs 'farther' and 'further' are used interchangeably as comparatives, and 'farthest' and 'furthest' are used interchangeably as superlatives in most instances when used individually to describe relative distance or reach. However, strictly speaking, when stating distance, greater distance and greatest distance in sequence, then 'far', 'farther' and 'farthest' are the more correct terms to use. In practice, 'further' is used more often than 'farther' as an adverb. It is more versatile and has a broader, metaphorical use, e.g. 'to go further (or deeper) into an investigation'. It is also used as a verb, e.g. 'to further one's interests'.

En anglais, les adjectifs et les adverbes « farther » et « further » sont utilisés de façon interchangeable en tant que comparatifs ; de même pour « farthest » et « furthest » en tant que superlatifs quand ils sont employés seuls pour décrire la distance ou la portée. Toutefois, en théorie, lorsqu'on parle d'une distance, puis d'une distance plus importante et enfin, de la distance « la plus importante », « far », « farther » et « farthest » sont à préférer à « further » et « furthest ». En pratique, on utilise « further » plus souvent que « farther » en tant qu'adverbe. Il est plus polyvalent et a un sens plus large et métaphorique, par ex. « to go further into an investigation » (« aller plus loin dans une enquête »). On l'emploie aussi en tant que verbe, par ex. 'to further one's interests' ('servir ses intérêts').

To do so at dawn is magnificent.
> **C'est magnifique à l'aube.**

From down there at the foot of the hill, the view is poor.
> **La vue n'est pas très belle (en bas), au pied de la colline.**

You feel a sense of wonder.
> **On ressent une sensation d'émerveillement.**

There is a mountain range in this region that rises to three thousand metres.
> **Il y a une chaîne de montagnes dans cette région qui s'élève à trois mille mètres.**

a steep slope – **une pente raide/abrupte**

the beautiful rolling hills of…
> **la belle région vallonnée de…**

Geology
La géologie

How are volcanoes made?
> **Comment se forment les volcans ?**

How is a volcano made/formed?
> **Comment se forme un volcan ?**

Weather/Meteorology/Climate
Le temps/La météorologie (La météo)/Le climat

■ (a) Describing the weather
Décrire le temps

The sun is shining. / It's sunny.
> **Le soleil brille. / Il fait (du) soleil./Il fait beau.**
> *(Also of course translates as "It's a fine/pleasant day.")*

The sun is shining brightly.
> **Le soleil brille beaucoup./Le soleil brille de tous ses feux./Le soleil brille de mille feux.**

The wind is blowing.
> **Le vent souffle.**

The wind is blowing softly. / The wind is blowing hard.
> **Le vent souffle doucement. / Le vent souffle fort.**

It's an icy morning. / It will be an icy morning.
> **C'est une matinée glaciale. / Ce sera une matinée glaciale. / Il fait un froid glacial ce matin. / Il fera un froid glacial dans la matinée.**

There are flashes of lightning.
> **Il y a des éclairs.**

How's the weather over there where you are?
> **Quel temps fait-il où tu es/vous êtes ?**

It's raining lightly here.
> **Il pleut un peu ici.**

It's raining heavily.
> **Il pleut à verse./Il pleut beaucoup/abondamment.**

It's sweltering!
> **La chaleur est accablante/étouffante/écrasante ! / Il fait une chaleur accablante/étouffante/écrasante !**

(b) Regions and climates
Régions et climats

The direction of the prevailing wind is from north to south.
> **Le vent dominant souffle du nord vers le sud.**

Weather patterns like this are unique to this part of the world.
> **Des conditions météorologiques telles que celles-ci sont propres à cette partie du monde. / Des conditions météorologiques telles que celles-ci n'existent que dans cette partie du monde.**

(c) Temperature
La température

The average temperature in this region at this time of (the) year is rarely above ten degrees centigrade. I'm very doubtful that it will be any different this year. But I dare say it will be above five degrees.
> **La température moyenne dans cette région à cette époque de l'année est rarement supérieure à dix degrés centigrades/Celsius. Je doute fortement/grandement que cela/ça sera différent cette année. Mais j'ose dire qu'elle sera supérieure à cinq degrés.**

The temperature varies depending on/according to the time of (the) year.
> **La température varie selon l'époque de l'année.**

■ (d) Effect of weather on activities, plans and mood
L'effet du temps sur les activités, les plans et l'humeur

The success of the endeavour will depend on climatic conditions.
La réussite de cette tentative dépendra des conditions climatiques.

I'm hoping for (some) good weather.
J'espère qu'il fera beau.

We had to go out in the rain.
On a/Nous avons dû sortir sous la pluie.

The match shouldn't have been played in the rain.
Le match n'aurait pas dû être joué sous la pluie. / Le match n'aurait pas dû avoir lieu sous la pluie.

In such conditions, travel is hazardous.
C'est/Il est dangereux de voyager dans de telles conditions.

Both road and air travel are risky.
C'est/Il est dangereux/risqué de prendre la route ou de voyager par voie aérienne.

Apart/Aside from the weather, this is (really) fun!
Hormis/Excepté/Mis à part le temps, on s'amuse (bien) !

Storm clouds are gathering. At the very worst we'll get soaked/we'll get a soaking.
Des nuages d'orage s'amoncellent. Dans le pire des cas, on sera trempé(e)s.

It's going to be a beautiful day. That puts me in a good mood.
Il va faire beau. Cela/Ça me met de bonne humeur.

■ (e) Predicting the weather; weather forecasts
Prévoir le temps ; les prévisions météorologiques

No-one knows which way the wind will turn.
Personne ne sait dans quelle direction le vent tournera.

The temperature will be in the region of ten degrees.
La température avoisinera les dix degrés.

The temperature today will be higher than yesterday's.
La température aujourd'hui sera plus élevée qu'hier.

The temperature will be exceptionally low.
La température sera exceptionnellement basse.

The temperature tonight in Lyon will go below minus five degrees.

La température descendra en dessous de moins cinq degrés ce soir à Lyon.

The temperature tomorrow in Marseilles will exceed thirty degrees centigrade/Celsius, as it will across all of southern France/all the southern part of France.

La température demain à Marseille dépassera les trente degrés centigrades/Celsius, tout comme dans toute la moitié sud de la France/dans tout le Sud de la France/le Midi. / La température demain à Marseille dépassera les trente degrés centigrades/Celsius, et il en sera de même dans toute la moitié sud de la France/dans tout le Sud de la France/le Midi.

('Le Midi' is what the French commonly call the South of France.)

The weather will be sunny tomorrow, but with a few showers.

Le temps sera beaucoup ensoleillé demain, mais il y aura quelques ondées/averses.

There'll be plenty of sunny spells, especially in the eastern half of the country. / There'll be plenty of lovely/nice sunny spells, especially in the eastern half of the country.

Il y aura beaucoup d'éclaircies, surtout/en particulier dans la moitié est du pays. / Il y aura beaucoup de belles éclaircies, surtout/en particulier dans la moitié est du pays.

The sun is going to shine on/beat down on the Loire region and the Alps/Auvergne-Rhône-Alpes/Alpes-Maritime region.

Le soleil va briller/s'imposer sur la région de la Loire et sur les Alpes/la région Auvergne-Rhône-Alpes/le département des Alpes-Maritimes.

There'll be thunder and lightning across the Massif Central.

Il y aura du tonnerre et des éclairs sur le Massif central.

There'll be (some) rain across northern and central England but it will be mostly dry in the south and south-east and also the far south-west.

Il y aura de la pluie dans le nord et dans la région centrale de l'Angleterre, mais le temps sera en majeure partie sec dans le sud, le sud-est et aussi dans l'extrême sud-ouest.

There'll be a few drops of rain here and there.

Il y aura quelques gouttes de pluie ici et là.

Tomorrow is not going to be very sunny.

Il n'y aura pas beaucoup de soleil demain.

It will be overcast.
Le temps sera couvert.

It will be a grey/dull/drab day.
Il fera gris.

It will be a sunny day.
Il y aura du soleil./Il fera soleil./Il fera du soleil.

The weather will turn more wintry later in the week.
Le temps deviendra plus hivernal plus tard dans la semaine.

The weather will turn more stormy during the course of the day.
Le temps tournera plus à l'orage au fil de la journée.

The weather is going to deteriorate rapidly later today.
Le temps va se dégrader rapidement plus tard dans la journée.

A storm is threatening.
Un orage/Une tempête se prépare. / Un orage menace.

The whole/entire country is on the alert/is on orange alert/red alert because of the threat of heavy rainfall.
Tout le pays est en vigilance/en alerte orange/en alerte rouge à cause de la menace de fortes pluies.

The forecasters are predicting snow.
Les météorologues annoncent de la neige.

an easterly wind – **un vent d'est**

a westerly breeze – **une brise qui vient de l'ouest**

a northerly/southerly wind – **un vent du nord/un vent du sud**

a southerly wind, turning west/turning toward the west – **un vent du sud qui s'oriente/se dirige vers l'ouest / un vent du sud s'orientant vers l'ouest**

a gust of wind – **une rafale/une bourrasque**

rainfall – **la précipitation/pluie**

heavy rainfall – **forte pluie**

torrential rainfall – **la pluie torrentielle**

snowfall – **l'enneigement/la chute de neige**

snow showers – **les averses de neige**

a snowstorm – **une tempête de neige**

a thunderclap – **un coup de tonnerre**

a thunderbolt – **un éclair**

Natural and man-made disasters and the response to them
Catastrophes naturelles et causées par l'Homme et leurs réponses

Plenty of things happen in nature.
> **Il se passe de nombreuses choses/beaucoup de choses dans la nature.**

■ (a) Forest fires
Des feux/incendies de forêt

A large forest fire broke out in Corsica yesterday.
> **Un grand feu de forêt s'est déclaré en Corse hier/hier en Corse. / Un incendie de forêt s'est déclaré en Corse hier/hier en Corse.**

Three quarters of the forest over there has gone up in smoke.
> **Les trois quarts de la forêt là-bas sont partis en fumée.**

The wind has fed/fanned the flames.
> **Le vent a alimenté l'incendie.**

Neighbouring/The neighbouring buildings caught fire.
> **Les bâtiments voisins ont pris feu.**

In the aftermath/wake of these big forest fires, the authorities are hoping for some rain.
> **Après ces grands feux de forêt, les autorités espèrent qu'il pleuvra.**

■ (b) Earthquakes
Des tremblements de terre/des séismes

What remains of…
> **Que reste-t-il de… ? / Qu'est-ce qui/qu'il reste de… ?**

e.g.
What remains of the towns struck by the earthquake?
> **Qu'est-ce qui/qu'il reste des villes frappées/touchées par le séisme/ le tremblement de terre ?**

There remain only damaged and destroyed buildings. We're going to have to clear the remains of the buildings.

> **Il ne reste que des bâtiments endommagés et détruits. Nous allons/ On va devoir déblayer les vestiges des bâtiments.**

A block of flats has been reduced to rubble.

> **Un immeuble a été complètement détruit.**

The historic facade has been reduced to powder/dust.

> **La façade historique a été réduite en poussière.**

There's not one building left standing.

> **Il ne reste plus aucun bâtiment.**

There's not one bridge left.

> **Il ne reste plus aucun pont. / Il ne reste plus un seul pont.**

■ (c) Volcanic eruptions

Des éruptions volcaniques

A volcano has erupted in Guatemala.

> **Un volcan est entré en éruption au Guatemala.**

Smoke is rising from a similar volcano in Indonesia.

> **De la fumée s'élève d'un volcan semblable/similaire en Indonésie.**

■ (d) Hurricanes/Cyclones/Monsoons
(depending on region of the world)

Des ouragans/Des cyclones/Des moussons
(selon la région du monde)

The hurricane has changed direction and is now heading west.

> **L'ouragan a changé de direction et se dirige maintenant vers l'ouest.**

The hurricane is heading towards/heading for Florida.

> **L'ouragan se dirige vers la Floride.**

The hurricane could reach the Florida coast tomorrow morning, if not tonight/ or even tonight/even as early as tonight.

> **L'ouragan pourrait atteindre les côtes de la Floride demain matin, voire ce soir/voire dès ce soir.**

The strength of the wind/winds has much intensified.

> **La force du vent/des vents s'est beaucoup intensifiée.**

The intensity of the storm these past few hours has much increased.
> **L'intensité de l'orage/la tempête a augmenté ces dernières heures.**

■ **(e) Possible effects on people, terrain and infrastructure**
Effets possibles sur les gens, le terrain et l'infrastructure

People are heading north.
> **Les gens se dirigent vers le nord.**

People are cold and hungry.
> **Les gens ont faim et froid.**

They have been exposed to several infectious diseases.
> **Ils ont été exposés à plusieurs maladies infectieuses.**

Many are living a very precarious existence. In the past, many more would have died/would be dead by now, of hunger, thirst, disease and dehydration.
> **Beaucoup ont une vie très précaire. Autrefois, beaucoup plus seraient déjà morts de faim, de froid, de maladie et de déshydratation.**

After this catastrophe, are the occupants of the building alive or dead?
> **Après cette catastrophe, les occupant(e)s du bâtiment sont-ils/elles vivants/vivantes ou morts/mortes ?**

Many people escaped to safety.
> **Beaucoup de gens sont allés se mettre en lieu sûr.**

Many more were evacuated as a precaution.
> **Beaucoup d'autres ont été évacués par précaution.**

At this moment in time, the flow of refugees shows no sign of abating/slowing.
> **À l'heure actuelle, le flot de réfugiés ne semble pas prêt de diminuer/faiblir.**

In the wake of the earthquake, people have been left homeless.
> **À la suite du tremblement de terre/du séisme, des/les gens ont été laissés sans abri.**

They have nowhere to go. / They have nowhere else to go.
> **Ils n'ont nulle part où aller./Ils n'ont pas d'autres endroits où aller.**

They're using fragments/pieces of wood and plastic and anything else they can find as shelter/as makeshift shelters.
> **Ils utilisent des/Ils se servent de morceaux de bois, de plastique et tout ce qu'ils parviennent à trouver en guise d'abri de fortune.**

As a result of the monsoon, people's phones are cut off.
À cause de la mousson, les lignes téléphoniques ont été coupées.

They're cut off from the internet.
Leur accès à internet a été coupé.

They're cut off from the outside world.
Ils sont coupés du monde.

They're isolated.
Ils sont isolés.

They're cut off from everyone.
Ils sont coupés du reste du monde.

Their electricity supply has been cut off.
Ils sont privés d'électricité.

There have been landslides.
Il y a eu des glissements de terrain.

The river has burst its banks.
La rivière/Le fleuve est sortie/sorti de son lit.

Some people have been found clinging to the riverbank.
Quelques personnes ont été retrouvées accrochées à la rive/berge.

It may well be that/It's possible that others have been carried off by the flash floods/swollen river. / Others may have been carried off by the flash floods/by the swollen river.
Il se peut/Il est possible que d'autres aient été emmenés/emportés par les crues subites/la rivière en crue/le fleuve en crue. / D'autres ont peut-être été emmenés/emportés par les crues subites/la rivière en crue/le fleuve en crue.

Certain areas remain inaccessible.
Certaines zones restent inaccessibles.

What state (condition) are the roads in?
Dans quel état sont les routes ?

Certain roads remain impassable.
Certaines rues restent impraticables.

It's a race against time.
C'est une course contre la montre.

The weather is steadily improving. As a result, the roads are steadily improving.

> Le temps s'améliore progressivement. L'état des routes s'améliore donc petit à petit.

■ (f) National or regional responses
Réponses nationales ou régionales

The President said: "First of all, I must/it's important that I express solidarity with the victims, which I do from the bottom of my heart."

> Le président a dit : « Tout d'abord, je dois faire preuve de solidarité à l'égard des/envers les victimes, et ce du fond du cœur. »

The Minister of the Interior (male) and the Minister of Health (female) went immediately to the scene.

> Le ministre de l'Intérieur et la ministre de la Santé se sont rendus immédiatement sur place.

Twelve regions are on orange alert.

> Douze régions sont en alerte orange.

People have been advised to evacuate the state and head north.

> On a conseillé aux habitants d'évacuer l'État et de se diriger vers le nord.

It's not just a matter of contenting oneself with the information provided by the local authorities; the government must take a lead on this and coordinate a national response.

> Il ne s'agit pas de se contenter des renseignements fournis par les autorités locales ; le gouvernement doit prendre des initiatives dans ce domaine et coordonner une réponse nationale.

We need to remove the sick and dying from the refugee camp/camps to limit the spread of cholera and other deadly diseases.

> Nous devons faire partir les malades et mourants du camp/des camps de réfugiés afin de limiter la propagation du choléra et d'autres maladies mortelles.

Right now/At the present time, the maintenance of good sanitation/good sanitary conditions in the town is an absolute imperative/priority. / Right now/ At the present time, maintaining/preserving good sanitation/good sanitary conditions in the town is an absolute imperative/priority.

> En ce moment/À l'heure actuelle, le maintien d'une bonne hygiène/ de bonnes conditions sanitaires dans la ville est un impératif absolu/ une priorité absolue. / En ce moment/À l'heure actuelle, maintenir/ préserver une bonne hygiène/de bonnes conditions sanitaires dans la ville est un impératif absolu/une priorité absolue.

■ **(g) Search and rescue**
  Recherche et sauvetage

Many were lifted/airlifted to safety.
  Beaucoup ont été emmenés/transférés en lieu sûr par pont aérien.

They escaped unharmed.
  Ils s'en sont sortis indemnes. / Elles s'en sont sorties indemnes.

Weather permitting, the rescue operation will resume tomorrow.
  **Si le temps le permet, l'opération de secours recommencera/
  reprendra demain.**

The rescuers will start very early in the hope of saving more lives/in the hope
that more lives can be saved. Their task is (will be) to get them some warmth
and shelter.
  **Les sauveteurs commenceront très tôt dans l'espoir de sauver plus
  de personnes. Leur tâche/mission sera de trouver un refuge à l'abri
  du froid.**

The wild landscape, the hostile terrain, makes it difficult for us to reach and
treat them.
  **Il nous est difficile de les rejoindre et de les soigner à cause/en
  raison du paysage sauvage et du terrain hostile.**

We can't get any closer/nearer.
  **Nous ne pouvons pas nous approcher plus. / On ne peut pas
  s'approcher plus.**

We're grappling with floods/flash-floods and torrential rain.
  **Nous sommes aux prises avec/Nous faisons face à des inondations/
  des crues subites et de fortes pluies.**

The downpours are incessant. These are hampering the rescue effort.
  **Les averses sont incessantes. Elles ralentissent/freinent l'opération
  de secours/de sauvetage.**

The bad weather is making/has made the sea rescue operation perilous. The
bad weather is expected to last until tomorrow morning.
  **Le mauvais temps rend/a rendu l'opération de secours en mer
  périlleuse. Le mauvais temps est censé durer jusqu'à demain
  matin.**

They'll do as much as is humanly possible to rescue the miners.
  **Ils feront tout ce qui est humainement possible pour secourir/
  sauver les mineurs.**

In the wake of the explosion in the nuclear reactor, thousands of investigators are expected on-site. They have already uncovered/revealed and sealed off another highly radioactive site.

> Suite à l'explosion dans la centrale nucléaire, des milliers d'enquêteurs sont attendus sur place. Ils ont déjà découvert et condamné un autre site hautement radioactif./Ils ont déjà découvert et interdit l'accès à un autre site hautement radioactif.

Everything has returned to normal.

> Tout est revenu à la normale.

The rescuers were thanked for their efforts.

> Les sauveteurs ont été remerciés pour leurs efforts.

Each of the rescuers was awarded a medal in recognition of their efforts and of the good/difficult job they do day in day out, year in year out. / The rescuers were each awarded a medal in recognition of their efforts and of the good/difficult job they do day in day out, year in year out.

> Une médaille a été décernée à chaque sauveteur en reconnaissance de leurs efforts et du bon travail/du travail difficile qu'ils font/accomplissent jour après jour, année après année.

Pollution
Pollution

Beijing (*old name in English, Peking*) is a city badly affected by air pollution and low cloud.

> Pékin est une ville très affectée par la pollution de l'air et par les nuages bas.

In some large cities, there has been a sharp rise in the number of deaths from/as a result of acute/severe asthma. The cause is presumed to be pollution.

> Dans certaines grandes villes, il y a eu une forte augmentation des morts causées par l'asthme aigu grave. On présume que la pollution en est la cause.

Climate, landscape and conflict
Climat, paysage et conflit

Living conditions in the horn of Africa, or the eastern region of the African continent, are at times tough, even precarious. People in certain countries of that region, such as Ethiopia, were starving in the past, such as in 1984 (nineteen eighty-four), one of the worst and most upsetting of the famines and droughts, and which led to "Live Aid" the following year. Every summer, drought in particular threatens, and preventing this a difficult job for all the governments over there, all the more because there is also an insurgency to combat/fight.

> Les conditions de vie dans la Corne de l'Afrique, soit la région est du continent africain, sont parfois dures, même/voire précaires. Les habitants de certains des pays de cette région, tels que/ comme l'Ethiopie, ont souffert de famine par le passé, comme en 1984 (mille neuf-cent quatre-vingt-quatre), une des famines et sécheresses les plus intenses et bouleversantes et qui a mené à la création de *Live Aid* l'année suivante. Chaque été/Tous les étés, la menace de sécheresse en particulier pèse et prévenir cela représente beaucoup de travail pour tous les gouvernements de cette région, en particulier/surtout parce qu'ils ont une insurrection à combattre.

a scorched earth policy – **une politique de terre brûlée**

Spectacular or spellbinding natural phenomena
Des phénomènes spectaculaires/impressionnants ou captivants/ envoûtants

It's beautiful to look at/listen to.
> Ce/Cette… est beau/belle. / C'est beau.

(Note: In French, the English construction "… to look at/listen to." isn't used.)

That sight/sound sticks in the mind. It's iconic.
> Cette vue/Ce son reste gravée/gravé dans l'esprit/en mémoire. C'est magnifique.

No-one can explain this phenomenon.
> Personne n'est capable d'expliquer ce phénomène.

Better than anyone/More than anyone, he/she explains the phenomenon of…
> Il/Elle explique le phénomène de… mieux que personne/ quiconque.

It's a force of nature.
> **C'est une force de la nature.**

There is/There's a sense of mystery.
> **Il y a une sensation de mystère.**

I'm trying to find the right words to describe this object.
> **J'essaie de trouver les mots justes pour décrire cet objet.**

No-one understands what makes things happen like that.
> **Personne ne comprend ce qui fait que les choses se produisent/ passent ainsi/comme cela/ça.**

There could be several/many explanations.
> **Il pourrait y avoir plusieurs explications.**

Quiz
Quiz

Question: Where is the source of the (river) Garonne?
> **Question : Où la Garonne prend-elle sa source ?**

Answer: In the Pyrénées.
> **Réponse : Dans les Pyrénées.**

Question: Brussels is the capital of which region and country?
> **Question : Bruxelles est la capitale de quelle région et de quel pays?**

Answer: Brussels is the capital of Flanders and Belgium.
> **Réponse : Bruxelles est la capitale de la Flandre et de la Belgique.**

Referring to nature colloquially
Faire référence à la nature de manière familière

Mother Nature – **Mère Nature/Dame Nature** *(literally, 'Lady Nature')*

Chapter 7: History
Chapitre 7 : L'histoire

Miscellaneous
Divers

From 1745 (seventeen forty-five) to 1800 (eighteen hundred).
De 1745 (mille sept-cent quarante-cinq/dix-sept cent quarante-cinq) à 1800 (mille huit cent/dix-huit cent).

It's a period of history that fascinates me.
C'est une période de l'histoire qui me fascine.

In Shakespeare's time, …
À l'époque de Shakespeare, …

The Second World War broke out on the third of September 1939 (nineteen thirty-nine).
La Deuxième/Seconde Guerre mondiale a éclaté le trois[48] septembre[49] mille neuf cent trente-neuf/dix-neuf cent trente-neuf (1939).

The First World War (The Great War)
La Première Guerre mondiale (la Grande Guerre) / La Guerre de 14–18 (quatorze–dix-huit) / La Guerre de quatorze

At the outbreak of war…
Au début de la guerre…

---

48 For English-speaking readers:

Unlike English, and with the exception of the first day of the month ("le premier" in French, just as "the first" in English) the day in numerical (date) form in French is expressed using simple numbers ("le deux", "le trois", "le quatre" and so on), not ordinal numbers ("the second", "the third", "the fourth" and so on).

Pour les lecteurs francophones :

À la différence du français, en anglais, on utilise les adjectifs numéraux ordinaux pour écrire les dates (« le deuxième », « le troisième », « le quatrième » et ainsi de suite), et non les adjectifs numéraux cardinaux (« le deux », « le trois », « le quatre » et ainsi de suite).

49 For English-speaking readers: Just as with days, the month in French is written starting with lower case.

Pour les lecteurs francophones : Les noms de jours et de mois s'écrivent avec une lettre majuscule en anglais.

The Allied landings took place on the beaches of Normandy on June 6th 1944 (June the sixth nineteen forty-four), known in English as "D-day" and correspondingly in French as "le jour J".

> L'opération Neptune, ou le débarquement, a eu lieu/s'est déroulée sur les plages de Normandie le six juin mille-neuf cent quarante-quatre/dix-neuf cent quarante-quatre (le 6 juin 1944). Ce jour est appelé « D-day » en anglais, et « Jour J » en français.

These two are very knowledgeable about the history of France.

> Ce sont deux fins connaisseurs de l'histoire de France. / Ce sont deux fines connaisseuses de l'histoire de France.

At one time, there was a major threat to the life of General Charles de Gaulle.

> À un certain moment, une menace majeure pesait sur la vie du général Charles de Gaulle.

There was a time when people thought the Earth was flat.

> À une époque/Fut un temps où les gens pensaient/l'on pensait que la Terre était plate.

the amazing story/history of/behind…

> l'histoire étonnante de/derrière… / l'étonnante histoire de/derrière…

Describing the decades and centuries
Décrire des décennies et des siècles

In the 1520s (fifteen twenties)
> Dans les années mille cinq cent vingt/quinze cent vingt

In the 1640s (sixteen forties)
> Dans les années mille six cent quarante/seize cent quarante

In the 1750s (seventeen fifties)
> Dans les années mille sept cent cinquante/dix-sept cent cinquante

In the 1880s and 90s (1890s) (eighteen eighties and nineties)
> Dans les années mille huit cent quatre-vingt et quatre-vingt-dix/ dix-huit cent quatre-vingt et quatre-vingt-dix

In the nineteen thirties and forties (1930s and 40s)
> Dans les années mille neuf cent trente et quarante/dix-neuf cent trente et quarante /
> Dans les années **trente** et **quarante**   *colloquial (familier)*

Barings Bank was founded in the 1760s (seventeen sixties), in 1762 (seventeen sixty-two) in fact/ to be exact.

La Barings Bank a été fondée dans les années mille sept cent soixante/dix-sept cent soixante, en mille sept cent soixante-deux/ dix-sept cent soixante-deux (1762) à vrai dire/ pour être précis/ exact.

since/from the middle of the 18th (eighteenth) century

depuis le milieu du XVIIIe[50] siècle (du dix-huitième siècle) / à partir du milieu du XVIIIe (dix-huitième) siècle / dès le milieu du XVIIIe (dix-huitième) siècle

---

At the turn of the century, …

Au tournant du siècle, …

During the 'noughties', …

Pendant les années deux mille, …

during the reign of Napoleon – **durant/pendant/sous le règne de Napoléon**

the pre-war years – **l'avant-guerre**

(*masc./fem.* according to sources such as Larousse, but according to l'Académie française it is feminine only. So there is some controversy over this. Can be plural, i.e. 'des avant-guerres', when referring to several pre-war periods in history.)

the inter-war years – **l'entre-deux-guerres** (*masc./fem.* but usually masc. Invariably singular)

(*1919–1939 [nineteen nineteen to nineteen thirty-nine / mille neuf cent/dix-neuf cent dix-neuf à mille neuf cent/dix-neuf cent trente-neuf]*)

the post-war years – **l'après-guerre**

(*masc./fem.* Can be plural, i.e. 'des après-guerres', when referring to several post-war periods in history. 'Post-Cold war' is an exception. Here the hyphen isn't used, so it is 'l'après guerre froide' – literally "the after Cold War".)

e.g.

The so-called pre-war years were not entirely peaceful – far from it.

La période communément appelée l'avant-guerre n'était pas une période de paix — loin de là. / La période communément appelée l'avant-guerre n'était pas une période pacifique — loin de là.

The League of Nations was founded during the inter-war years.

La Société des Nations a été fondée pendant l'entre-deux-guerres.

---

50 Notice Roman numerals are used in French when writing centuries in numbers.

The 'baby-boom' was a surge in birth rate that gathered pace during the post-war years and continued to the mid-1960s. People born between 1946 (nineteen forty-six) and 1964 (nineteen sixty-four) are known as 'the baby boomer generation' or 'baby boomers'.

> **Le « baby-boom/babyboom » était une augmentation importante du taux de natalité, qui a crû pendant l'après-guerre et continué jusqu'au milieu des années soixante. Les gens nés entre 1946 (mille neuf cent/dix-neuf cent quarante-six) et 1964 (mille neuf cent/dix-neuf cent soixante-quatre) sont connus sous le nom de « baby-boomers » ou « boomers ».**

Further back…
Plus loin en arrière…

throughout the Middle Ages – **au cours du/pendant le Moyen Âge**

Joan of Arc was burnt at the stake in 1431 (fourteen thirty-one), during the Hundred Years' War. She was only nineteen years of age, or almost.

> **Jeanne d'Arc est morte sur le bûcher en mille quatre cent/quatorze cent trente-et-un, pendant la Guerre de Cent Ans. Elle n'avait que dix-neuf ans, ou presque.**

At the end of the Hundred Years' War (a hundred and sixteen years in fact) the English were kicked out of France.

> **À la fin de la Guerre de Cent Ans (qui a en réalité duré cent seize ans), les Anglais ont été boutés hors de France.**

Alexander the Great – **Alexandre le Grand**

In some literature and discourse, you may find "CE (Common Era)" and "BCE (Before Common Era)" have replaced "AD (Anno Domini ("In the year of our Lord"))" and "BC (Before Christ)" respectively as the terminologies for denoting historical dates. This was so as to accommodate religions and civilisations other than Western and their place in human history.

> **Dans certains discours et littératures, les termes « EC » (Ère commune) et « AEC » (avant l'ère commune) ont remplacé respectivement « apr. J.-C. » (après Jésus-Christ) et « av. J.-C. » (avant Jésus-Christ) pour désigner les dates historiques. Ce changement a été fait pour tenir compte de la place dans l'histoire de l'humanité des religions et civilisations autres que celles de l'Occident.**

(Note: While the existence of the terms "CE" and "BCE" is acknowledged amongst French-speakers, they are not very common. More commonly used terms are "de/avant l'ère chrétienne" (of/before the Christian era) or the less religious "de/avant notre ère" (of/before our era), sometimes abbreviated "de/av. n. è.".)

For example, one might read or hear:
Par exemple, on pourrait lire ou entendre :

'In the year 6 BCE' instead of 'In the year 6 BC (six BC)'
« En l'an 6 (six) avant notre ère » au lieu de « En l'an six avant J.-C. ».

'2500 BCE' instead of '2500 BC' ('Two thousand five hundred BC')'
« 2 500 avant notre ère » au lieu de « 2500 (Deux mille cinq cent) avant J.-C. ».

'In 200 CE' instead of '200 AD'
« En l'an 200 de notre ère » au lieu de « En l'an 200 (deux cent) après J.-C. ».

Ancient dynasties
Des dynasties anciennes

The pharaohs of ancient Egypt were the heads of several dynasties, numbering some thirty, spanning some three millennia. Likewise, the emperors of ancient China were the heads of several dynasties over several millennia, starting with the Xia dynasty and ending with the fall of the Qing dynasty in 1912 (nineteen twelve).

Les pharaons de l'Égypte ancienne étaient les chefs de plusieurs dynasties, dont on compte une trentaine, s'étalant sur environ trois millénaires. De même, les empereurs de la Chine ancienne étaient les chefs de plusieurs dynasties pendant de nombreux millénaires, commençant avec la dynastie Xia et se terminant avec la chute de la dynastie Qinq en mille neuf cent douze/dix-neuf cent douze (1912).

Monarchies, past and present
Des monarchies du passé et actuelles

He is heir to the throne.
> **Il est héritier du trône/de la couronne.**

He was forced into exile.
> **Il a été forcé à l'exil.**

The palace dates from… and was built solely for the royal family of the time.
> **Le palais date de… et a été construit uniquement pour la famille royale de l'époque.**

This device was popular and was invented solely for the royal family of the time. It was not the first of its kind to be made, though it is the only surviving example, as far as we know. The inventor had intended it to be smaller and to be worn by the king and queen as a pendant but also to be used as a small snuffbox for the king.
> **Cet objet était populaire et a été inventé uniquement pour la famille royale de l'époque. Ce n'est pas le premier objet de ce genre à avoir été fait/fabriqué, bien que cela/ça soit le seul exemple que nous ayons pu trouver. L'inventeur avait l'intention/prévu qu'il soit plus petit et que le roi et la reine puissent le porter comme pendentif, mais aussi/également que le roi puisse s'en servir comme d'une petite tabatière.**

At one time, twenty existed. / At one point (in time), twenty existed.
> **Par le passé/Autrefois, il en existait vingt.**

London celebrates its royal history like nowhere else. / London celebrates its royal history like no other city.
> **Londres célèbre son histoire royale comme nulle part ailleurs. / Londres célèbre son histoire comme aucune autre ville.**

London holds exhibitions like nowhere else.
> **Londres tient des expositions comme nulle part ailleurs.**

Political dynasties
Des dynasties politiques

Political journalists tend to refer to families who have spawned more than one politician, and especially more than one generation of politicians, as political families and, occasionally, as 'political dynasties. In the United States, there are several examples, the most prominent being the Kennedy family. This included Joseph P. Kennedy Sr., whose most prominent political role was as

US Ambassador to the UK from 1938 to 1940 (1938–1940)[51] (nineteen thirty-eight to nineteen forty), and his sons:

John F., who was US President 1961–1963 (nineteen sixty-one to nineteen sixty-three),

Robert F., US Attorney-General 1961–1964 (nineteen sixty-one to nineteen sixty-four) then a US Senator 1965–1968 (nineteen sixty-five to nineteen sixty-eight), and Edward Kennedy, a US Senator 1962–2009 (nineteen sixty-two to two thousand and nine)

---

51 For English-speaking readers:

Unlike in English, where dashes (traditionally, 'en('N')-dashes', which are wider than hyphens but narrower than 'em(M')-dashes) are frequently used as an option instead of 'from' and 'to' to express time spans in terms of days, months and dates, e.g. Monday–Friday, January–February, May 10–July 5, they are not used in French. Instead 'de' and 'à' are always used. As for time spans in years, the two languages apply the same rule: if the time span is preceded by 'from' or 'de' in the respective language, then the first year is followed by 'to' and 'à' respectively. We see that in the Joseph Kennedy example. (That said, this rule is sometimes broken in English.) If the 'from' or 'de' is omitted, then the "en-dash" is used in English, and the trait d'union in French, between the two years in question to denote the time span. The only difference is that when that is the case, the years are always placed in brackets in French, whereas this is optional in English, e.g.

Robert F. Kennedy, Attorney-General 1961-1964/1961-64 or Robert F. Kennedy, Attorney-General (1961-1964/1961-64)

Cf.

Robert F. Kennedy, procureur général des États-Unis (1961-1964) or Robert F. Kennedy, procureur général des États-Unis (1961-64).

Pour les lecteurs francophones :

À noter qu'alors que l'on n'utilise pas le « en-dash » (plus large que le trait d'union mais plus étroit que le tiret) pour exprimer une période de jours, de mois ou de dates, on le fait fréquemment en anglais, par ex. Monday-Friday, January-February, ou May 10-July 5. Quant à exprimer une période d'années, les deux langues utilisent le même système :

Si l'on écrit 'de' ou 'from' respectivement avant le premier an, on devrait placer 'à' ou 'to' respectivement entre les deux ans. On le voit dans l'exemple de Joseph Kennedy. (Cela dit, cette règle est parfois violée en anglais.)

Si l'on omet le 'from' ou le 'de' respectivement, on utilise le « en-dash » en anglais ou le trait d'union en français plutôt que 'to' ou 'à', la seule différence étant que la langue française utilise les parenthèses tandis que cela est optionnel en anglais, par exemple :

Robert F. Kennedy, Attorney-General 1961-1964/1961-64 ou Robert F. Kennedy, Attorney-General (1961-1964/1961-64)

Cf.

Robert F. Kennedy, procureur général des États-Unis (1961-1964) ou Robert F. Kennedy, procureur général des États-Unis (1961-64).

Les journalistes politiques ont tendance à qualifier les familles qui ont donné naissance à plus d'un politicien et en particulier à plus d'une génération de politiciens, de « familles politiques » ou parfois, de « dynasties politiques ». Aux États-Unis, il y a plusieurs exemples, le plus célèbre étant celui de la famille Kennedy. Elle a compté Joseph P. Kennedy, Sr. dont le rôle le plus notable était celui d'Ambassadeur des États-Unis au Royaume-Uni de 1938 à 1940[51] (mille neuf cent/dix-neuf cent trente-huit à mille neuf cent/dix-neuf cent quarante), et ses fils :

John F., qui était le Président des États-Unis de 1961 à 1963 (mille neuf cent/dix-neuf cent soixante-et-un à mille neuf cent/dix-neuf cent soixante-trois),

Robert F., procureur général des États-Unis de 1961 à 1964 (mille neuf cent/dix-neuf cent soixante-et-un à mille neuf cent/dix-neuf cent soixante-quatre) et ensuite sénateur de 1965 à 1968 (mille neuf cent/dix-neuf cent soixante-cinq à mille neuf cent/dix-neuf cent soixante-huit), et

Edward Kennedy, sénateur des États-Unis de 1962 à 2009 (mille neuf cent/dix-neuf cent soixante-deux à deux mille neuf)

The modern age
L'époque moderne

modern-day Sweden/present-day Sweden – la Suède actuelle/l'actuelle Suède/la Suède d'aujourd'hui

modern-day Portugal/present day Portugal – le Portugal actuel/l'actuel Portugal/Le Portugal d'aujourd'hui

After the turmoil/upheaval of World War Two/the Second World War, the Baltic city of Gdansk is within the borders of modern-day/present-day Poland.
Après le trouble/le bouleversement de la Seconde/Deuxième Guerre mondiale, la ville baltique de Gdansk se situe à l'intérieur des frontières de la Pologne actuelle/de la Pologne d'aujourd'hui/de l'actuelle Pologne.

In present-day/modern-day Portugal, …
Au Portugal actuel, … / Au Portugal d'aujourd'hui, …

the rewriting of history – la réécriture de l'histoire

an icon – **une icône**

a cultural icon – **une icône culturelle**

Pre-historic times
L'époque préhistorique

hundreds of thousands of years ago – **il y a des centaines de milliers d'années/voilà des centaines de milliers d'années**

According to fossil evidence to date, dinosaurs inhabited the earth between around 230 (two hundred and thirty) million years and around 65 (sixty-five) million years ago.
Selon/D'après les fossiles découverts jusqu'à présent, les dinosaures peuplaient la Terre d'il y a environ 230 (deux cent trente) millions à environ 65 (soixante-cinq) millions d'années.

Chapter 8: Medicine and health
Chapitre 8 : La médecine et la santé

The profession of medicine itself
Les métiers/professions de la médecine

I'm a member of the medical profession.
Je suis membre du corps médical.

I'm a doctor by profession.
Je suis médecin. / Je suis médecin de mon état. / Je suis médecin de profession.

the code of practice/professional code of practice (applies to any profession)
la déontologie/le code de pratiques (professionnelles) (s'applique à n'importe quel métier/à n'importe quelle profession)

The language of medicine (The language of the medical profession)
Le langage/jargon médical

In general, doctors/medics use too much jargon!
En général, les médecins utilisent trop de jargon/de jargon de métier !

medical terms – **des termes médicaux**

At the doctor/At the (doctor's) surgery; booking an appointment
Chez le docteur/médecin / Au cabinet de consultation ; prendre (un) rendez-vous/fixer un rendez-vous

Inside his/her surgery premises are a waiting room and four consulting rooms, one for him/her and the other three for nursing and physio (physiotherapy) staff.
> **À son cabinet (de consultation), il y a une salle d'attente et quatre salles/cabinets de consultation, une pour lui/elle et les trois autres pour le personnel soignant et le kinésithérapeute/kiné.**

I advise you to book an appointment with the doctor.
> **Je te/vous conseille de prendre rendez-vous chez le médecin.**

How can I help you?
> **Comment puis-je vous aider ?**

What brings you to see me today/this morning/this afternoon/this evening?
> **Qu'est-ce qui vous amène aujourd'hui/ce matin/cet/cette après-midi/ce soir ?**

What's troubling you?
> **Qu'est-ce qui ne va pas ?**

I have a problem, doctor.
> **J'ai un problème, docteur.**

What exactly?
> **Quel genre de problème ? / Quoi comme problème ?**

What's the problem exactly? / What's your problem exactly?
> **Quelle est la nature exacte du problème ? / Quelle est la nature exacte de votre problème ?**

He has a pain, doctor.
> **Il a une douleur, docteur.**

What kind of pain? What's it like? Describe it.
> **Quel genre de douleur ? Décrivez-la.**

The pain goes from my lower back/the small of my back, down my legs, all the way to my feet.
> **La douleur commence dans le bas de mon dos et s'étend dans mes jambes, jusqu'à dans mes pieds.**

He/She doesn't feel very well.
> **Il/Elle ne se sent pas très bien.**

In what way?
> **C'est-à-dire ?**

For how long?/Since when?
> **Depuis combien de temps ?**

For (quite) a while, doctor.
> **Depuis un certain temps, docteur./Depuis assez longtemps, docteur.**

Since quite recently, doctor.
> **Depuis assez récemment, docteur.**

How recently?
> **Depuis quand exactement ?**

He/She feels an urgent need to urinate.
> **Il/Elle ressent un besoin urgent d'uriner.**

Do you have a fever/temperature?
> **Avez-vous de la fièvre ? / Est-ce que vous avez de la fièvre ?**

No, I don't have a fever.
> **Non, je n'ai pas de fièvre.**
> *(Note the absence of the article ('la') for the negative.)*

No, doctor, the real trigger (factor) for my complaint was…
> **Non, docteur, la vraie raison pour laquelle je viens me plaindre, c'est…**

He has health problems.
> **Il a des soucis/problèmes de santé.**

He/She has back problems.
> **Il/Elle a des problèmes de dos.**

The movement I have difficulty doing is…
> **Le mouvement que j'ai du mal/des difficultés à faire, c'est…**

He complains of pain and itching in his left foot.
> **Il se plaint de douleurs et de démangeaisons dans le pied gauche.**

He/She had to come back to see the doctor.
> **Il/Elle a dû revenir voir le médecin.**

Next please!
> **Au suivant !**

treatment on the NHS (National Health Service) – **traitement couvert par le NHS (National Health Service) (le système de la santé publique britannique)**

Family history
Des antécédents familiaux

It runs in the family.
C'est de famille. / C'est héréditaire.

He/She has a family history of...
Il y a des antécédents de... dans sa famille.

He/She has a family history of it.
Il y a des antécédents dans sa famille.

Clinical examination
L'examen clinique

Tilt/Lean to your left/right.
Penchez-vous à gauche/à droite.
(to lean/tilt – se pencher)

Bend forward/Lean backward.
Penchez-vous en avant/en arrière.

Bend your elbow.
Pliez le coude.

Bend your knee.
Pliez le genou.

Lie flat please.
Allongez-vous, s'il vous plaît.
(to lie down – s'allonger)

Lie face up.
Allongez-vous sur le dos.

Lie face down.
Allongez-vous sur le ventre.

Stretch out/Put out your arms. / Put your arms out straight.
Tendez les bras.

I'd like to take/measure your blood pressure. / Allow me to check your blood pressure. / Let me check your blood pressure.

> **J'aimerais prendre votre tension. / Permettez que je prenne votre tension. / Laissez-moi prendre votre tension.**

I'd like to measure your height.

> **J'aimerais vous mesurer.**

I would like to check your weight.

> **J'aimerais vous peser.**

Doing tests/investigations
Faire des examens/analyses/recherches

We need to do some tests. / We need to do tests.

> **Nous devons faire quelques/des examens/analyses.**

I'm going to need/have to take some blood for tests. / I need to do some blood tests.

> **Je vais devoir faire une prise de sang./Je dois faire une prise de sang.**

He/She had some blood tests.

> **Il/Elle a eu des prises de sang.**

This test has an accuracy in the region of…

> **Cette analyse/Cet examen permet d'obtenir des résultats aussi précis que…**

Ultrasound is a cheap but valuable tool for diagnosing and excluding a range of clinical conditions.

> **L'échographie est une technique peu coûteuse, mais qui est d'une aide précieuse pour diagnostiquer ou exclure divers problèmes de santé.**

There is nothing wrong with you, etc.

Vous n'avez aucun problème/Tu n'as aucun problème, etc.

There's nothing wrong with him/her.
Il/Elle n'a aucun problème. / Il/Elle va (parfaitement) bien.

There's nothing wrong with your eyes.
Il n'y a aucun problème avec tes/vos yeux. / Tes/Vos yeux vont parfaitement bien.

What's wrong with your arm?
Qu'est-ce que tu as au bras ? / Qu'est-ce que vous avez au bras ?

Trust me: I'm a doctor!
Medication and other management; following advice

Faites-moi confiance : je suis médecin !
Médicaments et autres traitements ; suivre des conseils

to give/administer medicine/medication/drugs – **donner/administrer des médicaments**

This medicine takes a long time to work/takes a very long time to work.
Ce médicament met du temps à agir/met très longtemps à agir.

Take the tablets alternately, that is, one tablet one day, the other the next, and so on (and so forth)./Take them on alternate days.
Alternez les cachets, c'est à dire, un cachet un jour, l'autre le lendemain/le jour d'après, et ainsi de suite.

Take them all at once.
Prenez-les tous à la fois/d'un coup.

Take this medicine along with all the others.
Prenez ce médicament avec tous les autres.

Take these tablets/pills as required.
Prenez ces cachets/pilules comme il vous est demandé.

The right dose is…
Le bon dosage, c'est …

It needs to be taken in addition to antibiotics.
Il faut les prendre en plus des antibiotiques. / Il faut les prendre comme complément aux antibiotiques.

Gargle and spit out.
> **Gargarisez-vous et recrachez. / Rincez-vous la bouche et recrachez.**

The (treatment) course was taken on the recommendation of the doctor.
> **Le traitement a été pris sur recommandation du médecin.**

Does it still hurt? / Does it hurt any more?
> **Cela/Ça (te/vous) fait-il toujours mal ?**

I gave some medical advice to…
> **J'ai donné quelques conseils médicaux à…**

I gave him/her/them some medical advice.
> **Je lui/leur ai donné quelques conseils médicaux.**

I'm qualified to do so.
> **Je suis apte à le faire.**
> *(Note: 'Être apte à faire quelque chose' also means 'to be capable of doing something' in other contexts. [See Part 1, Theme 58, p.293])*

It's important (that) you follow the doctor's advice.
> **Il faut que tu suives les conseils du médecin. / Il faut que vous suiviez les conseils du médecin.**

I always advise people to… /not to…
> **Je conseille toujours aux gens de…/de ne pas…**

I always caution/counsel (people) against…
> **Je mets toujours (les gens) en garde envers…**

I'm going to give you some advice: …
> **Je vais te/vous donner quelques conseils : …**

I'm going to give you some simple advice: … / I'm going to give you simple advice: …
> **Je vais te/vous donner quelques conseils simples : …**

Not taking medication for this condition carries the risk of…
> **Ne pas prendre de médicament pour cette maladie fait courir le risque de…**

It/That carries the risk of…
> **Cela/Ça fait courir le risque de…**

You mustn't drink too much alcohol. Not drinking too much alcohol means not exceeding fourteen units per week on current guidelines for the UK. Otherwise, you expose yourself to the risk of liver and other diseases.

Il (ne) faut pas boire trop d'alcool, c'est-à-dire ne pas dépasser quatorze unités d'alcool par semaine, selon les recommandations actuelles au Royaume-Uni. Sinon, on s'expose au risque de maladies, du foie par exemple.

It is inadvisable for the under-sixteens to be drinking alcohol regularly, even though the law in the UK allows children to consume alcohol-containing drinks at home from age five upwards. / It is inadvisable for the under-sixteens to be drinking alcohol regularly, even though the law in the UK allows one to give one's child or children alcohol-containing drinks at home from as young as five years of age upwards.

Il est déconseillé aux moins de seize ans de boire de l'alcool régulièrement, bien que la loi au Royaume-Uni permette aux enfants de consommer des boissons alcoolisées à leur domicile dès l'âge de cinq ans. / Il est déconseillé aux moins de seize ans de boire de l'alcool régulièrement, bien que la loi au Royaume-Uni permette aux gens de donner des boissons alcoolisées à leurs enfants à leur domicile dès leurs cinq ans.

While I'm here, doctor, can I mention… ?

Pendant que je suis là docteur, puis-je mentionner… ?

He/She followed an intensive treatment programme.

Il/Elle a suivi un programme de soins intensif/un traitement intensif.

He/She discharged himself/herself from hospital against medical advice.

Il/Elle a signé sa décharge contre l'avis médical.

He/She acted against medical advice.

Il/Elle a agi contre/en dépit de l'avis médical.

Drug interactions; allergic reactions to medicines

Interactions médicamenteuses ; réactions allergiques aux médicaments

This medicine has no warning label/leaflet with it.

Ce médicament n'a pas de notice.

It clashes with his/her other medicines. / It interacts with his/her other medicines.

C'est/Il est incompatible avec ses autres médicaments.

It doesn't clash/interact with his/her other medicines.
> **C'est/Il est compatible avec ses autres médicaments.**

The medicine caused/provoked an allergic reaction.
> **Le médicament a provoqué une réaction allergique.**

Referring and handing over
Envoyer quelqu'un voir un spécialiste

His/Her GP referred him/her to a specialist.
> **Son médecin généraliste l'a envoyé/envoyée voir un spécialiste.**

In some cases, the doctor hands over to the surgeon.
> **Dans certains cas, le médecin confie un patient au chirurgien.**

Seen by Dr./Mr./Miss… on the recommendation of Dr./Mr./Miss…
> **Vu/Vue par le docteur/monsieur/madame… sur recommandation du docteur/de monsieur/madame…**

He/She insisted on seeing me.
> **Il/Elle a insisté pour me voir.**

Medicals
Des examens médicaux

He/She had a medical/underwent a medical.
> **Il/Elle a passé un examen médical.**

I'm having/going to have a medical before joining the team.
> **Je vais passer un examen médical avant de rejoindre l'équipe.**

He has to have a medical before he can start playing for the team.
> **Il doit passer un examen médical avant de pouvoir jouer pour l'équipe.**

Surgery/Operations
Chirurgie/Opérations chirurgicales

He/She had an operation.
> **Il/Elle a subi une opération (chirurgicale). / Il/Elle s'est fait opérer.**

He had a knee operation.
   Il s'est fait opérer du genou.

He/She had a liver operation.
   Il/Elle s'est fait opérer du foie.

She had an operation for acute appendicitis. She had/underwent an appendicectomy/appendectomy.
   Elle s'est fait opérer de l'appendicite.

Acute and emergency medicine
La médecine intensive et d'urgence

This/That can bring on an attack of asthma.
   Cela/Ça peut engendrer/causer une crise d'asthme.

The real trigger of his/her asthma attack was…
   C'est… qui a causé sa crise d'asthme.

He died of an asthma/asthmatic attack. / He died of acute severe asthma/of severe acute asthma.
   Il est mort d'une crise d'asthme. / Il est mort des suites de son asthme aigu grave.

Asthma kills three thousand people per year in our country.
   L'asthme tue trois mille personnes par an dans notre pays.

He has pneumonia.
   Il souffre de pneumonie. / Il a une pneumonie.

The risk factors for a heart attack include…
   Les facteurs de risque de la crise cardiaque incluent/ comprennent…
   (also means comprise)

The most effective way to prevent it is to…
   Le moyen le plus efficace de prévenir cela/ça, c'est de…

We gave first aid.
   Nous avons/On a administré les premiers soins.

They were taken to hospital for/in order to have medical checks.
   Ils/Elle ont été emmenés/emmenées à l'hôpital pour subir des examens médicaux.

They were hospitalised/admitted to hospital for (the) treatment of symptoms of dehydration.

> **Ils/Elles ont été hospitalisés/hospitalisées pour suivre un traitement contre les symptômes de la déshydratation.**

Some of them/A few of them had a long stay in hospital/had a long spell in hospital/spent a long time in hospital.

> **Certains d'entre eux/Certaines d'entre elles sont restés/restées longtemps à l'hôpital.**

He fell ill.

> **Il est tombé malade.**

He fell ill as a result of that event.

> **Il est tombé malade à la suite de cet évènement.**

Just before he fell ill, he…

> **Juste avant tomber malade, il…**

Acute appendicitis and its potential complications
L'appendicite aiguë et ses complications potentielles

Pain in the right lower abdomen (right iliac fossa), preceded by pain in the centre of the abdomen (around the belly-button (umbilicus)), often indicates the onset of acute appendicitis and is considered to be pathognomonic of the disease.

> **De la douleur dans le bas du côté droit de l'abdomen (fosse iliaque droite), précédée par de la douleur au milieu de l'abdomen (au niveau du nombril [ombilic]), indique souvent le début d'une crise d'appendicite et est considérée comme étant pathognomonique de cette maladie.**

The list below is not exhaustive, but appendicitis can be complicated by the following:

> **La liste ci-dessous est une liste non-exhaustive des complications possibles lors d'une crise d'appendicite :**

1) An abscess (an intra-abdominal abscess)
> **Un abcès (un abcès intra-abdominal)**

2) Perforation or rupture of the appendix
> **Une perforation ou une rupture de l'appendice**

3) Localised or generalised peritonitis
> **Une péritonite localisée ou généralisée**

4) Intestinal obstruction
   Une occlusion intestinale

5) Peroperative/Per-operative, perioperative and postoperative complications, including urinary problems such as bladder perforation and urinary retention.
   Des complications peropératoires, péri-opératoires/périopératoires et postopératoires, dont des troubles urinaires tels qu'une perforation de la vessie et de la retention urinaire.

Any of the above can also arise following appendicectomy, but more likely than not, it will have[52] already been present to some degree by the time surgery began.
   N'importe laquelle des complications ci-dessus peut survenir après l'appendicectomie, mais, en règle générale, elle aurait[52] déjà été présente à un certain degré avant l'opération.

Persistent pain, fever or vomiting can indicate the onset of one or more of these complications.
   Une douleur persistante, de la fièvre ou des vomissements peuvent être les signes d'une de ces complications ou plus.

Non-acute medicine; minor illnesses/ailments
Médecine générale ; maladies bénignes

You've given me your cold!
   Tu m'as/Vous m'avez donné ton/votre rhume./Tu m'as/Vous m'avez filé/refilé ton/ votre rhume.   *informal (familier)*

After the meal, they felt a bit unwell/sick/ill.
   Après le repas, ils/elles se sont sentis/senties un peu malades.

---

52 For English-speaking readers:

Note that when expressing probability scenarios like this, whilst the probable outcome in the final clause is expressed in the future anterior in English, it is expressed in the past conditional in French.

Pour les lecteurs francophones :

Alors que dans des scénarios comme celui-ci, la dernière proposition est au conditionnel passé en français, en anglais, on utilise le futur antérieur.

They felt nauseous.
> **Ils/Elles ont eu mal au cœur. / Ils/Elles ont eu envie de vomir. / Ils/Elles se sont sentis/senties nauséeux/nauséeuses. / Ils/Elles ont eu des nausées.**

They had bouts of vomiting.
> **Ils/Elles ont eu une crise de vomissements. / Ils/Elles ont souffert d'une crise de vomissements.**

They feel fine now. / Now they feel fine.
> **Ils/Elles se sentent bien maintenant/à présent.**

That makes me feel dizzy.
> **Cela/Ça me donne le tournis/vertige.**

I feel giddy.
> **J'ai la tête qui tourne.**

He suffers from vertigo.
> **Il a le vertige.**

She gets travel sickness.
> **Elle a le mal des transports.**

hay fever – **le rhume des foins**

fainting/fainting episodes – **s'évanouir/faire un malaise/évanouissement/malaise**

Chronic illness
Maladie chronique

He has had a relapse.
> **Il a fait une rechute.**

He/She has back trouble. / He/She has some back trouble.
> **Il/Elle a des problèmes de dos. / Il/Elle a quelques problèmes de dos.**

asthma sufferers – **les asthmatiques**

Type one (1)/Type two (2) diabetes mellitus
> **Le diabète de type un/deux**

Serious illness; critically/gravely ill
Maladie grave ; être gravement malade

He was hospitalised at St. Denis/admitted to St. Denis hospital to see/ establish whether he had an illness/a serious illness.
> **Il a été hospitalisé à St. Denis/au Centre Hospitalier de Saint-Denis afin de savoir/voir/découvrir s'il a été malade ou non/s'il a été atteint d'une maladie grave ou non.**

He's in a serious/critical condition. / He/She is **poorly**.
> **Il est dans un état grave/critique. / Il/Elle est souffrant/souffrante.**

more colloquial (plus familier)

For a time/while, his/her life was hanging in the balance.
> **Pendant un moment, il/elle était entre la vie et la mort.**

He's/She's clinging to life.
> **Il/Elle s'accroche à la vie.**

Prognosis
Le pronostic

His/Her prognosis is guarded.
> **Son pronostic est prudent.**

His/Her prognosis is good/poor.
> **Son pronostic est bon/mauvais.**

There's no point treating him/her
> **Il est inutile de le/la traiter/soigner. / C'est (Ce n'est) pas la peine de le/la traiter/soigner.**

life expectancy – **l'espérance de vie**

a shortened life expectancy – **une espérance de vie réduite**

Recovery

Le rétablissement/La guérison

Get well soon!
> **Bon rétablissement ! / Remets-toi vite ! / Remettez-vous vite !**

He's/She's getting better.
> **Il/Elle va mieux.**

He's/She's recovering/recuperating/convalescing in hospital.
> **Il/Elle récupère/est en convalescence à l'hôpital.**

He/She is stable.
> **Il/Elle est stable/dans un état stable.**

He hopes to be better/well/recovered in time for Christmas.
> **Il espère être guéri à temps pour Noël.**

After his/her six-week stay in hospital, my patient had to rest/convalesce at home.
> **Après avoir été hospitalisé/hospitalisée pendant six semaines, mon patient/ma patiente a dû aller se reposer chez lui/elle.**

That's better. / That feels better.
> **C'est mieux. / Cela/Ça va mieux.**

That's much better. / That feels much better.
> **C'est beaucoup mieux. / Cela/Ça va beaucoup mieux.**

His/Her health is fully restored.
> **Il/Elle s'est bien rétabli(e).**

You have overcome your handicap, and now you lead/live a very full life.
> **Tu as surmonté ton handicap et maintenant tu as une vie bien remplie. / Vous avez surmonté votre handicap et maintenant vous avez une vie bien remplie.**

They're all the better for it.
> **Cela/Ça les a rendus/rendues plus forts/fortes. / Ils/Elles n'en sont que plus forts/fortes.**

He/She scars very quickly and scarring has already begun: the cut has almost healed.
> **Il/Elle cicatrise très vite et la cicatrisation a déjà commencé : la coupure est presque guérie.**

The wound healed badly. It has left an ugly/unsightly scar.
> **La blessure a mal guéri. Il reste une vilaine cicatrice.**

For those who scar badly, there are injectable and topical steroids (corticosteroids) that shrink/atrophy/flatten most hypertrophic scars and some keloid scars quite well.
> **Pour ceux qui cicatrisent mal, il existe des stéroïdes topiques pouvant être injectés (corticoïdes), qui permettent de réduire la plupart des cicatrices hypertrophiques ainsi que certaines chéloïdes.**

But then, the number of steroid injections a doctor can give is limited because the more of these a doctor gives, the thinner the scar or underlying skin becomes.
> **Cependant, le nombre d'injections de stéroïdes qu'un médecin peut administrer est limité, car plus un médecin fait d'injections, plus la cicatrice ou la peau en dessous s'affine.**

Once cured, you can/will be able to return to sport.
> **Une fois guéri(s)/guérie(s), tu pourras/vous pourrez reprendre le sport. / Une fois guéri(s)/guérie(s), tu pourras te/vous pourrez vous remettre au sport.**

In childhood versus adulthood
Durant l'enfance versus à l'âge adulte

It's a childhood illness. / It's an illness acquired in childhood.
> **C'est une maladie infantile./C'est une maladie contractée durant l'enfance.**

It's an illness of adults. / It's an illness acquired in adulthood.
> **C'est une maladie qui touche les adultes./C'est une maladie contractée à l'âge adulte.**

It's an illness acquired in infancy.
> **C'est une maladie que l'on contracte durant la petite enfance.**

He/She died in (his/her) infancy.
> **Il/Elle est mort/morte en bas âge.**

Accident/Injury and pain
Accident/Blessure et la douleur

He/She has a knee injury.
> **Il/Elle a une blessure au genou.**

He injured his right knee.
> **Il est blessé au genou droit.**

He/She has knee pain/a painful knee.
> **Il/Elle a mal au genou.**

He/She is in pain.
> **Il/Elle souffre.**

She has a slight ankle injury.
> **Elle a une légère blessure à la cheville.**

She injured her left ankle.
> **Elle est blessée à la cheville gauche.**

I fell and hurt my leg.
> **Je me suis blessé(e) à la jambe en tombant.**

You've done yourself no serious injury.
> **Tu ne t'es rien fait de grave./Vous ne vous êtes rien fait de grave.**

He has thirty per cent burns. / He has sustained thirty per cent burns.
> **Il est brûlé à trente pour cent.**

back pain – **mal de dos**

How does one alleviate/relieve the pain?
> **Comment soulager la douleur ? / Comment peut-on soulager la douleur ?**

Here's some advice on alleviating/relieving the pain. / Here's some advice on how to alleviate/relieve the pain.
> **Voici des/quelques conseils pour soulager la douleur.**

He/She fell onto outstretched hands.
> **Il/Elle est tombé/tombée les mains tendues.**

Impediments and disability

Troubles et handicap

He/She is disabled/handicapped.
Il/Elle est handicapé/handicapée.

My eyesight is getting worse. / My vision is deteriorating.
Ma vue se dégrade. / Ma vue diminue.

Your hearing is getting worse.
Ton/Votre audition se dégrade. / Ton/Votre audition diminue.

He/She is blind.
Il/Elle est aveugle.

Robin has a hearing impediment.
Robin a un problème d'audition/d'ouïe.

He/She is deaf.
Il/Elle est sourd/sourde.

I'm a little deaf; I didn't catch everything you said.
**Je suis un peu sourd(e) ; je n'ai pas bien entendu ce que tu as dit/
vous avez dit.**

I have a slight hearing problem, especially in my left ear.
**J'ai un petit problème auditif, surtout/en particulier dans mon
oreille gauche.**

Her hearing problem/Her slight deafness is something which she didn't
notice until she was in her forties/until she reached her forties.
**Son problème d'audition/Sa légère surdité est quelque chose qu'elle
n'a pas remarqué avant d'atteindre/d'avoir atteint la quarantaine.**

As long as I hear, I understand.
Tant que j'entends, je comprends.

He/She has a stutter.
Il/Elle est bègue.

He/She has a stammer.
Il/Elle bégaie/bégaye. / Il/Elle est bègue.

a blind man/woman – **un/une aveugle**

blindness – **la cécité**

deafness – **la surdité**

a hearing aid – **une audioprothèse/un audiophone/un appareil auditif**

Cardiovascular, cerebrovascular and other vascular diseases
Les maladies cardiovasculaires, vasculaires cérébrales et d'autres maladies vasculaires

He died of a heart attack. He had heart trouble.
> **Il est mort d'une crise cardiaque. Il avait des problèmes cardiaques/des problèmes de cœur./Il souffrait de problèmes cardiaques/de problèmes de cœur.**

She had a stroke/a cerebrovascular accident (CVA).
> **Elle a eu un accident vasculaire cérébral (un AVC).**

He/She had a transient ischaemic attack (TIA).
> **Il/Elle a eu un accident ischémique transitoire (un AIT)/une ischémie cérébrale transitoire (ICT).**

He remains partially paralysed following his stroke/CVA.
> **Il reste/est en partie paralysé suite à/depuis son AVC. / Il reste/est partiellement paralysé suite à/depuis son AVC.**

Too much fat and carbohydrate in the diet increase the risk of cardiovascular disease, but smoking is the single greatest risk.
> **Manger trop gras et trop de féculents/glucides augmente le risque de maladies cardiovasculaires, mais le tabagisme est le plus grand facteur de risque.**

a blood vessel – **un vaisseau sanguin**

Dermatology
La dermatologie

He/She is covered from head to toe in a rash.
> **Il/Elle est couvert/couverte d'éruption cutanée/de rougeurs de la tête aux pieds.**

The rash itches.
> **L'éruption cause des démangeaisons. / L'éruption gratte.**

I have an itchy rash.
J'ai une éruption avec des démangeaisons. / L'éruption me gratte.

He/She has itchy skin.
Sa peau le/la gratte.

A malignant melanoma is a malignant tumour of the skin.
Le mélanome malin est une tumeur maligne de la peau.

The risk factors for it include:
Ses facteurs de risque comprennent :

pale skin – **avoir la peau claire**

exposure to too much sunshine/a lot of sun exposure – **trop s'exposer au soleil**

In France, doctors have a simple mnemonic for "red flag" symptoms suggestive of melanoma that should prompt patients to consult their doctor to rule out the disease.

Abbreviated, it is A B C D E.
En France, les médecins ont un moyen mnémotechnique pour les signes avant-coureurs qui devraient inciter les patients à consulter leur médecin afin d'exclure la maladie. Abrégé, c'est A B C D E.

A correspond à : apparence nouvelle ou apparence atypique
A stands for: newly appeared or atypical/unusual appearance

B – **bord irrégulier** (irregular edge/border)

C – **couleur polychromatique** (polychromatic (varied in colour/shade))

D – **démangeaisons** (itching)

E – **épaisseur** (thickness) : **plus de six millimètres d'épaisseur est un signe de la présence d'un mélanome** (more than six millimetres in thickness suggests/is suggestive of a melanoma)

a skin blemish – **une imperfection/un bouton**

a mole/beauty spot – **un grain de beauté**

Gastroenterology
La gastro-entérologie

He/She has acid reflux.
> **Il/Elle a des remontées acides.**

Because of a genetic mutation, the capacity to produce the enzyme lactase persists in certain people in adulthood. This enzyme is necessary for/permits the digestion of lactose, which is a carbohydrate (a disaccharide) that occurs naturally in milk. A significant proportion of adults lack sufficient quantities of this enzyme and, as a consequence, are intolerant of lactose and cannot have fresh milk or other foods with a high lactose content, such as yoghurt and ice-cream. These people experience bloating, wind, abdominal cramps, loose stool and, in some cases, diarrhoea when they consume such foods.
> **À cause d'une mutation génétique, la capacité de produire l'enzyme de lactase persiste chez certaines personnes/certains à l'âge adulte. Cette enzyme est nécessaire à/permet la digestion du lactose, qui est un glucide (un diholoside). Mais une proportion importante d'adultes ne possèdent pas cette enzyme en quantité suffisante et, par conséquent, sont intolérants au lactose et ne peuvent pas consommer de lait ou d'autres aliments à forte teneur en lactose, tels que les yaourts et la glace. Ces personnes souffrent de ballonnements, de gaz, de crampes abdominales, de selles molles et, dans certains cas, de diarrhée lorsqu'elles consomment de tels aliments.**

stomach ache/pain – **mal au ventre/maux d'estomac/de ventre**

e.g.
He/She has stomach ache/stomach pains.
> **Il/Elle a mal au ventre. / Il/Elle a des maux d'estomac. / Il/Elle souffre de maux de ventre/d'estomac.**

food poisoning – **intoxication alimentaire** *(fem.)*

Rheumatology
La rhumatologie

My joints have seized up.
> **Mes articulations sont bloquées.**

We need to protect the joints from wear and tear.
> **Il faut protéger les articulations contre/de l'usure.**

Orthopaedics
L'orthopédie

He has had/suffered a slipped disc.
Il a souffert d'une hernie discale.

She had a fall and sustained a fractured neck of femur/a hip fracture.
Elle s'est fracturé le col de fémur en tombant./Elle s'est fracturé la hanche en tombant.

You'll need to exercise/re-train your muscles to aid your recovery.
Tu devras/Vous devrez faire travailler tes/vos muscles pour/afin de mieux te/vous rétablir.

low back pain/lumbar pain/lumbago – **une douleur dans le bas du dos/une douleur lombaire/un lumbago/une lombalgie/un tour de reins**

mechanical back pain – **de la douleur au dos d'origine mécanique**

a lumbar vertebra – **une vertèbre lombaire**

the spinal column/vertebral column/spine – **la colonne vertébrale/l'échine**

an artificial limb/a prosthetic limb/a prosthesis – **une prothèse**

[Also see 'audioprothèse' in this chapter, under Impediments and disability and 'une prosthèse' under Dentistry]

Obstetrics, gynaecology and neonatology
L'obstétrique, la gynécologie et la néonatalogie/néonatologie

She is pregnant. She has no previous pregnancies. (She is a primigravida.)
Elle est enceinte. C'est sa première grossesse. (C'est une femme primigeste./C'est une primigeste.)

I feel like vomiting. / I feel sick. / I feel nauseous.
J'ai envie de vomir. / Je ne me sens pas bien. / J'ai mal au cœur. / J'ai la nausée.

She is six months pregnant.
Elle est enceinte de six mois.

She has had no problems so far during her pregnancy.
Elle n'a pas eu de problèmes pendant/durant sa grossesse jusqu'ici/jusqu'à présent.

She is feeling nauseous. / She has 'morning' sickness.
> **Elle a mal au cœur. / Elle a des nausées matinales. / Elle souffre de nausées matinales.**

If any problems are identified on the scan or blood tests you will be notified at the time.
> **Si un problème est identifié sur l'échographie ou grâce aux résultats sanguins, vous serez informé(e)(s)/prévenu(e)(s) immédiatement/sur-le-champ.**

A lot of women complain of/experience pregnancy-related pains.
> **Beaucoup de femmes se plaignent/souffrent de douleurs durant leur grossesse. / Beaucoup de femmes se plaignent/souffrent de douleurs dues à la grossesse.**

The baby living in its mother's uterus/womb is protected by maternal antibodies/by its mother's antibodies throughout her pregnancy and then by these for the first three months after birth.
> **Le bébé vivant dans l'utérus de sa mère est protégé par les anticorps de sa mère pendant toute la grossesse et pendant les trois premiers mois après la naissance.**

When is the baby due?
> **Le bébé est prévu pour quand ? / Quand est-ce que tu vas/vous allez accoucher ?**

The expected date of delivery/confinement is… / The due date is…
> **La date prévue pour l'accouchement est…**

It's due at the beginning of December.
> **Il (L'accouchement) est prévu pour début décembre.**

The baby is due on the tenth of January.
> **Le bébé est prévu pour le dix janvier./L'accouchement est prévu pour le dix janvier.**

Unfortunately, she had a miscarriage.
> **Malheureusement, elle a fait une fausse-couche.**

She has given birth to/She gave birth to a beautiful baby girl/daughter.
> **Elle a donné naissance à une belle/magnifique petite fille.**

She has given birth to/She gave birth to a beautiful baby boy/son.
> **Elle a donné naissance à un beau petit garçon.**

The baby was born fifteen days early.
> **Le bébé est né quinze jours en avance.**

The baby is breastfed. Once weaned after six months, the baby can be fed with cow's milk and with solid food.
> **Le bébé est allaité./Le bébé est nourri au sein. À l'âge de six mois, le bébé peut être sevré et commencer à boire du lait de vache et à manger des aliments solides.**

There is a contingent of women who say they are unable to/they cannot produce enough milk.
> **Il y a des femmes qui se disent incapables de produire assez/ suffisamment de lait. / Il y a des femmes qui disent être incapables de produire assez/suffisamment de lait.**

She's pregnant (once) again, this time with twins.
> **Elle est à/de nouveau enceinte, de jumeaux/jumelles cette fois. / Elle est encore enceinte, de jumeaux/jumelles cette fois.**

induced labour – **l'accouchement déclenché**

a newborn baby – **un nouveau-né**

a premature baby – **un bébé prématuré**

an infant – **un nourrisson/un enfant en bas âge**

feeding with milk – **donner du lait**

breastfeeding – **l'allaitement**

to breastfeed a baby – **allaiter un bébé/donner le sein à un bébé**

bottle-feeding – **nourrir au biberon**

bottle-fed – **nourri(e) au biberon**

a breastfed baby/infant – **un bébé/nourrisson allaité/nourri au sein**

a bottle-fed baby – **un bébé/nourrisson nourri au biberon**

to vaccinate/immunise/inoculate a baby – **vacciner/faire vacciner un bébé**

to be vaccinated/immunised/inoculated – **être vacciné(e)(s)**

a booster dose – **une dose de rappel**
> ('a reminder dose')

Fertility and subfertility/infertility
La fertilité/fécondité et la stérilité

A team of British scientists envisages introducing a sterility gene that many fear could, eventually, wipe the (human) species/the human race off the face of the Earth.

Une équipe de scientifiques britanniques envisage d'introduire un gène de stérilité et beaucoup craignent qu'il pourrait finir par faire disparaître l'espèce humaine.

Infertility brings real grief to any couple.

La stérilité cause beaucoup de chagrin/tristesse à n'importe quel couple.

With in vitro fertilisation (IVF), couples may not only conceive but may end up having twins or triplets and occasionally quadruplets or more.

À l'aide de la fécondation *in vitro* (FIV), des couples pourraient non seulement concevoir, mais aussi peut-être avoir des jumeaux ou des triplés et parfois même des quadruplés ou plus.

infertile – **stérile**

in vitro fertilisation (IVF) – **la fécondation in vitro (FIV)**

Gynaecological anatomy
L'anatomie gynécologique

the cervix – **le col de l'utérus/le cervix**

a cervical smear/pap smear – **un frottis**

the ovaries – **les ovaires** *(masc.)*

the uterus/womb – **l'utérus**

the (Fallopian) tubes – **les tubes utérins/les trompes utérines/les trompes de Fallope** *(masc.) (fem.)*

Menopause/The climacteric

La ménopause

She's getting hot flushes.
Elle a des bouffées de chaleur.

General health, diet, exercise, sunlight

Santé générale, alimentation/régime alimentaire, exercice et lumière du soleil

It's important to eat a balanced diet for good health.
Il faut manger équilibré pour être en bonne santé. / Il faut avoir une alimentation équilibrée/un régime alimentaire équilibré pour être en bonne santé.

For maximum benefit, exercise every day in the usual way.
Pour un maximum de bienfaits, fais/faites de l'exercice quotidiennement comme à ton/votre habitude.

Sunlight in moderation is good for one's general health and sense of wellbeing. For a start, it gives rise to the production of vitamin D in the skin.
L'exposition modérée à la lumière du soleil est bonne pour la santé et le bien-être. Tout d'abord, elle augmente la production de vitamine D dans la peau.

This organisation promotes good health.
Cette organisation promeut la bonne santé.

You're overweight.
Tu es/Vous êtes en surpoids.

You have gained weight.
Tu as/Vous avez pris du poids.

You're underweight.
Tu es/Vous êtes trop maigre(s).

You have regained weight.
Tu as/Vous avez repris du poids.

weight gain – **la prise de poids**

excess weight – **le surpoids**

obesity – **l'obésité**

Public health and preventative/preventive medicine

La santé publique et la médecine préventive

It is regarded by the medical profession as (being) essential for good health.
> **C'est vu par le corps médical comme étant essentiel à la santé.**

Today, of all the people who drink alcohol, two-thirds exceed the recommended maximum intake.
> **Aujourd'hui, sur l'ensemble des gens qui boivent de l'alcool, deux tiers dépassent la consommation maximale recommandée.**

There is a shortage of new antibiotics at the moment.
> **Il y a une pénurie de nouveaux antibiotiques en ce moment.**

There aren't sufficient numbers of them or vaccines to combat/counter the ever-increasing problem of bacterial resistance.
> **Il n'y en a pas assez, ou de vaccins pour lutter contre le problème d'antibiorésistance qui ne cesse d'augmenter.**

It's possible that we'll have a new vaccine within the next eighteen months.
> **Il se peut que nous ayons un nouveau vaccin d'ici dix-huit mois.**

People are at risk of… / You are at risk of…
> **Les gens risquent… / Tu risques/Vous risquez…**

This year, the flu has come round six weeks early.
> **Cette année, la grippe est arrivée avec six semaines d'avance.**

The number of people affected by influenza ('the flu') is already almost/nearly as many as the whole of the last season.
> **Le nombre de personnes affectées par la grippe est déjà presque aussi élevé que le total de la dernière saison.**

The elderly are particularly vulnerable. We need to vaccinate/immunise them, first and foremost.
> **Les personnes âgées sont particulièrement vulnérables. Elles doivent être vaccinées en priorité.**

We will do this as a precaution.
> **Nous le ferons par précaution.**

This has important implications for public health, this problem of bacterial resistance. / There is a lot at stake for public health with this issue of bacterial resistance.
> **Ce problème d'antibiorésistance a d'importantes conséquences sur la santé publique. / Il y a des enjeux très importants pour la santé publique avec ce problème d'antibiorésistance.**

To determine which of the bacteria are responsible, …
  Pour/Afin de déterminer quelles bactéries sont responsables, …

As a precaution, all pork-based, beef-based and other meat-based products have been temporarily removed from supermarket shelves.
  Par précaution, tous les produits à base de porc, à base de bœuf et d'autres produits à base de viande ont été temporairement retirés des rayons des supermarchés.

In order to find out which of the treatments work, …
  Pour/Afin de savoir quels traitements fonctionnent, …

This virus is harmless. / This infection is harmless.
  Ce virus est inoffensif./Cette infection est inoffensive.

Tourism in Brazil has fallen (by) seventy per cent because of the Zika virus.
  La tourisme au Brésil est en baisse de soixante-dix pour cent à cause du virus Zika.

Zika is a highly communicable disease.
  Le virus Zika est une maladie très/extrêmement contagieuse.

avian flu – **la grippe aviaire**

a common cold – **un rhume**

a strain of bacterium/virus – **une variété d'une bactérie/une souche d'un virus**

the covid-19 (covid nineteen) virus – **le virus de la covid-19 (la covid dix-neuf)**

covid-19 (covid nineteen) – **la covid-19 (la covid dix-neuf)**

a new variant of covid-19 / a new variant of the virus
  un nouvel variant de la covid-19 / un nouvel variant du virus

a disease carrier (genetic or infectious) – **un porteur/une porteuse de maladie (génétique ou infectieuse)**

Screening
Le dépistage

Screening has its benefits and risks/pitfalls, its advantages and disadvantages.
  Le dépistage/L'examen de dépistage a ses bienfaits et ses risques/ dangers, ses avantages et ses désavantages/inconvénients.

All pregnant women in London are routinely screened early in pregnancy for HIV and syphilis infections regardless of risk.

> **Toutes les femmes enceintes à Londres passent un examen de dépistage de routine du VIH et de la syphilis en début de grossesse, qu'elles soient à risque ou non.**

The goal/purpose of breast cancer screening and other cancer screening is the early detection of these cancers in order to maximise the chances of cure.

> **Le but du dépistage du cancer du sein et des autres dépistages de cancers, c'est de détecter ces cancers tôt afin de maximiser les chances de guérison.**

Cancer
Le cancer

a cancer patient – **un patient cancéreux/une patiente cancéreuse/un cancéreux/une cancéreuse**

Some examples/*Quelques exemples*:

breast cancer – **le cancer du sein**

lung cancer – **le cancer du poumon**

prostate cancer – **le cancer de la prostate**

bowel cancer – **le cancer de l'intestin**

Infectious disease
Maladie infectieuse

He/She has unmistakeable signs of malaria.

> **Il/Elle présente les signes caractéristiques de la malaria/du paludisme.**

He/She has all the characteristic stigmata of that infection.

> **Il/Elle présente les signes caractéristiques de cette infection.**

The infection is spreading from person to person.

> **L'infection se propage de personne en personne.**

This is a message from the Department of Health:
To limit the spread of infection, use a paper tissue just once after coughing, sneezing or wiping your nose, then throw the tissue in the bin.

Ceci est un message du ministère de la Santé :
Pour limiter la propagation de l'infection,
utilisez un mouchoir en papier une seule
fois après avoir toussé, éternué ou **vous être**
essuyé le nez, puis jetez-le à la poubelle.

reflexive verb
(verbe pronominal)

HIV and AIDS
Le VIH et le sida

Some of them have serious illnesses, like AIDS.
Certains d'entre eux/parmi eux ont des maladies graves, comme le
sida.

He has AIDS.
Il a le sida.

The virus is also transmitted from mother/mum to baby during delivery. That's
called vertical transmission.
Le virus est aussi transmis de la mère au bébé/à l'enfant lors de
l'accouchement. Cela/Ça s'appelle la transmission verticale.

For the foreseeable future there'll be no cure for AIDS, even though there
are a few effective treatments, most of which lower the level of virus in the
bloodstream by inhibiting either the viral enzyme reverse-transcriptase or its
protease enzyme. These drugs are typically given in combinations of three
or four.
Il n'y aura pas de traitement permettant de guérir du sida dans
l'avenir proche, bien qu'il existe quelques traitements efficaces, dont
la plupart permettent de contenir l'action du virus en inhibant soit
l'enzyme virale transcriptase inverse/rétrotranscriptase, soit son
enzyme protéolytique, aussi appelée la protéase. Ces médicaments
sont généralement administrés par groupes de trois ou quatre.

For the time being, the virus still has a hiding place in the nucleus of the cell,
in the genome of the host. Some virologists term this as being akin to an
acquired gene defect.
Pour le moment, le virus peut toujours se cacher dans le noyau
de la cellule, dans le génome de l'hôte. Certains virologistes/
virologues le disent semblable à une anomalie génétique acquise.

The challenge now is to render the virus permanently inactive and thereby
eliminate this scourge, either by way of vaccination or by gene therapy,
whichever is the cheaper.
Le défi désormais est/c'est de rendre le virus inactif à demeure
et ainsi éliminer ce fléau, soit grâce à la vaccination, soit par la
thérapie génétique, en fonction de laquelle des deux solutions est la
moins chère.

If it is achieved/accomplished by way of vaccination, then the World Health Organization (WHO) will have to devise a mass vaccination programme for HIV-2 in Africa, for example. It will not be able to do this cheaply./This will not be cheap.

Si c'est accompli grâce à la vaccination, l'Organisation mondiale de la santé (OMS) devra concevoir un programme de vaccination de masse pour le VIH-2 en Afrique, par exemple. Cela/Ça coûtera beaucoup d'argent.

That's our challenge.

C'est notre défi./C'est ça notre défi.

The great challenge of our time is to find a cure for this disease, among others.

Le grand défi de notre époque, c'est de trouver un remède pour cette maladie, parmi d'autres.

Today's challenge is (to)…

Le défi d'aujourd'hui, c'est (de)…

Tropical diseases
Les maladies tropicales

sleeping sickness – **la maladie du sommeil**

malaria – **la malaria/le paludisme**

yellow fever – **la fièvre jaune**

Stress
Le stress

We feel stress coming by way of certain characteristic symptoms, namely, 'butterflies in stomach' or a knot in the stomach, palpitations, tension headache and insomnia.

On sent venir le stress grâce à certains symptômes caractéristiques, à savoir, avoir l'estomac noué ou la boule au ventre, des palpitations, des céphalées de tension et l'insomnie.

Stress can lead to/trigger, among other things, a bout of insomnia. This in turn can lead to a whole cascade of symptoms and bodily effects.

Le stress peut entrainer, parmi d'autres choses, une insomnie. Celle-ci peut ensuite entrainer tout un flot de symptômes et d'effets sur le corps.

For example, adrenaline and its sister compound noradrenaline are hormones secreted by the adrenal glands. Stress induces/stimulates the release of these hormones.

> **Par exemple, l'adrénaline et son composé sœur la noradrénaline sont des hormones sécrétées par les glandes surrénales. Le stress provoque la libération de ces hormones.**

Panic attacks are/Panic disorder is often described by patients as being seized by a sense of dread with attendant chest tightness and hyperventilation. Many recount that they felt as though/thought they were about to die.

> **Les patients décrivent souvent les attaques de panique/crises d'angoisse aiguës (trouble panique) comme l'impression d'être saisi d'une peur intense suivie de douleurs à la poitrine et d'hyperventilation. Beaucoup racontent qu'ils avaient l'impression qu'ils allaient mourir/qu'ils étaient en train de mourir.**

He/She suffers panic attacks.

> **Il/Elle souffre d'attaques de panique/de crises d'angoisse.**

The basis of them is thought to be an unconscious fear.

> **On pense qu'elles sont dues à une peur inconsciente.**

It is said that understanding the cause is half the solution.

> **On dit que comprendre la cause, c'est la moitié de la solution.**

Alcoholism, tobacco and drug addiction
L'alcoolisme, le tabac et la toxicomanie

His/Her alcoholism forced him/her to cancel a whole/an entire series of performances/concerts.

> **Son alcoolisme l'a forcé(e) à annuler toute une série de concerts.**

He has finally given up smoking.

> **Il a enfin arrêté de fumer.**

a rolled/roll-up/unfiltered cigarette – **une cigarette roulée**

drug-taking – **prendre de la drogue/se droguer**

The brain, memory and dementia
Le cerveau, la mémoire et la démence

It is fascinating the way in which memory is built up/memories are built up over time.

> **C'est fascinant la manière/façon dont la mémoire se construit/les souvenirs se forment au fil du temps.**

The human brain has the extraordinary capability/property of plasticity. This is the ability to respond to stimuli or absorb and store quasi-permanently new information by way of some form of electrical, biochemical or micro-structural alteration that is conserved. That capacity, i.e. memory, is essential for learning. Many other life forms, some relatively simple, have/possess this capacity at some level. This capacity declines in dementia, steadily so in Alzheimer's and usually in a more step-wise fashion in vascular dementia for example.

> **Le cerveau humain est d'une plasticité extraordinaire. C'est la capacité de répondre aux stimulus/stimuli ou d'absorber et d'enregistrer de façon quasi permanente de nouvelles informations par une espèce de modification électrique, biochimique ou microstructurelle qui est conservée. Cette capacité, c'est-à-dire la mémoire, est essentielle à l'apprentissage. De nombreuses autres formes de vie, certaines relativement simples, possèdent cette capacité à un certain niveau. Cette capacité se dégrade avec la démence, de façon régulière avec la maladie d'Alzheimer et généralement/plus souvent par étapes avec la démence vasculaire par exemple.**

learning capacity – **la capacité d'apprentissage**

Other areas of neurology
D'autres domaines de la neurologie

The medicines (we have) at our disposal to treat multiple sclerosis or neurodegenerative diseases such as Parkinson's disease, just as with Alzheimer's disease, are aimed at ameliorating the most distressing and incapacitating symptoms of these diseases. In other words, they are aimed at tackling/attacking the disability rather than the diseases themselves.

> **Les médicaments dont nous disposons/on dispose pour le traitement de la sclérose en plaque ou de maladies neurodégénératives telles que la maladie de Parkinson, tout comme pour la maladie d'Alzheimer, visent à réduire les symptômes les plus éprouvants et incapacitants de ces maladies. Autrement dit, ils visent à affronter le handicap plutôt que les maladies elles-mêmes.**

Rare, disabling and fatal diseases like Duchenne muscular dystrophy, we see less and less of these days because of genetic screening and prenatal diagnosis.

On voit de moins en moins de maladies rares, invalidantes et mortelles/fatales comme la myopathie de Duchenne de nos jours grâce aux analyses génétiques et au diagnostic prénatal.

Psychiatry
La psychiatrie

He/She is of sound mind and body.
Il est sain de corps et d'esprit./Elle est saine de corps et d'esprit.

He has a (past) psychiatric history.
Il a des antécédents psychiatriques.

He has a serious psychiatric history.
Il a des antécédents psychiatriques graves./Il a de sérieux antécédents psychiatriques.

He is mentally disturbed/unstable/unbalanced.
Il souffre de troubles mentaux. / Il est instable. / Il est déséquilibré.

He presents as mentally disturbed.
Il présente des signes de troubles mentaux.

He will be admitted to a psychiatric unit.
Il sera admis dans un hôpital psychiatrique.

Dentistry
La dentisterie

He's/She's studying dentistry.
Il/Elle étudie la dentisterie.

Dentine constitutes the core of the tooth.
La dentine est la substance majoritaire constituant la dent.

dentures/false teeth – **une prothèse dentaire ; une couronne (artificielle)**

General anatomy and neuroanatomy
L'anatomie générale et la neuroanatomie

In what organ is the… found?
Dans quel organe se trouve… ?

The aqueduct of Sylvius/the cerebral aqueduct is found in the brain.
L'aqueduc de Sylvius/L'aqueduc du mésencéphale se trouve dans le cerveau.

The name for this structure derives from the name of the seventeenth century physician Sylvius.
Le nom vient de celui du médecin du dix-septième siècle Sylvius.

the heart – **le cœur**

the lungs – **les poumons**

the stomach – **l'estomac**

the liver – **le foie**

the gallbladder – **la vésicule biliaire**

the spleen – **la rate**

the intestines – **l'intestin** *(masc.)*

  – the large intestine/the colon – **le gros intestin/le côlon**

  – the small intestine – **l'intestin grêle**

the bladder – **la vessie**

bone – **l'os / un os**

bone marrow – **la moelle**

muscle – **le muscle**

cartilage – **le cartilage**

fat – **la graisse**

the vital organs – **les organes vitaux**

Death
La mort

What did he/she die of?
De quoi est-il mort ? / De quoi est-elle morte ?

He/She died of…
Il est mort de…/Elle est morte de…

She died of (acute) pneumonia.
Elle est morte d'une pneumonie (aiguë).

He died after a long/short illness.
Il est mort des suites d'une longue/courte maladie.

He/She had an unknown but long illness.
Il/Elle a eu une maladie inconnue, mais qui a duré longtemps.

He/She was troubled by a rare illness, I don't know exactly what.
Il/Elle souffrait d'une maladie rare, je ne sais pas exactement quoi.

He later died of/from his injuries.
Il est mort des suites de ses blessures.

an unexplained death – **une mort inexpliquée**

Religion and medicine
La religion et la médecine

Jehovah's witnesses usually refuse blood transfusions.
Les témoins de Jéhovah refusent généralement de subir des transfusions sanguines.

Muslim patients with Type 1 diabetes, and those with Type 2 requiring oral hypoglycaemics or insulin, have to take certain precautions with their medication when fasting for Ramadan.
Les patients musulmans souffrant de diabète de type 1 et ceux souffrant de diabète de type 2, mais ayant besoin d'antidiabétiques oraux ou d'insuline doivent prendre certaines précautions avec leurs médicaments lors du jeûne du ramadan.

Research and development
La recherche et le développement

We are making great strides toward(s) a permanent cure for… /a vaccine against…
> **On avance/Nous avançons à grands pas vers un traitement permettant de guérir de…/un vaccin contre…**

Let us continue to do the research.
> **Continuons les recherches.**

The underlying cause of this disease remains poorly understood.
> **La cause sous-jacente de cette maladie reste mal comprise.**

There has been an important advance in the treatment of…
> **Il y a eu une avancée importante dans le traitement de…**

It was a totally accidental discovery. While using bisoprolol in the treatment of heart failure, the response of the patients revealed that…
> **C'était une découverte purement accidentelle. En utilisant du bisoprolol afin de traiter l'insuffisance cardiaque/la défaillance cardiaque, la réponse des patients a révélé que…** *+ indic.*

This is a major discovery.
> **C'est une découverte majeure.**

This drug, commonly known as…
> **Ce médicament, mieux connu sous le nom de…**

It's a remedy/cure for…
> **C'est un traitement pour/de…**

The evidence is flimsy.
> **Les preuves sont peu convaincantes.**

Our state of knowledge at the moment doesn't allow us to know which genes account for these characteristics. However, this tool at least offers us a method that will allow us to create certain types of mutation until/as soon as this knowledge becomes available/this technology becomes available.
> **L'état de nos connaissances à l'heure actuelle ne nous permet pas de savoir quels gènes sont responsables de ces caractéristiques. Cependant, cet outil nous offre au moins un moyen de réaliser/ créer certains genres de mutation en attendant que ces connaissances soient à notre portée/que cette technologie soit disponible.**

I look on these genes as a group/as a whole. / I consider these genes as a group/whole.

> **Je regarde ces gènes ensemble/en groupe./ Je considère ces gènes en tant que groupe.**

I look on them as a group/whole. / I consider them as a group/whole.

> **Je les regarde ensemble/en groupe. / Je les considère en tant que groupe.**

(In order) to establish which of the mutations is/are responsible, we need to…

> **Pour établir/Afin d'établir quelle mutation est responsable/quelles mutations sont responsables, il faut/nous devons…**

For humanity there is a big ethical/moral question: should we be tampering with this kind of technology? By unlocking these secrets of the human genome, we could be opening Pandora's box.

> **Pour l'humanité, il y a une grande/vraie question éthique/morale : devrait-on utiliser ce genre de technologie ? En révélant ces secrets du génome humain, on pourrait être en train d'ouvrir la boîte de Pandore.**

At present there remains a gap in the understanding of…

> **En ce moment/Actuellement, il reste des lacunes dans la compréhension de…**

What is the precise role of… ? / What is the exact/precise role played by… ?

> **Quel est le rôle précis de… ? / Quel est le rôle précis joué par… ?**

It's the molecule responsable for (the)…

> **C'est la molécule responsable de/du…**

The two molecular targets for this new drug can be found throughout the central nervous system.

> **Les deux cibles moléculaires de ce nouveau médicament peuvent être trouvées partout dans le système nerveux central.**

They say it takes ten years to develop a medicine.

> **Ils disent/On dit que développer un médicament prend dix ans.**

a case-study – **une étude de cas**

an in-depth study – **une étude approfondie/en profondeur**

a double-blind clinical trial – **une étude randomisée en double aveugle**

Chapter 9: Science and technology
Chapitre 9 : La science et la technologie

Innovation
L'innovation

It's a new technology, and it is increasing in both popularity and complexity.
> **C'est une nouvelle technologie et elle gagne à la fois en popularité et en complexité.**

It's a very American/British style/method/technique/sound.
> **C'est très américain/britannique comme style/méthode/technique/son.**

This doesn't resemble the… method. / This doesn't resemble the method used by…
> **Cela ne ressemble pas à la méthode (de)… / Cela ne ressemble pas à la méthode utilisée par…**

By the Smith-Johnson[53] method…
> **Selon la méthode Smith-Johnson[53]…**

The basic principle is…
> **Le principe de base, c'est…**

It is based on three key/fundamental/basic principles.
> **Il/Elle est fondé(e) sur trois principes clés/fondamentaux/de base.**

It uses plant-based materials.
> **Cela/Ça utilise des matériaux[54] à base de plantes.**

It's plant-based technology.
> **C'est une technologie à base de plante.**

---

53 This is fictional. Nom fictif.

54 Note this and its singular, 'un matériau' should not be confused with 'matériels' and its singular 'matériel', the noun of which essentially means equipment or hardware, and also has an adjectival form 'matériel(le)(s)'

Mechanism of action/Modus operandi

Mécanisme de fonctionnement/Mode opératoire/Mode de fonctionnement (Modus operandi) (Note: 'modus operandi' is rarely used in French now)

How does the... work? / How does this work? (e.g. in physics, physiology, engineering, law)
Comment fonctionne... ? / Comme cela/ça fonctionne-t-il ? / Comment est-ce que cela/ça/qu'il/qu'elle fonctionne ?

Discussing concepts and hypotheses
Discuter de concepts et d'hypothèses

The founding principles are...
Les principes fondateurs sont...

You are right about the founding principles.
Tu as/Vous avez raison à propos des principes fondateurs.

The concept in itself isn't new.
Ce concept en soi n'est pas nouveau. / Ce concept n'est en soi pas nouveau.

Still, we will be discussing this concept in more detail next week.
Nous discuterons tout de même/malgré tout de ce concept plus en détail la semaine prochaine.

There is the argument/hypothesis put forth/forward by... which is that...
Il y a l'argument/l'hypothèse avancé/avancée par / mis/mise en avant par... selon lequel/laquelle... /qui consiste à dire....

This argument rests on the idea that...
Cet argument repose sur l'idée que...

They dismissed that theory/hypothesis.
Ils ont écarté cette théorie(-là)/cette hypothèse(-là).

There's a gap in the understanding of...
Il y a un écart dans la compréhension de...

A good part/portion of the difficulty is...
Une bonne partie de la difficulté est... / Une bonne partie de la difficulté, c'est...

That argument is valid. / That argument stands up to scrutiny/holds up/holds water.

> **Cet argument est valable. / Cet argument se tient.**

That/This lends weight to the suggestion/idea that…

> **Cela/Ça donne du poids à la suggestion/ l'idée que…**

That is suggestive of something else. / That suggests something else.

> **Cela/Ça suggère autre chose.**

It/This is explicable by… / It/This is readily explicable by…

> **C'est explicable par… / Cela/Ça s'explique (facilement/aisément) par…**

It follows naturally.

> **Cela/Ça suit naturellement.**

It follows (from this) that…

> **Il s'ensuit que…** + *indic./subj.* **/ Il en découle que…** + *indic.*

e.g.
Given that this formula has been proven to work in the laboratory environment/laboratory setting, it follows that….

> **Étant donné qu'il a été prouvé que cette formule fonctionne en laboratoire, il s'ensuit que…**

Analysing the data[55]

Analyser des données[55]

In order to investigate/explore the role played by... we need to/we'll need to analyse the data we have gathered. There are **masses/tons** of it to go through.

> **Pour/Afin d'explorer le rôle joué par/que joue... il faut/il faudra/ nous devons/nous devrons analyser les données que nous avons récupérées/rassemblées. Il y en a de vastes quantités à passer en revue./Il y en a énormément à passer en revue./Il y en a des tas à passer en revue.**

We will analyse this data meticulously, thoroughly and for as long as it takes.

> **Nous analyserons ces données méticuleusement, en détail/ profondeur et aussi longtemps que nécessaire.**

We need to analyse this subject in depth/thoroughly, that is (to say), needless to say, not just cursorily/superficially. That way/This way, we can draw the lesson/draw the right conclusions/lessons.

> **Nous devons analyser ce sujet en profondeur/en détail, c'est-à-dire, il va de soi, pas simplement de façon superficielle/simplement en surface. Ainsi, nous pourrons en tirer des leçons/nous parviendrons aux bonnes conclusions.**

The data has been fully analysed.

> **Les données ont été entièrement analysées.**

a database – **une base de données**

---

55 The word 'data' is the plural of the word 'datum', which means "a single piece of information". The word 'datum' itself is Latin and meant 'a given' or 'a gift/present'. In English, the term 'datum' is used, but far more often its plural form 'data' is used. Even though it is technically plural, 'data' tends to be treated as a singular entity in English. In French, on the other hand, both the singular 'une donnée', and the plural, 'des données', are commonly used.

Le mot « data » est le pluriel du mot « datum », qui signifie « un renseignement/une information ». Le mot « datum » lui-même vient du latin et signifiait « don/présent ». En anglais, le terme « datum » est utilisé, mais sa forme plurielle (« data ») est bien plus commune. Bien que « data » soit techniquement pluriel, ce mot est généralement traité comme un nom au singulier en anglais. En revanche, en français, « une donnée » et le pluriel « des données » sont communément utilisés.

Debating new technology
Débattre/Discuter des/de nouvelles technologies

This technology allows/will allow incredible things.
> **Cette technologie permet/permettra de faire des choses incroyables.**

For me, I am very uneasy about/uncomfortable with this new technology, which is poorly understood.
> **Personnellement, je suis très mal à l'aise avec cette nouvelle technologie, qui est mal comprise. / Personnellement, cette nouvelle technologie, qui est mal comprise, m'inquiète beaucoup.**

To me, it sounds more like something from the nineteenth century.
> **À mon avis, cela ressemble plus à quelque chose qui aurait existé au dix-neuvième siècle.**

It sounds like science fiction.
> **Cela ressemble à <u>de</u> la science-fiction.[56] / On dirait <u>de</u> la science-fiction.[56]**

Are you more an artist or a scientist?
> **Es-tu/Êtes-vous plutôt artiste(s) ou scientifique(s) ?**

The technology is only in its embryonic stages.
> **La technologie n'en est qu'au stade embryonnaire.**

Even so, I'm absolutely against it/not in favour of it. What's to stop someone/you… (doing something)?
> **J'y suis malgré tout opposé(e)/défavorable. Qu'est-ce qui empêche (les gens)/Qu'est-ce qui t'empêche/vous empêche de… (faire quelque chose) ?**

There needs to be some regulation.
> **Il faut que cela/ça soit régulé. / Il faut qu'il y ait des régulations.**

---

56 Note 'de la science fiction' rather than 'la science fiction'. This rule applies in the same way here as it does to other uncountable nouns, e.g. air, water, bread, oil, milk, flour, history, economics, law, politics,

e.g.
It looks/sounds like water.
Cela/Ça ressemble à/On dirait de l'eau.

It looks like oil.
Cela/Ça ressemble à/On dirait de l'huile.

The subject of discussion is history but it sounds more like economics.
On parle d'histoire, mais cela/ça ressemble plus à/on dirait de l'économie.

It/That makes it more likely that we will be able to control it/capable of controlling it.

Grâce à cela/ça, nous aurons plus de chances d'être capables de le/ la contrôler.

It's not a question of us wanting to stifle the development of this technology but whether the technology is ethical or not.

Il ne s'agit de pas de vouloir étouffer le développement de cette technologie, mais de savoir si cette technologie est éthique ou non.

Don't delude yourself!

Ne te fais/vous faites pas d'illusions !

Let's not delude/**fool/kid** ourselves!

Ne nous faisons pas d'illusions !

informal (familier)

It seems to me we are entering into/we are on the verge of entering into the unknown, meaning we are entering into a process/we are starting a process which we'll have difficulty controlling once it is launched. Must we do this, regardless of/whatever the consequences/outcome?

Il me semble que nous entrons/nous sommes sur le point d'entrer dans l'inconnu, c'est-à-dire que nous entrons dans un processus/ nous commençons un processus que nous aurons du mal/des difficultés à contrôler une fois qu'il sera lancé/aura débuté. Devons- nous le faire, en dépit des conséquences ?

That troubles me.

Cela/Ça m'inquiète.

We take your concerns very seriously.

Nous prenons vos inquiétudes très au sérieux.

We take this very seriously.

Nous prenons ceci/cela/ça très au sérieux.

That's clearly not the case.

Ce n'est de toute évidence pas le cas. / Ce n'est manifestement pas le cas.

You're making assumptions.

Tu fais/Vous faites des suppositions.

No-one is saying (that) it will definitely go ahead.

Personne ne dit que cela/ça va assurément/vraiment avoir lieu/être mis en place.

From a societal standpoint, … /From a societal point of view, …

D'un point de vue sociétal, …

Machines and components
Machines et composants

It's an integral part of the machine.
C'est une partie intégrante de la machine.

I have all the components necessary/all the necessary components to make the computer work, but this new piece of software stops it working any faster.
J'ai tous les éléments/composants nécessaires/J'ai tout le nécessaire pour faire fonctionner l'ordinateur, mais ce nouveau logiciel l'empêche de fonctionner plus rapidement.

There's a bug slowing down the computer.
Il y a un bogue qui ralentit l'ordinateur.

This pump has a power in the region of…
Cette pompe a une puissance d'environ… / Cette pompe a une puissance voisine de…

The coupling of… and… releases a lot of energy.
Le couplage de… et… libère beaucoup d'énergie.

It releases a lot of energy.
Cela/Ça libère beaucoup d'énergie.

We need to channel/harness this energy so that…
Nous devons canaliser/maîtriser/exploiter cette énergie pour que…+ *subj.*/pour/afin de… + *infin.*

We need to channel the heat through some pipes.
Nous devons canaliser la chaleur en la faisant passer par des tuyaux.

That/It uses up/expends a lot of energy.
Cela/Ça nécessite/utilise beaucoup d'énergie.

It's a waste of electricity.
C'est un gâchis d'électricité.

Physics and chemistry
La physique et la chimie

Water evaporates.
> **L'eau s'évapore.**

This compound/substance, hydrated calcium sulfate (calcium sulfate dihydrate), commonly known as/commonly called gypsum, is found throughout/right across the world.
> **Ce composé, le sulfate de calcium dihydraté, mieux connu sous le nom de gypse, peut être trouvé partout dans le monde.**

Gypsum has many uses today, including fertiliser, plaster for walls and ceilings, and plaster of Paris, and has had other uses over the centuries, chiefly alabaster used for making sculptures.
> **Le gypse a de nombreux usages aujourd'hui, tels que la production d'engrais, de plâtre pour les murs et les plafonds, et de plâtre de Paris, et il a eu d'autres usages au fil des siècles, notamment la production d'albâtre pour faire des sculptures.**

It is better known by the name…
> **C'est/Il est/Elle est plus/mieux connu(e) sous le nom de…**

---

an on-board computer – **un ordinateur de bord**

wingspan; breadth – **envergure ; largeur**

a plane with a large wingspan – **un avion de grande envergure**

an aircraft currently in service – **un avion actuellement en service**

Chapter 10: Sport
Chapitre 10 : Le sport

The match
Le match

This is the match everyone is looking forward to.
C'est le match que tout le monde attend avec impatience.

It is what people have been talking so much about these past few months.
C'est ce dont les gens parlent tant ces derniers mois.

It's going to be a tough match.
Ce sera un match difficile.

I don't allow myself to get too nervous ahead of this match.
Je ne me permet pas d'être trop nerveux/nerveuse avant ce match.

It was a hard-fought/hard-won victory. / It was a hard-fought/hard-won match.
C'était une victoire durement gagnée. / C'était un match âprement disputé. / C'était un match acharné. / C'était un match durement gagné.

That was the best match of the tournament.
C'était le meilleur match du tournoi.

That was the best match of the fortnight.
C'était le meilleur match des deux dernières semaines.

It was a narrow/narrowly won victory.
C'était une victoire remportée de justesse. / C'était une victoire à l'arraché.

She narrowly won. / She won a narrow victory.
Elle a gagné de justesse.

It was a resounding victory.
C'était une victoire retentissante.

In terms of physicality, the match was tough and tense.
Le match était dur/difficile et tendu physiquement.

The match was played in oppressive/sweltering heat.
Le match a été joué sous une chaleur écrasante/accablante.

The match was cancelled/postponed on account of bad weather.
> **Le match a été annulé/reporté pour cause de mauvais temps.**

Tennis (singles) and other solo sports/pursuits
Le tennis (simple) et d'autres sports/activités individuels/individuelles

On paper, he's/she's a very good player.
> **Sur le papier, c'est un très bon joueur./Sur le papier, c'est une très bonne joueuse.**

He/She is the newly crowned champion.
> **C'est le champion fraîchement couronné/la championne fraîchement couronnée.**

With another victory under his/her belt, he/she is the newly crowned champion.
> **Avec une autre/nouvelle victoire à son actif, c'est le champion fraîchement couronné/la championne fraîchement couronnée.**

He/She has another victory to add to his/her tally.
> **Il/Elle a une autre/nouvelle victoire à ajouter à son palmarès.**

His/Her best is yet to come.
> **Sa meilleure performance reste à venir.**

She retained her title.
> **Elle a conservé/gardé son titre.**

He/She has won the title for the third time/year in a row/three times in a row.
> **Il/Elle a gagné/remporté le titre pour la troisième année consécutive/de suite/d'affilée. / Il/Elle a gagné/remporté le titre pour la troisième fois d'affilée/de suite.**

He/She has had four wins/victories in a row.
> **Cela/Ça fait quatre fois de suite/d'affilée qu'il/qu'elle gagne.**

He/She has won this title no fewer than five times in his/her career.
> **Il/Elle a gagné/remporté ce titre pas moins de cinq fois durant sa carrière.**

He/She has just won his/her fifth title.
> **Il/Elle vient de gagner/remporter son cinquième titre.**

He/She remains unbeaten/undefeated.
> **Il/Elle reste invaincu/invaincue.**

There are so many people who are amazed at/by what you do.

Il y a tellement de gens qui sont étonnés/stupéfaits par ce que tu fais/vous faites.

If I had but a quarter of your talent, and your work ethic, I would be delighted/I should count myself lucky!

Si je n'avais ne serait-ce qu'un quart de ton talent et de ta conscience professionnelle, je serais ravi(e)/je m'estimerais heureux/heureuse ! / Si je n'avais ne serait-ce qu'un quart de votre talent et de votre conscience professionnelle, je serais ravi(e)/je m'estimerais heureuse/heureux !

There have been highs and lows during the course of his career. / His career has had its ups and downs.

Il y a eu des hauts et des bas durant sa carrière. / Il y a eu des hauts et des bas au cours de sa carrière. / Sa carrière a connu des hauts et des bas.

He/She had a very successful Olympics in the (nineteen) sixties. I'm surprised you didn't know that/know about that.

Il/Elle a connu un grand succès aux Jeux olympiques dans les années soixante/mille neuf cent soixante. Je suis surpris(e) que tu ne le saches pas/vous ne le sachiez[57] pas.

He has had some huge triumphs and some huge failures!

Il a connu de grands triomphes et de grands échecs !

He says he's sure he will qualify. / He feels sure he'll (he will) qualify.

Il dit être sûr de se qualifier. /Il dit qu'il est sûr/certain qu'il va se qualifier. /Il se fait fort d'être qualifié.

His/Her qualification is all but assured/almost assured.

Sa qualification est quasi assurée.

He's/She's currently in third place.

Il/Elle est à la troisième place en ce moment.

He/She came only fourth in the end. / He/She only came fourth in the end.

Il/Elle n'est arrivé que quatrième/qu'à la quatrième place au final/ en fin de compte.

He/She could have won.

Il/Elle aurait pu gagner.

---

57 Whilst the tense used in the English in this example was the imperfect, the French are, generally speaking, not keen to use the subjunctive imperfect, so it is rarely used, even in novels. Here, for example, strictly speaking, the subjunctive imperfect was called for and would have been "que tu ne le susses pas/que vous ne le sussiez pas". Instead, the subjunctive present is used.

He's/She's unhappy with his/her level of fitness. / He's/She's unhappy with his/her fitness level.

Il/Elle est mécontent/mécontente de sa forme. / Il/Elle est mécontent/mécontente de sa condition physique.

He/She still qualified.

Il/Elle est quand même/tout de même qualifié/qualifiée.

His/Her career is finished.

Sa carrière est terminée.

For a time/while, he/she was the best player in the world/the world number one.

Pendant/À un moment, il était/c'était le meilleur joueur du monde. / Pendant/À un moment, elle était/c'était la meilleure joueuse du monde. / Pendant/À un moment il/elle était/c'était le/la numéro[58] un mondial/mondiale.

The Swiss, Roger Federer, dispatched/put out Gaël Monfils in three sets, six–three, six–four, six–three (6–3, 6–4, 6–3).

Le Suisse, Roger Federer, a vaincu/a sorti Gaël Monfils en trois sets, six-trois, six-quatre, six-trois (6-3, 6-4, 6-3).

… is the current French number one.

… est le numéro un tricolore/français actuel. / … est la numéro un tricolore/française actuelle.

I did my best/I gave it my best shot, I gave everything, but unfortunately it wasn't enough (to win).

J'ai fait de mon mieux, j'ai tout donné, mais malheureusement ce n'était pas assez/suffisant (pour gagner).

Of the two players, Nadal played (the) better.

Des deux joueurs, c'est Nadal qui a le mieux joué.

I had never seen him/her play until then.

Je ne l'avais jamais vu(e) jouer avant.

In places, he/she showed flashes of brilliance.

Par endroits, il/elle a montré des éclairs de génie.

---

58 Unlike 'vedette', which remains invariably a feminine noun, 'numéro', whilst masculine, can be varied to feminine for girls and women and for objects of feminine gender in the French language.

Ever since the start of his professional career, Federer has largely been spared injuries.
Federer a été rarement blessé depuis le début de sa carrière.

The gap between the world number one and the world number two is narrowing.
L'écart entre le numéro un et le numéro deux mondiaux se resserre.

Few motor racing drivers accept that they are taking a big risk.
Peu de pilotes de course acceptent qu'ils prennent un grand risque.

If one of them crashes, there is very little chance of survival/of them surviving.
Si l'un d'eux s'écrase, il a peu de chance de survivre.

a new land speed record – **un nouveau record de vitesse terrestre**

Team sports, such as football, rugby
Des sports d'équipe, tels que le football, le rugby

Kick-off will be at exactly 3 p.m. (three p.m.)/ at 3 p.m. (three p.m.) on the dot.
Le coup d'envoi sera à quinze heures/trois[59] heures précises.

It's not just a question/matter of us wanting to win; it's question/matter of us actually winning.
C'est pas (Ce n'est pas) seulement une question de vouloir gagner, il faut aussi réellement/vraiment gagner.

The date for the cup final has been brought forward.
La date de la finale de la coupe a été avancée.

This team has real talent.
Cette équipe a un véritable talent. / Cette équipe a réellement du talent.

This team is going to have the most successful career in France/the world.
Cette équipe va avoir le plus beau palmarès de France/au/du monde.

---

59 Where it is clear from the context that we mean morning, afternoon or evening, e.g. here with a football match being three o'clock in the afternoon, just as in English there is no need to specify this (e.g. 'de l'après-midi') for the 12-hour clock in French.

It's a happy team. / This is a happy team. You can really see it/tell from the way (in which) the players/team-mates get on.

> C'est une équipe heureuse. On le voit bien à la manière/façon dont les joueurs/joueuses s'entendent.

The team has a good mix of players. They all continue to dream.

> Cette équipe a une bonne sélection de joueurs/joueuses. Ils/Elles continuent tous/toutes de rêver.

They scored a goal/try against the run of play.

> Ils ont marqué un but/un essai contre le cours de jeu.

He scored a spectacular goal! He's their top-scorer.

> Il a marqué un but spectaculaire ! Il est/C'est leur meilleur buteur.

His shot was unstoppable. The goalkeeper was well and truly beaten.

> Son coup/Sa frappe/Son tir était imparable/**inarrêtable**. Le gardien de but a été bel et bien battu./La gardienne de but a été bel et bien battue.

informal (familier)

The score is two–one in favour of Monaco.

> Le score est deux buts à un en faveur de Monaco.

The team was well and truly beaten.

> L'équipe a été bel et bien battue.

Between the two teams, the Lyonnais had the more chances/had more of the chances.

> Entre les deux équipes, ce sont les Lyonnais qui ont eu le plus d'occasions.

The winning goal/The winner wasn't scored until right at the end of the match.

> Le but gagnant n'a été marqué que toute à la fin du match. / Le but gagnant a été marque juste avant la fin du match.

The team could only draw in today's match.

> L'équipe n'est parvenue qu'à faire match nul aujourd'hui.

Having been eliminated again at the quarter final stage, it's time for the team to revise/change its tactics in the hope of qualifying for next year's competition.

> Ayant été à nouveau éliminée lors des quarts de finale, il est temps pour l'équipe de revoir sa tactique/de changer de tactique dans l'espoir de se qualifier pour la compétition de l'année prochaine.

I'm not sure that the coach is (that) satisfied with the performance of his/her team. / I'm not sure he'd/she'd say he's/she's (that) satisfied with the performance of his/her team.

> **Je ne suis pas sûr(e)/certain(e) que l'entraîneur/l'entraîneuse soit satisfait/satisfaite de la performance de son équipe./Je ne suis pas sûr(e)/certain(e) qu'il/elle se dirait[60] satisfait/satisfaite de la performance de son équipe.**

For the remaining fifteen minutes, the match was very physical.

> **Durant les quinze minutes restantes, le match était très physique.**

The referee has sent him/her off. That's a controversial decision.

> **L'arbitre l'a exclu/exclue. C'est une décision controversée.**

The stadium was half-empty.

> **Le stade était à moitié vide.**

The pitch yesterday was unplayable. *(e.g. because of ice)*

> **Le terrain était impraticable hier. / Le terrain était injouable.[61]**
> *(par ex. : car il était gelé)*

That player is nursing an injury.

> **Ce joueur est en convalescence après une blessure.**

He claims to be injured.

> **Il prétend être blessé.**

He claims to be wanted by Olympique de Marseille.

> **Il prétend que l'Olympique de Marseille veut l'engager.**

He's wanted by Strasbourg.

> **Strasbourg veut l'engager.**

his/her team-mates – **ses coéquipiers/coéquipières**

a disallowed goal – **un but refusé**

---

60 Although the subjunctive is typically used following "Je ne suis pas sûr(e)…"/"Je ne suis pas certain(e) que…", the conditional (present conditional [le conditionnel présent]) can be and is sometimes used instead, such as in this example.

61 According to the French reference dictionary *Larousse*, this terminology is confined to sport. In other words, it is sport-related 'argot' (jargon) in French.

Second-best
Le deuxième meilleur/La deuxième meilleure

He/She is considered the second-best player in the team.
Il/Elle est considéré/considérée comme étant le deuxième meilleur joueur/la deuxième meilleure joueuse de l'équipe.

They were second-best this year.
Ils étaient les deuxième meilleurs cette année. / Elles étaient les deuxièmes meilleures cette année.

The (league) table
Le classement ; le championnat

The team has taken/retaken top position/the number one spot in the league.
L'équipe a pris/repris la tête du classement/championnat.

The team has relinquished its position in the table/league.
L'équipe a renoncé à sa position dans le classement/ championnat.

The team is at the top/bottom of the table/league.
L'équipe est en tête du classement/est dernière du classement. / L'équipe est en tête du championnat/est à la dernière place du championnat.

Right in the middle of the table is…
En plein milieu du classement, il y a…

Right at the bottom of the table is…
À la dernière place du classement, il y a…

There's only a two-point gap between the team at the top of the table and the team in second place/the second-placed team.
Il n'y a que deux points d'écart entre l'équipe en tête du classement et la deuxième.

At the top end of the table are the following teams: …
Les équipes suivantes sont en tête du classement : …

Bordeaux is doing quite well in League 1 at the moment.
Bordeaux est plutôt bien classé en Ligue 1 en ce moment.

Rennes is on course for seventh place in the league.
Rennes est en (bonne) voie d'être septième du classement.

(Also see footnote 77, Chapter 15, p.634, or endnote 77)

Athletics
L'athlétisme

He/She won a gold medal.
Il/Elle a gagné une médaille d'or.

He/She now has both an Olympic and world title.
Maintenant, il/elle a à la fois un titre Olympique et un titre mondial. / Il/Elle a maintenant à la fois un titre Olympique et un titre mondial.

He/She was overtaken thirty metres from the finish and had to settle for a silver medal/had to settle for silver.
Il/Elle a été dépassé/dépassée à trente mètres de l'arrivée et a dû se contenter d'une médaille d'argent/a dû se contenter de l'argent.

The USA won six medals today, including three gold and two silver.
Les États-Unis ont[62] gagné six médailles aujourd'hui, dont trois d'or et deux d'argent.

Jamaica's medal haul of four included three golds.
La Jamaïque a gagné quatre médailles, dont trois d'or.

the medal table *(e.g. in the Olympics)*
le tableau des médailles *(par exemple : des Jeux olympiques)*

---

62 The USA is referred to in the singular in English; this custom is said to have been introduced by US President Abraham Lincoln during the American Civil War 1861–1865 to try to emphasise the unity of the United States. In French, 'les États-Unis' are referred to in the plural.

En anglais, le nom USA (United States [États-Unis]) est considéré comme étant singulier ; on dit que cela a été introduit par le Président des États-Unis Abraham Lincoln pendant la Guerre de Sécession (1861-1865) afin d'essayer de mettre l'accent sur l'unité des États-Unis.

Admiration
L'admiration

He/She really impressed me.
> **Il m'a vraiment/véritablement impressionné(e). / Elle m'a vraiment/ véritablement impressionné(e).**

The skill of these players is plain to see/there to see/clear to see/as clear as day/on show/showcased every weekend.
> **L'habileté de ces joueurs/joueuses peut être vue tous les weekends. / Les talents/capacités de ces joueurs/joueuses peuvent être vu(e)s tous les weekends.**

It's an awe-inspiring team. / It's an awesome team.
> **Cette équipe est impressionnante/géniale.**

(The old English word 'awesome' is one used far more in American everyday speech than in English nowadays.

« Awesome » est un mot de vieil anglais bien plus souvent utilisé en anglais américain qu'en anglais britannique de nos jours.)

What does someone have to do to… ?! / What must someone do to… ?!
Que doit faire… ?!

What does an Englishman/Englishwoman have to do to win any tournament these days?!
> **Que doit faire un Anglais/une Anglaise pour gagner un championnat/tournoi de nos jours ?!**

What does a Frenchman/Frenchwoman have to/need to do to win the French Open again? / What does he/she have to do to win this thing?!
> **Que doit faire un Français /une Française pour gagner de nouveau à Roland-Garros ? / Que faut-il qu'il/elle fasse/Que doit-il/elle faire pour gagner ?!**

First of all, one needs the talent and endurance, but one also needs to be able to cope with the pressure.
> **Tout d'abord, il faut avoir du talent et de l'endurance, mais il faut aussi être capable de supporter la pression.**

Ahead and behind in football, cycling and motor racing
En avance et en retard au football, au cyclisme et dans une course automobile

They are two goals behind.
Ils/Elles ont deux buts de retard.

The leader is five minutes ahead of the rest.
Le coureur/La coureuse de tête a cinq minutes d'avance sur le reste. / Le premier/La première a cinq minutes d'avance sur le reste.

Ahead of the tournament
Avant le tournoi

I'm looking forward to the tough competition (that) there'll be.
J'attends avec impatience la rude compétition/la compétition acharnée qu'il y aura.

I'm looking forward to tough competition, of which there'll be plenty, I'm sure! / I'm looking forward to tough competition, which there'll be plenty of, I'm sure.
J'attends avec impatience la rude compétition/la compétition acharnée, que l'on verra beaucoup, j'en suis sûr(e) !

the title-holder – **le tenant du titre/la tenante du titre**

sportsmanship – **la sportivité/l'esprit sportif**

Chapter 11: Journalism
Chapitre 11 : Le journalisme

News headlines

La une

Today's headlines: …
> À la une aujourd'hui : …

The headline of today is… / The headline of the week is…
> La une du jour, c'est… / La une de la semaine, c'est…

It's (It is) headline news this morning.
> C'est à la une ce matin.

The headline of today's *Le Monde* says/reads: "The number of (people) injured has risen this morning".
> La une du *Monde* aujourd'hui, c'est : « Le nombre de blessés s'annonce plus élevé ce matin ».

The other major French daily, *Le Figaro*, runs the headline: "…"
> L'autre quotidien français majeur, *Le Figaro*, titre : « … »

Le Figaro, in its headline, says: "… " / As for *Le Figaro*, its headline reads/says: "… "
> *Le Figaro,* en une, dit : « … » / Quant au *Figaro*, en une, il dit : « … »

That's the same headline as that of *Libération*. / It's the same headline in *Libération*.
> C'est la même une que celle de *Libération*. / C'est la même une que *Libération*.

It always makes/gets the headlines.
> Cela/Ça fait toujours la une. / C'est toujours la une.

That makes/made the headlines in both *Le Figaro* and *The Times* today.
> C'est à la une du *Figaro* et du *Times* aujourd'hui. / Cela/Ça fait/a fait la une du *Figaro* et du *Times* aujourd'hui.

As for *Paris Match*, the weekly, its headline reads/says: "… "
> La une de *Paris Match*, l'hebdomadaire, quant à elle, dit : « … »

As for *Le Point* and another weekly, *Charlie Hebdo*, their headlines read: "… " and "… " respectively.

> **Quant au *Point* et un autre hebdomadaire, *Charlie Hebdo*, leurs unes disent : « … » et « … » respectivement. / Quant au *Point* et un autre hebdomadaire, *Charlie Hebdo*, leurs unes disent, respectivement : « … » et « … ».**

The (monthly) magazine *Marie-Claire* says: "… "

> **Le mensuel, *Marie-Claire*, dit : « … »**

The Times and *The (Daily) Telegraph* both give a detailed account of…

> **Le *Times* et le *(Daily) Telegraph* donnent tous les deux un compte rendu détaillé de…**

Both papers detail the Prime Minister's closing speech.

> **Les deux journaux détaillent le discours de clôture du Premier ministre.**

The general view is that his/her speech was disjointed.

> **L'opinion générale est que son discours était incohérent.**

The news websites have their own take/angle on this story. *BuzzFeed*, for example, reports that… , while *Huffington Post* tells us that…

> **Les sites d'information/sites Web d'information/sites internet d'information ont leur propre opinion sur cette histoire. *BuzzFeed*, par exemple, rapporte que…, alors que le *Huffington Post* nous raconte que…** + *indic.*

Meanwhile/At the same time, one news agency reports that…

> **D'un autre côté, une agence de presse rapporte que…** + *indic.*

The scandal was brought to light by *Le Figaro*.

> **Le scandale a été mis au jour par *Le Figaro*. / Le scandale a été révélé par *Le Figaro*.**

the Sunday (news)papers – **les journaux du dimanche**

Changing the subject while telling the news
Changer de sujet tout en présentant l'actualité

Heading/Turning west now, …

> **On se dirige/tourne vers l'ouest maintenant/à présent, …**

Heading west, in the United States there has been…

> **On se dirige/tourne vers l'ouest, aux États-Unis, où il y a eu…**

Turning to…
> **Se tourner vers…**

Let's turn to…
> **Tournons-nous vers…**

It's time to turn to the United Kingdom.
> **Il est temps de se tourner vers le Royaume-Uni.**

It's time to turn to the subject of (Mrs) Ségolène Royal.
> **Il est temps de se tourner vers le sujet de (Mme) Ségolène Royal.**

It's time to turn to music.
> **Il est temps de se tourner vers la musique.**

In sports news, … /In sport, … /Sport,…
> **Dans l'actualité sportive, … / Côté sport, …**

Analysing the news
Analyser l'actualité

The subtext of this news/story is…
> **Le sujet sous-jacent de cette histoire c'est…**

The media, be it the written press or the audiovisual media, are feeding the debate.
> **Les médias, que ce soit la presse écrite ou la presse audiovisuelle, alimentent le débat.**

The changing face of newspaper readership: the decline of the printed press
Le visage changeant du lectorat des journaux : le déclin de la presse écrite

As the public turns increasingly online to get its news, press barons are seeing a steady decline/fall in the sales of their printed daily newspapers ('dailies').
> **Alors que le grand public se tourne de plus en plus vers Internet pour suivre l'actualité, les barons/magnats de la presse voient les ventes de leurs quotidiens écrits décliner petit à petit.**

The readership of printed dailies is in inexorable/ineluctable decline.
> **Le lectorat des quotidiens écrits est inexorablement/ inéluctablement en déclin.**

The French figure/rate for online newspaper readership is seventy per cent, which is ten per cent higher than the British (one).

> **Le taux français de lecture de journaux en ligne est de soixante-dix pour cent, soit dix pour cent de plus que le taux britannique.**

Investigative journalism/Undercover journalism
Le journalisme d'investigation/Le journalisme d'infiltration

This branch of journalism specialises in looking for, identifying and publicising malpractice, corruption or criminal activity, be it in industry, politics, healthcare, Customs and Excise, policing or the criminal justice system, for example.

> **Cette branche du journalisme se spécialise dans la recherche, l'identification et la publication des pratiques frauduleuses, de la corruption ou des activités criminelles, que ce soit dans l'industrie, la politique, les services de santé, l'administration des douanes, le maintien de l'ordre ou le système de justice pénale, par exemple.**

Over the years, a number of British politicians have been caught offering consultancy work or services as an intermediary to procure lucrative business contracts in the UK in exchange for cash, in clear breach of the Parliamentary code.

> **Au fil des années, un certain nombre de politiciens britanniques se sont faits prendre alors qu'ils offraient des services de conseils ou d'intermédiaire afin d'obtenir des contrats commerciaux lucratifs au Royaume-Uni en échange d'argent, ce qui est une violation flagrante/manifeste du Code de conduite parlementaire.**

In each case, they have been exposed after being secretly filmed and recorded by tabloid and other journalists posing/masquerading as businesspeople, usually foreign. Such operations are commonly known as a "sting" in much the same way as undercover police operations to catch drug traffickers, or other criminals.

> **Chaque fois, leurs actions ont été dévoilées après qu'ils ont été filmés et enregistrés en secret/à leur insu par des journalistes de tabloïds ou d'autres journaux se faisant passer pour des hommes d'affaires, généralement étrangers. De telles opérations sont plus connues sous le nom de « sting » (un coup monté, une mise en scène), tout comme les opérations de police sous couverture permettant d'arrêter des trafiquants de drogues ou d'autres criminels.**

Chapter 12: Archaeology, anthropology, sociology and culture
Chapitre 12 : Archéologie, anthropologie, sociologie et culture

What do these topics cover, broadly speaking?
De quoi est-ce que cela parle, en résumé ?

They comprise the study of the world around/about us and the human beings in it; how they interacted with each other and their environment in the past and how they live now.

Il s'agit de l'étude du monde qui nous entoure et des[63] êtres humains qui y vivent ; comment ils interagissaient les uns avec les autres et avec leur environnement par le passé et comment ils vivent à l'époque actuelle.

Evidence of past human settlements: archaeological sites
Des traces d'une présence humaine : des sites archéologiques

This equipment allows more detailed architectural mapping of the newly discovered Roman remains.

Cet équipement/Ce matériel permet une cartographie architecturale plus détaillée des vestiges romains fraîchement/nouvellement/récemment découverts.

---

63 Note this important difference between English and French syntax, as you will see elsewhere in the book: when more than one item is listed in a sentence in speech or writing, it is only necessary to use the preposition 'of' once in English, whereas the French equivalent 'de' has to be used for each item.

Notez cette différence entre la syntaxe anglaise et la syntaxe française, que vous verrez ailleurs dans ce livre : quand une phrase (parlée ou écrite) comporte une liste, il ne faut utiliser la préposition « of » qu'une fois en anglais, alors qu'en français, « de » précède chaque objet de la liste.

Prehistoric people
L'Homme préhistorique

Humans (Homo sapiens) evolved in Africa alongside other human-like primates, known as hominids, which are now extinct.
> **Les humains (Homo sapiens) ont évolué en Afrique aux côtés d'autres primates qui ressemblaient aux êtres humains, connus sous le nom des hominidés, qui ont maintenant disparu.**
> *(Note 'aux côtés de' means alongside in the metaphorical sense as here, rather than 'à côte de', which means 'beside' in the literal sense.)*

These include Homo erectus and Homo neanderthalensis (the Neanderthals/Neanderthal man).
> **Parmi eux se trouvent les Homo erectus et les Hommes de Néandertal.**

Today's human populations have been shown to have a percentage of Neanderthal genes in their genome, predominantly European and East Asian populations.
> **On a démontré que des populations humaines d'aujourd'hui ont/possèdent un pourcentage de gènes hérités de l'Homme de Néandertal dans leur génome, en particulier les populations européennes et d'Asie de l'Est.**

The Australopithecus species is widely considered to be a direct ancestor of the human race.
> **L'australopithèque est souvent considéré comme un ancêtre direct de l'être humain.**

Daily life/Everyday life
La vie quotidienne[64]

How is daily life over there?
> **Comment se passe la vie quotidienne là-bas ?**

It's very similar to life here.
> **C'est très semblable à la vie ici.**

---

64 The term "la vie au quotidien" is commonly seen, too, but this translates more accurately as "life on a day-to-day basis".

Life here is more or less normal. But there are two point five million people, or ten per cent of the population, who are poor/who are poverty-stricken/who live below the poverty line.

> **La vie est à peu près normale. Mais il y a deux virgule cinq million de personnes, soit dix pour cent de la population, qui sont pauvres/ sont dans le dénuement/qui vivent en-dessous du seuil de pauvreté.**

In some parts of the world it is traditionally the woman who is in charge of the home/household.

> **Dans certaines régions/parties du monde, c'est traditionnellement la femme qui s'occupe du foyer/de la maison.**

Cooking is something that girls learn to do very early in most/the majority of African countries.

> **Faire la cuisine est quelque chose que les filles apprennent à faire très tôt dans la plupart des pays africains.**

Depending on oneself is what people learn to do very early in Africa.

> **Les gens en Afrique apprennent très tôt à être indépendants.**

You see that on a daily basis.

> **C'est visible au quotidien.**

In ancient wisdom, in ancient custom, …
La sagesse ancienne, les anciennes coutumes, …

These ancient relics are considered sacred. / These objects are considered sacred.

> **Ces reliques anciennes sont considérées comme sacrées. / Ces objets sont considérés comme sacrés.**

It's a normal gesture of greeting in certain communities.

> **C'est un geste de salutation courant dans certaines communautés.**

Preconceived ideas/notions are unwelcome.

> **Les idées préconçues ne sont pas les bienvenues.**

Just as women play the role of carers for the elderly in a professional capacity, so men should be prepared to do the same.

> **Tout comme les femmes jouent le rôle d'aidant naturel pour les personnes âgées, les hommes devraient être prêts à faire de même.**

The same applies for caring at home for children, the elderly or disabled.

> **De même pour ce qui est des aides à domicile pour les enfants, les personnes âgées ou les handicapés.**

In this society, people are obliged to… / This society obliges people to…
> **Dans cette société, les gens sont obligés de… /Cette société oblige les gens à…**

Greeting and the handshake
Salutation et poignée de main

I shook hands with him/her.
> **Je lui ai serré la main.**

We shook hands.
> **Nous nous sommes serré la main. / On s'est serré la main.**

He shook my hand.
> **Il m'a serré la main.**

Perhaps the ancient western greeting of the handshake will become a thing of the past because of the risk of transmission of infection.
> **La salutation occidentale ancienne de la poignée de main disparaîtra peut-être à cause/en raison du risque de transmission d'infections.**

We…
Nous les…

We women/men work very hard!
> **Nous les femmes/hommes travaillons très dur ! / Nous travaillons/ On travaille très dur, nous les femmes/hommes !**

We French are proud of our cuisine and wines.
> **Nous les Français sommes fiers de notre cuisine et de nos vins. / Nous sommes/On est fiers de notre cuisine et de nos vins, nous les Français.**

We British love our beer!
> **Nous les Britanniques aimons notre bière ! / Nous aimons/On aime notre bière, nous les Britanniques.**

We English-speakers…
> **Nous les anglophones… / …, nous les anglophones.**

Social change
Le changement social

Slavery is rightly considered (to be) a crime against humanity.
> **L'esclavage est à juste titre considéré comme un crime contre l'humanité.**

There has been a hardening of attitudes/social attitudes.
> **Il y a eu un durcissement des attitudes/des attitudes sociales.**

It is not socially acceptable.
> **C'est contraire aux convenances.**

It's not morally acceptable.
> **Ce n'est pas acceptable moralement.**

We are united against it.
> **Nous sommes uni(e)s face à cela/ça/contre cela/ça.**

Social inequality, ostracism, poverty
L'inégalité sociale, l'ostracisme, la pauvreté

They live on the fringes of society.
> **Ils/Elles vivent en marge de la société.**

They dream of a kinder, fairer country/society.
> **Ils/Elles rêvent d'un pays plus chaleureux, plus juste. / Ils/Elles rêvent d'une société plus chaleureuse, plus juste.**

Sexual/Gender equality
L'égalité des sexes

We women have had to fight for equal pay.
> **Nous les femmes avons dû lutter/nous battre pour obtenir l'égalité des salaires.**

The place of women on the social ladder in relation/comparison to men in some parts of the world has been the subject of much discussion, including at the UN, for decades.
> **La place des femmes par rapport aux hommes sur l'échelle sociale dans certaines régions du monde a été le sujet de nombreuses discussions, y compris à l'ONU, depuis des décennies.**

Despite this/In spite of this, the social status of women in some parts of the world remains appalling/deplorable.

> **Malgré cela/ça/En dépit de cela/ça, le statut social des femmes dans certaines régions du monde reste consternant/affligeant/déplorable.**

people of the opposite sex – **des gens/des personnes du sexe opposé**

social diversity – **la mixité[65]/diversité sociale**

---

65 The term 'la mixité sociale' specifically refers in French to gender diversity. 'La diversité sociale' is a broader reference to diversity including gender, race and religion.

Chapter 13: Personal and social
Chapitre 13 : La vie privée et la vie sociale

As one might expect, given the subject matter of this chapter, readers will encounter a good deal more informal phraseology here than in other chapters. In places, I will indicate this.

Comme on pourrait s'y attendre, étant donné le thème de ce chapitre, les lecteurs rencontreront beaucoup plus de tournures familières ici que dans les autres chapitres. Par endroits, je l'indiquerai.

One's love life
La vie amoureuse

Are you together?
Êtes-vous[66] en couple ? Est-ce que[66] vous êtes en couple ? / Est-ce que vous êtes ensemble ?
(Note: The last sentence is more colloquial.)

---

66 The phrasing of questions in French generally takes one or other of the forms shown below. Many of the informal or colloquial structures among these are illustrated in this chapter.

(a) "As-tu... ?", "Avez-vous... ?", "A-t-il... ?", "A-t-elle... ?", "Es-tu... ?", "Êtes-vous... ?", "Est-il/elle... ?" etc. – this is formal.

(b) Name or noun + a-t-il/elle, ont-ils/elles, sont-ils/elles... ? – formal, e.g.
"Jacques a-t-il... ?", "Solange a-t-elle... ?", "Les enfants ont-ils/ont-elles...", "Le Sénat a-t-il... ?", "Les tables sont-elles... ?". Full-sentence example: "Le plein emploi est-il vraiment possible ?" ("Is full employment really achievable/attainable?")

(c) "Est-ce que... ?" e.g. "Est-ce que tu as/vous avez... ?", "Est-ce que tu es/vous êtes... ?", "Est-ce qu'il/elle a/est... ?", "Est-ce que c'est... ?" – colloquial and should only be used in speech/text message (SMS) etc.

(d) "Tu as/Vous avez... ?", "Tu es/Vous êtes... ?", "Il/Elle a/est... ?" etc. - more colloquial or informal than (c); it is essentially a statement uttered with the intonation of a question and is the same format is used in colloquial English for posing questions.

(e) "Est-ce... ?" - formal, e.g. "Est-ce la raison de ton/votre absence ?" ("Is this the reason for your absence?"), "Est-ce le nouveau paradigme ?" ("Is this the new paradigm?")

(f) "Y a-t-il... ?", "Reste-il...?" etc. e.g. "Y a-t-il un magasin près d'ici ?" ("Is there a shop near here?"), "Reste-il (encore) du café ?" ("Is there any coffee left?") - formal .

(g) "Qu'as-tu... ?"/"Qu-avez-vous...?", "Qu'a-t-il/elle... e.g. "Qu'as-tu acheté pour les enfants ?", "Qu'a-t-il/elle dit/fait ?", – formal .

(h) "Qu'est-que...?" e.g. "Qu'est-ce que tu as/vous avez dit/fait?" etc., "Qu'est-ce que tu as/vous avez ?" ("What's wrong with you?"/"What's the matter with you?"/"What's up with you?") - same as (c)

Are you single or in a relationship?
> **Es-tu**[66]**/Êtes-vous célibataire(s) ou en couple ? / Est-ce que tu es/vous êtes célibataire(s) ou en couple ?**

Are you single or married?
> **Es-tu/Êtes-vous célibataire(s) ou marié(e)(s) ? / Est-ce que tu es/vous êtes célibataire(s) ou marié(e)(s)**

I'm single.
> **Je suis célibataire.**

I'm in a relationship.
> **Je suis en couple.**

We're a couple.
> **Nous sommes en couple.**

How long have you been together?
> **Depuis combien de temps êtes-vous en couple ? / Vous êtes**[66] **en couple depuis combien de temps ? / Vous êtes ensemble depuis combien de temps ?**

We've been together (for) ten years.
> **Nous sommes ensemble depuis dix ans. / Cela/Ça fait dix ans que nous sommes ensemble.**

Where and how did you meet?
> **Où et comment vous êtes-vous rencontré(e)s ?**

We met in London, fell in love with each other and got married a few years later.
> **Nous nous sommes rencontré(e)s à Londres, (nous) sommes tombé(e)s amoureux/amoureuses, et (nous) nous sommes marié(e)s quelques années plus tard.**

From the moment I first saw you/set eyes on you, I knew I loved you/I knew I was in love.
> **Dès la première fois que je t'ai vu/vue, j'ai su que je t'aimais/j'ai su que j'étais amoureux/amoureuse.**

It was love at first sight.[67]
> **C'était le coup de foudre.**

She has fallen in love with Charles. / She fell in love with Charles.
> **Elle est tombée amoureuse de Charles.**

---

67 A more formal way to say this in French would be: "Nous sommes tombés amoureux au premier regard."

She has fallen in love with him. / She fell in love with him.
> **Elle en est tombée amoureuse. / Elle est tombée amoureuse de lui.**

She fell in love with him straight away. / She fell for him straight away.
> **Elle est tout de suite tombée amoureuse de lui. / Elle est immédiatement tombée amoureuse de lui.**

He has fallen in love with Dominique. / He fell in love with Dominique.
> **Il est tombé amoureux de Dominique.**

He has fallen in love with her. / He fell in love with her.
> **Il en est tombé amoureux. / Il est tombé amoureux d'elle.**

You're better off waiting to see if/whether he shows himself to be loving. / You're better off waiting to see if/whether she shows herself to be loving.
> **Il vaut mieux attendre/Il vaut mieux que tu attendes/vous attendiez de voir s'il est affectueux/aimant. / Il vaut mieux attendre/Il vaut mieux que tu attendes/vous attendiez de voir si elle est affectueuse/ aimante. / Tu ferais/Vous feriez mieux d'attendre de voir s'il est affectueux/aimant / si elle est affectueuse/aimante.**

You're better off waiting to see if/whether the love is real.
> **Il vaut mieux attendre de voir si l'amour est réel. / Tu ferais/Vous feriez mieux d'attendre de voir si l'amour est réel.**

They fell in love (with each other).
> **Ils sont tombés amoureux. / Elles sont tombées amoureuses.**

A cynic remarked: "They say they're in love (with each other)… whatever that means!" / A cynic remarked: "They say they're in love (with each other)… whatever that is!"
> **Un cynique a fait remarquer : « Ils disent qu'ils sont amoureux/ Elles disent qu'elles sont amoureuses… quoi que cela/ça veuille dire ! »**

But I (have) kept the promise (that) I made.
> **Mais j'ai tenu la promesse que j'ai faite.**

Everything I have/own, I give to you. / Everything I have/own is yours.
> **Je te donne tout ce que j'ai/je possède. / Tout ce que j'ai/possède est tien.**[68]

---

68 "Tien" used here without the determinant "le" is being used in its adjectival form. Mien/Mienne, tien/tienne used as adjectives and hence minus determinants are, nowadays, essentially only used in emotive or sentimental contexts such as this. For this reason it is most often found in the first and second person singular. The use of this adjectival format with the third person singular ('sien'/'sienne'), first person plural ('nôtre') and second person plural ('vôtre') is far less common and with the third person plural ('leur'/'leurs') it is not used at all.

We have kept the promise we made to each other.
>   Nous avons tenu la promesse que nous nous sommes faite.

I love you just the way you are.
>   Je t'aime tel/telle que tu es. / Je t'aime comme tu es. / Je vous aime
>   tel(s)/telle(s) que vous êtes. / Je vous aime comme vous êtes.

You're made for each other!
>   Vous êtes faits l'un pour l'autre./! / Vous êtes faites l'une pour
>   l'autre !

He was in love with her.
>   Il était amoureux d'elle.

She was in love with him.
>   Elle était amoureuse de lui.

He hopes she has the same feelings for him that he has for her.
>   Il espère que les sentiments qu'il ressent pour elle sont
>   réciproques.

I'm very happy and proud to tell you that they will be marrying/getting
married next year.
>   Je suis très heureux/heureuse et fier/fière de te/vous dire qu'ils/elles
>   vont se marier l'année prochaine/l'an prochain.

He's going to marry his childhood sweetheart.
>   Il va épouser son amour d'enfance.

We know a couple who got married in an inflatable church!
>   Nous connaissons un couple qui s'est marié dans une église
>   gonflable !

They got married/were married in an inflatable church.
>   Ils se sont mariés dans une église gonflable. / Elles se sont mariées
>   dans une église gonflable.

He's married to Marion Cotillard. He was married to Catherine Deneuve.
>   Il est marié à Marion Cotillard. Il était marié à Catherine Deneuve.

It's possible for a married couple to conduct their relationship between two
countries for a short while if the individuals have to work for a while in the two
countries, but only as long as they want to work like this/in this way.
>   Il est possible pour un couple marié d'entretenir/de poursuivre
>   leur relation entre deux pays pendant un moment/temps si les
>   individus doivent travailler un certain temps dans les deux pays,
>   mais seulement/uniquement s'ils sont prêts/si elles sont prêtes à
>   travailler/vivre ainsi.

I know two people who conduct their relationship between London and Geneva, apparently without difficulty. / I know two people who maintain their relationship between London and Geneva, apparently without difficulty.

Je connais deux personnes qui entretiennent/poursuivent leur relation entre Londres et Genève, à priori sans difficulté. / Je connais deux personnes qui maintiennent leur relation entre Londres et Genève, à priori sans difficulté.

We/They reunited a year ago.

On s'est retrouvé(e)s[69] il y a un an. / Nous nous sommes retrouvé(e)s il y a un an. / Ils/Elles se sont retrouvés/retrouvées il y a un an.

a wedding ring – **une alliance**

a wedding cake – **un gâteau de mariage/une pièce montée**

bridesmaid – **la demoiselle d'honneur**

best man – **le garçon d'honneur**

Whatever you do, never forget how much I love you.

Quoique tu fasses, n'oublie jamais combien/à quel point je t'aime.

The feeling is mutual.

C'est réciproque.

We hugged. / We hugged/embraced each other.

Nous nous sommes étreints/étreintes/enlacés/enlacées.

She hugged me. / She gave me a hug.

Elle m'a étreint/étreinte/enlacé/enlacée. / Elle m'a fait un câlin. / Elle m'a serré(e) dans ses bras.

I whispered a few words in his/her ear.

Je lui ai murmuré quelques mots à l'oreille.

I whispered sweet nothings in his/her ear.

Je lui ai susurré des mots doux/tendres à l'oreille.

She took me by the hand and led me to her parents' house/home where she introduced me to them.

Elle m'a pris(e) la main et m'a emmené(e) chez ses parents pour me les présenter.

---

69 Notice that despite the singular "on s'est", the verb takes the plural, since we are referring to more than one person. Otherwise it would translate to "One found oneself".

Three couples live happily in this house, including a Chinese couple.
  Trois couples vivent heureux dans cette maison, dont un couple chinois.

happily married – **être un mari/époux comblé / être une épouse comblée / être heureux en ménage**

to make love – **faire l'amour**

A kiss; a peck on the cheek; to kiss on both cheeks the French way

Un baiser ; un baiser[70]/bisou sur la joue ; faire la bise

I gave her a kiss.
  Je lui ai donné un baiser. / Je lui ai fait un bisou.

I gave her a kiss on the cheek. / I gave her a peck on the cheek.
  Je lui ai donné un baiser sur la joue. / Je lui ai fait un bisou sur la joue.

They kissed (each other).
  Ils/Elles se sont embrassés/embrassées.

The French President and his Belgian counterpart greeted each other with a kiss on both cheeks.
  Le président français et son homologue belge se sont fait la bise.

---

70 Though it can be used as a verb, as in 'baiser la main de quelqu'un', 'baiser la joue ou le visage de quelqu'un', or 'baiser le sol', to mean 'to kiss someone's hand', 'to kiss someone's cheek or face' or 'to kiss the ground', respectively, it is also used ('baiser quelqu'un') in vulgar slang in French to mean to have sexual intercourse with someone or to rip someone off! Thus, in order to avoid embarrassing misunderstandings, it is best either to use 'donner un baiser', and to avoid 'baiser' in formal or polite settings!

Say it with a card
Dis-le/Dites-le avec une carte

She bought this card specially for me.
> **Elle a acheté cette carte exprès pour moi./ Elle a acheté cette carte juste pour moi.**

To my one and only.
(e.g. in a Valentine's Day card or wedding anniversary card)
> **Ma chère et tendre. (to a woman) / Mon cher et tendre. (to a man)**
> *(par. ex. dans une carte de la Saint-Valentin ou d'anniversaire de mariage)*

We bought him/her/them this card to cheer him/her/them up.
> **Nous lui/leur avons acheté cette carte pour lui/leur remonter le moral.**

Thank you/I thank you from the bottom of my heart.
> **Je te/vous remercie du fond du cœur.**

Thanks for everything!
> **Merci pour tout !**

greetings card – **une carte de vœux**

Birthdays and anniversaries
Des anniversaires

He/She has just celebrated his/her eighteenth birthday.
> **Il/Elle vient de fêter ses dix-huit ans.**

a wedding anniversary – **un anniversaire de mariage**

They're celebrating their fifth wedding anniversary.
> **Ils fêtent leur cinquième anniversaire (de mariage).**

a birthday cake – **un gâteau d'anniversaire**

Specially/Especially
Exprès

I came here specially.
> Je suis venu(e) (ici) exprès.

I came especially to see you.
> Je suis venu(e) exprès/spécialement pour te/vous voir.

I'm guessing this letter you have written is (intended) for someone very close or someone you're in love with.
> J'imagine que cette lettre que tu as/vous avez écrite est destinée à quelqu'un dont tu es/vous êtes proche ou à l'élu(e) de ton/votre cœur.

(Note the interesting idiomatic turn of phrase in French – "élu(e) de ton/votre cœur", literally, "the elect of your heart" – to mean "the subject of your affection" or "your special person" or "your significant other". Here, l'Académie française defines "élu" as "someone for whom one feels friendship, love, whom one chooses in preference to others".

e.g.
Michel est l'élu de son cœur.
> Anne-Sophie est l'élue de son cœur.

Another similar expression used in French to mean this is "l'heureux élu/l'heureuse élue", e.g.

Person 1: I have a partner (female) to take to the dance/ball.
> *Personne 1 : J'ai une cavalière pour le bal.*

Person 2: Who's the lucky lady?
> *Personne 2 : Qui est l'heureuse élue ?)*

Gratitude
La gratitude

Person 1: Thank you. / Thanks.
> *Personne 1 : Merci (à toi/vous).*

Person 2: Thank *you*. / Thank you, rather.
> *Personne 2 : Non, c'est moi qui te/vous remercie.*

Many, many thanks! / Thanks a million!
Merci infiniment ! ("Thanks infinitely!") / **Merci mille fois !**
("Thanks a thousand times!") / **Mille mercis !** ("A thousand thanks")

That's kind of you. / That's very kind of you.
**C'est gentil/aimable de ta/votre part. / C'est aimable/gentil à toi/
vous. / C'est très gentil/aimable de ta/votre part. / C'est très gentil/
aimable à toi/vous.**
(Note: 'à toi/vous', not 'de')

Thank you for your kindness.
Merci de ta/votre gentillesse.

Thank you for your understanding.
Merci de ta/votre compréhension.

Thanks for coming (in/along).
Merci d'être venu(e)(s).

Thanks for your assistance.
Merci de ton/votre assistance/aide.

Thanks in advance.
Merci d'avance.

That is/was very kind of you/him/her/them.
**C'est/C'était très gentil de ta/votre part. / C'est/C'était très gentil de
sa part/de leur part.**

It was kind of him/her to… (do something).
C'était gentil de sa part de… (faire quelque chose)

It was kind of you to do that/to have done that.
C'était gentil de ta/votre part de faire cela/ça.

How kind of you.
Comme c'est gentil de ta/votre part.

How kind of you to say that.
Comme c'est gentil de ta/votre part de dire cela/ça.

Thanks to your help, we managed it.
Grâce à toi/vous, nous avons réussi/nous y sommes parvenu(e)s.

Thanks to you all, we have had a wonderful wedding reception.
Grâce à vous tous, notre cérémonie de mariage était merveilleuse.

I wish to extend my thanks to…
Je voudrais présenter mes remerciements à/aux…

On behalf of the university, I would like to thank…
> **Au nom de l'université, je voudrais/j'aimerais remercier…**

Thank you. It's the loveliest/the most beautiful compliment you could have paid me.
> **Merci. C'est le plus beau compliment que tu aurais pu/vous auriez pu me faire.**

That's the biggest compliment you could pay me!
> **C'est le plus beau compliment que tu puisses/vous puissiez me faire !**

Thank you, friends. / Thank you, my friends.
> **Merci, les ami(e)s. / Merci, mes ami(e)s.**

Thanks to you two. / Thanks to both of you.
> **Merci à vous deux. / Merci à tous/toutes les deux.**

Relaying greetings/salutations on behalf of someone
Transmettre des salutations de la part de quelqu'un

Sarah sends her regards/her best wishes.
> **Sarah te/vous passe le bonjour. / Sarah te/vous transmet son bon souvenir. / Sarah te/vous transmet toutes ses amitiés.**

Malcolm says "Hello".
> **Malcolm te/vous passe le bonjour.**

Please send him/her/them my regards.
> **Passe-lui/Passe-leur/Passez-lui/Passez-leur le bonjour de ma part. / Transmets-lui/Transmets-leur/Transmettez-lui/Transmettez-leur mon bon souvenir.**

A few notes and quotes on letter and email writing

Quelques notes et citations au sujet de l'écriture de lettres et de courriels

Sorry for the delayed reply. / Sorry for my delayed response. / Sorry for the delay in getting back to you.
> **Je m'excuse de ma réponse tardive. / Je m'excuse/Je suis désolé(e) de te/vous répondre si tard/seulement maintenant. / Je m'excuse/ Je suis désolé(e) d'avoir pris/mis tant de temps à te/vous répondre. / Désolé(e) de ma réponse tardive. / Désolé(e) de te/vous répondre aussi tard.** *(The last two phraseologies are more informal)*

Please find enclosed/attached...
> **Veuillez trouver ci-joint/ci-inclus/ci-annexé...**

The enclosed/attached notes are purely/simply for information purposes.
> **Les notes ci-jointes/ci-incluses/ci-annexées contiennent des renseignements.**

Common closing salutations

Formules de politesse pour conclure une lettre/un courrier/un courriel/etc.

(a) Yours sincerely – **Je vous prie d'agréer, Madame/Monsieur, l'expression de mes sentiments distingués / Cordialement**
> *(Pour les lecteurs francophones : Notez que « Yours sincerely » va de pair avec les lettres commençant par « Dear Mr/Mrs/Miss/Ms… ».)*

(b) Sincerely/Sincerely yours – **Cordialement / Sincères salutations / Bien à toi/vous**
> *(Pour les lecteurs francophones : Notez que « Sincerely » et « Sincerely yours » sont des salutations américaines)*

(c) Yours faithfully – **Veuillez agréer, Monsieur/Madame, mes salutations distinguées**
> *(Pour les lecteurs francophones : Notez que « Yours faithfully » va de pair avec les lettres formelles commençant par « Dear sir/madam / Dear Sir/Madam » et envoyées à quelqu'un dont on ne connaît pas le nom.)*

(d) Yours truly – **amicalement**
> *(Pour les lecteurs francophones : Notez que « Yours truly » est la salutation la plus familière ou personnelle au Royaume-Uni, alors qu'aux États-Unis, on l'utilise de la même manière que l'on utilise « Yours faithfully » au Royaume-Uni.)*

(e) Regards – **Bien cordialement**

(f) Kind regards/Best regards – **Bien à toi/vous**
 (Pour les lecteurs francophones : Ces deux salutations, en particulier la seconde, ne sont utilisées qu'avec des personnes que l'on connaît déjà et avec qui l'on a développé un minimum de relation)

(g) Best wishes – **Bien amicalement / Toutes mes amitiés**

Let's propose a toast to… /Let's raise our glasses to…
Portons un toast à… /Levons nos verres en l'honneur de/à la santé de…

Let's propose a toast to the newly-weds. / Let's raise our glasses to the newly-weds.
 Portons un toast aux jeunes mariés./Levons nos verres en l'honneur des/à la santé des jeunes mariés.

Let's propose a toast to Jean-Marc and Charlotte-Amalie.
 Portons un toast à Jean-Marc et Charlotte-Amalie.

Let's raise our glasses to Elise on her new appointment/post/position/job.
 Levons nos verres en l'honneur d'Elise/à la santé d'Elise pour sa nouvelle nomination/son nouveau poste/son nouveau travail/boulot.

The good life
La belle vie

What's the beautiful life/good life for you?
> Qu'est-ce que (c'est que) la belle vie pour/selon toi/vous ?

What is beauty to you? / What is beauty for you?
> Qu'est-ce que (c'est que) la beauté pour/selon toi/vous ?

the joys of life – les bonheurs de la vie/les joies de la vie/les plaisirs de la vie

the great joys of life – les grands bonheurs de la vie/les grandes joies de la vie/les grands plaisirs de la vie

I live/lead a very full life. / I have a very full life. / I have/lead a very busy life!
> Je mène une vie bien/très remplie. / J'ai une vie bien/très remplie.

For the party/At the party
Pour la fête/À la fête

We're going to celebrate our success.
> Nous allons célébrer/fêter notre réussite.

We're going to celebrate! / We're going to party!
> Nous allons faire la fête ! / On va faire la fête !

I invited him/her to the party.
> Je l'ai convié/conviée à la fête. / Je l'ai invité/invitée à la fête.

Another two friends came along.
> Deux autres ami(e)s sont venu(e)s.

Another three of his/her friends also came along.
> Trois autres de ses ami(e)s sont aussi venu(e)s. / Trois autres de ses ami(e)s sont venu(e)s aussi.

Come as you are. / Come dressed as you are.
> Viens comme tu es. / Venez comme vous êtes.

Please meet our special guests.
> Veuillez rencontrer nos invités/invitées d'honneur.

We are entertaining our guests.
> **Nous divertissons nos invités.**

You've got a good crowd here, eh?
> **Il y a pas mal de monde ici, hein ?**

informal (familier)

Birthplace
Le lieu de naissance ; le berceau

This is the birthplace of… /Here is the birthplace of…
> **C'est le lieu de naissance de… (quelqu'un) / C'est le berceau de… (quelque chose) / Voici le lieu de naissance de… (quelqu'un) / Voici le berceau de… (quelque chose)**

This is the town/city of birth of…
> **C'est la ville natale de…**

This is the country of birth of…
> **C'est le pays natal de…**

Childhood, youth, friendship, platonic relationships
L'enfance, la jeunesse, l'amitié, les relations platoniques

He was/She was a childhood friend.
> **C'était un ami/une amie d'enfance.**

He/She has been a friend of mine since my childhood.
> **Nous sommes ami(e)s depuis notre enfance.**

He's/She's a very old friend/a friend of longstanding.
> **C'est un ami/une amie de longue date.**

They know each other. / They know each other well.
> **Ils/Elles se connaissent. / Ils/Elles se connaissent bien.**

You have grown so much!
> **Tu as tant grandi !/ Tu as tellement grandi ! / Vous avez tant grandi ! / Vous avez tellement grandi !**

You have grown (up) so fast!
> **Tu as grandi si vite ! / Vous avez grandi si vite !**

We have a good friendship.
> **Nous sommes bons amis/bonnes amies.**

We keep a friendship going by telephone and email. / We maintain a friendship by telephone and email.
> **Nous entretenons/maintenons une relation amicale par téléphone et courriel/e-mail.**

a doctor friend of mine – **un ami médecin à moi/une amie médecin à moi**[71]

a lawyer friend of mine – **un ami avocat à moi/une amie avocate à moi**[71]

an old friend of mine – **un vieil ami à moi/une vieille amie à moi**[71]

my old friend – **mon vieil ami/ma vieille amie**

(To two or three people, e.g. friends)

Where and how did you two/three meet?
> **Où et comment vous êtes-vous/vous vous êtes rencontré(e)s ? / Où et comment vous êtes-vous/vous vous êtes rencontrés tous les deux/trois ? Où et comment vous êtes-vous/vous vous êtes rencontrées toutes les deux/trois ?**

(Note: Posing the question with "vous êtes-vous" is the formal method; with "vous vous êtes" is informal.)

Jade and Annabelle get on well with each other.
> **Jade et Annabelle s'entendent très bien.**

We get along.
> **Nous nous entendons (bien).**

We get along with each other.
> **Nous nous entendons (bien).**

I got on very well with them.
> **Je me suis très bien entendu(e) très bien avec eux/elles.**

---

71 This sentence structure is informal. The formal way of saying, for example, "A doctor friend of mine said…" would be: "J'ai un ami/une amie médecin qui a dit…"

There are nuances, however! For example, "C'est un ami à moi." is considered formal, whereas "Un ami à moi a dit…", or "C'est un ami à moi qui l'a dit" are considered less formal statements.

We understand each other.
> **Nous nous comprenons.**

I feel at ease with both of them/them both.
> **Je me sens à l'aise avec les deux/eux deux/elles deux.**

They're at ease with themselves.
> **Ils/Elles sont à l'aise dans leurs baskets.**   *informal (familier)*

Are you over eighteen (18) (years old/years of age)?
> **Es-tu majeur(e) ? / Êtes-vous majeur(e)(s) ? / Est-ce que tu es/vous êtes majeur(e)(s) ?**

Yes, I am over 18.
> **Oui, je suis majeur(e).**

French abbreviation or apocope for 'adolescent' – **un/une ado/des ados**
> *(apocope du mot 'adolescent')*

the under-eighteens (under-18s) – **les moins de dix-huit ans**

three- and four-year-olds – **les trois et quatre ans**

Family relationships/relations; related to someone
Les relations familiales ; être de la même famille que quelqu'un

I'm an only child.
> **Je suis enfant unique./Je suis fils unique./Je suis fille unique.**

I'm their only son/daughter.
> **Je suis leur seul fils/seule fille.**

We're twins.
> **Nous sommes jumeaux[72]/jumelles./ On est jumeaux/jumelles.**

I'm a twin./I have a twin brother/I have a twin sister.
> **J'ai un (frère) jumeau. / J'ai une (sœur) jumelle.**

I am first and foremost a husband and father.
> **Je suis avant tout un mari et un père.**

---

72 Jumeaux – male twins or one male, one female twin

  Jumelles – female twins

As a father, …
> **En tant que père, …**

I have a distant relative/cousin who…
> **J'ai un parent/cousin éloigné qui… / J'ai une parente/cousine éloignée qui…**

I got in touch/contact with her/him/them.
> **Je l'ai contacté(e). / Je les ai contacté(e)s.**

We have remained in contact for a long time.
> **Nous sommes restés/restées en contact (pendant) longtemps.**

They stayed in contact for a long time.
> **Ils/Elles sont restés/restées en contact (pendant) longtemps.**

Long after, he/she got in contact with me. / A long time after, he/she got in contact with me.
> **Longtemps après, il/elle a repris contact avec moi. / Longtemps après, il/elle m'a (re)contacté(e).**

Long after, they got back in contact with each other.
> **Longtemps après, ils/elles ont repris contact (l'un/une avec l'autre). / Longtemps après, ils/elles se sont (re)contacté(e)s.**

Do/Did you make/maintain any contact at all?
> **Êtes-vous en contact de quelque façon que ce soit ? / Est-ce que vous êtes en contact ?**

He/She is related to… (someone).
> **Il/Elle est de la même famille que… (quelqu'un).**

He/She is related to me by marriage.
> **Nous sommes parents/parentes par alliance.**

Fabienne is related, by marriage, to Laure.
> **Fabienne et Laure sont parentes par alliance.**

André is distantly related to the Royal family.
> **André a un lien de parenté éloigné avec la famille royale.**

Bernard and Claire are unrelated.
> **Bernard et Claire n'ont aucun lien de parenté.**

He inherited his aunt's house.
> **Il a hérité de la maison de sa tante.**
> *(Note: hériter de)*

In some families, the woman/wife wears the trousers!
Dans certaines familles, ce sont les femmes qui portent la culotte !

Hello, children.
Bonjour, les enfants.

Both parents know all about/are fully aware of the relationship between their teenage son/daughter and his/her classmate. / Both parents know all about/ are fully aware of the sexual relationship between their teenage son/daughter and his/her classmate.
Les parents sont tous les deux au courant de la relation entre leur fils adolescent/fille adolescente et sa/son camarade de classe. / Les parents sont tous les deux au courant des relations sexuelles entre leur fils adolescent/fille adolescente et sa/son camarade de classe.

I've just heard about it. / I've heard about it just now.
Je viens de l'apprendre./Je viens tout juste de l'apprendre.

Her brother is ten years older.
Son frère a dix ans de plus.

my great grandfather/grandmother – **mon arrière-grand-père/mon arrière-grand-mère**

my mother-in-law – **ma belle-mère**

my father-in-law – **mon beau-père**

my son-in-law / my daughter-in-law – **mon gendre/mon beau-fils / ma bru/ ma belle-fille**

my brother-in-law / my sister-in-law – **mon beau-frère / ma belle-soeur**

a loved one – **un être cher/un proche**

> *same format as: a human being – un être humain*

a single parent – **un parent célibataire**

a single mother – **une mère célibataire**

a single/lone parent family – **une famille monoparentale**

an adopted son/daughter – **un fils adoptif/une fille adoptive**

a godfather – **un parrain**

a godmother – **une marraine**

a stepmother/stepfather – **une belle-mère/un beau-père**
    (Same as for one's mother-in-law or father-in-law)

a stepbrother/stepsister – **un demi-frère/une demi-sœur**

stepson/stepdaughter/stepchildren – **un beau-fils/ une belle-fille/des beaux-enfants**

same as for son-in-law/ daughter-in-law

Personal questions
Des questions personnelles

Where are you from?
> **D'où viens-tu ? / D'où venez-vous ? / D'où est-ce que tu viens ? / D'où est-ce que vous venez ?**

Where are you from originally?
> **D'où viens-tu à l'origine ? / D'où venez-vous à l'origine ? / D'où est-ce que tu viens à l'origine ? / D'où est-ce que vous venez à l'origine ?**

I'm originally from London.
> **Je suis originaire de Londres.**

I'm a Londoner.
> **Je suis originaire de Londres. / Je suis londonien/londonienne.**

I grew up in London.
> **J'ai grandi à Londres.**

Whereabouts? / Whereabouts exactly?
> **À quel endroit exactement ? / Où exactement ?**

Whereabouts in England were you born?
> **À quel endroit en Angleterre es-tu né(e)/êtes-vous né(e)(s) ? / Où en Angleterre es-tu né(e)/êtes-vous né(e)(s) ?**

Where in France are you from?
> **D'où en France viens-tu ? / D'où en France venez-vous ? / D'où en France est-ce que tu viens ? / D'où en France est-ce que vous venez ?**

Whereabouts in France are you from?
> **De quel endroit en France viens-tu/venez-vous ?**

The Paris area.
> **(De) La région parisienne.**

I live in the sixteenth arrondissement of Paris.
> **J'habite dans le seizième arrondissement de Paris.**

It's/This is my adopted country/city.
> **C'est mon pays d'adoption. / C'est ma ville d'adoption.**

Whereabouts are you staying/will you be staying in Italy?
> **À quel endroit/Où exactement en Italie restes-tu/resteras-tu/ restez-vous/resterez-vous ? / À quel endroit/Où exactement en Italie séjournes-tu/séjourneras-tu/séjournez-vous/séjournerez- vous ?**

A lot of women dwell on whether to become a mother or not.
> **Beaucoup de femmes se demandent sans cesse si elles devraient ou non devenir maman/mère/si elles devraient devenir maman/mère ou non.**

What does a woman do when she finds herself all/completely/totally alone?
> **Que fait une femme lorsqu'elle se retrouve seule/complètement seule ?**

It's the most important lesson she (ever) learnt.
> **C'est la leçon la plus importante qu'elle ait (jamais) apprise.**

It's none of your business! / That's none of your business!

C'est (Ce n'est) pas ton/votre affaire / Ce ne sont pas tes/vos affaires !

It's none of his/her business!
> **C'est (Ce n'est) pas son affaire ! / Ce ne sont pas ses affaires !**

It's none of Gilbert's business!
> **C'est (Ce n'est) pas l'affaire de Gilbert! / Ce ne sont pas les affaires de Gilbert !**

It's none of your business what goes on in his/her private life! / It's none of your business what he/she does in his/her private life!
> **C'est (Ce n'est) pas ton/votre affaire ce qui se passe dans sa vie privée ! / C'est (Ce n'est) pas ton/votre affaire ce qu'il/qu'elle fait dans sa vie privée ! / Ce ne sont pas tes/vos affaires ce qu'il se passe dans sa vie privée ! / Ce ne sont pas tes/vos affaires ce qu'il/qu'elle fait dans sa vie privée !**

It's an invasion of their privacy.
> **C'est une atteinte à leur vie privée.**

It's an invasion of privacy.
> **C'est une atteinte à la vie privée.**

In my working life, …
> **Dans ma vie professionnelle, …**

In my domestic/home life, …
> **Dans ma vie de famille/vie familiale, …**

Getting to know oneself
Apprendre à se connaître

He/She has learnt about him/herself.
> **Il/Elle a appris à se connaître.**

They have both learnt about themselves.
> **Ils/Elles ont appris à se connaître.**

He/She advises on relationships. / He/She advises on matters of love/ intimacy.
> **Il/Elle donne des conseils amoureux. / Il/Elle donne des conseils en matière de relations amoureuses.**

There's a slight/subtle difference between lying and keeping quiet/remaining silent about something.
> **Il y a une nuance entre mentir et ne pas dire quelque chose/et taire quelque chose/se taire sur quelque chose.**

You mustn't be too hard on yourself.
> **Ne soit pas trop dur(e) avec toi-même. / Ne soyez pas trop dur(e)(s) avec vous-même(s).**

What are you afraid of? / What is he/she afraid of?
> **De quoi as-tu/avez-vous peur ? / De quoi a-t-il/a-t-elle peur ?**

What were you afraid of? / What were they afraid of ?
> **De quoi avais-tu/aviez-vous peur ? / De quoi avaient-ils/avaient-elles peur ?**

She's afraid of the dark.
> **Elle a peur du noir.**

She won't talk about it. / She doesn't talk about it. / She never talks about it.
> **Elle ne veut pas en parler. / Elle n'en parle pas. / Elle n'en parle jamais.**

Having grown up in the country, …
> **Ayant grandi à la campagne, …**

Undoubtedly/Without doubt/Without a doubt, you grew up/have grown up in a difficult/tough family environment.

Tu as/Vous avez indubitablement/sans aucun doute grandi dans un milieu/environnement familial très difficile/dur.

He comes from a big family.

Il vient d'une famille nombreuse.

Character
Le caractère

He's/She's self-confident.

Il a confiance en lui. / Elle a confiance en elle. / Il a de l'assurance. / Elle a de l'assurance. / Il est sûr de lui. / Elle est sûre d'elle.

I'm self-confident.

J'ai confiance en moi. / J'ai de l'assurance. / Je suis sûr(e) de moi.

He's/She's capable of making himself/herself heard.

Il/Elle est capable de faire entendre sa voix. / Il/Elle est capable de se faire entendre.

He's/She's very understanding.

Il est très compréhensif. / Elle est très compréhensive.

He's/She's bursting with energy/vitality/life!

Il/Elle déborde d'énergie/de vitalité !

He's/She's bright/lively/sharp(-witted)/keen!

Il est intelligent/vif ! / Il a l'esprit vif ! / Elle est intelligente/vive ! / Elle a l'esprit vif !

I don't allow myself to be side-tracked/distracted from my work by trivia.

Je ne laisse pas des futilités me distraire de mon travail.

He/She laughs at himself/herself!

Il rit de lui-même ! / Elle rit d'elle-même !

He/She is able to laugh at his/her life. / He/She is able to look back and laugh at things.

Il/Elle est capable de rire de son passé. / Il/Elle est capable de repenser à ce qui s'est passé et d'en rire.

He told me the whole story! / He told me his whole/entire life story!

Il m'a raconté toute l'histoire ! / Il m'a raconté toute sa vie !

He's/She's a real character!
C'est un phénomène/un sacré numéro/un drôle de numéro !

He's/She's one of a kind!
Il/Elle est unique en son genre !

He's/She's an unusual/odd character.
Il/Elle est un peu étrange.

He's/She's somewhat misunderstood, I'd say. It's perhaps because of that/for that reason that he/she is considered by some (people), let's just say, a little eccentric!
Il/Elle est un peu/quelque peu incompris/incomprise, je dirais. C'est peut-être pour cela/ça / à cause de cela/ça qu'il/elle est considéré/ considérée comme étant, va-t-on dire, un peu excentrique.

Watch out for him/her!
Fais/Faites attention à lui/elle !

I'm surprised you know him/her. / I'm surprised you don't know him/her.
Je suis surpris(e) que tu le/la connaisses. / Je suis surpris(e) que tu ne le/la connaisses pas.

He's/She's not your type.
Il/Elle/Ce n'est pas ton genre. / Il/Elle n'est/C'est (Ce n'est) pas ton style.

more recent and informal (plus récent et familier)

You're not his/her type.
Tu n'es pas son genre. / Tu n'es pas son style.

You (always) wear your heart on your sleeve.
Tu as (toujours) le cœur sur la main. / Vous avez (toujours) le cœur sur la main.

He/She acts on impulse.
Il/Elle agit par impulsion.

He/She acts/reacts on instinct.
Il/Elle agit/réagit d'instinct.

He/She acts/acted a lot on impulse/instinct.
Il/Elle agit beaucoup par impulsion/d'instinct. / Il/Elle a beaucoup agi par impulsion/d'instinct.

I find him/her fickle/capricious: he's/she's given to[73] sudden changes of mind/opinion/loyalty.

> **Je le/la trouve versatile ; il/elle tendance à changer d'avis/à retourner sa veste.**

You're a good listener!

> **Tu sais écouter ! / Vous savez écouter !**

You always listen.

> **Tu es toujours à l'écoute. / Vous êtes toujours à l'écoute.**

He's/She's living proof that…

> **Il est la preuve vivante que… +** *indic.***/Elle est la preuve vivante que… +** *indic.*

They're unfriendly/cold/frosty people.

> **Ce sont des gens peu amicaux. / Ce sont des gens distants/froids/glaciaux.**

They're open-minded.

> **Ils/Elles ont l'esprit ouvert. / Ils/Elles sont ouverts/ouvertes d'esprit.**

Behind the smiling face is a sharp mind.

> **Derrière le visage souriant se cache un esprit vif.**

His/Her smiling face conceals a serious mind.

> **Son visage souriant cache un esprit sérieux.**

Behind his/her calm exterior is some anxiety. / His/Her calm exterior belies some anxiety.

> **Derrière son calme extérieur/son extérieur calme se cache de l'angoisse/l'anxiété. / Son calme extérieur/extérieur calme dément de l'angoisse/l'anxiété.**

You're a worrier.

> **Tu es un anxieux. / Tu es une anxieuse. / Vous êtes un anxieux. / Vous êtes une anxieuse.**

He comes across as a little misogynistic.

> **Il semble un peu misogyne. / Il donne l'impression d'être un peu misogyne.**

---

73 Pour les lecteurs francophones :

L'expression anglaise « given to » (littéralement « donné(e)(s) à ») est une expression figurée et a la même signification que « has a tendency to » ou « has a propensity to do something/has a propensity for/toward doing something ». Toutes ces expressions se traduisent par « avoir tendance à faire quelque chose ».

He's/She's only happy when he/she has an adversary/enemy to confront.
> **Il/Elle n'est content/contente que lorsqu'il/lorsqu'elle a un adversaire à affronter.**

He's/She's never happy unless/except when he/she has an enemy/adversary to confront.
> **Il/Elle n'est jamais content/contente sauf quand il/elle a un adversaire à affronter.**

He's/She's very blunt. / He/She doesn't mince his/her words.
> **Il/Elle est très direct/directe/franc/franche/brusque. / Il/Elle ne mâche pas ses mots.**

He/She has high standards/is very demanding.
> **Il/Elle est très exigeant/exigeante.**

They have very high moral standards.
> **Ils/Elles ont des standards moraux très élevés.**

He/She takes himself/herself very seriously.
> **Il/Elle se prend très au sérieux.**

I'm optimistic by nature. / I'm naturally optimistic.
> **Je suis de nature optimiste./Je suis naturellement optimiste.**

She is by nature tidy.
> **Elle est de nature ordonnée.**

They're by nature untidy.
> **Ils/Elles sont de nature désordonnés/désordonnées.**

He's naturally cautious.
> **Il est naturellement prudent.**

This skill/behaviour comes to him/her naturally. / This skill/behaviour is second-nature (to him/her).
> **Cette habileté/compétence/Ce comportement lui vient naturellement.**

She takes after her father.
> **Elle tient de son père.**

They tried to do everything they could to please their parents.
> **Ils/Elles ont essayé de faire tout leur possible pour plaire à leurs parents.**

She feels unable to forgive herself (even) after all these years. / She doesn't feel able to forgive herself (even) after all these years.

> **Elle se sent incapable de se pardonner (même) après toutes ces années./Elle ne se sent pas capable de se pardonner (même) après toutes ces années.**

You're being a little unfair to/on Robert.

> **Tu es/Vous êtes un peu injuste(s) envers Robert.**

I think you're being a little unfair on them.

> **Je pense que tu es/vous êtes un peu injuste(s) envers eux.**

You're being a little unfair on/to yourself/yourselves: there's nothing wrong with saying…

> **Tu es/Vous êtes un peu injuste(s) envers toi-même/vous-même(s) : il n'y a pas de mal à dire…**

You're being a little unfair on her to say that…/to characterise her in this way/ like that.

> **Tu es/Vous êtes un peu injuste(s) envers elle de dire que…** + *indic.* **/ C'est un peu injuste de ta/votre part de la décrire ainsi.**

You have impugned/tarnished/damaged his/her reputation.

> **Tu as/Vous avez sali/terni sa réputation.**

He's/She's getting on with his/her life.

> **Il/Elle fait son chemin. / Il/Elle réussit dans la vie.**

They like things out of the ordinary.

> **Ils/Elles aiment les choses insolites/qui sortent de l'ordinaire.**

Remembering, missing and being important to people; trust; sentimentality

Se souvenir, manquer, importer aux gens ; la confiance ;
la sentimentalité

I remember you.
Je me souviens de toi/vous.

That song has remained with me ever since.
Cette chanson ne m'a pas quitté(e) depuis.

That's a photo of him/her as he/she was back in the nineteen-fifties.
**C'est une photo de lui tel qu'il était dans les années cinquante/
mille neuf cent cinquante. / C'est une photo d'elle telle qu'elle était
dans les années cinquante/mille neuf cent cinquante.**

To miss someone is articulated in French in the reverse of how it is said in English
and can be confusing at first:

I miss you.
Tu me manques. / Vous me manquez.

You have no idea of…
**Tu n'as pas la moindre idée de… / Vous n'avez pas la moindre idée
de…**

e.g.
You have no idea (of) how much I (have) missed you!
**Tu n'as pas la moindre idée de combien/à quel point tu m'as
manqué ! / Vous n'avez pas la moindre idée de combien/à quel
point vous m'avez manqué !**

I miss them. / We miss them.
Ils/Elles me manquent. / Ils/Elles nous manquent.

They miss you.
Tu leur manques. / Vous leur manquez.

He/She missed us.
Nous lui avons manqué. / On lui a manqué.

We missed him/her/them.
Il/Elle nous a manqué. / Ils/Elles nous ont manqué.

I want you to come back.
J'ai envie que tu reviennes/vous reveniez.

You are important to me.
> **Tu es important(e) à mes yeux. / Tu comptes pour moi. / Vous êtes important(e)(s) à mes yeux. / Vous comptez pour moi.**

You're all important to me.
> **Vous êtes tous/toutes importants/importantes à mes yeux. / Vous comptez tous/toutes pour moi.**

She's important to me. / He's important to me.
> **Elle est importante à mes yeux. / Elle compte pour moi. / Il est important à mes yeux. / Il compte pour moi.**

We're important to each other.
> **Nous comptons les uns/unes pour les autres.**

They're important to me.
> **Ils sont importants à mes yeux. / Ils comptent à mes yeux. / Elles sont importantes à mes yeux. / Elles comptent à mes yeux.**

Stop taking me for granted.
> **Arrête/Arrêtez de faire comme si je n'existais pas. / Arrête/Arrêtez de te/vous moquer de tout ce que je fais.**

Trust me!
> **Fais-moi confiance ! / Faites-moi confiance !**

Trust yourself.
> **Aie confiance en toi. / Ayez confiance en vous.**

Tommy confided his anxieties in me. / Tommy disclosed to me his anxieties.
> **Tommy m'a confié ses angoisses/inquiétudes. / Tommy m'a révélé ses angoisses/inquiétudes.**

He/She trusts me/you/us/you/them.
> **Il/Elle me/te/nous/vous/leur fait confiance.**

I don't trust you.
> **Je n'ai pas confiance en toi/vous.**

They don't trust him/her.
> **Ils/Elles n'ont pas confiance en lui/elle.**

Don't trust him/her! / Watch him/her! / Be careful of him/her!/
> **Méfie-toi/Méfiez-vous de lui/d'elle !**

He's a man of his word.
> **C'est un homme de parole.**

We have faith in them, whatever they do.
> **Nous leur faisons confiance, quoi qu'ils/elles fassent.**

We support them/We're behind them, whatever others may say.
> **Ils/Elles ont notre soutien, quoi que/qu'en puissent dire les autres. /
> Nous les soutenons, quoi que/qu'en puissent dire les autres.**

Let's hear what they have to say, whatever they may have done.
> **Écoutons ce qu'ils/elles ont à dire, quoi qu'ils/elles puissent avoir
> fait.**

Emotion, quarrels and reconciliation
Émotion, disputes et réconciliation

*[This section is divided into parts (a) to (g)/Cette section est divisée en différentes
parties de a à g]*

■ (a) Reading emotion
Interpréter des émotions

I can tell from your face that you're anxious/nervous.
> **Je vois à ton visage que tu t'inquiètes/tu es anxieux/anxieuse/
> nerveux/nerveuse. / Je vois à votre visage que vous vous inquiétez/
> vous êtes anxieux/anxieuse/nerveux/nerveuse.**

I can tell by/from the look on your face that you're afraid/angry. / I can tell,
going by the look on your face, that you're afraid/angry.
> **Je vois à l'expression de ton visage que tu as peur/tu es en colère/
> tu es énervé(e). / Je vois à l'expression de votre visage que vous avez
> peur/vous êtes en colère/vous êtes énervé(e).**

I can tell by the look in your eye that you're sceptical.
> **Je vois à l'expression dans tes yeux que tu es sceptique/méfiant(e)/
> tu as des doutes. / Je vois à l'expression dans vos yeux que vous êtes
> sceptique/méfiant(e)/vous avez des doutes.**

I can tell by the look in your eye that you're suspicious.
> **Je vois à l'expression dans tes yeux que tu as des soupçons. / Je vois
> à l'expression dans vos yeux que vous avez des soupçons.**

His/Her joy is written all over his/her face! / His/Her joy is written all over him/
her!
> **Sa joie se traduit sur son visage ! / Sa joie se traduit sur son corps ! /
> Sa joie se traduit par son comportement ! Il/Elle respire la joie !**
> *(The third sentence in French is more commonly heard than the second.
> The fourth is an even more commonly used expression.)*

I feel you're so tense when you speak sometimes/at times. I sense a certain degree of unease/uneasiness and embarrassment in your voice.

> **Je te/vous sens tellement tendu(e)/tendu(e)(s) quand tu parles/vous parlez parfois. Je sens un certain degré de malaise et d'embarras dans ta/votre voix.**

He/She is affected/afflicted by a kind of sadness.

> **Il/Elle est affectée par une sorte/un genre de tristesse.**

■ **(b) Describing emotions/feelings; moods – happiness/joy, sadness, anger, etc.**

> Décrire des émotions/sentiments ; des humeurs – le bonheur/la joie, la tristesse, la colère, etc.

What are your personal feelings?

> **Quels sont tes/vos sentiments personnels ?**

How's he/she feeling?

> **Comment se sent-il/se sent-elle ?**

What are your feelings towards… (someone)?

> **Quels sont tes/vos sentiments envers… (quelqu'un) ?**

I don't like him/her.

> **Je ne l'aime pas.**

I didn't like him/her until then/up until then/until that moment.

> **Je ne l'aimais pas jusqu'alors/jusqu'à ce moment-là.**

What are your feelings about… (something, an announcement, a past or future event)?

> **Que ressens-tu/ressentez-vous à propos de… (quelque chose, une annonce, un évènement passé ou futur) ? / Quels sont tes/ vos sentiments à l'égard de… (quelque chose, une annonce, un évènement passé ou futur) ?**

I'm trying to find the right words to describe how I feel.

> **J'essaie de trouver les mots justes pour décrire comment je me sens. / J'essaie de trouver les bons mots pour décrire ce que je ressens.**

I almost feel like… (doing something).

> **J'ai presque envie de… (faire quelque chose).**

I almost feel as though…

> **Je me sens presque comme si…**

There are not enough words to express my happiness!
> Il n'y a pas assez de mots pour exprimer mon bonheur !

I'm lost for words! / I'm speechless!
> J'en reste bouche bée ! / Je ne sais quoi dire ! / J'en reste sans voix ! / J'en reste interdit(e) !

Does he/she/it/that make you happy?
> Il/Elle/Cela/Ça te/vous rend heureux/heureuse ?

Do you make him/her happy?
> Le rends-tu/rendez-vous heureux ? / La rends-tu/rendez-vous heureuse ? / Est-ce que tu le rends/vous le rendez heureux ? / Est-ce que tu la rends/vous la rendez heureuse ?

Does it/that make you sad?
> Cela t'attriste[74]-t-il ? / Cela vous attriste-t-il ? / Est-ce que cela/ça te/vous rend triste(s) ?

Does it/that make you angry?
> Cela t'énerve-t-il ? / Cela vous énerve-t-il ? / Est-ce que cela/ça t'énerve/vous énerve ?

Yes, it makes me sad/angry.
> Oui, cela/ça m'attriste. / Oui, cela/ça me rend triste. / Oui, cela/ça m'énerve.

He didn't take me seriously.
> Il ne m'a pas pris/prise au sérieux.

He started laughing. / He started to laugh.
> Il s'est mis à rire.

We burst out laughing.
> Nous avons éclaté de rire.

When he said that, there was an enormous/huge eruption of laughter!
> Lorsqu'il a dit cela/ça, il y a eu une énorme éruption d'hilarité !

As soon as she said that, everyone burst out laughing/everyone laughed!
> Dès qu'elle a dit cela/ça, tout le monde a éclaté de rire/tout le monde a ri !

---

74 'Désoler quelqu'un', e.g. "Cela/Ça me désole." ("That upsets me."), would convey a stronger feeling of upset equivalent to 'bouleverser'.

I don't want you to leave.

> **Je ne veux pas que tu partes/vous partiez.** *(subj.)*

I don't want you to go. If you go, I'll be devastated.

> **Je ne veux pas que tu t'en ailles/vous vous en alliez.** *(subj.)* **Si tu t'en vas/vous vous en allez, je serai dévasté(e).**

[Also see "I want you to come back", p.596, under 'Remembering, missing and being important to people, etc.']

■ **(c) Arguments/Disputes/Rows**
  Des disputes/Des querelles

They had a big row.

> **Ils/Elles se sont sérieusement disputé(e)s.**

They started shouting (at each other).

> **Ils se sont mis à crier (l'un contre l'autre). / Elles se sont mises à crier (l'une contre l'autre).**

What are you talking about?

> **De quoi parles-tu ? / De quoi parlez-vous ? / De quoi est-ce que tu parles ? / De quoi est-ce que vous parlez ?**

Have you completely lost your mind?! / Are you completely off your head?!

> **As-tu complètement perdu l'esprit/la tête/la raison ?! / Avez-vous complètement perdu l'esprit/la tête/la raison ?! / Est-ce que tu as complètement perdu l'esprit/la tête/la raison ?! / Est-ce que vous avez complètement perdu l'esprit/la tête/la raison ?!**

What do you take me for?! A fool?

> **Pour quoi me prends-tu ?! Un(e) imbécile/Un idiot/Une idiote ? / Pour quoi me prenez-vous ?! Un(e) imbécile/Un idiot/Une idiote ? / Pour quoi est-ce que tu me prends/vous me prenez ?! Un(e) imbécile/Un idiot/Une idiote ?**

You don't know what you're talking about! / I don't know what you're talking about!

> **Tu ne sais pas de quoi tu parles ! / Vous ne savez pas de quoi vous parlez ! / Je ne sais pas de quoi tu parles/vous parlez !**

You're talking rubbish! / You talk rubbish! / You're talking nonsense! / You talk nonsense! / You're talking stuff and nonsense!

> **Tu racontes/Vous racontez n'importe quoi ! / Tu dis/Vous dites n'importe quoi ! / Tu dis/Vous dites des bêtises/sottises !**

You don't give a damn about how I feel! / You can't be bothered to find out how I feel!

> Tu te fous totalement/complètement de ce que je ressens ! / Vous vous foutez totalement/complètement de ce que je ressens ! / Tu n'en as/Vous n'en avez absolument rien à faire de ce que je ressens !

He had the nastiness to say…

> Il a eu la méchanceté de dire…

That was a (really) nasty thing to say/to have said.

> C'était (vraiment) méchant de dire cela/ça.

He/She is very hurt by these/his/her remarks.

> Ces/Ses remarques l'ont vraiment blessé(e).

He has dragged her name through the mud. / She has dragged his name through the mud.

> Il l'a traînée dans la boue./Elle l'a traîné dans la boue./Il l'a couverte de boue./Elle l'a couvert de boue.

He continues to make a lot of racket/noise. / He continues to kick up/make a lot of fuss.

> Il continue à faire beaucoup de bruit. / Il continue de faire tout un tas d'histoires. / Il continue d'en faire tout un plat/foin/fromage/ pataquès.

That angered him/her.

> Cela/Ça l'a énervé(e). / Cela/Ça l'a mis(e) en colère.

He was crimson/purple/incandescent with rage.

> Il était vert de rage.

He/She got into a silent rage.

> Sa colère a évolué en une colère sourde. (Literally, a dull rage.)

The anger he/she felt was immense.

> La colère qu'il/elle ressentait était immense. / La colère qu'il/elle a ressentie était immense.

He/She stormed out.

> Il est parti/sorti furieux./Elle est partie/sortie furieuse.

How can you say such a thing/such things?!

> Comment peux-tu/pouvez-vous dire une chose pareille/des choses pareilles ?!

How dare you say such a thing?!
> **Comment oses-tu/osez-vous dire une chose pareille ?!**

It was said in the heat of the moment.
> **Cela/Ça a été dit dans le feu de l'action. / Cela/Ça a été dit dans le feu de la discussion.**

He's a fool/imbecile! I'm convinced of it/persuaded of that./!
> **C'est un idiot/imbécile ! J'en suis convaincu(e)/persuadé(e)./!**

She started crying.
> **Elle s'est mise à pleurer.**

She shed a lot of tears.
> **Elle a versé beaucoup de larmes.**

He/She hurled insults at me/him/her/them.
> **Il/Elle m'a/lui a/leur a lancé des insultes/invectives.**

(The) insults turned to threats. / (The) insults culminated in threats.
> **Les insultes se sont transformées en menaces. / Les insultes sont devenues des menaces.**

She left the area/place in tears.
> **Elle a quitté les lieux en larmes/pleurs.**

She dried her eyes.
> **Elle s'est séché les yeux.**

She doesn't want to talk about it.
> **Elle ne veut pas en parler.**

He doesn't wish to talk about it any more.
> **Il ne souhaite plus en parler. / Il ne veut plus en parler.**

They had preconceived ideas about each other for a start/to start with/in the first place.
> **Ils/Elles avaient des idées préconçues l'un/une sur l'autre en premier lieu.**

■ **(d) Reconciliation**
> La réconciliation

Nothing is irretrievable/irreparable.
> **Rien n'est irrécupérable/irréparable.**

They apologised to each other.
> **Ils se sont excusés. / Elles se sont excusées. / Ils/Elles se sont présenté leurs excuses.**

They made up.
> **Ils/Elles se sont réconciliés/réconciliées.**

They kissed and made up./!
> **Ils/Elles ont fait la paix./! / Ils/Elles se sont réconciliés/réconciliées./!**

■ **(e) Anxiety and fear; anguish**
L'anxiété et la peur ; l'angoisse

Does that frighten you?
> **Cela t'effraie-t-il ? / Cela vous effraie-t-il ? / Cela te/vous fait-il peur ? / Est-ce que cela/ça t'effraie/vous effraie ? / Est-ce que cela te/vous fait peur ?**

He's/She's afraid of losing you. / He's/She's afraid he'll/she'll lose you.
> **Il/Elle a peur de te/vous perdre.**

He's/She's afraid of losing him/her. / He's/She's afraid he'll/she'll lose him/her.
> **Il/Elle a peur de le/la perdre.**

He's/She's afraid you'll leave.
> **Il/Elle a peur que tu partes/vous partiez. /**
> **Il/Elle craint que tu (ne) partes/vous (ne) partiez.**   Le 'ne' explétif

He's/She's afraid he'll/she'll leave.
> **Il/Elle a peur qu'il/qu'elle parte. / Il/Elle craint qu'il/qu'elle (ne) parte.**

He/She was tense and nervous.
> **Il était tendu et nerveux./Elle était tendue et nerveuse.**

He/She was certainly tense. / The atmosphere was certainly tense./It was certainly a tense atmosphere.
> **Il/Elle était assurément tendu/tendue. / L'atmosphère était assurément tendue.**

She was trembling with fear.
> **Elle tremblait de peur.**

I got frightened/scared.
> **J'ai pris peur. / J'ai eu peur.**

What state of mind is he/she in?
> **Dans quel état d'esprit est-il/est-elle ?**

He's/She's in a state of fear.
> **Il/Elle a peur. / Il/Elle est effrayé(e).**

■ (f) Grudges, lies, insecurity
Rancunes, mensonges, manque d'assurance/de confiance en soi

I have a grudge against you. / I've got a grudge against you.
> **Je t'en veux. / Je vous en veux.**

You're lying; you've been lying all along.
> **Tu mens ; tu mens depuis le début. / Vous mentez ; vous mentez depuis le début.**

He's/She's got something against him/her.
> **Il/Elle lui en veut.**

She feels insecure.
> **Elle se sent mal dans sa peau./Elle est mal dans sa peau. / Elle est peu sûre d'elle./Elle n'est pas sûre d'elle. / Elle manque d'assurance.**

It's you who is insecure. That's understandable because, as you said earlier/ as you told me earlier, you feel misled by this man.
> **C'est toi qui manques de confiance en toi/d'assurance./C'est toi qui es mal dans ta peau. C'est compréhensible car, comme tu (l')as dit tout à l'heure/comme tu m'as dit tout à l'heure, tu as l'impression que cet homme te mène en bateau. / C'est vous qui manquez de confiance en vous/qui manquez d'assurance./C'est vous qui êtes mal dans votre peau. C'est compréhensible car, comme vous (l') avez dit tout à l'heure/comme vous m'avez dit tout à l'heure, vous avez l'impression que cet homme vous mène en bateau.**

That reveals her state of mind.
> **Cela/Ça révèle son état d'esprit.**

■ (g) Compassion for others
La compassion pour les autres

I feel sorry for her.
> **Je la plains./Elle me fait pitié./J'ai pitié d'elle./J'ai de la peine pour elle.**

I felt sorry for him/her.
> **Je le/la plaignais. / Il/Elle me faisait pitié./J'avais pitié de lui/d'elle./ J'avais de la peine pour lui/elle.**

I'm extremely/terribly sorry that…/I'm extremely/terribly sorry to see that…

Je suis terriblement désolé(e) que… + *subj.* / Je suis terriblement désolé(e) de voir que… + *indic.*

He's/She's not feeling quite himself/herself at the moment.
Il/Elle n'est pas vraiment en forme en ce moment. / Il/Elle n'est pas vraiment dans son assiette en ce moment.

informal (familier)

We (all) felt a bit sad *(for him/her)*.
Nous étions (tous/toutes) un peu tristes (pour lui/elle).

We were moved to tears.
Nous étions ému(e)s aux larmes.

I felt the need to give him/her a cuddle.
J'ai éprouvé/ressenti le besoin de lui faire un câlin.

Even though after only a week it is normal that she should still have/harbour hard feelings/ill-feeling towards him, she has calmed down considerably.
Bien qu'après seulement une semaine il soit normal qu'elle éprouve du ressentiment/de la rancune/rancœur envers lui, elle s'est considérablement/nettement calmée.

I felt obliged to say something. / I felt obliged to say…
Je me suis senti(e) obligé(e) de dire quelque chose./Je me suis senti(e) obligé(e) de dire…

They are kind/nice/friendly to him/her/us.
Ils/Elles sont sympas (sympathiques)/aimables/gentils/gentilles avec lui/elle/nous.

We couldn't have been nicer/kinder/more generous to him/her.
Nous étions on ne peut plus gentils/gentilles/aimables/généreux/généreuses avec lui/elle.

The door remains open for him/her to come back/to return.
La porte reste ouverte s'il/si elle veut revenir.

What do you have against Miles?
Qu'est-ce que tu as contre Miles ? / Qu'est-ce que vous avez contre Miles ?

I have nothing against Miles./!
> **Je n'ai rien contre Miles./!**

Is there any common ground between you two at all?
> **Existe-t-il un quelconque terrain d'entente entre vous (deux) ? / Est-ce qu'il existe un quelconque terrain d'entente entre vous (deux) ?**

Do you agree on anything?! / Is there anything you agree on?!
> **Existe-t-il ne serait-ce qu'une chose sur laquelle vous êtes d'accord ?! / Est-ce qu'il existe ne serait-ce qu'une chose sur laquelle vous êtes d'accord ?!**

Is there nothing you agree on?!
> **N'y a-t-il pas une chose sur laquelle vous êtes d'accord ?!**

Do you ever agree on anything?!
> **N'êtes-vous jamais d'accord ?!**

Cheer up!
Courage !

He's/She's not happy with his/her lot.
> **Il/Elle n'est pas satisfait(e)/heureux/heureuse de son sort.**

He's/She's feeling sorry for himself/herself.
> **Il/Elle s'apitoie sur son sort.**

It's important to make him/her/them understand that there is still hope/that he/she/they mustn't despair/lose hope.
> **Il faut lui/leur faire comprendre qu'il ne faut pas désespérer/perdre espoir.**

Don't worry about him/her/them.
> **Ne te soucie pas de lui/d'elle/d'eux./Ne vous souciez pas de lui/d'elle/d'eux. / Ne t'inquiète/vous inquiétez pas pour lui/elle/eux.**

He/She soon saw the funny side.
> **Il/Elle a bientôt/vite vu le côté amusant.**

She started to smile. / She started smiling.
> **Elle s'est mise à sourire.**

That really cheered him/her up.
> **Cela/Ça lui a vraiment remonté le moral.**

To be in denial about something
Se voiler la face à propos de quelque chose[75]

You're in total denial./You're totally in denial. / He/She is in total denial./He/She is totally in denial.
> **Tu te voiles/Vous vous voilez la face. / Il/Elle se voile la face.**

Person 1: He's/She's in denial about what?
> *Personne 1 :* **Qu'est-ce qui ne va pas ?**

Person 2: He's/She's in denial about…
> *Personne 2 :* **Il/Elle se voile la face à propos de…**

He/She is still in denial.
> **Il/Elle se voile toujours la face.**

The denial of the reality is the reason for the ongoing problem.
> **La négation de la réalité est la cause du problème actuel.**

Tough love: Being both tender and firm
'L'amour vache' *('Nasty love')* : Être à la fois tendre et ferme

You need to do more to help yourself.
> **Tu dois (en) faire plus pour t'aider. / Vous devez (en) faire plus pour vous aider.**

He/She needs to do more to help himself/herself.
> **Il/Elle doit (en) faire plus pour s'aider.**

What are you going to do with yourself?
> **Que vas-tu faire de ta vie ? / Qu'allez-vous faire de votre vie ? / Qu'est-ce que tu vas faire de ta vie ? / Qu'est-ce que vous allez faire de votre vie ?**

The fact that you don't want to do it is sad. / It's a pity that you don't want to do it.
> **C'est triste que tu ne veuilles/vous ne vouliez pas le faire. / C'est dommage que tu ne veuilles/vous ne vouliez pas le faire. ('C'est triste que' / 'C'est dommage que'…** + *subj.)*

---

75 'Être dans le déni de quelque chose' is a legal term and so is not appropriate here.

It/That saddens me.
>   Cela/Ça m'attriste.

I sympathise with him/her. I feel his/her pain: I (have) felt like that at times.
>   Je compatis/sympathise avec lui/elle. Je ressens sa douleur : il m'est
>   arrivé de me sentir ainsi/comme cela/ça.

I can relate to that./I can relate to that too.
>   Je comprends./Je comprends aussi.

Me too. I have felt like that many times in my own job, but, unlike him/her, I
didn't give up/I have never given up.
>   Moi aussi. Je me suis senti(e) ainsi/comme cela/ça maintes fois/à
>   maintes occasions dans mon propre travail, mais, à la différence
>   de lui/d'elle/contrairement à lui/elle, je n'ai pas abandonné/je n'ai
>   jamais abandonné.

He/She didn't want to see/hear reason.
>   Il/Elle n'a pas voulu / Il/Elle ne voulait pas entendre raison.

I couldn't get him/her to see sense.
>   Je ne pouvais pas lui faire entendre raison.

I couldn't bring him/her to his/her senses.
>   Je ne pouvais pas le/la ramener à la raison. / Je n'arrivais pas à le/la
>   ramener à la raison.

I couldn't talk him/her out of (doing) it.
>   Je n'ai pas réussi/Je ne suis pas parvenu(e) à le/la dissuader de le
>   faire.

Why be so stubborn (about this)?
>   Pourquoi s'obstiner ?

That bothers/annoys me.
>   Cela/Ça me dérange./Cela/Ça m'importune./Cela/Ça m'ennuie./
>   Cela/Ça me gêne./Cela/Ça m'agace./Cela/Ça me contrarie.

He annoyed/bothered her.
>   Il l'a dérangée/importunée/ennuyée/agacée.

I made him/her/them see reason/sense.
>   Je lui/leur ai fait entendre raison.

I managed to talk him/her round.
>   J'ai réussi/Je suis parvenu(e) à le/la convaincre.

*idiomatic English
(expression idiomatique
anglaise)*

I brought them to their senses.
>   Je les ai ramenés/ramenées à la raison.

Outrage on somebody else's behalf/Outrage on behalf of somebody else
Être indigné pour quelqu'un d'autre

Do people think you're silly/stupid?! / Do people take you for a fool?!
> **Les gens pensent que tu es idiot/idiote/stupide ?! / Les gens te prennent pour un idiot/une idiote/un imbécile/une imbécile ?! / Les gens pensent que vous êtes idiot/idiote/stupide ?! / Les gens vous prennent pour un idiot/une idiote/un imbécile/une imbécile ?!**

[Also see 'What do you take me for?!' earlier in this chapter, under 'Emotion, quarrels and reconciliation, part (c)']

Do people think you're mad/crazy?!
> **Les gens pensent que tu es fou/folle ?! / Les gens pensent que vous êtes fou(s)/folle(s) ?!**
> *(À noter, d'une manière générale, « mad » signifie « fou » en anglais britannique, alors qu'en anglais américain, « mad » est synonyme de « angry » − « fâché » / « en colère ».)*

What does he/she take you for?! / What do they take you for?! / What do people take you for?!
> **Pour quoi te/vous prend-il/prend-elle ?! / Pour quoi te/vous prennent-ils/prennent-elles ?! / Pour quoi te prennent les gens ?!**

At the top of one's voice
À tue-tête / À pleins poumons

I shouted to him at the top of my voice.
> **Je lui ai crié à tue-tête. / Je lui ai crié à pleins poumons. / Je lui ai crié de tous mes poumons**

We started singing at the top of our voices.
> **Nous nous sommes mis(es) à chanter à tue-tête. / Nous nous sommes mis(es) à chanter à gorge déployée/à pleine gorge.**

Tragedy and bereavement/loss
La tragédie et le deuil/la perte

As a result of a road traffic accident three adolescents, unfortunately, lost their lives.
> **À cause d'un accident de la route, trois adolescents/adolescentes ont, malheureusement, perdu la vie/trouvé la mort.**

People are still in shock.
> **Les gens sont toujours sous le choc.**

We're still floored by what happened last week.
> **Nous sommes toujours dérouté(e)s/abasourdi(e)s par ce qui s'est passé la semaine dernière.**

Their parents consoled themselves with the thought that…
> **Leurs parents se sont consolés en se disant que…** + *indic.*

Physical descriptions
Des descriptions physiques

A man/woman with brown eyes.
> **Un homme/Une femme aux yeux marron.**

A man/woman with blond hair and blue eyes.
> **Un homme/Une femme aux cheveux blonds et yeux bleus.**

A man/woman with a Roman nose.
> **Un homme/Une femme au nez aquilin/en bec d'aigle.**
> ('eagle beak')

A man/woman with a Spanish/Russian/Irish accent.
> **Un homme/Une femme à l'accent espagnol/russe/irlandais.**

I met a fascinating man/woman the other day but, alas! his/her name escapes me!
> **J'ai rencontré un homme/femme fascinant/fascinante l'autre jour, mais, hélas, son nom m'échappe !**

Chapter 14: Domestic and day to day
Chapitre 14 : La vie de famille et la vie quotidienne

Shopping
Les achats

We did some shopping.
> **On a/Nous avons fait des achats/courses/emplettes.**

I bought the chair at half-price.
> **J'ai acheté la chaise à moitié prix.**

I bought myself a nice/beautiful hat.
> **Je me suis acheté un beau chapeau.**

I bought these at quite a reasonable price. / I bought these at a perfectly reasonable price.
> **Je les ai acheté(e)s à un prix (tout à fait) convenable/correct.**

How much did they cost?
> **Combien ont-ils/elles coûté ?**

(They cost) Twelve euros each.
> **(Ils ont coûté) Douze euros chacun. / (Elles ont coûté) Douze euros chacune.**

How much do these (ones) cost?
> **Combien coûtent-ils ? / Combien coûtent-elles ?**

I paid out of my own pocket, in cash!
> **J'ai payé de ma poche, en espèces ! / J'ai payé de ma poche, en liquide !**

Would you like to pay in cash? / You want to pay in cash?
> **Veux-tu/voulez-vous payer en espèces ? / Tu veux/Vous voulez payer en espèces ?**

We spent more than a hundred euros yesterday.
> **J'ai dépensé plus de cent euros hier.**

Sunday opening of shops – **l'ouverture dominicale des magasins**

Valuation, buying and selling; buyer beware
Estimation, acheter, vendre ; acheteurs/acheteuses faites attention

How much is... worth?
> **Combien vaut... ?**

e.g.
How much is that car/boat/house worth?
> **Combien vaut cette voiture/ce bateau/cette maison ?**

How much is it worth?
> **Combien est-ce que cela/ça/qu'il/qu'elle vaut ?**

I reckon/estimate it's worth about thirty pounds.
> **J'estime que cela/ça/qu'il/qu'elle doit valoir environ trente livres sterling.**

Is it worth buying (it)?
> **Cela vaut-il la peine de l'acheter ? / Est-ce que cela/ça vaut la peine de l'acheter ?**

The quality of this one is clearly superior to that of that one. / The quality of this one is clearly superior to that of the other one.
> **La qualité de celui-ci/celle-ci est nettement supérieure à celle de celui-là/celle-là. / La qualité de celui-ci/celle-ci est nettement supérieure à celle de l'autre.**

If you buy it you won't regret it!
> **Si tu l'achètes, tu ne le regretteras pas ! / Si vous l'achetez, vous ne le regretterez pas !**

We got short-changed!
> **Il/Elle ne nous a pas rendu assez ! / Ils/Elles ne nous ont pas rendu assez !**

If you really bought/sold it at that price, then you're a real fool! / If you really bought/sold it that price, then you really are a fool!

> **Si tu l'as vraiment acheté(e)/vendu(e) à ce prix-là, alors tu es un/ une véritable imbécile/idiot(e) ! / Si tu l'as vraiment acheté(e)/ vendu(e) à ce prix-là, alors tu es vraiment un/une imbécile/ idiot(e) ! / Si vous l'avez vraiment acheté(e)/vendu(e) à ce prix-là, alors vous êtes un/une véritable imbécile/idiot(e) ! / Si vous l'avez vraiment acheté(e)/vendu(e) à ce prix-là, alors vous êtes vraiment un/une imbécile/idiot(e) !**

You have (only) yourself to blame!

> **Tu ne peux t'en prendre qu'à toi-même ! / Vous ne pouvez vous en prendre qu'à vous-même(s) !**

At the time, a pound was worth two dollars. Not any more. Nowadays, it is only worth…

> **À l'époque, une livre sterling valait deux dollars. Plus maintenant. De nos jours, cela/ça ne vaut (plus) que…**

We sell… and so much more!

> **Nous vendons… et bien plus encore !**

You can make great savings!

> **On peut faire beaucoup d'économies ! / Tu peux faire beaucoup d'économies ! / Vous pouvez faire beaucoup d'économies ! / On peut/Tu peux/Vous pouvez faire de super économies !**

informal (familier)

They're going to reduce the price again by another thirty per cent/by thirty per cent more.

> **Ils/Elles vont réduire le prix de trente pour cent de plus. / Ils/Elles vont réduire le prix d'encore trente pour cent.**

That's completely idiotic! How are they going to make a profit?!

> **C'est complètement idiot ! Comment vont-ils/vont-elles faire des bénéfices ?!**

It's a time-limited offer.

> **C'est une offre limitée dans le temps.**

It has really drawn the crowds.

> **Cela/Ça a vraiment attiré beaucoup de gens.**

They frequently buy more than they need to. / They frequently buy more than necessary.

> **Ils/Elles achètent souvent plus que nécessaire.**

It's important not to get carried away by things.
> **Il faut ne pas se laisser emporter. / Il ne faut pas s'emballer.**

We bought every single one of them.
> **Nous les avons tous/toutes achetés/achetées jusqu'au dernier/ jusqu'à la dernière.**

He/She gave just one to…
> **Il/Elle en a donné seulement un/une… / Il/Elle n'en a donné qu'un/ qu'une à…**

How did you hear about this sale?
> **Comment as-tu/avez-vous entendu parler de ces soldes ? / Comment est-ce que tu as/vous avez entendu parler de ces soldes ?**

By word of mouth.
> **Par bouche-à-oreille.**

It was spread by word of mouth.
> **Cela/Ça s'est propagé par bouche-à-oreille.**

It gained publicity by word of mouth.
> **Cela/Ça s'est fait connaître par bouche-à-oreille.**

It's selling very well; they're making a lot of money.
> **Il/Elle/Cela/Ça se vend très bien ; ils/elles gagnent/se font beaucoup d'argent.**

What's the catch? / Where's the catch?
> **Où est le piège ? / Il est où le piège ?**

Read the small print.
> **Lis/Lisez les petits caractères. / Lis/Lisez ce qui est écrit en tout petit.**

Make sure you read the small print. / Make sure you don't forget to read the small print.
> **Assure-toi/Assurez-vous de lire les petits caractères. / Assure-toi/ Assurez-vous de lire ce qui est écrit en tout petit. / Assure-toi/ Assurez-vous de ne pas oublier de lire les petits caractères. / Assure-toi/Assurez-vous de ne pas oublier de lire ce qui est écrit en tout petit.**

From past experience, it is ill-advised/it is inadvisable not to read the small print.
> **D'expérience, c'est/il est déconseillé de ne pas lire les petits caractères. / D'expérience, c'est/il est déconseillé de ne pas lire ce qui est écrit en tout petit.**

From past/previous experience, I advise people to always read the small print carefully. / I always advise people not to rush headlong into buying.

D'expérience, je conseille toujours aux gens de lire attentivement les petits caractères/ce qui est écrit en tout petit. / D'expérience, je conseille toujours aux gens d'attendre avant d'acheter/de ne rien acheter à la hâte.

(not to buy anything in haste)

Read the small print! / Always read the small print! (before signing a document, e.g. a contract, or before buying something)

Lis/Lisez bien les petits caractères ! / Lis/Lisez toujours les petits caractères ! (avant de signer un document, par ex. un contrat ou avant d'acheter quelque chose)

Fewer and fewer young people in the UK can afford to buy their first home, especially in London. / Fewer and fewer young people in the UK have the means/wherewithal to buy their first home, especially in London.

De moins en moins de jeunes au Royaume-Uni ont les moyens d'acheter leur premier appartement/première maison, surtout/en particulier à Londres.

Is that the right amount?

Le compte y est ? / Est-ce que le compte y est ?

That's the right amount. / Yes, that's the right amount.

Le compte y est. / Oui, le compte y est.

Dissatisfaction
Le mécontentement/L'insatisfaction

I'm unhappy/dissatisfied with this product and want to return it.

Je ne suis pas satisfait(e) de ce produit et voudrais/souhaiterais le rapporter.

I'm unhappy with your advice.

Je ne suis pas satisfait(e) de tes/vos conseils.

I'm unhappy/dissatisfied with my bank.

Je ne suis pas satisfait(e) de ma banque.

I'm unhappy with their advice, and I'm not the only one.

Je ne suis pas satisfait(e) de leurs conseils et je ne suis pas le seul/la seule.

There are no more books left in our local library. / There is not one book left in our local library.

> **Il n'y a plus aucun livre dans notre bibliothèque locale. / Il n'y a plus un seul livre dans notre bibliothèque locale.**

unwanted goods – **des marchandises non désirées**

It's always crowded in the city centre/in the centre of town.

> **Le centre-ville est toujours bondé.**

Large crowds and alcohol excess are a recipe for fights/brawls breaking out.

> **Une foule et l'excès d'alcool ensemble sont la recette (parfaite) pour une bagarre/des bagarres.**

The neighbourhood; districts and suburbs
Le voisinage/quartier ; quartiers/arrondissements et banlieues

He/She lives right opposite.

> **Il/Elle habite juste en face.**

This is our neighbourhood.

> **C'est notre quartier.**

Here's the town hall.

> **Voici l'hôtel de ville. / Voici la mairie.**

Here's my local supermarket.

> **Voici le supermarché du quartier/coin. ('coin' is informal in this context)**

the corner shop – **le magasin/l'épicerie du quartier/coin**

Chapter 15: Leisure and travel
Chapitre 15 : Loisir et voyage

Affection for places and objects
L'affection pour les lieux et les objets

> I love Paris in (the month of) May… also in June!
> **J'aime Paris au mois de mai… en juin aussi !**

> It's a love that I share with my friends.
> **C'est un amour que je partage avec mes amis/amies.**

> It's nice here, isn't it?
> **C'est un endroit agréable, n'est-ce pas ? / On est bien ici, n'est-ce**
> **pas ? / C'est sympa ici, n'est-ce pas ?**

> It's pleasantly warm here, isn't it?
> **Il fait bon ici, n'est-ce pas ?**

> How often do you come here?
> **Tu viens/Vous venez ici souvent ?**

> I'm not a lover/great fan of… / I'm not into…   *informal (familier)*
> **Je n'aime pas vraiment le/la… / Le/La…,**
> **je ne suis pas fan. / Le/La…c'est pas mon truc.** *("is not my thing")*

> e.g.
> I'm not a lover of "heavy metal" music – quite the opposite in fact! / I'm not
> into "heavy metal" – quite the opposite in fact!
> **Je n'aime pas vraiment la musique « heavy métal » — plutôt**
> **l'inverse, à vrai dire/en fait !**
> **La musique « heavy métal », je ne suis pas**
> **fan — plutôt l'inverse, à vrai dire/en fait ! /**
> **Je ne suis pas amateur de heavy métal.** *informal (familier)*
> **/Je n'aime pas vraiment le heavy métal —**
> **plutôt l'inverse, quoi !**

> They're tennis-lovers.
> **Ils/Elles sont des amoureux/amoureuses du tennis.**

> Does that appeal to you?
> **Cela/Ça te plaît ? / Cela/Ça vous plaît ?**

> Does that offer appeal to you?
> **Est-ce que cette offre te/vous plaît ?**

Did you enjoy/like London? / Did you have an enjoyable time/a nice time in London?

> **Cela/Ça t'a plu/Cela/Ça vous a plu, Londres ? Est-ce que tu as/vous avez passé un bon moment à Londres ?**

On the whole, yes.

> **Dans l'ensemble, oui.** ("**À tout prendre, oui**" is an alternative but older expression, less commonly used nowadays.)

In a way yes, in a way no.

> **En quelque sorte oui, en quelque sorte non.**

Yes, I really liked it, especially Hyde Park. In fact it's that that gave/has given me the desire to live there, ideally somewhere right next to Hyde Park, like Kensington or Bayswater… if I can afford it!

> **Oui, cela/ça m'a beaucoup plu, en particulier Hyde Park. En fait c'est ça qui m'a donné envie d'y habiter/vivre, dans l'idéal tout près de Hyde Park, comme Kensington ou Bayswater… si j'ai les moyens !**

We'd like to find a nice place to live.

> **Nous aimerions trouver un bon endroit où vivre.**

What do you miss the most?

> **Qu'est-ce qui te/vous manque le plus ?**

Now that you've arrived in South America, what do you find the most striking? Is it the varied landscape, the varied climate, the different peoples, or perhaps some regional aspect of the cuisine?

> **Maintenant que tu es/vous êtes arrivé(e)(s) en Amérique du Sud, qu'est-ce qui te/vous frappe le plus ? Est-ce la variété des paysages, du climat, les différentes personnes qui y vivent, ou peut-être un certain aspect régional de la cuisine ?**

What memory do you cherish the most?

> **Quel souvenir chéris-tu/chérissez-vous le plus ?**

What are your happiest memories of… ?

> **Quel sont tes/vos souvenirs les plus heureux de… ?**

What are your most treasured memories?

> **Quels sont tes/vos souvenirs les plus précieux ? / Quels souvenirs gardes-tu/gardez-vous le plus précieusement ?**
> *(Note: The first sentence is the more commonly used.)*

The memory I retain to this day is…

> **Ce dont je me souviens encore à présent, c'est… / Le souvenir que j'en conserve/retiens encore à/jusqu'à présent, c'est…**

I have good memories of it.
> **J'en garde de bons souvenirs.**

Leisure/Recreation; pastimes; spending time
Loisir/Détente ; passe-temps ; passer le temps

They spend the (vast) majority of their time… *(doing something)*
> **Ils/Elles passent la (vaste) majorité de leur temps à… (faire quelque chose)**

They spent their day playing and reading.
> **Ils ont passé leur journée à jouer et lire.**

We spent the weekend doing absolutely nothing!
> **Nous avons/On a passé le week-end à absolument rien faire !**

After a very long day/At the end of a very long day playing tennis, we relaxed in a spa.
> **Au terme d'une longue journée (passée) à jouer au tennis, nous nous sommes relaxés/relaxées dans un spa/centre d'hydrothérapie. / Après une longue journée passée à jouer au tennis, nous nous sommes relaxés/relaxées dans un spa/centre d'hydrothérapie.**

These are not the only toys and games that children like/these children like.
> **Ce (ne) sont pas les seuls jouets et jeux qui plaisent aux enfants/à ces enfants.**

Whenever we're early for a film, we hang around looking at the posters displayed on the wall advertising other films.
> **Lorsque nous sommes en avance pour un film, nous regardons les affiches d'autres films sur le mur pour/afin de passer le temps.**

In the age of new technology/technologies, is there still a need to go to the cinema to see the premières of new films?
> **À l'époque des nouvelles technologies, existe-t-il/y a-t-il toujours un besoin d'aller au cinéma pour voir les premières de nouveaux films ?**

Arthur and Mary speak for many from a certain generation when they say: "We wouldn't have it any other way/we wouldn't do it any other way".
> **Arthur et Mary parlent pour beaucoup d'une certaine génération quand ils disent : « Cela/Ça nous convient parfaitement ».**

an Easter egg hunt – **une chasse aux oeufs de Pâques**

Travel
Voyage

He/She left to live in the Paris area.
> Il est parti vivre en région parisienne. / Elle est partie vivre en région parisienne.

I'm off to New York tomorrow. / I'm taking off for New York tomorrow.
> Je décolle pour New York demain.

We went on holiday as a group.
> Nous sommes parti(e)s en vacances en groupe.

We have travelled the world/globe.
> Nous avons voyagé dans le monde entier. / Nous avons parcouru le monde entier.

They travel from country to country, month by month, going from town to town, village to village.
> Ils/Elles voyagent de pays en pays, au fil des mois, allant de ville en ville, de village en village.

They go from village to village, day by day/from day to day.
> Ils/Elles vont de village en village, au fil des jours.

They sometimes take detours to take in the scenery.
> Ils font parfois des détours pour apprécier le paysage.

I've really fallen in love with/fallen for Madagascar/I'm really captivated by Madagascar. / I really fell in love with/fell for Madagascar/I was really captivated by Madagascar.
> Je suis véritablement/vraiment tombé amoureux/tombée amoureuse de Madagascar. / Madagascar m'a vraiment/réellement fasciné(e).

We didn't think we'd get to see so many villages!
> Nous ne pensions pas voir tant de villages !

I miss the good weather, the food, the hospitality, the people!
> Le beau temps, la nourriture, l'hospitalité et les gens me manquent !

The memory that I keep/hold onto/cherish to this day is…
> Le souvenir que je conserve/chéris encore aujourd'hui, c'est… / Le souvenir auquel je m'accroche encore aujourd'hui, c'est…

That town/city brings back good/bad memories for them.
> Cette ville leur rappelle de bons/mauvais souvenirs.

Enjoyment; the joys of life
Le plaisir ; les joies de la vie

We enjoy sleeping outdoors.
Nous aimons dormir à la belle étoile.

We enjoy playing together.
Nous aimons jouer ensemble.

We all really enjoy travelling as a group.
Nous aimons vraiment voyager en groupe.

I wouldn't have it any other way./I wouldn't do it any other way.
Cela/Ça me convient parfaitement.

He really enjoys travelling alone/solo.
Il aime vraiment voyager seul/en solitaire.

There are plenty of things to do/discover!
Il y a plein de choses à faire/découvrir !

I enjoy travelling.
J'aime voyager.

I enjoy reading.
J'aime lire.

I enjoy playing football.
J'aime jouer au[76] football.

He/She enjoys playing the piano.
Il/Elle aime jouer du[76] piano.

He/She enjoys playing the guitar.
Il/Elle aime jouer de la[76] guitare.

They enjoy singing/dancing.
Ils/Elles aiment chanter/danser.

They enjoy swimming/going swimming.
Ils/Elles aiment nager/aller nager.

We enjoy walking.
Nous aimons marcher/la marche. / On aime marcher/la marche.

We enjoy playing badminton/tennis.
> **Nous aimons/On aime jouer au[76] badminton/tennis.**

They really enjoy this sporting event.
> **Ils/Elles aiment vraiment cet évènement sportif.**

I very much enjoyed the show/exhibition.
> **J'ai vraiment aimé le spectacle/l'exposition. / Le spectacle/ L'exposition m'a beaucoup plu.**

They enjoyed themselves for a very long time/for a long period of time.
> **Ils/Elles se sont bien amusés/amusées pendant très longtemps.**

They really enjoyed themselves.
> **Ils se sont vraiment bien amusés. / Elles se sont vraiment bien amusées.**

I thoroughly enjoyed myself. / We thoroughly enjoyed ourselves.
> **J'ai passé d'excellents moments. / Nous avons passé d'excellents moments.**

I/We had a good time/great time.
> **J'ai passé un bon moment. / Nous avons passé un bon moment. / On a passé un bon moment.**

Most of us enjoyed ourselves.
> **La plupart d'entre nous nous sommes bien amusé(e)s.**

Most of them disliked it.
> **Cela/Ça n'a pas plu à la plupart d'entre eux/elles. / La plupart d'entre eux/elles ne l'ont pas aimé.**

He seems to be enjoying himself. / She seems to be enjoying herself.
> **Il/Elle a l'air de bien s'amuser.**

He/She seems to be really enjoying himself/herself!
> **Il/Elle a l'air de beaucoup s'amuser !**

---

76 Notice 'jouer au/à la…' for sport and 'jouer du/de la…' for musical instruments.

Chapter 16: Reading and writing
Chapitre 16 : La lecture et l'écriture

For English-speaking readers (Pour les lecteurs anglophones): The passé simple (past historic) features frequently in this chapter. This is because this form of the past tense, as opposed to the passé composé, is the one in which many novels and formal pieces of French literature are written, except in past tense speech, in which case the passé composé is used. Other tenses are featured, too, such as the imperfect and pluperfect.

Turns of phrase
Des tournures de phrase

No sooner…
À peine… / Dès que… / Aussitôt…

e.g.
No sooner **had** he put the key in the lock and opened the door than the telephone rang. / He had hardly put the key in the lock and opened the door when the telephone rang.

pluperfect (past perfect)

passé antérieur

À peine *eut*-il/**avait**-il mis la clé dans la serrure et ouvert la porte que le téléphone **sonna.**

pluperfect (past perfect) (plus-que-parfait)

passé simple

No sooner had she stepped outside than it started to rain. / She had hardly stepped outside when it started it to rain.

passé composé

Il s'**est** mis à pleuvoir dès qu'elle **est** sortie. / À peine **était**-elle sortie qu'il **se mit** à pleuvoir.

passé composé

pluperfect

passé simple

He had hardly finished paying for the picture when a woman claiming to be the original owner demanded he return it.

À peine eut-il/avait-il fini de payer pour le tableau qu'une femme prétendant être la vraie propriétaire **exigea** qu'il le rende/ rapporte.

passé simple

"Yes!", he/she exclaimed.
« Oui ! » s'exclama-t-il/s'exclama-t-elle/s'est-il exclamé/s'est-elle exclamée.

She looked deep into his eyes.
> **Elle l'a regardé dans les yeux.**

He looked right into her eyes. / He looked her right in the eyes.
> **Il l'a regardée droit dans les yeux.**

She looked me right in the eyes.
> **Elle m'a regardé(e) droit dans les yeux.**

They fell into each other's arms.
> **Ils sont tombés dans les bras l'un de l'autre. / Elles sont tombées dans les bras l'une de l'autre.**

The silence was broken by the sound of… (e.g. laughter).
> **Le silence a été brisé par le bruit de… (par ex. un rire).**

Bursts of laughter were audible far from the house.
> **Des éclats de rire pouvaient être entendus loin de la maison.**

He pointed with his finger.
> **Il a désigné/pointé du doigt.**

She pointed with her index finger.
> **Elle a désigné/pointé de l'index.**

He hung onto branches of the tree.
> **Il s'est accroché aux branches de l'arbre.**

In the still/stillness of the night.
> **Dans le calme/silence de la nuit.**

In the heat of the night, …
> **Dans la chaleur de la nuit, …**

He walked slowly back to the house.
> **Il est retourné lentement vers la maison.**

He walked quickly back to the house.
> **Il est retourné à la maison d'un pas rapide.**

She was walking alone in the forest when she became aware of something creeping behind her.
> **Elle marchait toute seule dans la forêt quand elle/lorsqu'elle s'est rendue compte que quelque chose s'approchait discrètement d'elle/ s'approchait d'elle sans bruit.**

She started running as fast as she could, so scared was she.
> **Elle s'est mise à courir aussi vite qu'elle le pouvait, tant/tellement elle avait peur.**

One winter's day, … / One summer's day, …
> **Un jour d'hiver, … / Un jour d'été, …**

One cold January day, …
> **Un froid jour de janvier, …**

One September day, …
> **Un jour de septembre, …**

Early one morning, …
> **Tôt un matin, …**

Early one frosty morning, …
> **Tôt un matin glacial, …**

Their pet dog was strangely silent.
> **Leur chien était étrangement silencieux.**

The telephone line was cut. / The line had been cut.
> **La ligne a été coupée. / La ligne avait été coupée.**

There was a sense of absence of…
> **Il y avait une sensation d'absence de…**

She could feel a growing anxiety in her stomach.
> **Elle sentait une angoisse/inquiétude croître dans son ventre.**

He could feel a growing sense of dread in the pit of his stomach.
> **Il ressentait une sensation de crainte/terreur croissante au creux de son estomac.**

The cold and damp added to his/her sense of despair, distress and nervous tension.
> **Le froid et l'humidité s'ajoutaient à sa sensation de désespoir, de détresse et de tension nerveuse.**

He/She was shivering with both fear and the cold.
> **Il/Elle frissonnait de peur et de froid.**

The dimness of the place didn't help.
> **La pénombre du lieu/de l'endroit n'a pas aidé.**

She threw her shawl over her shoulders.
> **Elle a jeté son châle sur ses épaules.**

He threw/slung his bag over his shoulder.
> **Il a jeté son sac sur son épaule.**

Gathering all her strength with the aid of a deep breath, she managed to scream at the top of her voice.
> **Rassemblant ses forces à l'aide d'une profonde inspiration, elle réussit/parvint à hurler à pleins poumons.**

She let out a piercing scream.
> **Elle a laissé échapper un cri perçant/un hurlement perçant.**

She knew she wasn't the only one who had experienced rape/been raped. Now she set a trap for him, he fell into the trap and she got her revenge.
> **Elle savait qu'elle n'était pas la seule à avoir été violée. À présent, elle lui a tendu un piège, il est tombé dedans et elle a eu sa revanche.**

They took one last look at… /They took one very last look at…
> **Ils/Elles ont jeté un dernier regard à… / Ils/Elles ont jeté un tout dernier regard à…**

She bought two dresses (in order) to give one each as a gift to two of her friends for their birthdays later this month.
> **Elle a acheté deux robes pour en offrir (une) à chacune de ses deux amies pour leurs anniversaires plus tard ce mois-ci.**

Without bothering/caring to look behind him, he threw the empty beer can over his shoulder onto the ground.
> **Sans prendre la peine de regarder derrière lui, il a jeté/il jeta la canette de bière vide par-dessus son épaule.**

plunged into darkness – **plongé(e)(s) dans les ténèbres/plongé(e)(s) dans l'obscurité**

in darkness/in the darkness – **dans l'obscurité**

in total darkness – **dans une obscurité complète**

Describing novels and other genres of book
Décrire des romans et d'autres genres de livres

I'm going to read a short extract from his/her book/novel/report.
> **Je vais lire un court extrait de son livre/roman/rapport.**

Under the same heading, …
> **Dans cette même rubrique, …**

Your book really brings the character/story to life.
> **Votre livre donne vraiment vie au personnage/à l'histoire.**

The central character in the novel is an unscrupulous politician.
> **Le personnage central du roman est un politicien/une politicienne sans scrupules.**

This novel really captures the attention of the reader.
> **Ce roman capte vraiment l'attention du lecteur.**

I'll give you a beautiful example.
> **Je te/vous donne un bon exemple.**

In this story/novel you paint a picture of… *(e.g. love, suffering)*
> **Dans cette histoire/ce roman tu brosses/vous brossez un tableau de…** *(par ex. l'amour, la souffrance)*

This book takes us back thirty years./In this book we go back thirty years in time.
> **Ce livre nous emmène trente ans en arrière./Dans ce livre, on retourne trente ans en arrière.**

In this crime novel, I try to leave in places a few subtle clues as to the identity of the murderer.
> **Dans ce roman policier, j'essaie de laisser par endroits quelques indices subtils sur/concernant l'identité du meurtrier.**

In places, your writing resembles a winding road or a meandering river. Is that intentional/deliberate?
> **Par endroits, ton/votre écriture ressemble à une route sinueuse/ tortueuse ou aux méandres d'un fleuve. Est-ce intentionnel ?/Est-ce que c'est intentionnel ?**

His/Her writing is very similar to that of Graham Greene: the pace of the narrative is sometimes fast, sometimes slow.
> **Son écriture est très semblable à celle de Graham Greene ; le rythme du récit est parfois/tantôt rapide, parfois/tantôt lent.**

The talking style of my main character is very similar to that of...
> **La façon de parler de mon personnage principal est très semblable à celle de...**

At one point in the book, ...
> **À un moment donné dans le livre, ...**

At the very end of the book...
> **À la toute fin du livre...**

Did you enjoy the/that book?
> **Le livre/Ce livre t'a-t-il plu ? / Le livre/Ce livre vous a-t-il plu ? / As-tu/Avez-vous aimé le/ce livre ?**

Yes, very much so.
> **Oui, il/cela/ça m'a beaucoup plu. / Oui, j'ai/je l'ai vraiment aimé/apprécié.**

What did you like most?
> **Qu'est-ce qui t'a le plus plu ? / Qu'est-ce qui vous a le plus plu ? / Qu'est-ce qui t'a plu le plus ? / Qu'est-ce qui vous a plu le plus ?**

He hardly reads anything else!
> **Il ne lit presque rien d'autre !**

a crime novel/a gritty/gruesome crime novel – **un roman policier/un polar/un roman noir**

What's it about? (What is it about?)
Quel est le sujet ? / De quoi cela parle-t-il ?

What's the book about?
> **Quel est le sujet du livre ? / De quoi parle le livre ?**

That's what it's about.
> **C'est de cela/ça qu'il parle.**

It's about three friends who are taken hostage on a backpacking trip.
> **Il parle de trois amis routards pris en otage.**

The story starts/begins/starts off in nineteen hundred (1900).
> **L'histoire commence en mille neuf cent (1900).**

In this mythic folk tale, the main character takes on the appearance of a moose half-way/mid-way through.

> **Dans ce conte mythique/populaire, le personnage principal prend l'apparence d'un élan au milieu de l'histoire.**

In this fairytale, the main character takes on the appearance of a moose half-way/mid-way through.

> **Dans ce conte de fée, le personnage principal prend l'apparence d'un élan au milieu de l'histoire.**

This makes people run away from him.

> **Les gens le fuient en raison/à cause de cela.**

People run (away) from him.

> **Les gens le fuient.**

It's about an imaginary small town in England, reminiscent of York/which resembles York, and evokes/brings back happy memories for the author of his childhood there.

> **Cela/Ça parle d'une petite ville imaginaire en Angleterre qui rappelle York/qui ressemble à York et qui évoque/rappelle à l'auteur des souvenirs heureux de son enfance là-bas.**

The basic premise that permeates this story/tale is the idea that… /is that there is…

> **La prémisse qui empreint cette histoire/ce conte est l'idée que… / est qu'il y a… / La prémisse qui empreint cette histoire/ce conte, c'est l'idée que…/c'est qu'il y a…**

The theme running through this novel is…

> **Le thème qui imprègne ce roman est… / Le thème qui imprègne ce roman, c'est…**

The main character in this novel is a celebrity who can't cope with his/her fame and tries to find anonymity in a secluded village where not much happens on a daily basis. Unfortunately, he/she is discovered, precisely because the town is so small and because he has an exotic breed of dog as a pet that draws the attention of the villagers.

> **Le personnage principal dans ce roman est une célébrité qui ne supporte pas d'être célèbre et essaie de retrouver l'anonymat dans un village reculé/isolé où il ne se passe grand-chose. Malheureusement, il/elle est découvert(e), précisément parce que la ville est si petite et parce qu'il a un chien d'une race exotique qui attire l'attention des villageois.**

In Defoe's book, the narrator (Moll Flanders) tells us that she often felt abandoned and humiliated.

> **Dans le roman de Defoe, la narratrice (Moll Flanders) nous dit qu'elle s'est souvent sentie abandonnée et humiliée.**

What the book/author tells us is that people have feelings, be they justified or not.

> **Ce que nous dit le livre/l'auteur, c'est que les gens ont des sentiments, qu'ils soient justifiés ou non.**

Childhood and reading
L'enfance et la lecture

My parents taught me to read and write. / My mother taught me to read and write.

> **Mes parents m'ont appris à lire et à écrire. / Ma mère m'a appris à lire et à écrire.**

We read to the children. / We read to our children.

> **Nous lisons aux enfants. / Nous lisons à nos enfants.**

We read stories to the children. / We read stories to our children.

> **Nous lisons des histoires aux enfants. / Nous lisons des histoires à nos enfants.**

Chapter 17: Education
Chapitre 17 : L'éducation

School life/Schooling
La vie scolaire

It's important that every child has access to a good education.
Il faut/Il est important que chaque enfant ait accès à une bonne éducation.

It/That goes without saying, the benefits of a good education.
Les bienfaits d'une bonne éducation sont évidents.

He ascribed it to their good education. / He put it down to their good education.
Il l'a attribué à leur bonne éducation.

She put his/her good manners down to his/her education.
Elle a attribué ses bonnes manières à sa bonne éducation.

For the schools in most difficulty, we need to retain the best teachers.
Pour les écoles les plus en difficulté, il faut garder les meilleurs professeurs/enseignants.

For the schools and colleges in most difficulty we'll stay/stay on until the job is done.
Pour les écoles et lycées les plus en difficulté, nous resterons jusqu'à ce que le travail soit fini.

It's a daily education!
C'est une leçon quotidienne !

It's proving to be a daily education!
Cela/Ça s'avère être une leçon quotidienne !

It's turning out for him to be a daily education!
Cela/Ça s'avère être une leçon quotidienne pour lui !

The school timetable to which we work is very tight. / The school timetable we follow is very tight.
Le rythme scolaire auquel nous sommes soumis est très strict.

Some argue that more breaks in term time, while shortening the summer break, would allow more time for secondary school pupils in England and Wales to consolidate what they learn, resulting in overall better academic performance.

Certains affirment/soutiennent que plus de pauses pendant le trimestre, tout en écourtant les vacances d'été, permettrait aux lycéens en Angleterre et au Pays de Galles d'avoir plus de temps pour consolider leurs connaissances et par conséquent de meilleurs résultats.

My parents supervised my studies.

Mes parents ont surveillé mes études.

There are twice as many girls as boys entering primary school. In other words, girls make up/account for the majority of children in primary school at present.

Les filles entrant à l'école primaire sont deux fois plus nombreuses que les garçons. Autrement dit, les filles représentent la vaste majorité des enfants à l'école primaire en ce moment.

I'm going to test the pupils on what I have just taught them.

Je vais interroger les élèves sur ce que je viens de leur apprendre.

I'm going to test the pupils on the whole/entire lesson.

Je vais interroger les élèves sur la leçon entière/toute la leçon.

Examination (Exam) success and failure
Examens – succès/réussites et échecs

I passed my exam at my first attempt.

J'ai réussi mon examen du premier coup.

They passed at their first attempt.

Ils/Elles ont réussi du premier coup.

He is very satisfied. So are his parents and teachers, Miss Green and Mr Brown.

Il est très satisfait. Ses parents et ses professeurs, Mlle Green et M. Brown, aussi.

We all think she has done very well.

On pense/Nous pensons tous qu'elle s'en est très bien sortie.

I'm very proud to see my child doing so well.

Je suis très fier/fière de la réussite de mon enfant.

He/She is on course for a successful career.

Il/Elle est sur la voie d'une[77] carrière couronnée de succès. / Il/Elle est en voie d'avoir[77] une carrière couronnée de succès.

Robert/Charlotte is well on the way to getting a good degree.

Robert/Charlotte est sur la bonne voie[77] pour un bon diplôme.

The more he/she tries, the more frustrated he/she becomes. / The more attempts he/she makes, the more frustrated he/she becomes.

Plus il/elle essaie/essaye, plus cela/ça le/la frustre.

The more he/she learns, the better he/she gets.

Plus il/elle apprend, plus il/elle s'améliore.

University and the university degree
Université/Faculté ('La fac') et diplôme universitaire

Quite a lot of students go on to do higher studies/go onto higher education.

Pas mal d'étudiants font par la suite des études supérieures.

What are you studying?/You're pursuing your studies in what?

Qu'étudies-tu ? / Qu'étudiez-vous ? / Qu'est-ce que tu étudies ? / Qu'est-ce que vous étudiez ? / Quelles études fais-tu/faites-vous ?

I'm reading mathematics/maths at the University of Bordeaux/at Bordeaux University. / I'm taking/doing a degree in mathematics/maths at the University of Bordeaux/at Bordeaux University.

J'étudie les mathématiques/maths à l'Université/faculté/fac de Bordeaux.

He/She has a degree in French/a French degree.

Il/Elle a un diplôme de français.

I'm studying English/French at the Sorbonne, that august, prestigious, world-famous/world-renowned institution in Paris.

J'étudie l'anglais/le français à la Sorbonne, cette vénérable et prestigieuse université à Paris, connue dans la monde entier.

I'm studying medicine/I'm studying to be a doctor.

Je fais des études de médecine.

---

77 Note: 'Sur la voie/la bonne voie pour quelque chose' (tends to be more colloquial); Cf. 'en voie/en bonne voie de faire quelque chose/de quelque chose'. *[Theme 9, Plans and projects, p.40]*

I'm studying law.
> **J'étudie le droit. / Je fais des études de droit.**

The fact that you were accepted by the university attests to the fact that you are/were right.
> **Le fait que tu aies été accepté(e) à l'université atteste que tu avais raison. / Le fait que vous ayez été accepté(e)(s) à l'université atteste que vous aviez raison.**

Robert/Charlotte is well on the way to getting a good degree.
> **Robert/Charlotte est en (bonne) voie d'obtenir un bon diplôme.**

Learned (synonym/synonyme – knowledgeable)
Savant(e)/Érudit(e)

(À noter pour les lecteurs francophones : dans ce contexte, en tant qu'adjectif, « learned » est prononcé en deux syllabes, c-à-d « learn-ed », alors qu'il est prononcé en une syllabe lorsqu'il s'agit du prétérit du verbe « to learn » [apprendre].)

These are our learned guests.
> **Ce sont/Voici nos savants invités/nos savantes invitées.**

He's a learned/knowledgeable man. / She's a learned/knowledgeable woman.
> **Il est savant/érudit. / C'est un homme savant/érudit. / Elle est savante/érudite. / C'est une femme savante/érudite. / C'est un érudit/une érudite.**

(Please note the absence of the noun 'un savant'/'une savante' from the above French translations. Its absence is due to the fact that it is generally used in French to refer specifically to someone of great renown for their exceptional intellect or expertise in science, i.e. a great or famous scientist.)

Chapter 18: Transport/Transportation
Chapitre 18 : Le transport

Fuel
Le carburant

What does this car run on? / What does it run on?
> À quoi fonctionne cette voiture ? / Cette voiture roule[78] à quoi ? /
> À quoi fonctionne-t-elle ? / À quoi roule-t-elle ?[78]

It runs on electricity actually.
> Elle fonctionne à l'électricité à vrai dire. / Elle roule à l'électricité à
> vrai dire.

What fuel does this car run on? / What fuel does it run on?
> À quel carburant fonctionne cette voiture ? / À quel carburant
> fonctionne-t-elle ?

It runs on petrol. / It runs on diesel.
> Elle fonctionne/roule à l'essence. / Elle fonctionne/roule au gazole/
> diesel.

More and more people are switching to electric cars in the UK. Slowly but
surely, the country is going green transport-wise in order to combat global
warming.
> De plus en plus de gens passent aux voitures électriques au
> Royaume-Uni. Lentement mais sûrement, le pays se met au vert en
> matière de transport afin de/pour lutter contre le réchauffement de
> la planète.

The price of crude oil has never been as low as (it is) now.
> Le prix du pétrole brut n'a jamais été aussi bas que maintenant.

---

78 'Rouler' is colloquial/informal in this context.

Driving
Conduire

I drive a blue car/silver car.
> **Je conduis une voiture bleue/une voiture argentée.**

I'm driving to Leicester.
> **Je roule vers Leicester. / Je vais à Leicester.**

I'm driving toward Marseille.
> **Je roule/vais vers Marseille. / Je roule/vais en direction de Marseille.**

I drove there.
> **J'y suis allé(e) en voiture.**

We're heading for/toward Littlehampton.
> **Nous nous rendons à Littlehampton./Nous allons à Littlehampton./ Nous nous dirigeons sur Littlehampton./On se dirige sur Littlehampton.**
> *(Note, it is "se diriger sur", not "se diriger à". In the case of weather systems [see the section on hurricanes in Chapter 6, under 'Natural and man-made disasters'], "se diriger vers" is used when talking about general direction as in points on a compass – north, east, south, west, north-east, south-west, etc. See last example below. It is also used when talking of heading toward a person or object. See for example under 'Aviation' later in this chapter.)*

We're heading back from Dorset.
> **Nous rentrons du Dorset./On rentre du Dorset.**

They're heading north now.
> **Ils/Elles se dirigent maintenant vers le nord. / Ils/Elles se dirigent à présent vers le nord.**

On the roads and motorways
Sur les routes et autoroutes

The A10 motorway links Paris to Bordeaux and is better known by the name "L'Aquitaine".
> **L'autoroute A10 relie Paris et Bordeaux et est plus connue sous le nom de « L'Aquitaine ».**

A nearby motorway is known by another name.
> **Une autoroute voisine est connue sous un autre nom. / Une autoroute non loin (de là) est connue sous un autre nom.**

There's a broken-down vehicle/car/lorry/truck on the road/on the (motorway) hard shoulder.

Il y a un véhicule/une voiture/un camion en panne sur la route/sur la bande d'arrêt d'urgence.

There's a broken-down vehicle/car/lorry/truck on... Road/Street/Avenue, etc.

Il y a un véhicule/une voiture/un camion en panne Rue.../Avenue.../ etc.

The road is blocked; traffic is slowing/slow in both directions.

La route est bloquée ; la circulation ralentit/est ralentie dans les deux sens.

There are a lot of puddles on the road.

Il y a beaucoup de flaques d'eau sur la chaussée/sur la route.

It is disrupting/slowing the traffic.

Cela/Ça perturbe la circulation. / Cela/Ça ralentit la circulation.

The ice on the road is making it slippery and driving conditions hazardous.

Le verglas sur la chaussée/route la rend glissante et les conditions de conduite dangereuses.

Traffic is slow/has slowed to almost a standstill near Junction eight of the A1.

La circulation est ralentie et presque à l'arrêt près de la sortie 8 de l'A1.

We're stuck in traffic.

Nous sommes coincé(e)s/On est coincé(e)s dans les bouchons/dans un embouteillage.

The conditions ahead appear to be normal/would seem to be normal.

Les conditions devant nous paraissent/semblent normales.

The conditions further on appear to be better.

Les conditions plus loin paraissent/semblent meilleures.

It's been (It has been) absolute **carnage/murder** on the roads this weekend!   *informal (familier)*

Quelle hécatombe/Quel carnage sur les routes ce weekend !   *informal (familier)*

It was absolute carnage/murder on the roads last weekend! It was a (real) mess!

C'était une véritable hécatombe/C'était un véritable carnage sur les routes le weekend dernier ! Les routes étaient dans un sale état !

There was a road traffic accident near/around Amiens. It happened during the night of Saturday to Sunday. Three people were involved, none of whom was injured, and two cars, one of which was/remains undamaged.

> **Il y a eu un accident de la circulation/de la route vers Amiens/près d'Amiens. L'accident a eu lieu dans la nuit de samedi à dimanche. Trois personnes, toutes saines et sauves, et deux voitures, dont une est intacte, étaient impliquées.**

There is a three-mile traffic jam/queue of traffic/slow-moving traffic because of the accident.

> **Il y a cinq kilomètres de bouchons/d'embouteillages/de ralentissements à cause de l'accident.**

There was a road traffic accident, involving a lorry/truck and a bus. Both drivers lost their lives.

> **Il y a eu un accident de la route impliquant un camion et un autobus. Les deux chauffeurs/conducteurs ont perdu la vie.**

The road accident caused multiple casualties, including six dead and twenty injured, five seriously.

> **L'accident de la route a fait six morts et vingt blessés, dont cinq graves.**

Accident investigators are keeping an open mind as to the cause of yesterday's coach crash.

> **Les enquêteurs gardent l'esprit ouvert concernant la cause de l'accident de car d'hier.**

The accident killed a woman, and also three little girls aged between four and eight years.

> **L'accident a tué une femme, et aussi trois fillettes/petites filles âgées de quatre à huit ans.**

The police know all about/are fully aware of the accident in the Bordeaux area that resulted in the partial closure of the A10.

> **La police est parfaitement au courant de l'accident en région bordelaise/près de Bordeaux qui s'est soldé par la fermeture partielle de l'A10.**

There was an accident in Orange yesterday. A motorcyclist and three pedestrians were involved, the motorcyclist and two of the pedestrians slightly injured and the third, a little girl of six, escaped unharmed.

> **Il y a eu un accident à Orange hier. Un motocycliste et trois piétons étaient impliqués, le motocycliste et deux des piétons ont été légèrement blessés et le troisième, une petite fille de six ans, s'en est sortie saine et sauve.**

We had to take a detour.
> **On a/Nous avons dû faire un détour.**

I took a short cut.
> **J'ai pris un raccourci.**

Maritime: at sea; shipping; seafaring
Maritime : en mer ; la navigation ; la vie de marin

The new ship will take to the sea tomorrow. / The new ship is due to take to the sea tomorrow.
> **Le nouveau bateau/navire prendra la mer demain. / Le nouveau bateau/navire doit prendre la mer demain.**

seasickness – **le mal de mer**

Train
Le train

This train goes at a hundred kilometres an hour/per hour. / This train does a hundred kilometres an hour/per hour.
> **Ce train va à cent kilomètres par heure/à cent kilomètres-heure.**

It seems to me the SNCF changed their prices without justification and with bad motives/with the worst motives.
> **Il me semble que la SNCF (la Société nationale des chemins de fer français) a changé ses prix sans justification et avec de mauvaises/ les pires intentions.**

The boss of the SNCF says the price increases/rises were not expressly authorised.
> **Le patron de la SNCF dit que les augmentations de prix n'ont pas été expressément autorisées.**

I call on the SNCF therefore to review their decision.
> **J'exige/Je demande donc que la SNCF réexamine sa décision.**

Aviation
L'aviation

Flight time will be four hours.
> **Le vol durera quatre heures. / La durée du vol sera de quatre heures.**

Modern aircraft rely mostly on the jet engine, although the turboprop is still in use.
> **Les avions modernes utilisent principalement un moteur à réaction, bien qu'il existe toujours des avions utilisant/qui utilisent un turbopropulseur.**

Both are in use both in civil and military aviation.
> **Les deux sont en usage et dans l'aviation civile et dans l'aviation militaire.**

Most air forces have a mix of fixed-wing aircraft and helicopters.
> **La plupart des armées de l'air utilisent des avions et des hélicoptères.**

Some have aircraft capable of short take-off and landing or vertical take-off and landing.
> **Certaines possèdent des avions à décollage et atterrissage court ou des avions à décollage et atterrissage vertical.**

A military aircraft with an eight-man crew has crashed in a military exercise that went wrong.
> **Un avion militaire avec un équipage de huit hommes s'est écrasé dans un exercice militaire qui a mal tourné.**

A helicopter was heading for the (offshore) oil rig when it developed engine trouble.
> **Un hélicoptère se dirigeait vers la plate-forme pétrolière quand des problèmes de moteur sont apparus.**

The helicopter was heading back from the offshore rig when it developed engine trouble.
> **L'hélicoptère revenait de la plate-forme pétrolière quand des problèmes de moteur sont apparus.**

The plane disappeared from the radar screens. It had/There were two hundred passengers on board, who are presumed dead.
> **L'avion a disparu des écrans radars. Il y avait deux cent passagers à bord/à son bord, qui sont présumés morts.**

The plane successfully completed its maiden flight.
Le vol inaugural de l'avion était un succès.

to take to the air/to take to the skies/to take off – **décoller/prendre son envol**

in flight/airborne/in mid-flight/in mid-air – **en plein vol**

to land – **atterrir**

a jet aircraft (a jet) – **un avion à réaction ; un jet**
(pronounced the same way as in English)

the aviation industry – **l'industrie aéronautique**

Chapter 19: Food and drink
Chapitre 19 : Nourriture et boisson

Expressing one's appreciation of patisserie
Dire que l'on aime un gâteau

That cake looks good.
> **Ce gâteau a l'air bon.**

I couldn't resist the temptation to have more of that cake!
> **Je ne pouvais pas résister à la tentation de reprendre de ce gâteau !**

Recipes
Des recettes

To make this cake, you start by mixing flour with butter and sugar.
> **Pour faire ce gâteau, il faut d'abord mélanger de la farine avec du beurre et du sucre.**

Additionally it contains…
> **De plus, cela/ça/il/elle contient…**

Additionally it contains almonds.
> **Cela/Ça/Il/Elle contient aussi des amandes.**

The recipe is a jealously guarded secret!
> **La recette est un secret jalousement gardé !**

You add a little more butter. / You need to add a little more butter.
> **On ajoute un peu plus de[79] beurre. / Il faut ajouter un peu plus de beurre.**

---

79 The quantitative adverbs (Les adverbes de quantité) in French (assez, autant, beaucoup, combien, davantage, moins, peu, plein, plus, suffisamment, tant, tellement, trop) are always followed by 'de' only, i.e. not followed by the articles 'le', 'la' and 'les' (so not "beaucoup du/de la/des" or "plus du/de la/des" for example).

You add salt with some more butter.
> **On ajoute du sel ainsi que plus de beurre.**

You need to add even more butter.
> **Il faut ajouter encore plus de beurre.**

The world of tea and coffee
Le monde du thé et du café

Drinking tea together is a symbol of sharing, of conviviality, of camaraderie, whatever the country.
> **Boire du thé ensemble est un symbole de partage, de convivialité, de camaraderie, quel que soit le pays.**

Drinking tea together is one of the symbols of conviviality and camaraderie.
> **Boire du thé ensemble est l'un/un des symboles de la convivialité et de la camaraderie.**

Japan is a case in point, and also for drinking tea alone. In Japanese society, it's not unusual for people to make themselves and drink tea five, six, seven times a day, even more.
> **Le Japon (en) est un bon exemple, tout comme le fait de boire du thé seul. Dans la société japonaise, ce n'est pas inhabituel que des gens se préparent[80] et boivent du thé cinq, six, sept fois par jour, voire plus.**

The tea has a syrupy taste.
> **Le thé a un goût sirupeux.**

---

80 Ce n'est pas inhabituel/rare que... + *subjunctive*

Ce n'est pas inhabituel/rare de... + *infinitive.*

In the restaurant/bar
Au restaurant/bar

Are you being served?
> **Est-ce que quelqu'un s'occupe de vous ?**

What would you like? / What are you having? / What can I get you?
> **Que souhaitez-vous commander ? / Qu'aimeriez-vous commander ?**
> **/ Qu'est-ce que ce sera ?**
> *(more informal (plus familier)) ("What will it be?")*

This dish goes perfectly with red wine.
> **Ce plat va parfaitement/se marie bien avec du vin rouge.**

Do you prefer fish to meat?
> **Préfères-tu/Préférez-vous le poisson à la viande ? / Est-ce que tu**
> **préfères/vous préférez le poisson à la viande ?**

Whilst/Whereas you dislike/don't like meat, I like it a lot/I love it.
> **Tandis que tu n'aimes/vous n'aimez pas la viande, moi, j'aime**
> **beaucoup.**

We ate to our hearts' content!
> **Nous avons mangé tout notre soûl ! / Nous avons mangé à satiété !**

I'm full!
> **Je suis repu(e)/rassasié(e) !**

I tried some red wine and some white (wine).
> **J'ai essayé du vin rouge et du (vin) blanc.**

I tend to prefer red wine.
> **J'ai tendance à préférer le vin rouge.**

The wine is full-bodied.
> **Le vin a du corps.**

Me, I'm the opposite: my preference is for white wine.
> **Moi, je suis/c'est l'inverse : ma préférence est pour le vin blanc.**

I'd like a bite to eat.
> **J'aimerais manger un morceau.**

Chapter 20: Botany and zoology
Chapitre 20 : La botanique et la zoologie

Dogs
Des chiens

This species of dog can run five miles non-stop in a day.
Cette espèce de chien peut courir huit kilomètres non-stop (sans s'arrêter) en une journée.

This dog can run several miles a day.
Ce chien peut courir plusieurs kilomètres par jour.

This dog has a loud bark.
Ce chien aboie fort.

Birds
Des oiseaux

I love birds; I'm a bird-lover!
J'adore les oiseaux ; je suis un amoureux/une amoureuse des oiseaux !

The swallow and the skylark, they just/simply float in the air.
L'hirondelle et l'alouette, elles flottent tout simplement dans l'air.

This bird makes a piercing shriek. So do certain other types of animal.
Cet oiseau a un cri perçant. Certaines autres espèces d'animaux aussi.

birds of prey – **des oiseaux de proie**

Endangered species

Des espèces menacées
(Threatened species)

The tiger is an endangered species.
Le tigre est une espèce menacée.

They are an endangered species.
C'est une espèce en danger/menacée.

The view we have of animals has changed. At least that's what the head zookeeper of London zoo says.
La façon dont nous voyons les animaux a changé. Du moins, c'est ce que dit le chef des gardiens du zoo de Londres.

---

to walk on all-fours/to crawl – **marcher à quatre pattes**

a two/four-legged animal – **un animal bipède/quadrupède**

a wild dog/cat – **un chien/chat sauvage**

a wild forest – **une forêt sauvage**

Plants

Des plantes

This plant exists nowhere else.
Cette plante n'existe nulle part ailleurs.

The beautiful taste of this fruit is due to… / The beautiful taste of this fruit is thought to be due to…
Le délicieux goût de ce fruit est dû à… / On pense que le délicieux goût de ce fruit est dû à…

The beautiful taste of this fruit is largely due to… /is to a large extent due to… /is predominantly due to….
Le délicieux goût de ce fruit est largement/en grande partie dû à…

The sticky solution produced by this plant is considered to be poisonous.
La solution collante produite par cette plante est considérée comme étant toxique.

Question: Which discipline awards the Coincy prize?
Question : **Quelle discipline récompense le prix de Coincy ?**

Answer: (It's) botany.
Réponse : (**C'est**) **la botanique.**

Animal diseases
Des maladies chez les animaux

It's a disease of cows.
C'est une maladie qui touche les vaches.

Chapter 21: Religion
Chapitre 21 : La religion

What's your religion/faith?

Quelle est ta religion ? / Quelle est votre religion ? / De quelle confession/religion es-tu/êtes-vous ?

Are you of the Christian, Muslim, Jewish, Buddhist faith, or what?
Es-tu/Êtes-vous de confession chrétienne, musulmane, juive, bouddhiste, ou (quoi) ?

I'm of the Catholic faith. / I'm Catholic.
Je suis de confession catholique. / Je suis catholique.

We're practising Catholics.
Nous sommes catholiques pratiquant(e)s.

How did you come to embrace your religion?
Comment en es-tu venu(e)/êtes-vous venu(e)(s) à embrasser ta/votre religion ?

It's against his/her religion to work on Sundays.
Sa religion lui interdit de travailler le dimanche.

He/She (has) converted to Buddhism.
Il/Elle est converti/convertie au bouddhisme. / Il/Elle s'est converti/convertie au bouddhisme.

The papacy (the office of the Pope), the papal term of office (also known as the papacy) and breaking with tradition

La papauté, le pontificat et briser la tradition

Traditionally, once elected, the Pope remains in office for the rest of his life. The papal term of office is recognised as one that ordinarily spans the rest of the incumbent's lifetime.
Traditionnellement, une fois élu, le pape reste en fonction pour le restant de sa vie/ses jours. Le pontificat est reconnu/connu comme une dignité/fonction que l'on garde jusqu'à la mort.

To everyone's great surprise, Pope Benedict XVI (Pope Benedict the sixteenth) voluntarily stepped down from office in 2013 (twenty-thirteen).

À la grande surprise de tout le monde, le pape Benoît XVI (le pape Benoît seize) a volontairement renoncé en 2013 (deux mille treize).

His renunciation, papal renunciation, the full name by which it's (it is) known, came as a great surprise.

Sa renonciation, renonciation papale étant le nom complet, était une grande surprise.

His renunciation took people, most of all his followers around the world, by surprise.

Sa renonciation a pris les gens, surtout/en particulier ses fidèles à travers le monde, par surprise.

He is not the first pope ever to have renounced his papacy but he is the first in/for 600 (six hundred) years.

Il n'est pas le premier pape de l'histoire à avoir renoncé à la papauté, mais il est le premier depuis/en 600 (six cents) ans.

The religious calendar
Le calendrier religieux

In some years, the Jewish and Muslim sacred (Holy) months (Tishrei and Ramadan respectively) coincide.

Certaines années, les mois sacrés juifs et musulmans (le tishri et le ramadan respectivement) coïncident.

Faith and freedom/liberty
La foi et la liberté

The core belief in Buddhism is that there's an imperative on people to… / The core belief in Buddhism is that there is an imperative on all of us to…

La croyance centrale du bouddhisme, c'est qu'il est impératif (pour les gens/nous tous) de…

Even though I'm a Muslim/Jewish woman, I don't see my religion or gender as obstacles to career progression in my line of work. / Even though I'm a Muslim/Jewish woman, I see neither my faith nor my gender as an obstacle to career progression in my line of work.

Bien que je sois musulmane/juive, je ne vois pas ma religion ou mon sexe comme (étant) des obstacles à la progression de ma carrière dans mon milieu. / Bien que je sois musulmane/juive, je ne vois ni ma foi ni mon sexe comme (étant) des obstacles à la progression de ma carrière dans mon milieu.

Toleration/Tolerance
La tolérance

How do we ensure we protect the minority religions in Europe such as Judaism and Islam?
> **Comment faire en sorte que les religions minoritaires en Europe telles que le judaïsme et l'islam soient protégées ?**

In Turkey, the majority of people are Muslim. / The people in that country are for the most part Muslim/are predominantly Muslim/are mostly Muslim.
> **En Turquie, la plupart/la majeure partie des gens sont musulmans. / Les gens dans ce pays sont majoritairement musulmans.**

Protestants, as you are (of which you are one), make up/constitute/form the minority in France.
> **Les protestants, dont tu fais/vous faites partie, sont en minorité en France.**

In France, the concept of "la laïcité" (secularism) is not just a current theme but has a long history. It is supposed to advocate the separation of church from the state, and the toleration of all religions therefore.
> **En France, la laïcité n'est pas seulement un thème actuel, mais a aussi une longue histoire. Elle est censée/supposée prôner la séparation de l'Église et l'État et la tolérance de toutes les religions.**

So France prides itself on being a secular democracy. Some other countries strive to be the same.
> **La France est donc fière d'être une démocratie laïque. Certains autres pays font tout leur possible pour faire de même.**

The challenge still facing religious leaders in many parts of the world, whether in multi-faith countries or ones where one or two religions predominate, is how to ensure their faithful tolerate religions other than their own. The question for their faithful is: "How do I tolerate religions other than my own?" Put another way/Put more succinctly: "What does it take to tolerate?"
> **Le défi auquel font toujours/encore face les clergés dans de nombreuses parties du monde, que ce soit dans des pays où l'on pratique diverses religions ou dans les pays où une ou deux religions prédominent, c'est de trouver le moyen de faire en sorte que leurs fidèles tolèrent d'autres religions que la leur. La question posée à leurs fidèles est : « Comment tolérer d'autres religions que la mienne ? » En d'autres mots/termes/De façon plus concise : « Qu'est-ce que c'est que d'être tolérant ? »**

Religious worship; religious/sacred books/texts
La dévotion/la veneration ; livres/textes religieux/sacrés

holy – **saint/sainte/sacré/sacrée/bénit/bénite**

the Holy Spirit – le **Saint-Esprit**

the Holy See (the government of the Roman Catholic church) – le **Saint-Siège (le gouvernement de l'Église catholique)**

Christ – **le Christ**

the prophet Muhammad – **Mahomet/Mohammed / le prophète Mahomet/Mohammed**

Buddha – **Bouddha**

the Quran/The Holy Quran – le **Coran**

the Torah (the first five books of the Hebrew Bible) – **la Torah/la Thora (les cinq premiers livres de la Bible hébraïque)**

the Bible/The Holy Bible – **la Bible**

Chapter 22: Astronomy
Chapitre 22 : L'astronomie

In orbit around the Earth, etc.
En orbite autour de la Terre, etc.

The Moon revolves around the Earth.
La Lune tourne autour de la Terre.

The Earth revolves around the Sun.
La Terre tourne autour du Soleil.

The view of Earth/the Earth from the International Space Station (ISS), which is in orbit around it, gives a completely different/new perspective on life. The ISS is 254 (two-hundred and fifty-four) miles up, which is defined as a low orbit.
La vue de la Terre depuis la Station Spatiale Internationale (SSI/ISS), qui est en orbite autour, donne une perspective complètement différente/nouvelle de la vie. L'ISS orbite à une hauteur de 408 (quatre cent huit) kilomètres, ce qui est défini comme étant une orbite basse.

(Note: ISS is more commonly used in standard French whereas SSI is mainly used in Canadian French.)

Much of the view of Earth/the Earth from space is obscured by cloud.
Une grande partie de la vue de la Terre depuis l'espace est cachée par les nuages.

Many people are fascinated to know what it's like to be inside the ISS and what training is required in order to be an astronaut.
De nombreuses personnes sont fascinées par l'idée de connaître l'expérience d'être à l'intérieur de l'ISS et de savoir quelle formation est nécessaire/requise pour devenir astronaute.

In fact, ISS crew (members) have at times spoken by telephone or by videophone to enthusiasts back on Earth.
À vrai dire, l'équipage de l'ISS a parfois parlé par téléphone ou par visiophone avec des enthousiastes sur Terre. / À vrai dire, les membres de l'équipage de l'ISS ont parfois parlé par téléphone ou par visiophone avec des enthousiastes sur Terre.

They have been asked a variety of questions by children and adults alike. / They have fielded a variety of questions from both children and adults.
Ils ont reçu des questions diverses et variées de la part d'enfants et aussi d'adultes.

These have included:
> **Elles incluaient :**

"I wonder what god/what kind of god astronauts believe in?"
> **« Je me demande en quel dieu/en quel genre de dieu croient les astronautes ? »**

or more personally:
> **ou plus personnellement :**

"What god/kind of god do you believe in as an astronaut?"
> **« En quel dieu/genre de dieu crois-tu/croyez-vous, en tant qu'astronaute ? »**

Stargazers; light pollution
Des astronomes amateurs ; la pollution lumineuse

In large cities, where there is a good deal of street lighting, amateur astronomers may find that they are having to grapple with light pollution. This is the impairment of the view of the night sky by artificial bright light, not just from street lights/lamps but from the collective light from vehicle headlights, windows and the lights inside and on buildings.
> **Dans les grandes villes, où il y a beaucoup d'éclairage public, des astronomes amateurs peuvent se trouver confrontés à de la pollution lumineuse. C'est le masquage du ciel nocturne par des lumières artificielles trop intenses, non seulement venant des lampadaires, mais aussi la lumière des phares de véhicules et l'éclairage à l'intérieur[81] et sur les bâtiments.**

I'm passionate about astronomy. / I'm an astronomy enthusiast. / I'm enthusiastic about astronomy.
> **Je suis passionné(e) d'astronomie. / L'astronomie me passionne.**

---

81 Note that 'de' is omitted after "à l'intérieur" in this instance, because it is followed by "et sur…". In other words, "inside/outside and…" translates as "à la intérieur/extérieur et…", and not "à l'intérieur/extérieur de et…".

Eclipses and occultations
Des éclipses et des occultations

Venus will be partly concealed in the night sky by the Moon for the next few nights.

Vénus sera à demi occultée dans le ciel nocturne par la Lune les nuits qui viennent.

The view of the eclipse from certain parts of Britain this year will be partly obscured by cloud.

La vue de l'éclipse sera à demi occultée par des nuages dans certaines régions de la Grande-Bretagne cette année.

The first lunar landing
Le premier alunissage

These are the first words that the astronaut Neil Armstrong, the first man on the Moon, said from the Moon in July 1969 (nineteen sixty-nine): "That's one small step for man; one giant leap for mankind."

Ce sont les mots que l'astronaute Neil Armstrong, le premier homme à avoir marché sur la Lune, a dit/prononcé sur la Lune en juillet 1969 (mille-neuf cent soixante-neuf/dix-neuf cent soixante-neuf) : « Un petit pas pour l'homme, mais un bond de géant pour l'humanité. »

Further space travel/flight; missions, manned and unmanned
Plus de voyages dans l'espace/Aller plus loin dans l'espace ; des missions habitée et sans équipage

They suspect at the European Space Agency that the rocket didn't land softly on Mars; it didn't approach the surface of the red planet slowly. Instead, it approached far/much too fast and crashed.

On soupçonne, à l'Agence spatiale européenne, que la fusée n'a pas atterri en douceur sur Mars ; elle ne s'est pas approchée de la surface de la planète rouge lentement. Elle s'est plutôt approchée beaucoup trop vite et s'est écrasée.
(Note: The verb that follows 'soupçonner que' takes the indicative, not the subjunctive.)

The craft attempted a soft landing on the comet; it attempted to land softly. However, it rebounded off the surface of the comet.

Le vaisseau a tenté un atterrissage en douceur sur la comète ; il a essayé d'atterrir en douceur. Cependant, il a rebondi contre la surface de la comète.

Size matters! Distances and sizes in space
La taille compte ! Distances et tailles dans l'espace

Distances across the universe and the sizes of a lot of the objects we know about/the known objects within it, such as galaxies and stars, are simply enormous/huge, so much so that they stretch beyond the human imagination. Size and scale in space is rarely well-conveyed to the general public in science and news programmes, perhaps precisely because they can't be for gigantic objects, such as galaxies.

Les distances à travers l'univers et les tailles de beaucoup de corps qui s'y trouvent, tels que les galaxies et les étoiles, sont tout simplement énormes, tant et si bien qu'elles sont au-delà de l'imagination humaine. Les tailles et les échelles dans l'espace sont rarement bien expliquées au grand public dans les émissions de science et dans l'actualité, peut-être précisément parce que la taille de corps si gigantesques, tels que les galaxies, ne peut pas être expliquée.

But the difference in size between, say, the Sun compared with the Earth and the other planets, I believe, should be better represented to the general public. Take (Let's take) the Earth, for example. Relative to the Sun, it is tiny – a mere dot, in fact: in terms of volume, one can fit a million Earths inside the Sun. Likewise, the Sun is minuscule compared with some other stars we know of in our galaxy.

Mais la différence de taille entre, disons, le Soleil et la Terre et les autres planètes devrait être mieux expliquée au grand public, selon moi. Prenons la Terre, par exemple. Par rapport au Soleil, elle est minuscule — un simple point à vrai dire : en termes de volume, on peut mettre un million de Terres dans le Soleil. De même, le Soleil est minuscule par rapport à d'autres étoiles de notre galaxie que nous connaissons.

The use of miles as a unit of distance beyond the solar system soon/rapidly becomes meaningless, because interstellar distances, let alone intergalactic ones, are so unimaginably vast.

L'utilisation du kilomètre comme une unité de distance au-delà du système solaire devient bientôt/rapidement insensée, car les distances interstellaires, sans parler des distances intergalactiques, sont si incroyablement vastes.

Beyond the solar system, therefore, amateur astronomers use the light year, the distance light and other electromagnetic radiation travels in the space of a year in a vacuum. One light year equates to almost 6 (six) trillion miles (5.9 trillion).

En dehors du système solaire, les astronomes amateurs utilisent donc l'année-lumière, la distance que la lumière et d'autres radiations électromagnétiques parcourent dans le vide en un an. Une année-lumière équivaut à/est égale à presque 9,6 (neuf virgule six) billions de kilomètres (9.4 [neuf virgule quatre] billions).

The parsec, which equates to 3.26 (three point two six) or three and a quarter light years, is the unit of distance used by professional astronomers, cosmologists and astrophysicists. The light year is still used for the general public and media as it is considered an easier concept to grasp for the vast distances of the universe.

Le parsec, qui équivaut à 3,26 (trois virgule vingt-six) années-lumière est l'unité de longueur utilisée par les astronomes, cosmologues/cosmologistes et astrophysiciens professionnels. L'année-lumière est toujours utilisée pour le grand public et les médias car elle est considérée comme étant un concept plus facile/simple pour permettre de comprendre les vastes distances de l'univers.

Across the Solar System
À travers le Système solaire

The distance from the Sun to the edge of our solar system alone is in the billions of miles (is in the order of billions of miles), some eleven billion in fact. The farthest planet/dwarf planet from the Sun, Pluto, for example, at the farthest point of its orbit (its aphelion), is 4.58 (four point five eight) billion miles (4,580 [four thousand five hundred and eighty] million miles) from the Sun.

La distance entre le Soleil et la périphérie de notre Système stellaire est de l'ordre des milliards de kilomètres, environ dix-huit milliards à vrai dire. La planète/planète naine la plus éloignée du Soleil, Pluton, par exemple, au point le plus éloigné de son orbite (son aphélie), est à 7,37 (sept virgule trente-sept) milliards de kilomètres du Soleil.

It takes light from the Sun eight minutes to reach the Earth. Thus, we see the Sun as it was eight minutes ago. Light takes over sixteen hours to travel the eleven billion miles to the edge of our solar system. By comparison, it took the Voyager 1 space probe thirty years to travel this distance at a speed of approximately thirty-nine thousand miles per hour (39,000 mph), visiting the outer planets on the way.

La lumière du Soleil met huit minutes à atteindre la Terre. Nous voyons donc le Soleil tel qu'il était il y a huit minutes. La lumière met environ seize heures à parcourir les seize milliards de kilomètres qui séparent le Soleil de la périphérie de notre Système solaire. En comparaison, la sonde spatiale Voyager 1 a mis trente ans à parcourir cette distance à une vitesse d'approximativement/ d'environ soixante-deux mille quatre cents kilomètres par heure (62 400 km/h), passant près des planètes externes en chemin.

Voyager is thought to have travelled right to the limit of our solar system, and beyond into what we call interstellar space.

On pense que Voyager a atteint la périphérie de notre système solaire et qu'elle est même allée au-delà, dans ce qu'on appelle l'espace interstellaire.

Of what we call the inner planets, i.e. the planets within the asteroid belt (those closer to the Sun than the asteroids), namely Mercury, Venus, Earth and Mars in that order from the Sun, Earth is 93 (ninety-three) million miles away from the Sun. We call this Earth–Sun distance one astronomical unit (one AU).

Parmi les planètes appelées les planètes internes, c'est-à-dire les planètes se trouvant entre le Soleil et la ceinture d'astéroïdes à savoir Mercure, Vénus, la Terre et Mars, dans l'ordre de la plus proche du Soleil à la plus éloignée, la Terre se trouve à 150 (cent cinquante) millions de kilomètres du Soleil. On appelle cette distance Terre-Soleil une unité astronomique (ua).

Solar wind, the heliosphere and the heliopause
Vent solaire, l'héliosphère et l'héliopause

Solar wind is the name given/term applied to the invisible stream of electrically charged atomic and subatomic particles that constantly flows out/ emanates from the Sun.

On appelle « vent solaire » le flot invisible de particules atomiques et subatomiques chargées d'électricité qui émane constamment du Soleil.

This flow extends far beyond the planets, extending to approximately 11 (eleven) billion miles from the Sun in all directions. This limit of the Sun's effect or influence on its surroundings in space is known as the 'heliopause'.

Ce flot s'étend bien au-delà des planètes, allant jusqu'à environ/ approximativement 17,6 (dix-sept virgule six) milliards de kilomètres du Soleil dans toutes les directions. Cette limite de l'effet ou influence du Soleil sur ce qui l'entoure dans l'espace est connue sous le nom d'« héliopause ». [82]

Interstellar space
L'espace interstellaire

Interstellar space is the region of space between stars. In technical terms it is the region between the outer electromagnetic boundary of one star and that of another.

L'espace interstellaire est la région de l'espace entre les étoiles. En termes techniques, c'est la région entre la périphérie électromagnétique externe d'une étoile et celle d'une autre.

So, in the case of the Sun, true interstellar space is that between the heliopause and the equivalent for another star.

Donc, pour le Soleil, le véritable espace interstellaire est la distance entre l'héliopause et son équivalent pour une autre étoile.

The Sun and its nearest stellar neighbour, Proxima Centauri, for example, are four point two (4.2) light years, or 1.3 (one point three) parsecs (1.3 ps) apart.

Le Soleil et l'étoile voisine la plus proche, Proxima Centauri, par exemple, se situent à quatre virgule deux (4,2) années-lumière, soit 1,3 (un virgule trois) parsecs (1.3 ps) l'une de l'autre.

Interstellar distances can be less than this and far more, running into hundreds, thousands, tens of thousands and even hundreds of thousands of light years within the same galaxy, depending on which two stars we are measuring between and the size of the galaxy.

Les distances interstellaires peuvent représenter moins que cela ou bien plus, atteignant les centaines, les milliers, les dizaines de milliers, voire les centaines de milliers, d'années-lumière dans la même galaxie, en fonction de quelles étoiles et quelle galaxie sont prises en considération.

---

82 Note how French gets around the problem of elision that arises when the "de" of "sous le nom de" is followed by a word in quotes beginning with a vowel, or 'y', or 'h' aspiré, by putting the "d" and apostrophe outside the quotes.

Galaxies, exoplanets and intergalactic space
Galaxies, les exoplanètes et l'espace intergalactique

If interstellar distances are vast, then intergalactic distances are generally far greater still.

Si les distances interstellaires sont vastes, les distances intergalactiques le sont en général bien plus.

Our galaxy, the Milky Way, and its nearest galactic neighbour, the Andromeda Galaxy, are 2.5 (two point five) million light years, or approximately 770 (seven-hundred and seventy) kiloparsecs (770 kps) apart.

Notre galaxie, la Voie lactée, et la galaxie voisine la plus proche, la galaxie d'Andromède, se situent à 2,5 (deux virgule cinq) millions d'années-lumière, soit environ/approximativement 770 (sept cent soixante-dix) kiloparsecs (770 kps) l'une de l'autre.

Andromeda is said to be the most distant object visible to the naked eye in the night sky.

On dit qu'Andromède est l'objet le plus distant visible à l'œil nu dans le ciel nocturne.

With some difficulty, you/one can see it with the naked eye.

Avec quelques difficultés, on peut la voir à l'œil nu.

Our galaxy, and the nearest others (estimates vary but generally put at between 30 and over 60), occupy an area of space ten million light years across, and are known by astronomers as "The Local Group".

Notre galaxie, et les autres les plus proches (les estimations variant entre 30 et plus de 60), sont appelées « le Groupe local » par les astronomes, et occupent une zone de l'espace d'environ dix millions d'années-lumière de diamètre.

Exoplanets are planets outside our own solar system, orbiting other stars in our galaxy.

Les exoplanètes sont des planètes en dehors de notre Système solaire, orbitant/qui orbitent autour d'autres étoiles dans notre galaxie.

Of the thousands of exoplanets so far discovered, some are Earth-sized, some bigger, some smaller, some rocky, some not.

Des milliers d'exoplanètes découvertes jusqu'à présent, certaines sont de la même taille que la Terre, certaines plus grandes, certaines plus petites, certaines rocheuses, certaines non.

Some (of them) are relatively close in astronomical terms at under forty light years away.

> **Certaines (d'entre elles) sont relativement proches astronomiquement parlant, étant situées à moins de quarante années-lumière de nous.**

Some have an estimated mass of around three times that of Earth.

> **On estime que la masse de certaines équivaut à trois fois celle de la Terre.**

Any one of the planets could have intelligent life on it, as ours does. / Any one of the planets could support intelligent life/life forms, as ours does.

> **N'importe laquelle des planètes pourrait accueillir/abriter des formes de vie intelligentes, comme la nôtre.**

Other galaxies are too far away for us to detect planets and these would be called extragalactic planets or extragalactic exoplanets.

> **D'autres galaxies sont trop éloignées pour que nous puissions y détecter des planètes, qui seraient appelées des planètes extragalactiques ou des exoplanètes extragalactiques.**

The age of the solar system
L'âge du Système solaire

The Sun and Earth and other planets in our solar system are approximately 4,600 (four thousand six hundred)[83] million years old, or approximately 4.6 (four point six) billion years old.

> **Le Soleil, la Terre et les autres planètes dans notre Système solaire ont environ 4,6 (quatre virgule six)[83] milliards d'années.**

---

83 Note that while in English the 'thousand million' term and its multiples 'x thousand million' are used interchangeably with the unit 'billion' and 'x billions', the terms 'mille millions' and 'x mille millions' are not used in French – only 'milliard'.

Notez qu'en anglais, il est parfaitement correct de dire « a thousand million » (« mille millions ») pour dire « billion » (« milliard »). Il est donc possible de trouver des constructions telles que « four thousand million » (« quatre mille millions »).

How and when did the universe come about?/How and when did the universe come to be?

Comment et quand s'est formé l'univers ?

That question and whether there is any extra-terrestrial life out there are the two great unknowns for humankind.

Cette question et celle de l'existence de la vie extraterrestre sont les deux grandes inconnues pour l'humanité.

There is of course the "Big Bang" theory, which most astrophysicists tend to agree with; but it is still just a theory.

Il y a bien sûr, la théorie du Big Bang avec laquelle la plupart des astrophysiciens ont tendance à être d'accord, mais cela/ça ne reste tout de même/quand même qu'une théorie.

Chapter 23: Idiomatic English – a selection of examples
Chapitre 23 : Des expressions idiomatiques anglaises — une sélection d'exemples

This chapter contains a selection of some of the numerous English idioms (English figures of speech, turns of phrase, sayings), including similes, metaphors and puns in common usage, and their closest French translations/approximations.

Ce chapitre contient une sélection de nombreuses expressions idiomatiques anglaises, dont des comparaisons, des métaphores et des calembours courants et leurs plus proches traductions en français.

Idioms are commonly used expressions, often colloquial but not always, that when translated literally make little to no sense in a foreign language and would be likely therefore to be misinterpreted therein if literally translated.

Les expressions idiomatiques sont des expressions utilisées communément, souvent familières mais pas toujours, qui ont peu de sens voire n'ont aucun sens lorsqu'elles sont traduites littéralement dans une langue étrangère. Elles sont donc souvent mal comprises/mal interprétées si elles sont traduites littéralement.

to be on an even keel

(Literal translation/Traduction littérale: être sur une quille plate)

Meaning: to be stable or steady, not fluctuating

This could be finances (business or personal), health, general circumstances, the economy or trade for example.

Signification : être stable ou régulier

Cela pourrait être à propos des finances (commerciales ou personnelles), de la santé, des circonstances générales, de l'économie ou du commerce, par exemple.

French equivalent/Équivalent français : à flot (literally, "afloat")

All hands on deck!

(Literal translation/Traduction littérale: Toutes les mains sur le pont !)

Meaning: everybody is requested or required to help with this task

Signification : tout le monde doit venir aider avec cette tâche

French equivalent/Équivalent français : Tout le monde sur le pont !
(literally, "everybody on deck!")

to take the wind out of somebody's sails

(Literal translation/Traduction littérale: enlever le vent des voiles de quelqu'un)

Meaning: to say or do something that removes an adversary's will or capability to carry on fighting; to deflate someone

Signification : dire ou faire quelque chose qui sape la volonté ou l'aptitude d'un(e) adversaire de continuer à lutter ; démonter quelqu'un

French equivalent/Équivalent français : rabattre/rabaisser le caquet de quelqu'un (literally, "to close up someone's cackle")

to be happening at a rate of knots/at the rate of knots

(Literal translation/Traduction littérale: se passer à la vitesse des nœuds)

Meaning: to be happening fast/quickly/rapidly

Signification : se passer rapidement/vite

French equivalent/Équivalent français : à toute allure (literally, "at full pace")

to be left high and dry

(Literal translation/Traduction littérale: être laissé(e) haut(e) et sec/sèche)

Meaning: *(a boat or ship)* to be beached; *(a person)* to be left bereft of funds or stranded

Signification : *(un bateau ou un navire)* être échoué ; *(une personne)* être laissé(e) sans argent ou coincé(e)

French equivalent/Équivalent français : avoir le bec dans l'eau ; être laissé(e) en rade (literally, "having one's beak in the water"; "being left in the harbour")

to talk shop

(Literal translation/Traduction littérale: parler boutique)

Meaning: to talk about work instead of more relaxed or light-hearted topics in a social setting such as a bar or nightclub or at a party

Signification : parler de son travail au lieu de sujets de conversations plus détendus et légers/gais quand on est dans un bar, une boîte de nuit ou à une fête, par exemple

French equivalent/Équivalent français : parler boutique
e.g. "The two of them talked shop all night! We were bored stiff!/They bored us to death!"

« Ces deux-là ont parlé boutique toute la soirée ! On s'est ennuyé(e)s comme des rats morts !/Ils nous ont ennuyé(e)s à mourir ! »

---

to be scraping the bottom of the barrel

(Literal translation/Traduction littérale: être en train de gratter le fond du tonneau)

Meaning: to be resorting to desperate measures to solve a problem; to be rummaging around to find a case to prove a point and only managing to find a tenuous one

Signification : avoir recours à des mesures désespérées pour résoudre un problème ; fouiller/farfouiller pour trouver la preuve que l'on a raison mais seulement trouver une preuve tenue

French equivalent/Équivalent français : racler les fonds de tiroir *(literally, "to scrape the back of the drawer")*

> *e.g.* "You're really scraping the bottom of the barrel now!"
> > *« Tu racles vraiment les fonds de tiroir maintenant ! »*

What's that got to do with the price of fish?

(Literal translation/Traduction littérale: Qu'est-ce que ça a à voir avec le prix du poisson ?)

Meaning: What's the relevance of that? What does that have to do with anything?

Signification : En quoi cela est-il pertinent ?

French equivalent/Équivalent français : aucun rapport avec la choucroute *(literally, "nothing to do with the choucroute")*

to throw the kitchen sink at someone/something

(Literal translation/Traduction littérale: jeter l'évier à quelqu'un/quelque chose)

Meaning: to fight or compete with all one's might against a competitor; to make a great effort; to give everything/to give one's all

Signification : se battre ou concourir de toutes ses forces contre un concurrent/adversaire ; faire de gros efforts ; tout donner

French equivalent/ Équivalent français: engager, jouer, perdre jusqu'à sa chemise, jusqu'à sa dernière chemise *(literally, "to invest, play, lose until your shirt, until one's last shirt")*

to get into hot water (about something); to be in hot water (about something)

(Literal translations/Traductions littérales: se retrouver dans l'eau chaude [à propos de quelque chose] ; être dans l'eau chaude [à propos de quelque chose])

Meaning: to be in trouble

Signification : avoir des ennuis

French equivalent/Équivalent français : être dans de beaux draps ; être dans le pétrin *(literally, "to be in pretty bedsheets"; "to be in the kneading trough [for kneading dough]")*

e.g. "George has got himself into a bit of hot water this morning with his comment on Twitter."/
« George s'est retrouvé dans de beaux draps ce matin avec son commentaire sur Twitter. »

to be clutching at straws

(Literal translation/Traduction littérale: se raccrocher à des brins de paille)

Meaning: trying to seize on a tenuous or improbable or desperate answer to a question or solution to a problem; making wildly speculative guesses; running out of plausible ideas, options or solutions; to have a tenuous argument; to be in a tenuous position

Signification : essayer de tirer profit d'une réponse ou solution ténue ou improbable ou désespérée à une question ou à un problème ; faire des suppositions incroyablement approximatives ; être à court d'idées, de choix ou de solutions ; avoir un argument ténu ; être dans une position précaire

French equivalent/Équivalent français : se raccrocher/rattraper aux branches *(literally, "to clutch on the tree limbs")*

e.g. "You're clutching at straws."
« Tu te raccroches/rattrapes aux branches. »

to be raining cats and dogs

(Literal translation/Traduction littérale: pleuvoir des chats et des chiens)

Meaning: to be raining heavily

Signification : pleuvoir à verse

French equivalent/Équivalent français: pleuvoir/tomber des cordes (literally, "to rain ropes"/"ropes are falling") ; pleuvoir/tomber des trombes (d'eau) (*literally, "to rain waterspouts"/"waterspouts are falling")* ; pleuvoir/tomber des hallebardes *(literally, "to rain halberds"/"halberds are falling")*

to call the shots

(Literal translation/Traduction littérale: appeler les coups de feu)

Meaning: to be in charge; to make the key decisions

Signification : être aux commandes ; prendre les décisions les plus importantes

French equivalent/Équivalent français : mener le jeu, la danse, le bal ; faire la loi ; faire la pluie et le beau temps *(literally, "lead the game, the dance, the ball"; "make the law"; "to make it rain and make the sun shine")*

to stand up and be counted

(Literal translation/Traduction littérale: se lever et être compté(e))

Meaning: to be prepared to be seen and noticed fighting a cause

Signification : être disposé(e) à être vu(e) et remarque(e) en train de se battre pour une cause

French equivalent/ Équivalent français : avoir le courage de ses opinions *(literally, "having the courage of your opinions")*

NUMBER 4

to be going swimmingly

(Literal translation/Traduction littérale : aller "nager-ment")

(The word 'swimmingly' in this idiom is a modification of the verb 'to swim' ['nager']; the verb has been turned into an adverb. This adverb doesn't exist in formal English; neither does "nager-ment" in French!
Dans cette expression idiomatique le verbe « to swim » [« nager »] a été transformé en adverbe. Cet adverbe n'existe pas en anglais, et évidemment "nager-ment" non plus en français !)

Meaning: things are going well/very well

Signification : tout va bien/très bien

French equivalent/Équivalent français : Tout va à merveille, sans accroc, comme sur des roulettes ; baigner dans l'huile (literally, "everything goes wonderfully, without snags, like on castors"; "bathing in the oil")

e.g. "Things are going swimmingly."/"Things went swimmingly."
« Tout baigne dans l'huile. »/« Tout est allé comme sur des roulettes. »

Endnotes

1 "Les uns les autres" used in this way to mean "people" is only ever used when preceded by some kind of debate or disagreement between two groups or factions of people (either pre-defined or which have emerged during the course of the debate/disagreement) where the essence of the debate or solution to it is expressed by someone. This person may be an arbitrator, moderator, commentator or summariser.
(Part I, Theme 5, p.31)

2 Note that whilst such outcomes expressing comparison with what was anticipated are generally expressed either in the perfect tense or pluperfect tense in English, they tend to be expressed either in the imperfect of the indicative (l'imparfait de l'indicatif) or the pluperfect of the indicative (le plus-que-parfait de l'indicatif) in French.

À noter qu'alors qu'en français on exprime de tels dénouements à l'imparfait de l'indicatif ou au plus-que-parfait de l'indicatif en faisant le comparaison avec ce qui était prévu, en anglais on les exprime soit au parfait soit au pluparfait.
(Part I, Theme 13, p.50)

3 When to use 'continuer à' and 'continuer de' is a subject that can cause confusion to English-speakers encountering this for the first time.

The traditional rules on this are those advocated by *l'Académie française* and are essentially these:

Firstly, it depends on context and *l'Académie* makes the following distinction:

(a) If an action is commenced then continued for a period of time (which could be indefinite), then it is '**continuer à**'

As well as continuation, this can be interpreted as "to press on with" or, in some contexts, perseverance in the face of distractions or obstacles or after long passages of time.

e.g.
Mathilde is continuing to/pressing on with preparing the meal despite the phone ringing.
Mathilde continue **à** préparer le repas bien que le téléphone soit en train de sonner.

Five years on from her return from her trip to Thailand and Myanmar, Elaine continues to believe in (still believes in) Buddha.
Cinq ans après son retour de Thaïlande et Myanmar, Elaine continue **à** croire en Bouddha.

It's past six p.m. and still, Benjamin keeps on working.
Il est dix-huit heures passées et pourtant, Benjamin continue **à** travailler.

(b) If a person has a habit or routine, and continues to practise this or in the case of a bad habit or routine, persists in doing it, then it is '**continuer de**'

e.g.
Sylvain continues to get up at five a.m. every morning.
Sylvain continue de se réveiller à cinq heures chaque matin.

Simon continues to drink heavily.
Simon continue **de** boire trop (d'alcool).

It promulgates another rule:

(c) If the verb that follows 'continuer' begins with a vowel, then to avoid a hiatus in spoken French, it should be '**continuer de**'

e.g.
Il continue **d'acheter** les mêmes chemises.
(He continues to buy the same shirts.)
(Rather than: Il continue à acheter les mêmes chemises.)

On the other hand, there is the outlook as observed by *L'Office québécois de la langue française* in March 2021. It states that the rule on context has largely been dispensed with and that 'continuer à' and 'continuer de' are interchangeable.

However, they agree on avoidance of hiatus, adding that, nowadays, the sole determinant of which option is used is euphony in spoken French, i.e. how smooth or pleasing it sounds to the ear or how easy the series of syllables is to pronounce. They go further though in adding the recommendation that not only should the rule on vowels be observed, but 'continuer de' should be avoided in favour of 'continuer à' when the verb that follows begins with the consonant 'd',

e.g.
Sandrine continue **à demander** une explication.
(Sandrine continues to demand an explanation.)
(Rather than: Sandrine continue de demander une explication.)
(Part I, Theme 16, p.57)

4 Whilst 'dozens' is commonly used in the English language, and whilst its French equivalent 'des douzaines' is used, in practice 'des dizaines' ('tens') is more commonly used in French.

En anglais, on utilise beaucoup plus souvent le terme « dozens » (« douzaines ») qu'en français, tandis que le terme « tens » (« des dizaines ») est rarement utilisé.
(Part I, Theme 22, p.91)

5 For English-speaking readers:

In the English language, these are known simply as relative pronouns but sometimes as indefinite relative pronouns or compound relative pronouns in order to differentiate them from the definite relative pronouns which include 'who', 'whom', 'whose', 'which' and 'that'.

In French, 'lequel', 'duquel', auquel' and their feminine, plural and feminine plural equivalents, e.g. 'laquelle', 'lesquels', 'lesquelles', 'auxquels', 'auxquelles', 'desquels', 'desquelles, are likewise termed 'pronoms relatifs composés' (compound relative pronouns). This is to distinguish them from the 'pronoms relatifs simples' (simple relative pronouns) – 'que', 'qui', 'dont' and 'où'.

Pour les lecteurs francophones :

En anglais, ces mots sont connus sous le nom de pronoms relatifs, mais sont parfois appelés « indefinite relative pronouns » (pronoms relatifs indéfinis) ou « compound relative pronouns » (pronoms relatifs composés) pour les distinguer des « definite relative pronouns » (pronoms relatifs définis) tels que « who », « whom », « whose », « which » et « that ».
(Part I, Theme 25, p.97)

6 The word 'why' is not necessary after "That's the reason". However, it is commonly found in both verbal and written English.

Le mot « why » n'est pas nécessaire après « That's the reason ». Cependant, on peut souvent le rencontrer et à l'oral et à l'écrit en anglais.
(Part I, Theme 29, p.131)

7 Note also that 'si l'on' is often preferred in spoken as well as written French, because it avoids the hiatus created by the vowels 'i' and 'o' in "si on…". That said, French-speakers prefer a hiatus to alliteration. So for instance, they would say "si on lisait…" instead of "si l'on lisait…". (Part I, Theme 37, p.185)

8 Notice that 'How about' is followed by a gerund in English. / Notez que « How about » est suivi du gérondif en anglais. (Part I, Theme 37, p.185)

9 The second phrase is the more commonly used form of these two sentence constructions, e.g."It's a widely held view that the recent measles outbreak could have been prevented by a compulsory vaccination programme."

« Le fait que la récente épidémie de rougeole aurait pu être évitée grâce à un programme de vaccination obligatoire est une idée/opinion largement répandue. » / « Le fait qu'un programme de vaccination obligatoire aurait pu empêcher la récente épidémie de rougeole est une idée/opinion largement répandue. »
(Part I, Theme 37, p.194)

10 Note that the conditional has been used in the first sentence after "bien que" and not subjunctive. This is because, although the subjunctive is strictly speaking the correct tense to use, many French-speakers find it cumbersome to use in informal spoken French and so dispense with it in favour of the indicative or conditional. It's a contentious area in French. The québécois (French-Canadian) *Bureau de la traduction* (BtB) has a useful online resource which covers this topic, among others. https://www.btb.termiumplus.gc.ca/tpv2guides/guides/chroniq/index-fra.html?lang=fra&lettr=indx_titls&page=9U66xqoK0nJk.html
(Part I, Theme 37, p.204)

11 Pour les lecteurs francophones : « You » est impersonnel dans ce contexte-ci, c-à-d., « What do you do? » équivaut à « What does one do? »

12 The locution 'et ce' (if translated literally, 'and this') is a term of emphasis widely used in French. In this example, it conveys the same sentiment as "still" does in the English.
(Part I, Theme 38, p.217)

13 *L'Académie française* considers "avoir trait à" to be a more old-fashioned term, so its dictionary uses "se dit encore" in reference to it. The term is used less, in general, than the other terms.
(Part I, Theme 41, p.223)

14 Note that whereas in English the possession of something singular in common with other individuals can be said or written as plural in certain contexts, such as 'their lives' in this example, the French language has a different rule: no matter the number of owners, the object remains singular. Hence in the case of life, it is "leur vie" in this example and not "leurs vies" because the French view is that we each have (as far as we know!) one life only.
À noter qu'alors qu'en français la possession commune de quelque chose de singulier est traitée strictement comme singulier, par exemple la vie ou un objet, en anglais il n'existe pas une telle règle: on peut exprimer la possession commune soi comme étant singulière soi comme étant plurielle selon le contexte, donc « their lives (« leurs vies ») » dans cet exemple.

15 A predicate is the verb describing the subject's actions.
Ici, un prédicat est le verbe qui exprime les actions du sujet.
(Part I, Theme 45, p.235)

16 Note: Whilst the term 'e-mail' (in English, 'email') is common usage in France, it is an anglicism and *l'Académie française* discourages its use in favour of the French term for it, 'un courriel'.
(Part I, Theme 46, p.244)

17 This, and the examples that follow, illustrate some important and somewhat idiosyncratic rules of the French language with regard to colour descriptors:

1) When any colour is used as an adjective on its own to describe an object, it follows the gender and number, e.g. un blouson gris, une chemise grise, deux jupes vertes, une paire de chaussures noires, trois pantalons bleus. However, when it is accompanied by other adjectives to describe the colour itself to form so-called composite colour adjectives, e.g. light blue, dark blue, bright yellow, then they remain invariable.

2) When the colours used on their own also happen to serve as nouns, e.g. orange (adjective – orange) is also 'une orange' (an orange), marron (adjective – brown) is also 'un marron' (a chestnut), olive (adjective – olive/olive-green) is also 'une olive' (an olive), turquoise (adjective – turquoise) is also 'une turquoise' (a turquoise) they too remain invariably MASCULINE SINGULAR, even if the objects are feminine and/or plural.

The following three: fauve (adjective – fawn/tawny) is also 'un fauve' (big cat) mauve (adjective – mauve) is also 'une mauve' (a mallow [flower]) rose (adjective – pink/rose) is also 'une rose' (a rose) are an exception to rule (2); they follow rule (1), i.e. the same rule as regular colour adjectives. Thus, for example,

There are two pink vases in the hallway.
Il y a deux vases roses dans le vestibule.

3) When it comes to items of more than one colour, the French language has the following rule to make the distinction between different colours within the same object and objects of different colours:

(a) If we are referring to different colours in the same object, the colours remain MASCULINE SINGULAR,

e.g.
'a blue and white tie' is 'une cravate bleu et blanc'
'two blue and white ties' is 'deux cravates bleu et blanc'

(b) If we are referring to two or more objects of different colours, then the colour follows the gender and number of objects,

e.g.
'Pete has a mixture of blue and white ties.'
'Pete a des cravates bleues et blanches.'

4) When describing a paired item, e.g. shoes, socks, the colour and gender and the above rules apply to the items themselves rather than to the word 'paire'. (Part I, Theme 47, p.248)

18 Note 'this' is expressed 'ça' when speaking in this sarcastic manner.
(Part I, Theme 51, p.259)

19 For further reading (in French) on the use of accents on letters in written French, visit the website for l'Académie française.
(Part I, Theme 56, p.277)

20 In English phonetics, the aspirated 'h' is essentially the same thing – the pronounced or 'plosive' 'h', e.g. in 'hat'.
(Part I, Theme 56, p.282)

21 The term 'le 'ne' littéraire' is something of an oddity in that, though French, it was not coined in the French language but in the English language to refer to the use of 'ne' as described here and with 'on ne peut' without 'pas' and certain other constructions, e.g. 'Je ne sais quoi', which are dealt with elsewhere in this book. There is no specific term in French for it. In English it is also called 'the literary 'ne''.
Further reading: Price G., 2008, A Comprehensive French Grammar, 6th edition., Blackwell, Oxford.

Le terme « "ne" littéraire » (ou « literary "ne" ») est une sorte de curiosité : bien que formulé en français et faisant référence à la syntaxe française, le terme a été inventé par les anglophones pour désigner « ne » utilisé sans « pas », comme dans « on ne peut » ou « je ne sais quoi », même si cette construction n'a pas de nom spécifique en français. Lecture complémentaire : *Price G., 2008, A Comprehensive French Grammar, 6th edition., Blackwell, Oxford.* (Part I, Theme 59, p.299)

22 'Traiter' is used only for pejorative terms.
(Part I, Theme 60, p.306)

23 The infinitive of 'sied' is the defective verb 'seoir'. French verbs are categorised into Groups 1, 2 and 3 and also into regular, irregular and defective. These are summarised in the table below.

Group	Type	Ending	Examples
1	Regular (Régulier)	-er, with the notable exception of 'aller', which is part of the third group.	acheter, donner, parler
2	Regular (Régulier)	-ir, and their conjugation follows the model of 'finir'. In particular, this group differs from the third group in that the present participle ends in '-issant', e.g. 'en finissant', whereas for the several exceptions, e.g. 'courir', 'découvrir', 'faillir', that reside in group 3, their present participle ends in '-ant', e.g. 'en courant'	choisir, finir, réussir
3	Irregular (Irrégulier)	-aire, -aître, -cre, -dre, -er, -ir, -ire, -ivre, -oir, -oire, -oître, -ore, -pre, -ttre, -uire, -ure	plaire, naître, vaincre, atteindre, attendre, craindre, joindre, prendre, résoudre, **aller**, envoyer, renvoyer, découvrir, couvrir, obtenir, offrir, lire, rire, suffire, pleuvoir, pouvoir, savoir, voir, croire, croître, clore, interrompre, suivre, vivre, **être**, mettre, cuire, produire, traduire, conclure, inclure

Group	Type	Ending	Examples
Defective (Défectif)	This is not a group per se but rather a separate collection of verbs that deviate in various ways from groups 1, 2 and 3.	-aître, -eoir, -er, -indre, -ir, -oir, -oire	paître, repaître, messeoir, seoir, béer, oindre, poindre, faillir, gésir, choir, déchoir, échoir, accroire

There are countless resources (books and online) on French verbs and verb tables, some of which are listed in Sources and further reading.
(Part I, Theme 62, p.313)

24 It is common to hear "foot" instead of the plural "feet", e.g. "He is five foot ten" but this is not strictly correct, grammatically speaking.

En anglais, on entend souvent « foot » au lieu du pluriel « feet », par ex. « He is five foot ten », mais ce n'est pas vraiment correct grammaticalement.
(Part I, Theme 63, p.319)

25 How to spell the plural of 'aller-retour' is the subject of some debate. The convention was to treat 'aller-retour' as a compound noun and hence write the plural 'allers-retours'. However, since the French orthographic reforms of 1990, the plural form 'aller-retours' is accepted on the basis that 'aller' is a verb and verbs remain invariable, just as the plural of 'porte-bagage' is accepted as 'des porte-bagages'. Those arguing for 'allers-retours' say that only when it is an adjective should it remain invariable, and in its entirety, e.g. 'quatre billets aller-retour'.
(Part I, Theme 64, p.322)

26 The 'ne littéraire' also does this, e.g. with 'On ne cesse de…', 'ne daigner', 'On ne peut…', 'On ne sait' and 'si' and has been dealt with in Theme 59.
(Part I, Theme 69, p.349)

27 *Le Grand Dictionnaire Terminologique* (québécois) is an excellent resource in this regard as well as on French generally.
(Part I, Theme 71, p.359)

28 The term 'outre-Rhin' is an adverbial locution used in mainland France to refer to across the border in Germany from the French perspective, i.e. "on the other side of the (river) Rhine". See glossary at end of Chapter 1 for similar locutions the French use containing 'outre-' in relation to mainland France. (Part II, Chapter 1, Politics and international relations, Nations commemorating events/National commemorations, p.388)

29 *L'Académie française* holds that 'deuxième' is intended for use as 'second' when the number order extends beyond two, so that there is 'third', 'fourth', etc. while 'second(e)' is for instances where there are only two of any given object or event. However, it adds that this is not obligatory.
(Part II, Chapter 1, Politics and international relations, Nations commemorating events/National commemorations, p.388)

30 Note that French-speakers also use "dans les coulisses" to mean "behind the scenes". However they use this in a different way, namely, "behind the scenes of something", e.g.

We'll be going behind the scenes of the negotiations to find out what is really going on.
On ira/Nous irons dans les coulisses des négociations/pourparlers pour savoir ce qui se passe réellement.

We'll take you behind the scenes at the Musée d'Orsay.
On vous emmènera/Nous vous emmènerons dans les coulisses du musée d'Orsay.

This is what it's like behind the scenes in a typical district general hospital.
Voici comment les choses se passent dans les coulisses d'un hôpital général régional.

Our reporter went behind the scenes at Lyon (Olympique Lyonnais) to watch their preparations for their Champions' League match.
Notre reporter est allé dans les coulisses de l'Olympique Lyonnais (OL) pour regarder leurs préparations pour le match de la Ligue des champions.
(Part II, Chapter 1, Politics and international relations, World crises and the role of the UN in trying to resolve them, p.391)

31 Note that French-speakers tend to use 'complètement' rather than 'carrément' or 'fermement' in this expression. 'Carrément' is informal and 'fermement' can mean 'firmly' but in other contexts, eg. "I firmly believe that…" – "Je crois fermement que…". It also means 'forcefully/with force', 'resolutely', 'steadfastly' or 'earnestly'.
(Part II, Chapter 1, Politics and international relations, World crises and the role of the UN in trying to resolve them, p.394)

32 It is not uncommon also to hear or read "Le diable se niche dans les détails" in French news broadcasts or on French journalistic and news publications and websites, although, at the time of writing at least, it generally doesn't appear in French dictionaries.
(Part II, Chapter 1, Politics and international relations, The outbreak of war; going to war; war and peace, p.399)

33 Note that unlike 'avant que', with which the verb that follows always takes the subjunctive, the verb following 'après que' always takes the indicative because the event referred to in the first clause of the sentence is already confirmed to have taken place.
(Part II, Chapter 1, Politics and international relations, The outbreak of war; going to war; war and peace, p.401)

34 Note the use of the verb 'confronter' rather than 'affronter'. 'Affronter' is an active verb – to confront someone/something; the use of 'confronter' in passive voice in the example here conveys the meaning of involuntarily facing a threat rather than actively confronting one. It can be used in active voice in the context of facing a threat or problem, but that is typically in the context of a third party, e.g. "Cette nouvelle nous a confronté(e) à la mesure/grandeur du problème." ("This news/revelation revealed to us the extent/size of the problem.") More often, 'confronter' used in active voice conveys a different meaning – typically, to compare. For example, "confronter de différents témoignages" means "to compare different accounts (witness statements) or versions of an event"; "confronter des écritures" means comparing handwriting or print as part of an investigation; or "confronter les opinions de différentes personnes" means to compare opinions or points of view on something; "confronter une méthode ou solution à une autre" – to compare one method or solution with another.
(Part II, Chapter 1, Politics and international relations, Dealing with international terrorism: facing terrorist attacks and threats, coordinating action to confront them, p.406)

35 Of the two indefinite adjectives 'maint(e)(s)' and 'plusieurs' (always plural) to mean many or several, both are formal terms but the former is considered the slightly more elevated by French-speakers.
(Part II, Chapter 1, Politics and international relations, The European Union, Greece and the euro, p.413)

36 "Force est de constater…" most literally translated means: "It has to be said that…" / "It cannot be stated otherwise than that…" / "It is undeniably true that…" / "It is indisputably the case that…"
(Part II, Chapter 1, Politics and international relations, Political footballs and 'hot potatoes' (burning/sensitive issues), p.414)

37 Whilst 'vedette' is the correct word in French, the anglicism 'star' is now far more widely used. 'Vedette' is always a feminine noun, regardless of the gender of the person. Conversely, 'écrivain' is always masculine, regardless of the gender of the person. Certainly this is what both *l'Académie française* and *le Centre National de Ressources Textuelles et Lexicales (CNRTL)* stipulate at the time of writing. Larousse, on the other hand, accommodates the move to gender diversification in relation to the nomenclature of jobs, and allows 'écrivaine' for female writers, for example. Also see footnote or endnote 46.
(Part II, Chapter 2, Art, entertainment and literature, Film, television and radio, p.424)

38 I have termed 'target' as either a collective single noun ('la cible') or as plural nouns ('les cibles'), as either alternative is acceptable and in common usage in English and indeed French.

J'ai utilisé le mot « cible » comme un nom collectif et comme un nom pluriel, les deux étant acceptables et utilisées communément en anglais et aussi en français.
(Part II, Chapter 3, Law and order Terrorism, p.436)

39 Note that whereas in English we refer to the actions of the police in the plural, the French use the singular.

À noter qu'alors qu'en français la police est considérée comme une entité au singulier (et s'accorde donc au singulier), en anglais, elle s'accorde comme un nom pluriel.
(Part II, Chapter 3, Law and order, A hold-up / A hostage situation, p.439)

40 'Faire état' is a term the French use in journalistic or other reports to mean that a person or organisation 'states', 'reports' or 'mentions' something.
(Part II, Chapter 3, Law and order, A hold-up / A hostage situation, p.439)

41 Whether to use "un(e) de…" or "l'un(e) de…" is optional. However, "l'un(e) de…" is more formal and "un(e) de…" should be used in spoken language only.
(Part II, Chapter 3, Law and order, Theft, mugging (personal assault and robbery in public spaces), personal assault, p.441)

42 The Latin term 'a priori' is used in both French and English, to mean "On the face of it, …" or "At first glance, …", or "Presumably, …". In French, it can also be spelt 'apriori' or 'aprioris'. In both languages, it is also used in its more technical or literal sense from the Latin, often in legal or scientific correspondence, to mean: "based on theoretical reasoning, deduction or based on certain principles but in the absence of evidence or experience".

On utilise « a priori » en anglais dans le même sens qu'en français. En français, le terme peut aussi s'écrire « apriori » ou « aprioris ». Dans les deux langues, l'expression est aussi utilisée au sens plus technique ou littéral, souvent dans la correspondance ou la littérature juridique ou scientifique, pour vouloir dire : en s'appuyant sur un raisonnement, une déduction ou d'après certains principes en l'absence d'évidence ou d'expérience.
(Part II, Chapter 3, Law and order, A robbery in broad daylight!, p.442)

43 The term 'les petits délits' is also commonly used (often in news reports on television, radio, online or newspapers). This is considered to be a colloquial term.
(Part II, Chapter 3, Law and order, Petty crime, p.446)

44 Note that in this context though in terms of reportage the English "It was" is in the imperfect tense, in French it remains in the present tense, i.e. "C'est" rather than the imperfect, "C'était".
(Part II, Chapter 3, Law and order, Witnesses and suspects; describing suspects, p.448)

45 'Blanchir' means 'to whiten something' or 'to bleach something'. 'Être blanchi(e)' is an informal term based on this.
(Part II, Chapter 3, Law and order, Guilty/Not guilty, p.450)

46 In both English and French the plural is usually accorded, even though, strictly speaking, "a number of" is singular. In some locutions in French, typically where the word 'nombre' is accompanied by a determiner (déterminant in French) such

as articles 'un' or 'le' or the demonstratives 'this' or 'that' or by a determiner and an adjective, e.g. 'bon', 'certain', 'tel', thus 'le nombre de', 'un bon nombre de' and 'un certain nombre de' as in the above example, the *Office québécois de la langue française* advises that actually either singular or plural is acceptable for the verb that follows. So we could have:

The number of people infected by this new/novel strain of coronavirus in Italy and Spain in 2020 (twenty-twenty) has increased/risen rapidly and continues to increase/climb/mount at an alarming rate.
Le nombre de personnes infectées par cette nouvelle souche du coronavirus en Italie et en Espagne en 2020 (deux mille vingt) a augmenté rapidement et continue d'augmenter à un rythme alarmant.

The number of cases has confounded/surprised a lot of experts.
Le nombre de cas a déconcerté/surpris beaucoup d'experts.

A good many people have already been hospitalised, of whom more than 23,000 (twenty-three thousand) have died/lost their lives as a result of this virus.
Un bon nombre de personnes sont déjà hospitalisées, dont plus de 23 000 (vingt-trois mille) sont mortes à cause de ce virus.

Such a (high) number of deaths/so many deaths in such a short space of time anywhere in the world from an infectious disease is unacceptable.
Un tel nombre de morts/Un nombre de morts si élevé en si peu de temps en raison d'une maladie infectieuse est inacceptable dans n'importe quel pays.

A certain number of knots is acceptable and to be expected in natural wood flooring. / A certain number of knots is acceptable in natural wood flooring and is to be expected.
On peut s'attendre à trouver un certain nombre de nœuds dans un sol en parquet, et c'est acceptable.

So the context carries considerably more weight in French than in English in determining whether the verb takes the singular or plural.

There are two other noteworthy locutions: -

'nombre' with neither determiner nor adjective, intended to convey the meaning 'a number of' (as opposed to 'de nombreux/nombreuse', which translates as 'numerous'),

and

'nombre' with adjective but no determiner, typically 'bon nombre'.

These two locutions invariably take the plural. Thus, for example:
A number of countries rely on tourism for their revenue.
Nombre de pays dépendent tourisme pour leurs revenus.

A lot of people came to my party last night.

Bon nombre de personnes sont venues à ma fête hier soir. / Bon nombre de gens sont venus à ma fête hier soir.
(Part II, Chapter 3, Law and order, Civil unrest – riots, p.452)

47 'Ingénieur' and 'professeur' have traditionally been words that remain masculine, even though one can be female, thus: un/une ingénieur, un/une professeur. That said, there has been in recent decades a move to feminise a range of professional titles, including these. *L'Office de langue française* in Quebec, Canada, for example, actively advocates 'une ingénieure' and 'une professeure'. Until October 2014, *l'Académie française* was implacably opposed to such feminisation, stating that it risked undermining centuries-old founding principles of the French language that *l'Académie* had vowed to uphold since its inception in 1635. However, in October 2014, in the face of increasing political pressure and legal test cases, *l'Académie* relaxed its rules, reluctantly making a declaration allowing feminisation or retention of the masculine in professional and other titles to be optional. Also see footnote or endnote 37.
(Part II, Chapter 4, Employment and industrial relations, Earning/Making one's living, p.455)

48 For English-speaking readers:

Unlike English, and with the exception of the first day of the month ("le premier" in French, just as "the first" in English) the day in numerical (date) form in French is expressed using simple numbers ("le deux", "le trois", "le quatre" and so on), not ordinal numbers ("the second", "the third", "the fourth" and so on).

Pour les lecteurs francophones :

À la différence du français, en anglais, on utilise les adjectifs numéraux ordinaux pour écrire les dates (« le deuxième », « le troisième », « le quatrième » et ainsi de suite), et non les adjectifs numéraux cardinaux (« le deux », « le trois », « le quatre » et ainsi de suite).
(Part II, Chapter 7, History, Miscellaneous, p.494)

49 For English-speaking readers: Just as with days, the month in French is written starting with lower case.

Pour les lecteurs francophones : Les noms de jours et de mois s'écrivent avec une lettre majuscule en anglais.
(Part II, Chapter 7, History, Miscellaneous, p.494)

50 Notice Roman numerals are used in French when writing centuries in numbers.
(Part II, Chapter 7, History, Describing the decades and centuries, p.496)

51 For English-speaking readers:

Unlike in English, where dashes (traditionally, 'en('N')-dashes', which are wider than hyphens but narrower than 'em(M')-dashes) are frequently used as an option instead of 'from' and 'to' to express time spans in terms of days, months and dates, e.g. Monday–Friday, January–February, May 10–July 5, they are not used in French. Instead 'de' and 'à' are always used. As for time spans in years, the two languages apply the same rule: if the time span is preceded by 'from' or 'de' in the respective language, then the first year is followed by 'to' and 'à' respectively. We see that in the Joseph Kennedy example. (That said, this rule is sometimes broken in English.) If the 'from' or 'de' is omitted, then the « en-dash » is used in English, and the trait d'union in French, is used between the two years in question to denote the time span. The only difference is that when that is the case, the years are always placed in brackets in French, whereas this is optional in English, e.g.

Robert F. Kennedy, Attorney-General 1961–1964/1961–64 or Robert F. Kennedy, Attorney-General (1961–1964/1961–64)

Cf.

Robert F. Kennedy, procureur général des États-Unis (1961–1964) or Robert F. Kennedy, procureur général des États-Unis (1961–64).

Pour les lecteurs francophones :

À noter qu'alors que l'on n'utilise pas le « en-dash » (plus large que le trait d'union mais plus étroit que le tiret) pour exprimer une période de jours, de mois ou de dates, on le fait fréquemment en anglais, par ex. Monday–Friday, January–February, ou May 10–July 5. Quant à exprimer une période d'années, les deux langues utilisent le même système :

Si l'on écrit 'de' ou 'from' respectivement avant le premier an, on devrait placer 'à' ou 'to' respectivement entre les deux ans. On le voit dans l'exemple de Joseph Kennedy. (Cela dit, cette règle est parfois violée en anglais.)

Si l'on omet le 'from' ou le 'de' respectivement, on utilise le « en-dash » en anglais ou le d'union en français plutôt que 'to' ou 'à', la seule différence étant que la langue française utilise les parenthèses tandis que cela est optionnel en anglais, par exemple :

Robert F. Kennedy, Attorney-General 1961–1964/1961–64 ou Robert F. Kennedy, Attorney-General (1961–1964/1961–64)

Cf.

Robert F. Kennedy, procureur général des États-Unis (1961–1964) ou Robert F. Kennedy, procureur général des États-Unis (1961–64).
(Part II, Chapter 7, History, Political dynasties, p.500)

52 For English-speaking readers:

Note that when expressing probability scenarios like this, whilst the probable outcome in the final clause is expressed in the future anterior in English, it is expressed in the past conditional in French.

Pour les lecteurs francophones :

Alors que dans des scénarios comme celui-ci, la dernière proposition est au conditionnel passé en français, en anglais, on utilise le futur antérieur.
(Part II, Chapter 8, Medicine and health, Acute appendicitis and its potential complications, p.514)

53 This is fictional.

Nom fictif.
(Part II, Chapter 9, Science and technology, Innovation, p.541)

54 Note this and its singular, 'un matériau' should not be confused with 'matériels' and its singular 'matériel', the noun of which essentially means equipment or hardware, and also has an adjectival form 'matériel(le)(s)'
(Part II, Chapter 9, Science and technology, Innovation, p.541)

55 The word 'data' is the plural of the word 'datum', which means "a single piece of information". The word 'datum' itself is Latin and meant 'a given' or 'a gift/present'. In English, the term 'datum' is used, but far more often its plural form 'data' is used. Even though it is technically plural, 'data' tends to be treated as a singular entity in English. In French, on the other hand, both the singular 'une donnée', and the plural, 'des données', are commonly used.

Le mot « data » est le pluriel du mot « datum », qui signifie « un renseignement/ une information ». Le mot « datum » lui-même vient du latin et signifiait « don/présent ». En anglais, le terme « datum » est utilisé, mais sa forme plurielle (« data ») est bien plus commune. Bien que « data » soit techniquement pluriel, ce mot est généralement traité comme un nom au singulier en anglais. En revanche, en français, « une donnée » et le pluriel « des données » sont communément utilisés.
(Part II, Chapter 9, Science and technology, Analysing the data, p.544)

56 Note 'de la science fiction' rather than 'la science fiction'. This rule applies in the same way here as it does to other uncountable nouns, e.g. air, water, bread, oil, milk, flour, history, economics, law, politics,

e.g.
It looks/sounds like water.
Cela/Ça ressemble à/On dirait de l'eau.

It looks like oil.
Cela/Ça ressemble à/On dirait de l'huile.

The subject of discussion is history but it sounds more like economics.
On parle d'histoire, mais cela/ça ressemble plus à/on dirait de l'économie.
(Part II, Chapter 9, Science and technology, Debating new technology, p.545)

57 Whilst the tense used in the English in this example was the imperfect, the French are, generally speaking, not keen to use the subjunctive imperfect, so it is

rarely used, even in novels. Here, for example, strictly speaking, the subjunctive imperfect was called for and would have been "que tu ne le susses pas/que vous ne le sussiez pas". Instead, the subjunctive present is used.
(Part II, Chapter 10, Sport, Tennis and other solo sports/pursuits, p.551)

58 Unlike 'vedette', which remains invariably a feminine noun, 'numéro', whilst masculine, can be varied to feminine for girls and women and for objects of feminine gender in the French language.
(Part II, Chapter 10, Sport, Tennis and other solo sports/pursuits, p.552)

59 Where it is clear from the context that we mean morning, afternoon or evening, e.g. here with a football match being three o'clock in the afternoon, just as in English there is no need to specify this (e.g. 'de l'après-midi') for the 12-hour clock in French.
(Part II, Chapter 10, Sport, Team sports, such as football, rugby, p.553)

60 Although the subjunctive is typically used following "Je ne suis pas sûr(e)…"/"Je ne suis pas certain(e) que…", the conditional (present conditional [le conditionnel présent]) can be and is sometimes used instead, such as in this example.
(Part II, Chapter 10, Sport, Team sports, such as football, rugby, p.555)

61 According to the French reference dictionary *Larousse*, this terminology is confined to sport. In other words, it is sport-related 'argot' (jargon) in French.
(Part II, Chapter 10, Sport, Team sports, such as football, rugby, p.555)

62 The USA is referred to in the singular in English; this custom is said to have been introduced by US President Abraham Lincoln during the American Civil War 1861–1865 to try to emphasise the unity of the United States. In French, 'les États-Unis' are referred to in the plural.

En anglais, le nom USA (United States [États-Unis]) est considéré comme étant singulier ; on dit que cela a été introduit par le Président des États-Unis Abraham Lincoln pendant la Guerre de Sécession (1861-1865) afin d'essayer de mettre l'accent sur l'unité des États-Unis
(Part II, Chapter 10, Sport, Athletics, p.557)

63 Note this important difference between English and French syntax, as you will see elsewhere in the book: when more than one item is listed in a sentence in speech or writing, it is only necessary to use the preposition 'of' once in English, whereas the French equivalent 'de' has to be used for each item.

Notez cette différence entre la syntaxe anglaise et la syntaxe française, que vous verrez ailleurs dans ce livre : quand une phrase (parlée ou écrite) comporte une liste, il ne faut utiliser la préposition « of » qu'une fois en anglais, alors qu'en français, « de » précède chaque objet de la liste.
(Part II, Chapter 12, Archaeology, Anthropology, Sociology and Culture, What do these topics cover, broadly speaking?, p.564)

64 The term "la vie au quotidien" is commonly seen, too, but this translates more accurately as "life on a day-to-day basis".
(Part II, Chapter 12, Archaeology, Anthropology, Sociology and Culture, Daily life/ Everyday life, p.565)

65 The term 'la mixité sociale' specifically refers in French to gender diversity. 'La diversité sociale' is a broader reference to diversity including gender, race and religion.
(Part II, Chapter 12, Archaeology, Anthropology, Sociology and Culture, Sexual/ Gender equality, p.569)

66 The phrasing of questions in French generally takes one or other of the forms shown below. Many of the informal or colloquial structures among these are illustrated in this chapter.

(a) "As-tu... ?", "Avez-vous... ?", "A-t-il... ?", "A-t-elle... ?", "Es-tu... ?", "Êtes-vous... ?", "Est-il/elle... ?" etc. – this is formal.

(b) Name or noun + a-t-il/elle, ont-ils/elles, sont-ils/elles... ? – formal, e.g.

"Jacques a-t-il... ?", "Solange a-t-elle... ?", "Les enfants ont-ils/ont-elles...", "Le Sénat a-t-il... ?", "Les tables sont-elles... ?". Full-sentence example: "Le plein emploi est-il vraiment possible ?" ("Is full employment really achievable/attainable?")

(c) "Est-ce que... ?" e.g. "Est-ce que tu as/vous avez... ?", "Est-ce que tu es/ vous êtes... ?", "Est-ce qu'il/elle a/est... ?", "Est-ce que c'est... ?" – colloquial and should only be used in speech/text message (SMS) etc.

(d) "Tu as/Vous avez... ?", "Tu es/Vous êtes... ?", "Il/Elle a/est... ?" etc. – more colloquial or informal than (c); it is essentially a statement uttered with the intonation of a question and the same format is used in colloquial English for posing questions.

(e) "Est-ce... ?" – formal, e.g. "Est-ce la raison de ton/votre absence ?" ("Is this the reason for your absence?"), "Est-ce le nouveau paradigme ?" ("Is this the new paradigm?").

(f) "Y a-t-il... ?", "Reste-il... ?" etc. e.g. "Y a-t-il un magasin près d'ici ?" ("Is there a shop near here?"), "Reste-il (encore) du café ?" ("Is there any coffee left?") – formal.

(g) "Qu'as-tu... ?"/"Qu-avez-vous...?", "Qu'a-t-il/elle... e.g. "Qu'as-tu acheté pour les enfants ?", "Qu'a-t-il/elle dit/fait ?" - formal.

(h) "Qu'est-que... ?" e.g. "Qu'est-ce que tu as/vous avez dit/fait?" etc., "Qu'est-ce que tu as/vous avez ?" ("What's wrong with you?"/"What's the matter with you?"/"What's up with you?") – same as (c).
(Part II, Chapter 13, Personal and relationships, One's love life, p.570)

67 A more formal way to say this in French would be: "Nous sommes tombés amoureux au premier regard."
(Part II, Chapter 13, Personal and relationships, One's love life, p.571)

68 "Tien" used here without the determinant "le" is being used in its adjectival form. Mien/Mienne, tien/tienne used as adjectives and hence minus determinants are, nowadays, essentially only used in emotive or sentimental contexts such as this. For this reason it is most often found in the first and second person singular. The use of this adjectival format with the third person singular ('sien'/'sienne'), first person plural ('nôtre') and second person plural ('vôtre') is far less common and with the third person plural ('leur'/'leurs') it is not used at all.
(Part II, Ch.13, Personal and relationships, One's love life, p.572)

69 Notice that despite the singular "on s'est", the verb takes the plural, since we are referring to more than one person. Otherwise it would translate to "One found oneself".
(Part II, Chapter 13, Personal and relationships, One's love life, p.574)

70 Though it can be used as a verb, as in 'baiser la main de quelqu'un', 'baiser la joue ou le visage de quelqu'un', or 'baiser le sol', to mean 'to kiss someone's hand', 'to kiss someone's cheek or face' or 'to kiss the ground', respectively, it is also used ('baiser quelqu'un') in vulgar slang in French to mean to have sexual intercourse with someone or to rip someone off! Thus, in order to avoid embarrassing misunderstandings, it is best either to use 'donner un baiser', and to avoid 'baiser' in formal or polite settings!
(Part II, Chapter 13, Personal and relationships, A kiss; a peck on the cheek; to kiss on both cheeks the French way, p.575)

71 This sentence structure is informal. The formal way of saying, for example, "A doctor friend of mine said…" would be: "J'ai un ami/une amie médecin qui a dit…"

There are nuances, however! For example, "C'est un ami à moi." is considered formal, whereas "Un ami à moi a dit…", or "C'est un ami à moi qui l'a dit" are considered less formal statements.
(Part II, Chapter 13, Personal and relationships, Childhood, youth, friendship, platonic relationships, p.584)

72 Jumeaux – male twins or one male, one female twin.
    Jumelles – female twins.
(Part II, Chapter 13, Personal and relationships, Family relationships/relations; related to someone, p.585)

73 Pour les lecteurs francophones :

L'expression anglaise « given to » (littéralement « donné(e)(s) à ») est une expression figurée et a la même signification que « has a tendency to » ou « has a propensity to do something/has a propensity for/toward doing something ». Toutes ces expressions se traduisent par « avoir tendance à faire quelque chose »
(Part II, Chapter 13, Personal and relationships, Character, p.593)

74 Désoler quelqu'un', e.g. "Cela/Ça me désole." ("That upsets me."), would convey a stronger feeling of upset equivalent to 'bouleverser'.
(Part II, Chapter 13, Emotion, quarrels and reconciliation, part (b), p.600)

75 'Être dans le déni de quelque chose' is a legal term and so is not appropriate here.
(Part II, Chapter 13, To be in denial about something, p.608)

76 Notice 'jouer au/à la...' for sport and 'jouer du/de la...' for musical instruments.
(Part II, Chapter 15, Leisure and travel, Enjoyment; the joys of life, p.623)

77 Note: 'Sur la voie/la bonne voie pour quelque chose' (tends to be more colloquial); Cf. 'en voie/en bonne voie de faire quelque chose/de quelque chose'.
[See Theme 9, Plans and projects, p.40]
(Part II, Ch.17, Education, University and the university degree, p.634)

78 'Rouler' is colloquial/informal in this context.
(Part II, Chapter 18, Transportation, Fuel, p.636)

79 The quantitative adverbs (Les adverbes de quantité) in French (assez, autant, beaucoup, combien, davantage, moins, peu, plein, plus, suffisamment, tant, tellement, trop) are always followed by 'de' only, i.e. not followed by the articles 'le', 'la' and 'les' (so not "beaucoup du/de la/des" or "plus du/de la/des" for example).
(Part II, Chapter 19, Food and drink, Recipes, p.643)

80 Ce n'est pas inhabituel/rare que... + *subjunctive*
    Ce n'est pas inhabituel/rare de... + *infinitive.*
(Part II, Chapter 19, Food and drink, The world of tea and coffee, p.644)

81 Note that 'de' is omitted after "à l'intérieur" in this instance, because it is followed by "et sur...". In other words, "inside/outside and..." translates as "à la intérieur/extérieur et...", and not "à l'intérieur/extérieur de et...".
(Part II, Chapter 22, Astronomy, Stargazers and light pollution, p.654)

82 Note how French gets around the problem of elision that arises when the "de" of "sous le nom de" is followed by a word in quotes beginning with a vowel, or 'y', or 'h' aspiré, by putting the "d" and apostrophe outside the quotes.
(Part II, Chapter 22, Astronomy, Solar wind, the heliosphere and the heliopause, p.659)

83 Note that while in English the 'thousand million' term and its multiples 'x thousand million' are used interchangeably with the unit 'billion' and 'x billions', the terms 'mille millions' and 'x mille millions' are not used in French –only 'milliard'.

Notez qu'en anglais, il est parfaitement correct de dire « a thousand million » (« mille millions ») pour dire « billion » (« milliard »). Il est donc possible de trouver des constructions telles que « four thousand million » (« quatre mille millions »).
(Part II, Chapter 22, Astronomy, The age of the solar system, p.661)

Sources and further reading

L'Académie française

Centre Nationale de Ressources Textuelles et Lexicales

Larousse dictionnaire française et multilingue

Grevisse, M., Goosse, A. (2007). *Grevisse: Le bon usage*. 13th edition. DeBoeck, Duculot

Cassagne, J-M. (1995). *101 French Idioms*. Lincolnwood, Illinois: NTC/ Contemporary Publishing Group, Inc.

Day, D., Le Fur, D. et al. (2002, 2007) *Collins Robert Concise French Dictionary*. 6th Edition, 7th Edition. Glasgow: HarperCollins Publishers Ltd.

Le Petit Robert

Cuq, J-P. (2003). *Dictionnaire de didactique du français langue étrangère et seconde*. Paris: CLE International, ASDIFLE

Humberstone, P. (2000, 2010). *Mot à mot New advanced vocabulary*. 3rd edition, 5th edition. London: Hodder & Stoughton

Jubb, M. (2002). *Upgrade your French*. London: Arnold

Kirk-Greene, C.W.E. (1992). *Colloquial French*. Cippenham: Foulsham

McCarthy, M. et al. (2002). *Cambridge Word Routes, Anglais–Français. Lexique thématique de l'anglais courant*. 5th printing. Cambridge: Cambridge University Press

Office québécois de la langue française

Price, G. (2008). *A Comprehensive French Grammar*. 6th edition. Oxford: Blackwell

Ribière, M., Marriott, T. (2004). *Help yourself to advanced French grammar*. 2nd edition, 7th impression. Harlow: Longman

Robertson, L.A., Sinclair, L. (2001). *Collins Gem French Grammar*. 3rd edition. Glasgow: HarperCollins Publishers Ltd.

Robertson, L.A. (2001). *Collins Gem French Verb Tables*. 3rd edition. Glasgow: HarperCollins Publishers Ltd.

Termium Plus (the Government of Canada's terminology and linguistic data bank)

Index

Abbreviations in this index Abréviations dans cet index

n   noun/nom
v   verb/verbe
adj. adjective/adjectif

adv.   adverb/adverbe
prep. preposition/préposition
ling. linguistic term/terme linguistique

conj.   conjunction

English

Français

Printed in Great Britain
by Amazon

11068437R00432